D0538160

OUT

Du même auteur

Disparitions
Éditions du Rocher, 2002
et UGE, collection « 10/18 », 2004

NATSUO KIRINO

OUT

thriller

TRADUIT DU JAPONAIS
PAR RYÔJI NAKAMURA ET RENÉ DE CECCATTY

ÉDITIONS DU SEUIL
27, rue Jacob, Paris VIᵉ

Ce livre est édité par Robert Pépin

Titre original : *Out*
Éditeur original : Kodansha, Japon
© original : Natsuo Kirino, 1997
ISBN original : 4-06-208552-6

ISBN 2-02-078953-1

www.seuil.com

« Le chemin du désespoir passe par le refus de toute expérience. »

Flannery O'CONNOR

PREMIÈRE PARTIE
ÉQUIPE DE NUIT

CHAPITRE 1

Elle arriva au parking en avance pour le rendez-vous.

Dès qu'elle descendit de la voiture, elle sentit la moiteur d'une épaisse nuit de juillet. La chaleur humide semblait rendre les ténèbres plus noires, plus pesantes.

Masako Katori eut l'impression de suffoquer et regarda le ciel nocturne sans étoiles. Sa peau refroidie et asséchée par la climatisation de la voiture se mit rapidement à ruisseler et à se faire collante.

Une légère odeur de friture flottait dans l'air, mêlée à des bouffées de gaz d'échappement provenant de la route de Shin-Ômé. Elle émanait de la fabrique de paniers-repas où Masako allait travailler.

«J'ai envie de rentrer.»

Chaque fois qu'elle sentait cette puanteur, ces mots lui échappaient. Mais rentrer où? Une chose était certaine: pas à sa maison, qu'elle venait de quitter. Pourquoi ne voulait-elle pas rentrer chez elle? Et où aurait-elle pu rentrer? Masako avait le sentiment de s'être égarée et de ne plus savoir où elle en était.

De minuit à cinq heures et demie du matin, sans la moindre pause, elle devait garnir des paniers-repas qui passaient devant elle sur un tapis roulant. Pour un travail d'appoint, le salaire était élevé, mais les conditions pénibles parce qu'il lui fallait rester debout. Plus d'une fois, quand elle n'était pas en forme, il lui était arrivé de se crisper sur place à la perspective de cette tâche harassante. Mais le malaise qu'elle ressentait ce soir-là avait une autre cause.

Comme d'habitude elle alluma une cigarette. Mais pour la

première fois elle s'aperçut qu'elle le faisait afin de combattre les relents de la fabrique. L'établissement, situé dans la commune de Musashi-Murayama, se dressait, isolé, au bord d'une route longée de l'autre côté de la chaussée par le mur gris d'une gigantesque usine automobile. Tout autour s'étendaient des champs cultivés et d'innombrables ateliers de réparation de voitures. C'était une plaine dégagée d'où l'on voyait parfaitement le ciel. La fabrique était à trois minutes à pied du parking qui se trouvait derrière une usine désaffectée et sinistre.

Le parking consistait en un vaste terrain vague à peine aménagé ; les places étaient délimitées par des cordeaux ensevelis sous du sable et devenus invisibles. Des monospaces destinés au transport des employés et de petites voitures y étaient garés en désordre.

Quelqu'un se serait-il caché derrière la broussaille ou derrière une voiture qu'on ne l'aurait pas remarqué. C'était un endroit peu sûr. Par acquit de conscience, Masako regarda autour d'elle en verrouillant sa portière.

Elle entendit un crissement de pneus et le faisceau éblouissant de phares jaunes balaya en un instant l'herbe d'été. Une Golf verte cabriolet entrait dans le parking. Au volant, une femme rondelette fit redescendre la capote : c'était Kuniko Jônouchi. Elle avança la tête pour lui faire un petit signe.

— Excuse-moi pour ce retard, dit-elle.

Kuniko gara nonchalamment sa Golf à côté de la Corolla d'un rouge terni de Masako. Elle la mit complètement de biais sur la droite sans que ça semble lui poser un problème et fit un bruit inutile et excessif pour tirer le frein à main et fermer la portière : en toute chose elle agissait de façon ostentatoire et bruyante. Masako écrasa sa cigarette sous la pointe de sa basket.

— Dis donc, elle est pas mal du tout, ta voiture, lança-t-elle.

Le véhicule faisait déjà jaser dans la fabrique.

— Tu trouves ? lui demanda Kuniko en laissant furtivement apparaître le bout de sa langue d'un air ravi. Mais je me suis endettée, que c'en est absurde !

Masako eut un petit rire équivoque. La voiture n'était certainement pas la seule cause de ses dettes. Kuniko n'achetait que des articles de marque et ses robes la ruinaient.

– Dépêchons-nous, dit-elle.

Depuis le début de l'année un obsédé sexuel sévissait entre le parking et la fabrique. Plusieurs fois déjà des employées à mi-temps avaient été entraînées dans l'obscurité et agressées. La veille justement, la direction leur avait conseillé de ne plus venir seules au travail.

Elles avancèrent sur la route en terre battue, sans le moindre lampadaire et plongée dans le noir. Sur la droite des HLM alternaient de manière anarchique avec des maisons d'agriculteurs entourées de grands jardins : il y avait tout de même des traces humaines dans ce désordre. Sur la gauche, en revanche, au-delà d'un fossé envahi d'herbes d'été, il n'y avait que l'ancien bâtiment de la fabrique de paniers-repas et un bowling fermé – paysage morne et désolé. C'est dans la vieille bâtisse que l'obsédé sexuel avait conduit ses victimes. Masako hâta le pas à côté de Kuniko, en jetant à droite et à gauche des coups d'œil attentifs.

Des éclats de voix montaient d'un petit immeuble au fond à droite – un homme et une femme qui se chamaillaient en portugais. Sans doute des collègues qui travaillaient à la fabrique. Car on n'y employait pas que des ménagères à mi-temps, mais aussi beaucoup de Brésiliens d'origine japonaise ou de souche européenne et parmi eux nombre de couples mariés.

– Tout le monde prétend que l'obsédé est un Brésilien, dit Kuniko en fronçant les sourcils dans l'obscurité.

Masako continua de marcher sans lui répondre. Elle se fichait bien de savoir de quelle nationalité il pouvait être ! Tant qu'il travaillerait à la fabrique, il ne pourrait jamais évacuer ses frustrations physiques ou morales. Les femmes n'avaient plus qu'à se défendre.

– Il paraît que c'est un géant, reprit Kuniko. Qu'il est balèze et qu'il t'empoigne et te maintient dans ses bras sans un mot.

Son ton laissait poindre une certaine envie. Elle devait avoir l'esprit embrumé, comme le ciel par les nuages bas et denses à cet instant.

Elles entendirent un vélo freiner derrière elles et sursautèrent en se retournant.

– Bonjour, vous deux! leur lança Yoshié Azuma.

Travailleuse acharnée, celle-ci avait plus de cinquante ans. Veuve. Très adroite, elle abattait plus de travail que les autres. Ses collègues la surnommaient non sans ironie «la Patronne». C'est avec un certain soulagement que Masako la salua.

– Ah, c'est toi, la Patronne. Bonjour.

Kuniko recula d'un pas: elle ne la portait pas dans son cœur.

– Toi aussi, tu m'appelles la Patronne? Ça ne me plaît pas, protesta Yoshié qui n'était pas si mécontente que ça.

Elle descendit de vélo pour marcher au même pas que les deux autres. Bien que de petite taille, elle était râblée comme un crabe et paraissait idéale pour le travail de force. La pâleur de son visage menu se détachait dans la nuit et, contrairement à son corps, exprimait une certaine sensualité. C'était même ce qui lui donnait un air malheureux.

– Je vois que vous vous tenez compagnie à cause de l'obsédé sexuel, dit-elle.

– Oui, répondit Masako. Kuniko est jeune.

Kuniko eut un petit gloussement. Elle avait vingt-neuf ans. Tout en évitant les flaques qui brillaient dans l'obscurité, Yoshié dévisagea Masako.

– Tu es toujours dans la course, toi, que je sache! Tu n'as que quarante-trois ans, non?

– N'importe quoi! lui renvoya Masako sans rire.

Ces derniers temps elle ne se sentait guère d'humeur sensuelle.

– Tu te trouves déjà desséchée? Froide et sèche?

Yoshié plaisantait, mais au fond Masako lui donnait raison. Elle avait effectivement l'impression de ramper sur un sol froid et aride. En ce moment elle se sentait même quasiment reptilienne.

– Au fait, reprit Masako pour changer de sujet, tu arrives plus tard que d'habitude, la Patronne.

– Grand-mère a eu un petit problème.

Yoshié s'occupait de sa belle-mère grabataire. Elle ne voulut pas en dire plus et se contenta d'une grimace.

Sans l'interroger davantage, Masako regarda droit devant elle. Sur la gauche, à l'endroit où s'arrêtaient les bâtisses désaffectées, étaient garés les camions blancs qui livraient les paniers-repas dans les supérettes. Plus loin, la fabrique se dressait dans l'éclat blême des néons comme un quartier de plaisir.

Après avoir attendu Yoshié qui était allée ranger son vélo dans l'emplacement réservé aux deux-roues, elles gravirent ensemble l'escalier extérieur, dont les marches étaient garnies d'un faux gazon tout pelé.

L'entrée se trouvait au premier étage. À droite, le secrétariat, et au fond du couloir, la salle de repos et le vestiaire. La fabrique étant au rez-de-chaussée, les employés devaient redescendre après s'être changés.

Le port des chaussures était interdit après le vestibule et l'on devait marcher sur un tapis en lino rouge. La lumière des néons assombrissant les couleurs, le couloir semblait lugubre. Le visage des trois femmes en fut également terni et obscurci. Masako observa les traits fatigués de ses deux collègues et se dit qu'elle devait avoir ce teint-là elle aussi.

Devant les étagères à chaussures, la responsable de la surveillance sanitaire, Komada, attendait avec un rouleau adhésif. Taciturne et maussade, elle l'appliqua sur le dos de chacune afin d'enlever la poussière de l'extérieur.

Les trois femmes entrèrent dans la vaste salle de repos à tatamis. Les employés y bavardaient par petits groupes. Tous avaient déjà revêtu leurs blouses blanches. On attendait le début de son service en mangeant des gâteaux ou en sirotant du thé. Certains s'étaient allongés par terre pour rattraper leur sommeil.

Composée d'une centaine d'ouvriers, l'équipe de nuit comptait un tiers de Brésiliens, hommes et femmes en nombre égal. Pendant les vacances scolaires, il y avait aussi des étudiants, mais la majorité de la force de travail était constituée de ménagères de quarante ou cinquante ans.

Après avoir salué les vétérans, les trois femmes se dirigèrent vers le vestiaire, où elles aperçurent, assise seule dans un coin, Yayoi Yamamoto. En les voyant entrer, celle-ci ne sourit même pas et, comme en proie à une idée fixe, resta tassée sur elle-même.

– Bonjour, Yayoi! (L'ombre de son sourire se dissipa comme des bulles de mousse.) Tu as l'air crevée.

Yayoi acquiesça docilement et leva vers elle son visage mélancolique. Des quatre, et même de l'équipe de nuit tout entière, Yayoi était la plus jolie. Ses traits formaient un ensemble d'éléments tous parfaits : front large, équilibre gracieux entre les sourcils et les yeux, nez retroussé, lèvres charnues. Bien que menu, son corps était lui aussi bien proportionné et élégant. Ces qualités se remarquaient tellement dans la fabrique qu'elle était aussi souvent persécutée que favorisée.

Masako avait pris Yayoi sous son aile protectrice. Contrairement à elle-même qui tentait à tout prix d'éliminer tout comportement irrationnel, Yayoi traînait derrière elle un lourd fardeau de sentimentalisme. Masako retrouvait chez Yayoi exactement ce qu'elle avait écarté et qui avait encombré sa vie : sans se poser de questions, Yayoi ne craignait pas de mettre à nu les replis de son cœur, et c'est ce qui faisait tout son charme aux yeux de Masako.

– Qu'est-ce qui se passe? reprit-elle. Ce n'est pas la forme, toi!

Yoshié tapa de sa main rougie sur l'épaule de Yayoi qui tressaillit de tout son corps. Surprise par cette réaction, Yoshié se retourna vers Masako qui, d'un regard, lui fit signe de partir devant, avec Kuniko.

– Tu es malade?

– Non, c'est rien.

– Tu t'es encore disputée avec ton mari?

– Si c'était que ça! répondit Yayoi d'un air sombre.

Puis elle fixa de ses yeux vides l'espace derrière Masako qui, pour gagner du temps, arrangea avec une barrette ses cheveux qui lui tombaient jusqu'aux épaules.

– Qu'est-ce qui s'est passé?

– Je t'en parlerai plus tard.

– Non, raconte-moi maintenant, dit Masako en jetant un coup d'œil à l'horloge accrochée au mur.

– Non. C'est trop long.

L'espace d'un instant la colère assombrit son visage, mais disparut aussitôt. Masako n'insista pas et se releva.

– D'accord.

Elle se hâta d'entrer dans le vestiaire pour y chercher sa blouse de travail. Vestiaire, c'était beaucoup dire car ce n'était qu'un endroit isolé de la salle de repos par un rideau. Comme lors des soldes dans un grand magasin, on y trouvait une accumulation de penderies robustes où des blouses étaient accrochées à des cintres. Dans la partie réservée aux équipes de jour s'entassaient les blouses qu'on venait de quitter, l'autre renfermant des vêtements de ville bigarrés.

– On part devant, dirent Yoshié et Kuniko en portant le filet et le bonnet qu'elles devraient se mettre sur la tête.

L'heure de pointer était arrivée. Le règlement exigeait que l'opération se fasse entre minuit moins le quart et minuit et qu'on attende à l'entrée de la fabrique, au rez-de-chaussée.

Masako trouva son cintre, où étaient accrochés une blouse fermée par une fermeture Éclair et un pantalon resserré à la taille par un élastique. Rapidement, elle enfila le haut par-dessus son tee-shirt et, en craignant le regard des hommes dans la salle de repos, elle enleva son jean pour mettre le bas de l'uniforme. Le vestiaire était commun aux deux sexes. Depuis deux ans qu'elle travaillait dans cet endroit, elle ne s'était jamais habituée à cette indélicatesse.

Elle resserra dans le filet ses cheveux qu'elle avait déjà fixés avec sa barrette et recouvrit le tout avec le bonnet en papier qui ressemblait à un bonnet de douche. Puis elle prit un tablier en plastique transparent et quitta le vestiaire pour aller retrouver Yayoi qui n'avait pas bougé et avait toujours le même air perdu.

– Dépêche-toi, Yayoi, lui dit-elle.

En la voyant se relever avec lenteur, Masako fut moins irritée qu'inquiète. La plupart des employés avaient abandonné la salle de repos ; ne s'y trouvaient plus maintenant que quelques

Brésiliens qui, l'air las, fumaient assis par terre, adossés au mur, leurs lourdes jambes étendues devant eux.

– Bonjour.

L'un d'eux la salua en levant son mégot en l'air. Masako lui répondit par un signe de tête et un sourire. L'étiquette sur sa poitrine indiquait son nom : Kazuo Miyamori. Mais son teint basané et ses arcades sourcilières saillantes disaient l'étranger qu'il était. Il devait faire un travail de force qui consistait à transporter le riz cuit dans la machine automatique.

– Bonjour, lança-t-il aussi à Yayoi.

Mais celle-ci était tellement plongée dans ses pensées qu'elle ne se tourna même pas vers lui. La déception se lut sur le visage de Kazuo. Dans l'atmosphère tendue de la fabrique, ce genre d'incident se produisait souvent.

Les quatre femmes passèrent aux toilettes, enfilèrent leurs masques et leurs tabliers et se lavèrent les bras et les mains avec une brosse humectée d'un liquide désinfectant. Puis elles pointèrent, chaussèrent des bottines blanches de travail et se laissèrent examiner par la contrôleuse d'hygiène qui, cette fois-ci, les attendait en haut de l'escalier qui descendait à la fabrique. Une fois encore, l'employée leur frotta le dos avec son rouleau adhésif avant d'examiner leurs doigts et leurs ongles d'un air sévère.

– Vous n'avez pas de plaies ? leur demanda-t-elle.

La moindre blessure à la main interdisait tout contact alimentaire. Elles lui présentèrent leurs paumes et l'examen fut concluant. Yayoi chancelait sur ses jambes.

– Dis, tu es sûre que ça va ?

– Mais oui… plus ou moins.

– Et tes enfants ?

– Hmm, répondit Yayoi sur un ton ambigu.

Masako regarda de nouveau le visage de Yayoi. À cause du bonnet et du masque, elle n'apercevait que ses yeux épuisés. Yayoi ne parut même pas remarquer le regard scrutateur de Masako.

L'air froid du rez-de-chaussée mêlé aux odeurs de nourriture donnait l'impression d'entrer dans un énorme réfrigérateur.

De l'air frais montait du sol en béton. Même en été, l'endroit était glacial.

Elles firent la queue derrière les employés qui attendaient l'ouverture de la porte. Yoshié et Kuniko, qui se trouvaient en tête, se retournèrent et leur lancèrent un regard amical. Elles travaillaient toujours ensemble et s'entraidaient. Ce genre de travail exigeait cette complicité.

La porte s'ouvrit. D'un seul mouvement, les employés entrèrent dans la salle, puis tous se lavèrent de nouveau les mains et les bras pour la désinfection. Le tablier qui leur arrivait jusqu'aux chevilles devait être lui aussi passé au désinfectant. Masako dut attendre Yayoi qui était particulièrement lente. Quand elles furent enfin parvenues au tapis roulant après la désinfection, les autres avaient déjà commencé les préparatifs du travail.

– Mais dépêchez-vous ! s'écria Yoshié en rabrouant Masako avec agacement. Nakayama va venir.

C'était le responsable de l'équipe de nuit. Il n'avait qu'une trentaine d'années, mais était si pointilleux sur les normes de production que c'était la bête noire des employées à mi-temps.

– Pardon, pardon, murmura Masako.

Puis elle alla chercher en hâte les gants jetables en plastique et le torchon pour Yayoi et pour elle. Yayoi ne parut se rendre compte du travail qui l'attendait que lorsque Masako lui eut fourré ces accessoires dans les mains.

– Allons, courage !

– Merci.

Une fois revenue à sa place, à la tête du tapis roulant, Yoshié montra le cahier de commandes illustré de photos.

– D'abord, le plat de curry, dit-elle. Il en faut mille deux cents portions. C'est moi qui vais mettre le riz et toi, comme toujours, tu me passeras le récipient. D'accord ?

Le dosage du riz était la tâche essentielle en début de chaîne : il commandait toute la suite des opérations. Yoshié, qui avait de l'expérience, en était toujours chargée et décidait de la vitesse du tapis. Masako, qui s'entendait bien avec elle, devait lui passer le récipient pour qu'elle le remplisse.

Masako préparait son travail en détachant à l'avance les récipients en plastique pour les tendre plus facilement l'un après l'autre. Elle se retourna et constata que Yayoi avait tellement traîné qu'on lui avait soufflé la tâche, pourtant bien facile, d'y verser du curry. Kuniko qui s'était assuré ce rôle haussa les épaules. Inutile de s'entraider si tout le monde n'y met pas du sien.

– Qu'est-ce qu'elle a? Ça ne va pas? demanda Yoshié en fronçant les sourcils.

Masako hocha la tête en silence. Yayoi n'était effectivement pas dans son assiette. Elle finit par se faire exclure de la chaîne et il ne lui resta plus qu'à se contenter de l'«égalisation» du riz, tâche pour laquelle il n'y avait jamais preneur. Masako réprima l'envie de claquer la langue en signe de reproche et lui murmura:

– C'est dur ce qu'il faut faire là, tu sais?

– Je sais.

Nakayama, le contremaître, accourut.

– On se dépêche! cria-t-il. Qu'est-ce que vous foutez, bande d'idiotes?

Comme il portait un képi à visière par-dessus son calot, on ne voyait pas son expression, mais derrière ses lunettes à monture noire ses petits yeux brillaient d'un éclat menaçant.

– Le voilà! soupira Yoshié en claquant la langue.

– Quelle sangsue! murmura Masako à voix basse, furieuse d'avoir été traitée d'idiote.

Elle détestait l'arrogance de Nakayama.

– Pardon, dit une femme entre deux âges qui semblait nouvelle. On m'a demandé d'égaliser le riz. Qu'est-ce que je dois faire?

– Il suffit de l'aplatir, ici. Je commence par en verser dans le récipient et toi, tu l'aplanis avec la main pour qu'on puisse verser du curry dessus. Ta collègue en fait autant en face de toi. Tu n'as qu'à l'imiter, lui expliqua Yoshié avec une gentillesse inhabituelle en lui montrant Yayoi de l'autre côté du tapis.

Pourtant l'autre semblait ne toujours pas comprendre et regarda autour d'elle avec désarroi. Sans pitié, Yoshié enclencha la manette. Le tapis s'ébranla avec un grondement. Masako remarqua que Yoshié avait monté la vitesse par rapport à d'habitude. Plus on prenait du retard, plus Yoshié accélérait le rythme de production.

Avec des gestes bien rodés, Masako se mit à passer à Yoshié les récipients l'un après l'autre. Les cubes de riz sortaient par une ouverture. Yoshié les plaçait chacun dans un récipient puis, après avoir pesé ce dernier, le reposait sur le tapis roulant d'une main experte.

Il y avait une personne pour égaliser le riz, une deuxième pour verser de la sauce au curry, une troisième pour découper le poulet frit, une quatrième pour le poser par-dessus le curry, une cinquième pour doser une petite portion de radis mariné, une sixième pour rabattre le couvercle en plastique, une septième pour fixer la cuillère avec du ruban adhésif et une huitième pour coller l'étiquette : ces menues opérations se succédaient en aval de la chaîne et le panier-repas était prêt.

C'est ainsi que le travail commença, comme d'habitude. Masako jeta un coup d'œil discret à l'horloge accrochée au mur. Il n'était encore que minuit cinq et il faudrait travailler cinq heures et demie d'affilée, debout sur le sol glacial en béton. On ne pouvait se rendre aux toilettes que par roulement, une personne à la fois. Parfois on devait attendre plus de deux heures après en avoir fait la demande. Il convenait de se ménager et d'aider ses collègues pour rendre le travail moins pénible. Tel était le secret qui permettait de tenir le plus longtemps possible sans se détruire la santé.

Au bout d'une heure, il devint clair que la débutante n'était pas de taille. L'efficacité se trouvant altérée, la chaîne commença à ralentir. Yayoi donna un coup de main à la nouvelle pour l'aider à égaliser le riz.

Quelle bonne nature ! se dit Masako.

Il aurait mieux valu que Yayoi pense à elle. D'autant plus qu'elle paraissait épuisée.

Les habitués savaient combien l'égalisation du riz était une tâche difficile. Le riz durcissait en refroidissant. Pour égaliser en un seul geste le riz en cubes, il fallait appuyer fort avec les poignets et les doigts. Et comme on était obligé de se pencher sur la chaîne, on finissait par avoir mal aux reins. Une petite heure de ce travail suffisait à provoquer une douleur qui vous prenait à l'épaule et finissait par vous interdire de lever le bras. On chargeait donc de cette tâche un nouveau qui ne savait rien de ces effets. Yayoi remplissait pourtant ses obligations avec un regard triste et résigné.

Tous parvinrent enfin à fabriquer leurs mille deux cents paniers-repas au curry. Ils durent nettoyer vite le tapis roulant pour passer à la tâche suivante.

Elle consistait à confectionner deux mille paniers-repas de la catégorie luxe. Ceux-ci comportant de très nombreux mets, la chaîne n'en devenait que plus longue. Des employés brésiliens, coiffés de calots bleus, rejoignirent l'équipe.

Comme d'habitude, Yoshié et Masako se chargèrent du dosage du riz. Kuniko, qui était débrouillarde et généreuse, réserva la tâche la plus facile à Yayoi: napper de sauce le porc pané. Il fallait prendre deux tranches de viande, une dans chaque main, les tremper dans un bac de sauce et les empiler dans le panier, les côtés imprégnés l'un contre l'autre. Cela lui permettrait du moins de se soustraire au rythme effréné de la chaîne. Même Yayoi pourrait s'en sortir, se dit Masako en s'appliquant sans crainte à son travail.

Mais juste comme ils finissaient de ranger les ustensiles, il y eut un grand fracas qui fit sursauter tout le personnel: Yayoi avait heurté le bac de sauce, le renversant, et était tombée. Le récipient métallique roula dans un bruit assourdissant jusqu'au tapis, une mare de sauce brunâtre se formant tout autour.

Le sol devint aussitôt glissant de ce liquide gras et visqueux répandu en abondance. Les habitués savaient se prémunir contre de tels accidents qui, de ce fait, étaient rares.

– Mais enfin! hurla Nakayama en accourant, hors de lui, qu'est-ce qui s'est passé? Qu'est-ce que c'est que ce bordel?

Des employés se précipitèrent avec des serpillières.

– Désolée, dit Yayoi. Mes pieds ont glissé.

Encore assise dans la sauce, elle était si hébétée qu'elle ne chercha même pas à se relever. Masako vint vers elle pour l'aider.

– Lève-toi vite, lui dit-elle.

La blouse de travail se relevant sur le ventre de Yayoi, Masako aperçut un gros hématome noirâtre sous ses côtes. Était-ce pour ça qu'elle manquait d'entrain ? Comme un sceau funeste frappé de la main de Dieu, la marque se détachait sur sa peau blanche. Masako claqua la langue et se dépêcha de rabattre sa blouse pour que le bleu échappe aux regards des autres.

Inutile d'aller voir dans les vestiaires : il n'y aurait pas de blouse de rechange. Yayoi reprit son travail dans sa blouse maculée de sauce aux manches et sur ses fesses. La sauce avait tôt fait de se coaguler et de prendre une teinte marron, sans traverser le tissu. Mais l'odeur était envahissante.

Cinq heures et demie du matin. Le travail ayant été accompli dans les temps et sans besoin d'heures supplémentaires, les employés regagnèrent le premier étage. Après s'être changées et avoir acheté des boissons au distributeur automatique de la salle de repos, les quatre femmes avaient l'habitude de bavarder une vingtaine de minutes avant de rentrer chez elles.

– Tu n'as pas l'air d'aller bien aujourd'hui. Il s'est passé quelque chose ? demanda Yoshié qui n'était au courant de rien.

Une nuit de travail avait laissé des traces sur le visage de Yoshié, accusant son âge. Yayoi but d'une seule traite son café dans un gobelet en carton et, après quelques instants de réflexion, répondit :

– Hier, je me suis disputée avec mon mari.

– Ça arrive à tout le monde, non ?

Yoshié lui sourit d'un air complice. Kuniko tenait une fine cigarette mentholée au coin des lèvres, ce qui lui donnait un air canaille. Elle plissa les yeux et abonda dans son sens.

– Vous semblez pourtant bien vous entendre, ton mari et toi. Vous sortez souvent avec vos enfants.

– Non, pas trop ces derniers temps, murmura Yayoi.

Masako scrutait en silence le visage de Yayoi. Celle-ci s'assit et resta un moment abattue, comme paralysée de fatigue.

– Ce sont des choses qui arrivent, reprit Yoshié. Dans la vie, il y a des hauts et des bas.

Yoshié, qui était veuve, pensait avoir eu le mot de la fin avec ses clichés, mais Yayoi lui répondit sur un ton agressif.

– Il m'a dit qu'il avait dépensé toutes nos économies. J'ai été folle de rage.

La violence de son expression et la gravité de ses propos imposèrent le silence à ses compagnes.

– Qu'est-ce qu'il en a fait? demanda Masako en soufflant la fumée de la cigarette qu'elle venait d'allumer.

– Il dit qu'il joue. À un jeu qui s'appelle le baccara.

– Je croyais que ton mari était un employé modèle, dit Yoshié en écarquillant les yeux de stupeur. Qu'est-ce qui l'y a poussé?

– Aucune idée, répondit Yayoi en hochant faiblement la tête. Il fréquente un truc, il y passe son temps, je ne sais pas, moi.

– Vous aviez combien d'argent de côté? demanda Kuniko, les yeux brillants de curiosité.

– Environ cinq millions de yens[1], répondit Yayoi dans un murmure.

Kuniko avala sa salive avec une envie mal dissimulée.

– C'est impardonnable! s'écria-t-elle.

Yayoi retrouva l'expression de colère qu'elle avait eue plus tôt devant Masako.

– N'est-ce pas? Et avec ça, il m'a frappée au ventre!

Elle releva le pan de son tee-shirt pour leur montrer son bleu. Yoshié et Kuniko échangèrent un regard.

– Il doit s'en mordre les doigts, dit Yoshié pour calmer le jeu. Moi aussi, je me suis souvent disputée avec mon mari et on allait chaque fois jusqu'aux coups de poing! Lui, c'était une brute; ce n'est pas le cas du tien.

– Que veux-tu que je te dise? lâcha Yayoi en caressant son ventre par-dessus son tee-shirt.

---

1. Soit un peu moins de 36 000 euros (1 euro = 140 yens) *(N.d.T.)*

Dehors, il faisait déjà jour. Comme la veille, la journée s'annonçait humide et chaude. Yoshié et Yayoi qui devaient rentrer à vélo dirent au revoir à l'entrée de la fabrique, tandis que Masako et Kuniko se dirigeaient vers le parking.

– On aura eu une saison des pluies sans pluie cette année.

– Tu crois qu'on va avoir la sécheresse? demanda Kuniko en levant les yeux vers le ciel lourd.

Des gouttes grasses perlaient sur son visage.

– Ça se pourrait bien... à ce rythme-là.

– Dis-moi, Masako, qu'est ce qui se passe entre Yayoi et son mari?

Masako haussa les épaules d'un air perplexe.

– Moi, à sa place, je divorcerais, décida Kuniko en bâillant à s'en décrocher la mâchoire. Ça me rendrait pire que folle! Si jamais il s'amusait à vider notre compte joint...

– Ça, c'est sûr, acquiesça Masako.

Mais les enfants de Yayoi n'avaient encore que trois et cinq ans. Ce n'était pas si simple que ça: on ne pouvait pas trancher sur-le-champ. Masako n'était pas la seule à ne pas savoir où rentrer.

Elles allèrent en silence jusqu'au parking, où chacune ouvrit la portière de sa voiture.

– Eh bien, bonne nuit.

– Bonne nuit.

Se souhaiter bonne nuit à l'aube... se dit Masako en se calant sur son siège. La fatigue déferla sur elle. Elle leva les yeux vers le ciel, dont la lumière l'éblouit douloureusement.

CHAPITRE 2

Kuniko mit le contact de la Golf. La voiture démarra au premier coup. Le vrombissement du moteur résonna avec confiance dans le parking. Elle était ravie de voir que l'auto fonctionnait parfaitement en ce moment. L'année précédente, elle en avait eu pour deux cent mille yens de réparations.

– À bientôt, dit Masako, qui lui fit un petit signe en sortant du parking.

Elle ne s'embarrassait pas d'efforts pour plaire. Kuniko, sa cadette, baissa poliment la tête pour la saluer. Elle n'était pas toujours à l'aise avec Masako qui évoluait dans un autre monde, sans qu'on arrive à savoir ce qu'elle pensait vraiment. Dès qu'elle voyait disparaître Masako, elle était soulagée. À peine Kuniko quittait-elle ses collègues de la fabrique qu'elle retrouvait son vrai visage, comme si un voile épais la quittait.

La voiture de Masako s'était arrêtée au feu, juste à la sortie du parking. En voyant l'arrière cabossé de la Corolla, Kuniko se demanda comment Masako pouvait conduire un véhicule aussi amoché. La peinture rouge était ternie et, vu son triste état, elle avait bien cent mille kilomètres au compteur. Et rien de plus démodé que de mettre l'autocollant rouge de la sécurité routière ! Pourquoi ne pas rouler, comme Kuniko, dans une voiture plus chic, même d'occasion ? Ou alors... se payer une bagnole à crédit ?

Pour son âge, Masako avait un visage et un physique plutôt avenants, mais elle ne faisait aucun effort pour se rendre attirante : là était tout le problème.

Kuniko glissa une cassette de son mari dans l'autoradio. La

voiture fut aussitôt envahie par une voix féminine haut perchée qui chantait de la pop dans un style sirupeux. La chaleur était insupportable. Kuniko retira la cassette de l'appareil. Elle ne s'intéressait pas du tout à la musique. Ses gestes n'avaient eu pour but que de lui permettre de se sentir libérée d'un labeur pesant et de vérifier le bon fonctionnement de sa voiture.

Elle changea l'orientation du ventilateur pour que l'air frais de la climatisation lui arrive de plein fouet. Elle actionna la commande de la capote qui se rabattit lentement, tel un serpent qui mue. Elle raffolait de cet instant, où ce qu'elle trouvait banal devenait spectaculairement original. Si seulement toute la vie était à cette image ! se dit-elle.

Quand même ! songea-t-elle encore en retournant à Masako. Toujours fagotée dans les mêmes jeans et dans un tee-shirt ou un polo délavé hérités de son fils. En hiver, elle enfilait par-dessus un sweat-shirt ou un pull terne. Pire encore, elle mettait parfois une doudoune qu'elle avait reprisée avec du Scotch pour l'empêcher de perdre son duvet. Là, c'était vraiment trop !

En hiver, les arbres nus lui rappelaient Masako : corps sans rien de superflu et peau sèche. Ses yeux étaient perçants et son nez et ses lèvres fines s'en tenaient au strict minimum. Si seulement elle s'était un peu maquillée ou si, comme Kuniko, elle avait porté des vêtements coûteux… Elle aurait été charmante et on lui aurait bien donné cinq ou six ans de moins. Tout cela était vraiment regrettable ! songea Kuniko qui oscillait entre la jalousie et le mépris.

Kuniko, elle, se sentait moche et grosse. Elle se regarda dans le rétroviseur et éprouva une forme de désespoir qui lui était familière.

Elle avait des bajoues et des petits yeux perdus dans son visage trop grand. Son nez écrasé était trop large et elle avait une bouche en cul de poule. Le ratage de ses traits venait de ces disproportions. Le matin, surtout après une nuit de travail, elle semblait terriblement laide. Elle sortit des lingettes de sa trousse de toilette Prada pour éponger les parties grasses de son visage.

Elle savait parfaitement que, pour une femme sans compétence particulière, il n'y avait aucun espoir d'obtenir un emploi lucratif sans être séduisante. C'est pour cela qu'elle s'était retrouvée dans une équipe de nuit, à travailler à mi-temps, dans une fabrique... Et son stress la faisait manger encore plus, et donc grossir.

Tout l'énervant soudain, elle enclencha les vitesses automatiques, donna un coup d'accélérateur et lâcha la pédale de frein. La Golf fit un bond en sortant du parking. Kuniko vit avec délice dans le rétroviseur un nuage de poussière se soulever derrière elle.

Sur la route de Shin-Ômé, elle prit la direction du centre de Tôkyô. Au feu rouge, elle tourna vers Kunitachi. Sur la gauche, au-delà d'un verger de poiriers, on apercevait une petite résidence divisée en appartements aux pièces minuscules. C'était là qu'elle vivait.

Vivre dans cet ensemble était la chose qu'elle détestait le plus au monde. Mais, pour le moment, Tetsuya, son compagnon, et elle ne pouvaient se permettre davantage. Elle aurait rêvé d'être une femme différente et de vivre dans un endroit différent avec un homme différent. Bien entendu, « différent » signifiait d'un rang supérieur. Mais était-elle vraiment bizarre de se soucier à ce point du « rang » et de s'abandonner à ce genre de rêve ?

Elle gara sa Golf à sa place réservée dans le parking de la résidence. Tout autour, il n'y avait que de petites voitures et des véhicules populaires de fabrication japonaise. Soudain fière de son auto, Kuniko en claqua la portière avec toute la violence dont elle était capable. Tant mieux si elle pouvait réveiller quelqu'un ! Mais elle savait aussi que, si un locataire venait protester, elle se perdrait en excuses. Il fallait toujours trouver des accommodements pour survivre, même si ce n'était que provisoire.

Elle prit l'ascenseur, dont les parois étaient couvertes de graffitis, emprunta le couloir encombré de tout un capharnaüm – tricycle et caisses en polystyrène venues d'une coopérative d'achats –, et arriva à son appartement du quatrième. Elle ouvrit la porte avec sa clé et entra dans une pièce obscure, au fond de laquelle montait comme un ronflement d'animal. Elle posa sur la table en aggloméré – achetée par correspondance – le journal du matin qu'elle avait ramassé devant sa porte.

À part le programme de la télé, elle ne lisait rien dans les journaux. Son compagnon, Tetsuya, n'était pas lui non plus un grand lecteur : il se contentait des faits divers et des pages sportives. Elle avait envie de suspendre l'abonnement pour faire des économies, mais elle avait besoin des petites annonces. Elle sortit le supplément des offres d'emplois féminins perdues dans une marée de publicités immobilières et le mit de côté. Elle l'éplucherait plus tard.

Il faisait chaud et humide dans la pièce. Elle brancha la climatisation et ouvrit le réfrigérateur. Elle avait trop faim pour s'endormir tout de suite. Mais il n'y avait rien à manger. La veille, pourtant, elle avait acheté de la salade de pommes de terre et des boulettes de riz à la supérette. Tetsuya n'avait pas dû se gêner pour les avaler.

Furieuse, elle tira fort sur l'anneau d'ouverture d'une cannette de bière. Puis elle but en ouvrant un sachet de biscuits salés et alluma la télévision. Elle choisit une émission du matin et, tout en savourant les commérages sur les vedettes, elle attendit que l'ivresse la gagne.

– Baisse le volume de ces conneries ! hurla Tetsuya au fond de la pièce.

– Ben quoi ? De toute façon, tu vas bientôt te lever.

– J'ai encore dix minutes.

Quelque chose vola à travers la pièce et l'atteignit au bras. Un briquet jetable. Il laissa une marque rouge à l'endroit où il l'avait heurtée. Elle le ramassa et alla près du lit où Tetsuya était couché.

– Espèce d'imbécile ! Tu vois pas que je suis crevée ?

– Et alors ? protesta Tetsuya en ouvrant les yeux d'un air effaré. Moi aussi, je suis crevé.

– Et ça te donne le droit de me jeter ce truc-là ?

Elle alluma le briquet et l'approcha du visage de Tetsuya.

– Arrête, quoi !

Il écarta la flamme de la main. Le briquet rebondit sur le tatami. Kuniko frappa fort la main de Tetsuya.

– Qu'est-ce que t'as foutu, connard ? Tu me fais chier ! Regarde quand je te parle, connard !

– Arrête ! Il est encore tôt.

– Ta gueule, connard ! T'as bouffé ma salade, hein ?

– Tu peux pas me parler sur un autre ton ?

Tetsuya, qui avait une taille de moins qu'elle et qui était carrément gracile, grimaça d'un air dégoûté. Deux ans auparavant, il avait trouvé un emploi de représentant de matériel médical auprès des hôpitaux et avait dû se couper les cheveux qui lui descendaient jusqu'aux épaules. Ça lui avait donné une apparence encore plus malingre. Et Kuniko n'avait pas supporté. À l'époque où il traînassait dans les rues malfamées de Center-gai, près de la gare de Shibuya, Tetsuya était bête, mais il avait de l'allure. Ils s'étaient rencontrés à l'époque où elle travaillait dans une salle de jeux de Shibuya.

Alors, elle était bien plus mince et n'avait aucun mal à séduire les hommes du genre de Tetsuya. Cela étant, à cause de tous les vêtements et accessoires qu'elle avait achetés à crédit, elle était maintenant endettée jusqu'au cou.

– Tu l'as bouffée, hein ! répéta-t-elle. Avoue-le donc carrément et présente-moi tes excuses, dit-elle en montant à califourchon sur Tetsuya qui dormait sous son drap-éponge.

Sous son poids, il poussa un cri de supplication.

– Je t'ai dit d'arrêter !

– Avoue. Si tu avoues, je te pardonne.

– OK, oui, je l'ai bouffée. Je m'excuse. J'ai rien trouvé d'autre en rentrant.

– T'avais qu'à t'acheter des trucs toi-même.

– J'ai compris.

Dès qu'il eut détourné le visage, elle lui palpa l'entrejambes. Mais c'était mou et inerte.

– T'es impuissant ou quoi ? Tu ne bandes plus en te réveillant ?

– Dégage ! cracha Tetsuya, complètement écœuré. Vire-toi de là. T'es lourde ! Tu sais combien tu pèses ?

– Comment oses-tu me parler ?

Elle serra entre ses grosses cuisses le cou filiforme de Tetsuya. Il voulait demander pardon, mais sa voix ne sortait plus de sa gorge.

Elle ricana et se détacha brutalement de lui. Ces derniers temps, les fiascos s'étaient multipliés avec lui. Et dire qu'il était beaucoup plus jeune qu'elle ! Un minable, vraiment ! Elle regagna le séjour, toujours énervée, puis elle vit Tetsuya relever lentement le buste.

– Hé, tu vas arriver en retard.

Mais bon… Après tout, elle s'en fichait bien. Elle détourna le regard et alluma une cigarette. Tetsuya vint vers elle, en tee-shirt et en boxer bigarré. Il se racla la gorge et prit une cigarette mentholée dans le paquet que Kuniko avait laissé sur la table.

– C'est mes cigarettes ! Ne fume pas ça !

– Tu vas pas faire des histoires pour une cigarette, quoi ! Moi, j'en n'ai pas.

– Alors, ça fera vingt yens, dit-elle en tendant la main.

Cela n'avait rien d'une plaisanterie et Tetsuya soupira. Sans même se retourner, Kuniko se laissa happer par la télévision.

Un quart d'heure plus tard, une fois Tetsuya parti en silence, elle s'allongea sur le lit où restait l'empreinte d'une forme humaine plus maigre que la sienne.

Il était près de deux heures de l'après-midi lorsqu'elle se réveilla.

Elle ralluma aussitôt la télévision, fuma une cigarette en regardant une émission people et attendit que son corps se ranime lentement. Le contenu de l'émission était pour ainsi dire le même que le matin, mais ça ne la gêna pas le moins du monde.

Elle avait faim. Elle sortit acheter de quoi manger sans même se laver le visage. Il y avait une supérette juste à l'entrée de la résidence. Il se trouvait en plus que, dans cette chaîne, on vendait justement les paniers-repas qu'elle fabriquait.

Elle en choisit un de la catégorie « de luxe » et y lut : « Miyoshi Foods, Fabrique de Higashi-Yamato, confectionné à 7 h 00 ». C'était sans aucun doute un panier dont s'était chargée son équipe. Elle avait eu la tâche facile d'y insérer des morceaux d'omelette. Même si elle s'était fait reprendre par un Nakayama qui lui disait : « Tu en mets trop. » Ce type était vraiment imbuvable. Un jour ou l'autre il faudrait qu'elle trouve le moyen de se venger.

Le travail de la veille n'avait pas été pénible, ce qui était exceptionnel. Il suffisait de suivre Yoshié et Masako pour choisir les tâches aisées. Elle continuerait à le faire, se dit-elle en riant pour elle-même.

De retour chez elle, elle mangea en buvant du thé Oolong et en regardant à nouveau l'émission. En portant le porc pané imbibé de sauce brune à ses lèvres, elle se rappela le moment où Yayoi avait trébuché contre le récipient. Elle claqua la langue en se disant qu'elle avait été vraiment nulle. Yayoi était trop distraite et il n'y avait plus rien à faire pour l'aider. On ne pouvait que perdre à faire équipe avec elle. Elle prétendait que son mari l'avait battue, mais ça ne tenait pas debout : à sa place, Kuniko aurait rendu les coups !

Après avoir mangé son porc pané, elle imprégna de sauce de soja et de moutarde le ravioli surgelé qui avait durci et pensa au visage de Yayoi. Jolie comme elle était, quel besoin avait-elle de travailler la nuit ? À sa place, elle aurait plutôt choisi un snack ou un pub, peu importe – quitte même à trouver un emploi moins recommandable, mais qui lui rapporte plus. Le seul problème était bien qu'elle ne pouvait pas se vanter de son visage et de sa silhouette.

La télévision diffusait un sujet sur les lycéennes. Elle reposa ses baguettes et regarda, fascinée. Une lycéenne aux longs cheveux raides, teints en châtain, et au physique extraordinaire répondait aux questions. Le brouillage de l'image et l'altération de la voix la rendaient méconnaissable.

«Pour moi, un mec, c'est un porte-monnaie, rien de plus, disait la lycéenne. À moi, vous voulez savoir ce qu'on m'a acheté? Un tailleur. De quatre cent cinquante mille yens.»

– Ta gueule, pouffiasse! vociféra Kuniko devant le petit écran.

À quatre cent cinquante mille yens, ça devait être au moins un Chanel ou un Armani. Elle aussi, ça lui aurait dit, un Chanel. Mais avec toutes ces filles jeunes et jolies qui grouillaient partout, elle perdait de sa valeur marchande. C'était trop injuste, murmura-t-elle plusieurs fois.

Le seul bon point de ce travail à la fabrique était d'avoir fait la connaissance de Masako, se dit-elle en mangeant des rouleaux de riz froid. Masako avait eu jadis un bon emploi dans une société sérieuse, mais avait été licenciée pour cause de restructuration. Kuniko devinait instinctivement que Masako n'était pas vraiment du genre à travailler dur dans l'équipe de nuit d'une fabrique de paniers-repas. Peut-être serait-elle titularisée plus tard. Encore mieux, peut-être même pourrait-elle devenir cadre. À ce moment-là, ce serait un avantage d'être son amie. Le seul ennui était que Masako ne lui faisait pas vraiment confiance.

Kuniko jeta le récipient du panier-repas – si impeccablement terminé qu'il n'était plus nécessaire de le laver – dans la poubelle à côté de l'évier. Puis elle se mit à passer en revue les offres d'emploi dans le supplément annonces. Loin de rembourser ses dettes qui ne cessaient d'enfler, ses revenus de la fabrique lui suffisaient à peine à en payer les intérêts. Mais un mi-temps de jour ne rapportait pas assez. Huit heures de jour équivalant à cinq heures et demie de nuit, elle ne pouvait pas renoncer à son choix. Simplement, elle était obligée de dormir pendant la journée. Elle en revenait donc toujours au même point: elle ne voulait pas admettre sa paresse.

Elle n'avait pas non plus envie de savoir jusqu'où s'élevaient ses dettes. Ces derniers temps, elle arrivait à peine à les rembourser et ne savait plus si son capital avait diminué et encore moins de quelle somme exacte elle disposait.

En fin d'après-midi, elle sortit toute maquillée et vêtue d'un faux Chanel. Elle avait repéré un emploi idéal qu'elle pourrait remplir avant de se rendre à la fabrique à onze heures et demie.

Elle se dirigea vers le local des bicyclettes et vit que l'épouse de son voisin était rentrée. Elle était habillée d'un tailleur d'été de mauvaise qualité qu'on pouvait se procurer dans un supermarché et chargée de sacs de provisions. Elle devait être surexploitée par son employeur.

La voisine répondit à son salut discret par un sourire accompagné d'un reniflement. Elle devait être étonnée par le parfum de Kuniko – aujourd'hui, elle avait choisi Coco. La pauvre femme devait ignorer jusqu'à l'existence de ce parfum. Il était interdit de se parfumer à la fabrique, mais peu importait : elle prendrait un bain avant de travailler.

Elle enfourcha sa bicyclette et roula maladroitement dans la rue étroite, où la circulation était intense. Le pub se trouvait à Higashi-Yamato, près de la gare. Vu qu'il n'y avait probablement pas de parking, il faudrait s'y rendre à vélo. C'était un désavantage : que ferait-elle les jours de pluie ? Quant à prendre le train, il ne fallait pas y songer ; la résidence de Kuniko était trop éloignée de la gare. Cela dit, si on l'embauchait, elle pourrait penser à déménager.

Vingt minutes plus tard, elle se trouvait devant l'établissement, le Bel Fare. Elle était venue en se disant que ça n'aurait rien de dramatique d'être recalée, mais maintenant elle songeait qu'elle avait des chances dans un pub aussi paumé. Le courage la stimula et, pour la première fois, elle se sentit excitée.

«Hôtesse. Min. 18 ans, max. 30 ans. 3 600 yens/heure. Uniforme fourni. Raccompagnement possible. De 17 h 00 à 1 h 00. Pas d'obligation d'alcool.»

En se rappelant ces conditions, Kuniko se sentit prête à démissionner de la fabrique si on l'embauchait. Deux heures de ce nouveau travail lui permettraient de gagner l'équivalent d'une nuit pénible à la fabrique. Il y avait peu encore, elle pensait rester fidèle à Masako à tout prix, mais là, elle avait déjà de tout autres perspectives.

– C'est moi qui ai téléphoné pour l'annonce, dit-elle.

À l'entrée, se trouvaient quelques jeunes gens en vestes de couleurs vives et une jeune femme, probablement une rabatteuse, en minijupe extra-courte. L'homme auquel Kuniko s'était adressée la considéra d'un air surpris.

– Pour ça, il faut passer par la porte de service.

– Merci.

Dans son dos, les hommes sourirent, elle le sentit. Elle trouva la porte indiquée – en aluminium, avec une petite plaque où était gravé «Bel Fare».

– Bonjour, dit-elle en l'ouvrant doucement et en regardant à l'intérieur. C'est moi qui ai appelé tout à l'heure.

Un homme d'un certain âge et habillé tout en noir venait de raccrocher le téléphone. Il passa sa main sur son front buriné et la regarda à la dérobée.

– Ah, oui, oui, je vous en prie.

Il avait la voix aussi douce que son regard était effrayant. Du doigt il lui indiqua le sofa devant son bureau.

– Prenez place. Faites comme chez vous.

Elle s'assit sur le bord, le dos raide et l'air compassé. Il lui tendit sa carte de visite, sur laquelle elle put lire «Manager». Il baissa légèrement la tête, mais elle se rendit compte qu'en relevant les yeux il l'évaluait rapidement de la tête aux pieds. Elle se sentit mal à l'aise.

– Je suis intéressée par l'emploi d'hôtesse que vous offrez, commença-t-elle d'un air tendu.

– Je vous remercie de votre intérêt. Parlons-en un peu, si vous voulez bien, dit-il sur un ton avenant, en s'asseyant sur une chaise en face du sofa. Quel âge avez-vous?

– Vingt-neuf ans.

– Bien. Avez-vous un justificatif?

– Pas sur moi, je suis désolée.

À peine eut-elle parlé qu'il changea de style.

– Bon. Vous avez déjà fait ce genre de travail?

– Non. C'est la première fois.

Elle craignit qu'il ne refuse une ménagère. Mais il ne l'interrogea pas davantage et se leva.

– À dire la vérité, dès qu'on a fait passer l'annonce, on a reçu pas moins de six filles de dix-neuf ans. On a bâti notre réputation sur les non-professionnelles et les clients adorent les jeunes.

– Ah bon...

Ce ne devait pas être la seule raison. Kuniko se sentit sombrer comme dans un ascenseur qui tombe. Si elle avait eu un beau visage et une belle silhouette, l'âge n'aurait pas été un obstacle. Était-ce vraiment le seul problème ? Tous ses vieux complexes resurgirent.

– Merci de vous être présentée, je suis vraiment désolé, mais pour cette fois-ci...

Elle acquiesça sans trop savoir de quelle façon combattre sa tristesse.

– Je comprends tout à fait, dit-elle.

– Quel est votre travail en ce moment ?

– Un mi-temps dans le quartier.

– Je suis sûr que c'est mieux ainsi. Ici, le travail est très dur, vous savez. Quand un client a claqué dix ou vingt mille yens en une heure, il ne veut pas rentrer bredouille. Vous avez l'âge de comprendre, n'est-ce pas ? Il veut tirer un coup, quoi. Je ne pense pas que vous aimiez ça.

Il eut un rire vulgaire.

– Je suis désolé pour le dérangement, reprit-il. Voici pour votre retour.

Il lui glissa dans la main une enveloppe fine. Kuniko pensa qu'elle contenait un billet de mille yens. Il prit un ton inquisiteur.

– Vous avez dépassé la trentaine, non ?

– Non, pas du tout.

– Je plaisantais, dit-il sans dissimuler son mépris.

Elle ressortit par la porte de service d'un air accablé. En retournant vers l'entrée principale, elle allait retomber sur les rabatteurs. Elle n'avait pas envie de subir leurs regards. Elle poursuivit dans la venelle et, contournant un petit bistrot de *gyûdon*[1], regagna son vélo.

La colère lui avait creusé l'estomac. Elle entra dans le bistrot dans l'intention d'y dépenser le contenu de l'enveloppe.

– Un *gyûdon*, s'il vous plaît, dit-elle.

Quand elle eut passé la commande, elle se retourna et vit un grand miroir. Elle y découvrit le reflet de son dos lourd et de son visage aux traits flous et peu harmonieux. Elle eut alors la preuve de son âge véritable, trente-trois ans, et reprit aussitôt sa position. Elle mentait sur son âge aussi à ses collègues.

Elle soupira et ouvrit l'enveloppe, qui contenait deux mille yens. Quelle chance, ce n'était pas mal ! Elle glissa une cigarette mentholée au coin de ses lèvres.

Elle avait tout le temps avant de reprendre son travail à la fabrique.

---

1. Plats bon marché, qui contiennent du riz et des lamelles de bœuf. (*N.d.T.*)

Chapitre 3

Elle ouvrit la porte d'entrée sans faire de bruit et sentit aussitôt une légère odeur de crésol et d'excréments. Yoshié avait beau aérer et nettoyer les tatamis avec une serpillière bien essorée, cette odeur ne s'en allait jamais de chez elle.

Elle pressa ses paupières inférieures avec ses doigts pour soulager ses yeux qui piquaient par manque de sommeil. Avant de s'octroyer une courte sieste, elle avait des choses à faire.

Juste après l'étroite entrée au sol cimenté, il y avait une pièce de trois tatamis encombrée d'une vieille table basse, d'une console et d'un téléviseur. Elle servait de salle de séjour à Yoshié et à sa fille Miki, qui y prenaient leurs repas et y regardaient la télévision.

La pièce donnant directement sur l'entrée, elles étaient immédiatement visibles des visiteurs éventuels et en hiver le courant d'air les glaçait. Miki râlait contre l'inconfort, mais que faire dans une maison aussi exiguë ?

Yoshié posa dans un coin un sac de papier avec sa blouse blanche et le pantalon de la fabrique qu'elle avait rapportés pour les nettoyer et regarda vers la pièce de six tatamis, dont la porte coulissante était grande ouverte. Les rideaux étaient tirés, mais dans la pénombre elle aperçut de légers mouvements sur le futon. Sa belle-mère, grabataire depuis six ans, était sans doute déjà réveillée.

Mais Yoshié, sans souffler mot, resta immobile au milieu de la pièce. Alors qu'elle se montrait énergique à la fabrique, ici elle se sentait vide de toute force, comme un vieux chiffon mou. Si seulement elle avait pu s'allonger tout de suite et dormir ne fût-ce qu'une petite heure… Elle massa ses épaules charnues et crispées en regardant autour d'elle dans la maison en désordre, où s'incrustait la poussière et où la lumière du matin n'entrait pas.

La pièce de droite, à quatre tatamis, était close par une porte coulissante qui semblait interdire toute intrusion. La chambre de Miki.

Avant d'entrer au collège, celle-ci dormait avec sa grand-mère dans la grande chambre, mais, maintenant qu'elle était adolescente, il était impossible de l'y contraindre. Yoshié avait donc décidé d'y coucher avec sa belle-mère, en y étendant son futon, mais elle en était trop incommodée pour se reposer vraiment, particulièrement ces derniers temps où elle ne trouvait plus le sommeil. L'âge, se dit-elle. Elle s'assit dans le peu d'espace libre laissé sur les tatamis.

Elle examina l'intérieur de la théière posée sur la table. Les feuilles du thé qu'elle avait bu avant d'aller au travail étaient restées telles quelles. Découragée par l'effort que cela aurait réclamé, elle négligea de les jeter. Elle ne lésinait pas sur l'effort pour un autre, mais pour elle-même elle renonçait. Elle versa de l'eau tiède de la bouilloire et sirota la boisson insipide en rêvassant. En fait, quelque chose la tourmentait.

Le propriétaire était venu lui dire qu'il serait peut-être souhaitable de reconstruire un petit immeuble propre à la place de cette vieille maison de bois inconfortable. Yoshié craignait que ce ne soit un prétexte pour les mettre à la porte. Si c'était le cas, elles n'auraient pas d'endroit où aller. Même si elle pouvait revenir s'y installer, le loyer aurait augmenté et déménager provisoirement dans un autre appartement entraînerait trop de dépenses. Elle vivait sur un budget serré qui n'autorisait aucun écart de ce genre.

– Je veux de l'argent, dit-elle tout haut.

Elle le pensait intensément. Pour soigner sa belle-mère grabataire, elle avait déjà utilisé l'assurance-vie qui lui était revenue à la mort de son mari et épuisé ses économies. Elle n'était pas allée au-delà du collège et espérait pour sa fille au moins deux années d'études supérieures. Mais dans la situation actuelle, cela n'était pas envisageable et l'idée d'épargner pour sa vieillesse relevait du rêve le plus pur.

Autant de raisons qui l'empêchaient d'arrêter son travail pénible à la fabrique de paniers-repas. Si jamais elle trouvait un emploi de jour, qui veillerait sur sa belle-mère ? Il n'y avait pas de solution : elle était désemparée devant son avenir.

Elle avait dû lâcher un grand soupir, car de la grande pièce lui parvint un filet de voix.

– Yoshié, tu es là ?

C'était une voix sans force, qu'on entendait à peine.

– Oui, je suis rentrée, dit-elle.

– Ma couche est mouillée.

Sa belle-mère semblait timide, mais en réalité son autorité était implacable.

– Oui, oui.

Yoshié but une gorgée de son thé fade et tiède avant de se relever. Elle avait oublié combien sa belle-mère s'était montrée méchante lors de son mariage. Ce n'était plus maintenant qu'une vieille femme pitoyable et qui avait besoin d'elle pour survivre.

Quelqu'un avait besoin d'elle : seule cette pensée lui tenait lieu de stimulation. C'était pareil à la fabrique. Surnommée la «Patronne», c'était elle qui donnait le rythme de production de la chaîne. C'était ça, la force vitale qui lui permettait de surmonter les désagréments du travail : sa fierté.

Au fond d'elle-même, elle savait qu'il était trop dur de regarder la réalité en face : il n'y avait personne pour l'aider. Ce n'était que sa fierté qui la poussait à affronter la dureté de ce travail. Elle avait mis une croix sur cette vérité qu'elle avait enfouie dans son cœur et s'était fait une règle d'or de ses efforts laborieux. Ne jamais regarder le réel en face, tel était son art de vivre.

Elle entra dans la grande pièce en silence. Il y régnait une forte odeur d'excréments. Elle se ressaisit et ouvrit doucement les vitres pour évacuer la puanteur confinée.

Devant la fenêtre, à un mètre de distance, se trouvait celle de la cuisine de la maison voisine, en bois également et aussi vieille et petite. La voisine, qui était une lève-tôt, remarqua tout de suite l'odeur et, comme pour marquer son exaspération, referma bruyamment sa fenêtre. Yoshié en fut excédée à son tour, mais dut reconnaître que ce ne devait pas être supportable de sentir les excréments d'un malade dès le matin.

Loin de s'en rendre compte, sa belle-mère s'agitait sur son lit.

– Change-moi vite ! gémit-elle.

– Ne bouge pas ! Ça risque de glisser.

– Mais ça me gêne !

– J'imagine.

Yoshié souleva la couette d'été et dénoua le lacet de la chemise de nuit de sa belle-mère en se disant : « Si ce n'était que la couche d'un bébé... ! » Elle n'avait jamais trouvé répugnant d'effleurer du doigt des cacas de bébés ou de se mouiller avec de l'urine de nourrisson. Pourquoi donc les excréments d'un vieillard étaient-ils aussi dégoûtants ?

Elle pensa soudain à Yayoi Yamamoto qui avait encore des enfants en bas âge. Ne venait-elle pas de se réjouir que son plus petit n'ait plus besoin de couche ? Elle savait combien cette période était heureuse.

Ces derniers temps, pourtant, Yayoi était assez bizarre. Elle disait que son mari lui avait donné un coup au ventre, mais... ne l'avait-elle pas exaspéré ?

Une épouse travailleuse pouvait avoir du bon, mais pour un mari paresseux, c'était remuer le couteau dans la plaie. Yoshié se souvint de son mari, mort de cirrhose cinq ans auparavant. Plus elle se mettait au service de sa belle-mère, plus elle contribuait à l'économie du ménage en faisant de petits travaux à domicile ; mais plus elle se démenait pour la famille, plus elle agaçait son mari.

Le mari de Yayoi ne devait pas être content de la voir se démener lui non plus. Ce devait être un égoïste, comme le sien. Va savoir pourquoi, en ce monde mari égoïste rimait avec femme travailleuse. Cela dit, que faire sinon tout endurer ? Yayoi lui ressemblait, elle le décida.

Avec des gestes experts, elle changea la couche. Après l'avoir secouée au-dessus de la cuvette des toilettes, elle irait la laver dans la salle de bains. Elle connaissait l'existence des couches jetables, mais celles-ci coûtaient trop cher pour elle.

– J'ai transpiré.

Dans son dos, Yoshié entendit la voix plaintive de sa belle-mère, mais décida qu'elle lui changerait sa chemise de nuit plus tard.

– Je sais, dit-elle.

– Mais c'est désagréable ! Je vais m'enrhumer.

– Il faut que je termine ça d'abord.

– Tu fais exprès de traîner !

– Mais non !

Yoshié se sentit prise d'une envie de meurtre. Qu'elle s'enrhume et crève de pneumonie ! Bon débarras ! Mais en brave travailleuse, elle refoula aussitôt cette pensée. Quel délire : souhaiter la mort de quelqu'un qui avait besoin d'elle ! Que pouvait-il y avoir de plus répréhensible ?

Dans la petite chambre d'à côté, le réveille-matin sonna. Il était presque sept heures. C'était l'heure où Miki devait se réveiller pour se rendre au lycée municipal.

– Miki, c'est l'heure ! cria-t-elle.

En entendant la voix de sa mère, Miki ouvrit la porte coulissante et apparut en tee-shirt et en short, l'air maussade.

– Je sais ! fit-elle en détournant le visage d'un air dégoûté. Maman, comment peux-tu te balader avec ça dans les mains ?

– Désolée, désolée.

Yoshié passa dans la salle de bains près de la cuisine, mais elle avait été choquée du manque de compassion de sa fille. Autrefois, c'était une gentille petite qui l'aidait même à s'occuper de sa grand-mère. Maintenant qu'elle était adolescente, elle se comparait sans arrêt à ses amies et il était clair qu'elle avait honte de sa situation.

Yoshié se rendit compte qu'elle n'avait pas le cran de lui demander pourquoi elle avait honte. Elle n'en avait vraiment pas le courage. Celle qui en avait le plus honte et se sentait le plus misérable n'était autre qu'elle-même.

Mais que faire ? Qui aurait pu lui venir en aide ? Il fallait survivre. Peu importait qu'elle se vive en éternelle esclave, en éternelle exploitée : elle devait se prendre en charge elle-même. Se battre. Sinon, elle en paierait les conséquences. Avant même de concevoir une stratégie, elle se laissa entraîner par sa bonne volonté.

Miki se lavait le visage avec une nouvelle mousse spéciale. On la reconnaissait à son parfum qui n'avait rien à voir avec celui d'une savonnette ordinaire. Avec des petits boulots, Miki se payait elle-même ses verres de contact et son gel dernier cri pour ses cheveux aux reflets châtains dans la lumière du matin.

Yoshié avait terminé de nettoyer la couche et de se désinfecter les mains quand elle s'adressa à sa fille qui se coiffait devant le miroir avec le plus grand sérieux.

– Tu t'es teint les cheveux ? demanda-t-elle.

– Oui, un peu, répondit Miki sans cesser d'agiter les mains.

– Mais ce sont les dévergondées qui se teignent !

– Dévergondées ! T'as de ces mots ! ricana Miki. Il n'y a que toi qui protestes. Tout le monde se teint les cheveux.

– Ah bon ? fit Yoshié, inquiète de la façon de plus en plus voyante dont s'habillait sa fille. Qu'est-ce que tu vas faire pour les grandes vacances ?

– J'ai trouvé du boulot, répondit Miki en vaporisant un liquide transparent sur ses longs cheveux.

– Où ça ?

– Au fast-food devant la gare.

– Ils te paient combien de l'heure ?

– C'est huit cents yens pour les lycéens.

Yoshié reçut un choc et resta un moment silencieuse. C'était soixante-dix yens de plus que le salaire de jour à la fabrique. Le seul fait d'être jeune valait-il donc autant ?

– Qu'est-ce que tu as ? demanda Miki, intriguée, en dévisageant sa mère.

– Rien, dit Yoshié en changeant de sujet. Il ne s'est rien passé de spécial pour ta grand-mère cette nuit ?

– Elle a fait un cauchemar. Elle a crié le prénom de grand-père. Elle était hyper-bruyante.

La veille, on ne sait trop pourquoi, elle avait fait des caprices comme un bébé, empêchant Yoshié de partir travailler. Au moment où Yoshié devait s'en aller, elle s'était récriée : « Tu vas m'abandonner. De toute façon, pour toi, je ne suis qu'un poids mort. » Depuis qu'elle avait eu une attaque cérébrale, qui l'avait paralysée à droite, elle s'était radoucie, comme si elle avait changé de personnalité, mais ces derniers temps elle ne cherchait plus à cacher son égoïsme infantile.

– C'est bizarre ! dit Yoshié. Elle est devenue gâteuse ?

– Ah non, ne dis pas des horreurs !

– Plutôt que de protester, tu ferais mieux d'essuyer sa sueur.

– Non merci. J'ai sommeil.

Miki sortit du réfrigérateur un berlingot qu'elle but avec une paille. Yoshié avait mis un certain temps à comprendre qu'il s'agissait d'un substitut de petit déjeuner vendu à la supérette. Miki l'achetait sous l'influence de ses amies.

Plutôt que de siroter ce truc, elle aurait mieux fait de manger le riz et la soupe de miso que Yoshié avait préparés la veille. Un tel gaspillage lui fendait le cœur. Pour midi, elle lui préparait un panier-repas avec toutes sortes d'ingrédients, mais Miki préférait manger avec ses amis dans un fast-food. Mais où se procurait-elle donc l'argent nécessaire ? Sans même s'en rendre compte, Yoshié posa un regard scrutateur sur sa fille.

– Pourquoi tu me regardes comme ça ? lui demanda Miki en la dévisageant comme pour écarter son regard.

– Pour rien.

– Maman, qu'est-ce que tu comptes faire pour le voyage scolaire ? On m'a demandé d'apporter l'argent demain.

Yoshié, qui l'avait complètement oublié, haussa les sourcils d'un air étonné.

– C'était combien ?

– Quatre-vingt-trois mille yens.

– Tant que ça ?!

– Mais je te l'avais dit ! protesta Miki, hors d'elle.

Yoshié ne pouvait absolument pas se le permettre. Elle resta pensive pendant que Miki se hâtait de se changer pour filer en classe. Yoshié avait trop besoin de cet argent. Elle en fut encore plus meurtrie.

– Yoshié ! lança de nouveau la voix plaintive de sa belle-mère.

Yoshié se précipita dans la grande pièce pour lui apporter une chemise de nuit propre. Elle s'acquitta de la lourde tâche de changer sa belle-mère, lui fit prendre son petit déjeuner, puis elle lava une montagne de linge sale. Il était déjà presque neuf heures quand enfin elle put s'étendre sur le futon près de sa belle-mère.

Cette dernière somnolait, mais Yoshié ne put s'accorder un sommeil profond : vers midi, sa belle-mère se réveillerait et lui casserait les pieds jusqu'à ce qu'elle lui prépare le déjeuner.

De fait, Yoshié ne dormait que quelques heures par jour. L'après-midi, entre les soins qu'elle prodiguait à sa belle-mère, elle ne pouvait que dormir un peu avant de partir pour le travail. Ces bribes de sommeil, ajoutées les unes aux autres, faisaient à peine six heures. Elle était aux limites de ses forces pour maintenir un tel rythme. Tel était son quotidien. Elle craignait qu'un jour cet équilibre ne soit menacé.

Elle passa un coup de fil à l'administration de la fabrique. Il restait encore quelques jours avant le virement de son salaire et elle sollicita une avance.

– Nous ne pouvons pas nous permettre d'exception, lui répliqua froidement le comptable en chef.

– Je sais bien, mais il y a longtemps que je fais ce travail.

– Oui, mais la règle, c'est la règle, rétorqua-t-il sans le moindre état d'âme. À ce propos, madame Azuma, il serait bon que vous preniez un jour de congé par semaine : les bureaux de l'inspection du travail vont faire des histoires…

Ces temps derniers, Yoshié travaillait en effet sept jours sur sept, car elle ne voulait pas perdre un jour de paye.

– J'aimerais que vous en preniez conscience, reprit le comptable d'un ton dédaigneux. Vous recevez des allocations, il me semble ? Si vous dépassez le plafond, c'est risqué, non ?

Ce fut au tour de Yoshié de s'excuser. Elle raccrocha en baissant la tête. Elle n'avait plus que Masako sur qui compter. Plus d'une fois, c'était elle qui l'avait sauvée en urgence.

– Allô, lui répondit une voix plutôt grave.

C'était Masako elle-même. Peut-être dormait-elle parce qu'elle avait la voix prise.

– C'est moi. Je t'ai réveillée ?

– Ah, la Patronne... Non, vas-y.

– J'ai un service à te demander. Si ça t'ennuie, tu me dis non.

– Je te le dirai. C'est quoi ?

Yoshié flancha : Masako était bien capable de lui dire non. La franchise de Masako, qui détestait les précautions oratoires et les manières, l'avait surprise plus d'une fois à la fabrique.

– Tu pourrais me prêter de l'argent ?

– Combien ?

– Quatre-vingt-trois mille yens. Ce sont les frais du voyage scolaire de Miki. Je suis complètement à sec.

– D'accord.

Yoshié fut heureuse que Masako, qui ne devait pas rouler sur l'or, accepte ainsi sans l'ombre d'une hésitation.

– Merci, je te suis très reconnaissante. Tu me sauves la vie, non, vraiment.

– Je passe à la banque et je t'apporte l'argent ce soir.

Yoshié était si soulagée qu'elle se sentit toute molle. Il lui en coûtait beaucoup d'emprunter de l'argent à Masako, mais elle fut ravie d'avoir une telle amie.

Yoshié somnolait, affaissée sur la table, quand retentit la sonnette de l'entrée. Masako avait le soleil couchant derrière elle et se tenait à contre-jour. Son visage basané, peu maquillé, était tourné vers Yoshié.

– La Patronne, dit-elle, j'ai réfléchi : tu ne peux pas laisser une telle somme à la fabrique, alors j'ai préféré te l'apporter ici.

Elle mit l'enveloppe de la banque sous le nez de Yoshié. L'idée avait dû lui venir après qu'elle avait retiré l'argent. C'était typique de son dynamisme. C'est vrai qu'on aurait remarqué ce geste à la fabrique. Masako avait réfléchi à tout et Yoshié lui fut reconnaissante de sa délicatesse.

– Merci, dit-elle. Je te le rendrai sans faute à la fin du mois.

– Tu me le rendras en plusieurs fois.

– Non, il ne faut pas. Toi aussi, tu as des mensualités pour ton crédit immobilier.

– Ne t'inquiète pas pour ça, dit Masako avec un petit rire.

Comme Masako n'avait guère l'occasion de sourire à la fabrique, Yoshié contempla son visage égayé comme une curiosité.

– Mais enfin…

– Y a pas de souci, la Patronne.

C'était sans appel et son visage redevint sérieux. Une petite ride verticale, comme une plaie, se creusa entre ses sourcils, du côté droit. Chaque fois Yoshié en était décontenancée parce qu'elle y voyait comme l'expression d'un tourment. Elle en ignorait l'origine. Pire encore, elle craignait d'être trop médiocre pour la comprendre si jamais on la lui disait.

– Je me suis toujours demandé pourquoi quelqu'un comme toi allait travailler là-bas…

– Arrête tes bêtises. Bon, à tout à l'heure.

Elle lui fit un signe de la main et regagna sa Corolla rouge, garée dans la rue.

Peu de temps après, Yoshié donna l'enveloppe à Miki qui rentrait de l'école.

– Tiens, voici l'argent, dit-elle.

Miki la prit comme si ça allait de soi et jeta un coup d'œil à l'intérieur.

– Il y a combien ?

– Quatre-vingt-trois mille yens.

– Thank you !

Miki glissa l'enveloppe dans une poche de son sac à dos noir. Yoshié saisit au vol l'expression de son visage. Elle semblait dire : « Quelle chance ! » Le doute lui traversa l'esprit que, peut-être, les frais du voyage étaient moins élevés. Mais son instinct l'obligea à regarder la vérité en face : non, il était impossible que Miki lui mente. Sa propre fille qui était témoin de ses difficultés ? C'était impossible.

CHAPITRE 4

Comme possédé, Mitsuyoshi Sataké suivait du regard les mouvements des billes d'argent.

En apprenant qu'une nouvelle machine avait été installée, il s'était levé tôt pour faire la queue et l'obtenir. Il y avait déjà trois heures qu'il jouait sans discontinuer, il était temps de décrocher la timbale. Mais il fallait rester patient. À force de regarder la machine bariolée, il commençait à avoir mal aux yeux, déjà épuisés par le manque de sommeil. Il sortit du collyre de la sacoche de marque italienne qu'il avait posée devant lui. Il accorda un répit à ses mains pour se mettre quelques gouttes dans les yeux. Le liquide lui piqua la cornée et les larmes lui vinrent. Il n'avait guère eu l'occasion de pleurer depuis son enfance et prit plaisir au ruissellement du liquide brûlant sur ses joues.

Une jeune femme qui avait gardé son sac à dos le regarda à la dérobée. On voyait bien que, tout en étant intéressée par lui, elle n'aurait jamais eu envie d'avoir affaire à un homme habillé de façon aussi voyante. Les yeux embués de larmes, Sataké regarda les joues fermes de la jeune femme. Elle devait avoir à peine vingt ans. Il avait pris l'habitude d'évaluer instantanément l'âge des inconnues qu'il croisait.

Sataké, lui, en avait quarante-trois. Cheveux courts et cou épais sur un buste râblé, dans l'ensemble il avait l'air trapu. Contrastant avec son physique, ses petits yeux tirés étaient vifs, son nez bien dessiné et il avait de belles mains où l'équilibre entre la longueur des doigts et les articulations était subtil. À corps baraqué, mains et traits fins. Ce déséquilibre lui donnait une allure insaisissable.

Il sortit de la poche de son pantalon noir qui brillait trop un mouchoir de marque pour s'essuyer les yeux de ses mains délicates. Sa chemise de soie noire, qu'il avait fait tailler assortie au pantalon, était tachée de larmes. Il les essuya avec un soin égal. Ses vêtements voyants et les mocassins Gucci qu'il avait enfilés sans chaussettes étaient son uniforme. Il savait parfaitement que, s'il avait mis un complet veston, sa jeune voisine aurait marqué plus d'intérêt pour sa personne.

Il regarda sa Rolex en or massif à son poignet gauche. Il était déjà près de deux heures. L'heure du rendez-vous approchait. Il claqua la langue et, s'apprêtant à rentrer, examinait une dernière fois les billes qui restaient dans le réceptacle quand soudain il tira le gros lot. Les billes apparurent comme par miracle dans le réceptacle et débordèrent.

– Merde! lâcha-t-il, agacé par ce contretemps.

Il donna un coup de coude à sa voisine. Surprise, celle-ci se retourna.

– Je n'ai plus le temps, lui lança-t-il. Continuez à jouer si ça vous dit.

– Vous êtes sûr?

Elle était ravie, mais elle le dévisagea avec méfiance et ne bougea pas tant qu'il ne fut pas vraiment parti. Avec un sourire gêné, il prit sa sacoche et se leva avec des gestes vifs. Puis, en avançant dans le couloir de la salle de jeux où passait un rap tonitruant, il s'imagina comment il avait pu apparaître à cette jeune femme.

Dès qu'il eut franchi la porte automatique, il fut enveloppé par un autre type de bruits: ceux des rabatteurs de cinéma, des cris d'hommes, les chansons de variétés diffusées par des machines à karaoké. Plongé de nouveau dans l'air du quartier des plaisirs de Kabukichô qui imprégnait tout son corps, il se sentit rassuré, mais éprouva un malaise, comme si sa place n'était pas là. Il leva les yeux vers le peu de ciel visible entre les immeubles sales. Il en avait assez de ce temps lourd, nuageux, humide et étouffant, de ce temps où la pluie menaçait.

Il marcha rapidement en tenant sa sacoche à la main. Arrivé

devant le théâtre Koma, il sentit qu'un chewing-gum collait à sa semelle et tenta de s'en débarrasser en la frottant au rebord du trottoir. Le chewing-gum, imprégné de toute l'humidité de l'air, ne partait pas facilement et ça l'énerva. Les restes de ce que les jeunes qui rôdaient dans le quartier avaient mangé dans la nuit étaient éparpillés par terre, collants et formant des taches noirâtres. En veillant à les éviter, il faillit bousculer des femmes d'âge mûr qui faisaient la queue pour les billets d'un spectacle de variétés au théâtre Koma. Il chercha à couper la file en s'excusant, mais les femmes étaient trop occupées à bavarder pour le remarquer. Il claqua légèrement la langue d'étonnement et les contourna avec un sourire. Inutile de se mettre en colère contre des gens qu'on ne connaît pas. Le chewing-gum collé à sa chaussure l'exaspérait.

Les jeunes qui distribuaient des prospectus, les racoleurs d'hôtels de passe, les lycéennes qui déambulaient en groupe l'évitaient prudemment. Tous devaient percevoir les ondes dangereuses qu'il émettait. Les mains dans les poches, il emprunta une venelle, de mauvaise humeur.

C'était dans cette rue, latérale par rapport à la Kuyakushodôri, que se trouvait son établissement, le Mika, dans un immeuble collectif. Il en gravit l'escalier avec une agilité animale et poussa la porte noire au fond d'un couloir du premier étage.

L'intérieur avait un éclairage aveuglant, d'autant plus clair qu'une vitre fumée et ciselée avec des motifs grecs laissait filtrer le jour. Une femme l'attendait, assise à la table la plus proche de l'entrée. Elle savait, cela se voyait, qu'il détestait qu'on soit en retard à un rendez-vous.

– Merci d'être là, dit-il.

– Mais non, c'est à moi de vous remercier, répondit la femme.

Même si son intonation laissait à désirer, elle parlait un japonais impeccable. Zhang Lihua de son nom, elle était taïwanaise et c'était à elle qu'il avait confié la gérance de son établissement. Elle approchait de la quarantaine, s'enorgueillissait de son teint clair et de sa peau lisse et affectionnait les chemisiers au décolleté généreux. Pour tout maquillage elle n'avait qu'un rouge à lèvres écarlate. À son cou gracile étaient accrochés un pendentif en jade minutieusement travaillé et une grande pièce en or. Sans doute venait-elle d'allumer une cigarette, car, en baissant la tête légèrement en direction de Sataké, elle souffla une fumée opaque.

– Désolé de te déranger. Je sais combien tu es occupée.

– Je vous en prie, vous ne me dérangez jamais.

Sataké flaira dans le ton qu'elle prenait une certaine coquetterie féminine, mais il s'assit comme si de rien n'était. D'un air satisfait, il promena son regard sur son propre établissement tapissé de rose foncé et meublé en style rococo. Près de l'entrée se trouvaient un appareil à karaoké, un piano blanc et quatre tables. Une marche en contrebas, la salle du fond contenait douze tables. On se serait cru dans un club de Shanghai.

Lihua regarda Sataké et croisa ses doigts fins et pâles. Une grosse bague, également en jade, y brillait. Mais, comme pour la désarçonner, Sataké lui montra les grands vases posés çà et là dans le local.

– Lihua, dit-il. Il faut changer l'eau des vases. Ce n'est pas beau à voir.

C'étaient des fleurs de luxe – lys de Casablanca, roses et orchidées – mais l'eau avait croupi et elles s'étaient fanées.

– Oh, répondit Lihua en suivant son regard. Excusez-moi.

– Tu devrais pouvoir t'en débrouiller ! dit-il en riant.

À vrai dire, Sataké était souvent irrité par le manque de sensibilité de Lihua dans ces domaines. Pourtant, il devait le reconnaître, elle était inégalable en affaires. Il se retourna vers elle.

– Qu'avez-vous à me dire ? lui demanda-t-elle avec un sourire qui manifestait son désir de changer de sujet. C'est à propos du chiffre d'affaires ?

– Non, c'est à propos d'un client.

– Qui ça ?

Le regard de Lihua changea aussitôt, comme si mille pensées traversaient son esprit.

– C'est quelque chose dont m'a parlé An-na, dit-il en se penchant en avant et la voyant se raidir.

Originaire de Shanghai, An-na était alors l'hôtesse la plus en vue du Mika, celle qui gagnait le plus. Sataké était aux petits soins pour elle tant il craignait qu'un autre établissement ne la lui souffle et, de ce fait, satisfaisait ses moindres désirs ; ce que Lihua savait parfaitement.

– An-na ? Que vous a-t-elle dit ?

– Il paraît qu'on a un client qui s'appelle Yamamoto ?

– Des Yamamoto, il y en a beaucoup… Ah oui, dit Lihua en acquiesçant comme si le souvenir lui revenait soudain. Oui, je vois. Celui qui est tombé amoureux d'An-na, c'est ça ? Oui, oui.

– C'est ce que j'ai appris. Qu'un client dépense de l'argent ici, j'en suis ravi. Mais il paraît que celui-là attend An-na à la sortie du travail pour la suivre.

– Ce n'est pas vrai !

Visiblement Lihua l'ignorait et eut un mouvement de recul.

– Si, si. Hier, elle a même reçu un coup de fil de ce type. Dieu sait comment il a découvert où elle habitait. D'ailleurs, un jour, il s'est pointé à son appartement.

– Pourtant il est radin ici, dit Lihua, assez étonnée.

– On m'a dit ça. En tout cas, c'est un nul même pas capable de faire passer les dépenses qu'il fait ici dans ses notes de frais. La prochaine fois qu'il vient, j'aimerais qu'on le refoule discrètement. Je ne veux pas qu'il porte la poisse à An-na.

– Je comprends, mais qu'est-ce que je dois faire ?

– À toi de trouver. C'est le rôle d'une gérante, non ?

Lihua serra les lèvres, comme si elle sortait d'un rêve. Elle avait maintenant l'expression responsable d'une femme d'affaires.

– Je comprends, répéta-t-elle. Je vais donner des ordres stricts au chef de salle.

Le chef de salle, un jeune Taïwanais lui aussi, était absent depuis la veille à cause d'une grippe.

– Si elle ressort sans client, vous lui appelez un taxi.

– Je n'y manquerai pas, dit Lihua en hochant la tête à plusieurs reprises.

L'affaire réglée, Sataké se releva. Lihua l'accompagna jusqu'à la porte, comme elle le faisait avec ses clients.

– Et n'oublie pas l'eau des vases, dit-il.

Devant le rire ambigu de Lihua, Sataké se dit qu'il faudrait vite la remplacer par quelqu'un de meilleur. Il choisissait les hôtesses selon de tout autres critères : beauté, jeunesse et grâce. Pour lui, les hôtesses n'étaient que des marchandises vivantes et la gérante une vendeuse chargée de les vendre.

Une fois sorti du Mika, Sataké prit l'escalier pour monter à l'étage supérieur, où se trouvait un autre établissement, une salle de baccara, l'Amusement Parco. Comme il avait engagé là aussi un manager à plein temps, Sataké, qui en était le propriétaire, n'y apparaissait que trois fois par semaine.

Un an auparavant, il avait loué une salle de mah-jong audessus du Mika, dont les affaires n'étaient plus florissantes, et y avait installé une salle de baccara où, espérait-il, les clients du Mika se rendraient après la fermeture. N'ayant pas demandé l'autorisation administrative, il ne pouvait pas faire de publicité et devait se contenter d'une petite affaire qui ciblait les clients à la sortie de son club et ceux qui y venaient grâce au bouche-à-oreille : l'affaire était un succès.

Au début, il y avait eu seulement deux tables de minibaccara, mais, la clientèle ayant grossi à vue d'œil, Sataké avait engagé d'excellents croupiers et installé une grande table de baccara. Les mises avaient alors été revues à la hausse et les affaires avaient prospéré. Jusque-là, la salle ouvrait discrètement après la fermeture du Mika, mais maintenant la soirée commençait dès neuf heures et l'établissement restait ouvert jusqu'au matin.

Sataké enroula le cordon électrique de l'enseigne blanche qui s'était défait et nettoya avec son mouchoir la poignée dorée de la porte maculée d'empreintes digitales. Il réprima son désir d'entrer pour vérifier si les employés avaient tout bien rangé en partant. Il aimait cette salle de jeux qui, en plus de lui appartenir, lui rapportait de l'argent.

Dans la sacoche qu'il tenait sous le bras, son portable sonna.

– Où es-tu, grand frère ? demanda une voix de femme. Je vais aller chez le coiffeur.

Le japonais boiteux d'An-na avait un charme indéniable. Elle excellait à éveiller l'instinct protecteur des hommes : elle appelait Sataké « grand frère » sans que personne ne le lui ait appris. Il y voyait, non sans admiration, un don du ciel.

– D'accord, dit-il. Je viens tout de suite.

Sataké avait une trentaine d'hôtesses chinoises, mais la beauté et l'intelligence d'An-na la mettaient bien au-dessus du lot. Elle était sur le point de s'assurer les faveurs d'un protecteur idéal. Sataké lui avait toujours choisi lui-même ses clients. Il n'y avait pas de place dans la vie d'An-na pour quelqu'un de miséreux et de collant.

Sataké traversa le quartier de Kabukichô pour retrouver sa Mercedes blanche qu'il avait garée dans le parking souterrain de Hygeia. An-na habitait dans un immeuble d'Ôkubo, à dix minutes en voiture. Le bâtiment était neuf, mais sans système de sécurité. Si elle y était harcelée par un homme, il allait falloir songer à la faire déménager. Perdu dans ces réflexions, Sataké sonna à la porte de l'appartement, au cinquième étage.

– C'est ouvert.

La voix était douce et rauque. Dès qu'il ouvrit la porte, un caniche nain, si menu qu'un seul coup de pied aurait suffi à le tuer, se colla à ses chevilles en jappant.

– Tu ne crois pas que c'est manquer de vigilance que de laisser ouvert ?

– Qu'est-ce que ça veut dire « vigilance » ? lui demanda-t-elle en hurlant du fond de l'appartement.

Il ne lui répondit pas tout de suite et attendit An-na en taquinant de la pointe de sa chaussure le caniche qui se tortillait de plaisir. Dans le vestibule, les chaussures qui n'avaient pas pu être rangées dans l'armoire – des escarpins et des mules de toutes les couleurs et de tous les styles – étaient posées en rangs serrés. C'était Sataké lui-même qui, en voyant le désordre, les y avait alignées en les classant pour qu'elle puisse faire son choix en partant.

An-na s'était fait une queue de cheval avec ses longs cheveux noirs bouclés ; elle portait des lunettes de soleil Chanel sur son visage peu maquillé et elle avait des habits voyants : grand tee-shirt brodé de lamé et pantalon corsaire peau-de-léopard. Malgré ses grosses lunettes de soleil, on voyait bien qu'elle avait un visage fin au teint clair et qui n'avait pas besoin de maquillage. Sataké contempla ses traits en se disant que ses lèvres charnues un peu retroussées devaient exciter les hommes.

– Tu vas toujours chez le même coiffeur ? lui demanda-t-il.

– Oui.

Elle enfila ses pieds nus aux ongles peints en rouge dans des mules vernies. Le chiot se rendit compte qu'on allait le laisser seul et se mit à aboyer frénétiquement en se tenant debout sur ses pattes arrière.

– Mon petit Jewel, toi, tu vas rester, dit-elle. D'accord ? Compris ?

Ils passèrent dans le couloir et attendirent l'ascenseur. An-na se levait en début d'après-midi, faisait des courses, allait chez l'esthéticienne, se faisait coiffer et, après un repas léger, se rendait au travail au Mika : tel était son emploi du temps quotidien. Quand il était libre, Sataké l'accompagnait en voiture chaque fois que c'était possible. À tout moment, un concurrent pouvait la lui chiper. À l'instant même où ils entraient dans l'ascenseur, le portable sonna de nouveau.

– Monsieur Sataké ?

– Oh, c'est toi, Kunimatsu ?

Sataké regarda An-na à la dérobée. Kunimatsu était le manager de l'Amusement Parco. D'un air ennuyé, An-na commença à se mettre sur les ongles des mains du vernis de la même couleur que celui de ses pieds.

– Qu'est-ce qu'il y a ?

– J'ai quelque chose à vous dire sur la salle de jeux. Vous n'auriez pas un petit moment aujourd'hui ?

La voix aiguë de Kunimatsu résonnait désagréablement dans le petit appareil. Sataké éloigna le portable de son oreille.

– Ça ira. Je vais accompagner An-na chez le coiffeur. On peut se voir quand elle y sera.

— Vous serez où ?

— À Nakano. On ira dans un café du coin.

Ayant fixé l'heure et le lieu du rendez-vous, Sataké raccrocha. Ça faisait un moment que l'ascenseur était arrivé au rez-de-chaussée. An-na sortit la première et se retourna d'un air coquet.

— Grand frère, tu as parlé de ça avec Lihua ?

— Oui. Il ne remettra jamais les pieds au club. Tu peux travailler tranquillement.

— Bien, dit-elle, rassurée, puis elle leva les yeux vers lui par-dessus ses lunettes de soleil. Il ne reviendra peut-être plus au club, mais je ne veux pas qu'il vienne chez moi. Il n'y a pas de danger ?

— Ne crains rien. Je le surveillerai.

— Mais j'ai envie de déménager.

— D'accord. Si ça continue, j'y réfléchirai.

— Bien.

— Comment se comporte-t-il au club ?

Sataké essayait de ne se montrer que rarement au Mika.

— Il se colle à moi, dit-elle en grimaçant. Et si une autre fille vient, il se met en colère. Tout le monde est embêté. En plus, il commence à demander à payer à crédit. On peut s'amuser, mais il y a des règles à respecter, non ?

An-na affichait une certaine morgue. Elle prit place dans la Mercedes. Elle avait l'air d'une jolie poupée, mais c'était une vraie Shanghaïenne. Ça faisait quatre ans qu'elle vivait au Japon. Elle s'était inscrite dans une école de japonais et depuis elle avait renouvelé chaque fois son visa étudiant sous le prétexte d'étudier la langue.

Après avoir accompagné An-na chez le coiffeur, Sataké se dirigea vers le café où il avait donné rendez-vous à Kunimatsu.

Celui-ci, arrivé le premier, leva discrètement la main à une table du fond.

— Merci d'être venu.

Sataké s'étant enfoncé dans un sofa profond, Kunimatsu, qui

était vêtu d'un polo et d'un pantalon de sport, esquissa un sourire cérémonieux. On aurait dit un moniteur dans un club de gym. Il n'avait pas encore quarante ans, mais possédait déjà une longue expérience du milieu des jeux. Sataké l'avait découvert à l'époque où il travaillait dans une salle de mah-jong de Ginza.

— Qu'est-ce qu'il y a? demanda Sataké en allumant une cigarette et en dévisageant Kunimatsu.

— Ça n'a rien de grave. Mais il y a un client qui m'inquiète un peu.

— Comment ça? C'est un flic?

Dans ce milieu, la réussite se paie cher. En apprenant le succès de l'Amusement Parco, la police avait peut-être décidé d'en faire un bouc émissaire dans sa lutte contre la mise en place des jeux de hasard et aurait très bien pu vouloir faire une descente.

— Non, non, ce n'est pas ça, répondit Kunimatsu en agitant ses longs doigts. C'est un client qui vient presque tous les soirs. Il n'arrête pas de perdre.

— Personne ne peut gagner tous les jours au baccara.

Sataké rit en connaissance de cause. Kunimatsu l'imita en remuant la paille dans son jus d'orange. Ni Kunimatsu ni Sataké ne pouvaient boire d'alcool. Sataké avala une gorgée de café au lait glacé.

— Combien a-t-il perdu?

— Eh bien… quatre ou cinq millions ces deux derniers mois. Ce qui n'est pas encore extraordinaire. Il y en a qui perdent des centaines de millions.

— Le genre à miser petit, donc. Que s'est-il passé?

— Hier soir, il m'a demandé de lui avancer de l'argent.

En principe, la salle de baccara de Sataké ne faisait pas crédit aux joueurs, mais exceptionnellement, quand il s'agissait d'habitués, on pouvait leur prêter quelques centaines de milliers de yens. Ce client avait dû le remarquer.

— Mais pour qui se prend-il? s'écria Sataké avec un sourire amer. Fous-le à la porte.

— C'est ce que j'ai fait. Mais je l'ai fait avec plein de politesses.

S'il avait été intelligent, il aurait compris que je le menaçais. Mais il m'a insulté à n'en plus finir avant de partir.

– C'est lamentable. Qu'est-ce qu'il fait dans la vie ?

– C'est un employé. Dans une société minable. Enfin... si ce n'était que ça, je n'aurais pas à m'en remettre à vous. Mais tout à l'heure, j'ai appelé Lihua. Je me demandais si ce n'était pas aussi un client du Mika. Apparemment, il est aussi interdit de séjour au Mika.

– C'est donc Yamamoto. Histoire de femmes, histoire de fric, comme on dit.

Saraké éteignit sa cigarette en soupirant. Beaucoup de clients perdaient la tête pour une hôtesse chinoise jeune et jolie. Mais quand l'argent venait à manquer, il fallait renoncer. Yamamoto, lui, avait dû chercher à se faire de l'argent en jouant au baccara. Il avait perdu la tête pour An-na, s'était aperçu avec stupeur du montant gigantesque de ses dépenses et avait voulu combler ses pertes en tentant la chance. Dans tous les cas de figure, il avait perdu le sens de la mesure. Désormais, ni les jeux du hasard ni cette femme ne lui seraient des parties de plaisir. Saraké avait connu de tels exemples jusqu'à la nausée. Yamamoto pouvait être une source d'ennuis plus sérieuse qu'il ne l'avait imaginé et Saraké craignait les risques que pouvaient encourir An-na et ses établissements.

– Vous ne pourriez pas lui parler vous-même la prochaine fois qu'il viendra ?

– D'accord. Tu m'appelles s'il reparaît. Mais j'espère que mes paroles suffiront à le convaincre.

– Oh, ça ira : vous avez l'air d'un yakuza. Yamamoto ne reviendra pas.

Saraké sourit en silence, mais au fond de ses yeux minces quelque chose de ténébreux brillait. Kunimatsu ne s'en aperçut pas.

– C'est vrai, continua-t-il sur le ton de la plaisanterie, vous êtes assez terrorisant.

– Vraiment ?

– Lancez un regard méchant et habillé comme ça, ça marchera au premier coup, dit Kunimatsu en riant. Vous faites assez peur…

– Qu'est-ce qui fait peur en moi?

– Vous avez l'air gentil, mais vous avez quelque chose d'insaisissable.

Comme pour briser le rire de Kunimatsu, le portable de Sataké sonna dans sa sacoche. C'était An-na.

– Grand frère, je suis au salon de coiffure.

Sataké crut l'entendre dire «hôpital»[1]. Un frisson parcourut son dos si violemment qu'il faillit pousser un cri.

La femme gémissait sous son corps imposant. Sataké se frottait contre elle et glissait merveilleusement dans le liquide chaud, épais et légèrement visqueux qui coulait d'elle; au bout d'un moment, il se colla à elle qui commençait à refroidir, leurs deux corps enlacés n'en faisant plus qu'un. La femme semblait grogner entre l'extase et la douleur. Sataké chercha à étouffer ces bruits qui s'échappaient de sa bouche, puis il enfonça son doigt dans le trou qu'il avait lui-même percé dans le ventre de la femme. De la plaie, le sang coula soudain à flot, donnant une teinte dramatique à leur acte sexuel. Il voulait entrer plus profondément en elle, se fondre à elle. Au moment d'atteindre l'orgasme, il détacha ses lèvres de celles de la femme et celle-ci murmura à son oreille:

– C'est fini… c'est fini.

– Je sais, dit-il.

Sataké se souvenait toujours du timbre de sa voix.

Sataké avait tué une femme.

Lycéen, il avait assommé son père et fui la maison pour ne jamais y retourner. Il était devenu petit voyou en jouant au mah-jong, un mafieux finissant par le prendre sous son aile. Cet homme faisait fortune à Shinjuku en dirigeant un réseau de

1. En japonais, «salon de coiffure» se dit *biyôin* et «hôpital» *byôin*. (N.d.T.)

prostitution et de stupéfiants. Il avait chargé Sataké d'empêcher la fuite des prostituées et, un jour, un terrible incident s'était produit : il avait torturé à mort une entremetteuse qui avait présenté en cachette des filles à une autre organisation. Sataké avait vingt-six ans. Il avait dû passer sept ans en prison, ce qu'ignoraient Kunimatsu, Lihua et An-na. C'est pour cela que Sataké préférait rester dans l'ombre, en confiant le Mika à Lihua et à un manager taïwanais et le casino à Kunimatsu.

Aujourd'hui, plus de vingt ans après, Sataké se souvenait parfaitement de la scène, n'avait rien oublié de l'expression et de la voix de cette femme à l'agonie. Un frisson lui parcourut de nouveau le dos, comme si les doigts glacés de la femme le caressaient encore.

Il n'avait pas eu l'intention de la tuer. Mais pourquoi n'était-ce qu'au moment de le faire qu'il avait compris qu'il avait passé les bornes ? Il était certes en proie à un profond remords, mais en même temps et pour la première fois de sa vie il avait pris conscience de ses propres tendances : il éprouvait du plaisir à faire mal. Partager la mort de cette femme lui avait procuré une jouissance éperdue.

– Tu vas vraiment trop loin, lui avait-on dit.

Même les hommes de l'Organisation qui ne reculaient devant aucune cruauté à l'égard des femmes l'avaient regardé sans dissimuler leur dégoût. Il n'avait jamais oublié leur expression de mépris et de répulsion. Mais il savait aussi que seuls la femme et lui étaient à même de comprendre ce qui s'était vraiment passé.

En prison, il avait été hanté par le souvenir encore vivace de cet acte de torture. Il ne s'agissait pas de culpabilité, mais du désir irrépressible de recommencer l'expérience.

Or, ironie du sort, lorsque, à sa sortie de prison, il s'était enfin retrouvé avec une femme, il avait découvert qu'il ne pouvait plus avoir de rapports sexuels. L'extase qu'il avait connue en tuant la femme avait été si grande et si profonde qu'il s'y était comme emprisonné et ce n'était qu'arrivé à un âge mûr qu'il s'en était aperçu.

Connaître ses limites, c'était sceller son rêve. Dès lors, il avait veillé à ne plus le desceller. Personne ne pouvait avoir idée de sa solitude et du contrôle qu'il exerçait sur lui-même. Mais les femmes qui ignoraient sa véritable nature s'offraient à lui sans défense ou se montraient coquettes. Ainsi, pour Sataké, les femmes qui ne brisaient pas le sceau de son rêve n'étaient-elles que de charmants animaux.

Il savait qu'il n'y avait qu'une femme qui pouvait le comprendre vraiment et l'emmener aussi bien au paradis qu'en enfer : celle qu'il avait tuée. Il ne pouvait avoir de rapports avec aucune femme ou ne jouissait que dans le fantasme. Mais c'était parfait comme ça. Aucun souteneur n'était aussi doux avec les femmes que celui qu'il était devenu aujourd'hui. Qui aurait cru qu'au fond de sa douceur se cachait le visage d'une femme qu'il avait torturée à mort, d'une femme qu'il venait de rencontrer et connaissait à peine ? Avec juste quelques mots, An-na avait failli faire sauter le couvercle. Sans que Kunimatsu le remarque, Sataké essuya son front ruisselant de sueur.

An-na l'attendait chez le coiffeur.

Il lui ouvrit la portière, attendit qu'elle monte dans la voiture et rit en voyant sa coiffure tout apprêtée et gonflée comme dans les années 70.

– Ah, la nostalgie ! Quand j'étais jeune, toutes les femmes étaient coiffées comme ça.

– Il y a très très longtemps, non ?

– Plus de vingt ans, oui. Tu n'étais pas encore née, An-na.

Il plissa les yeux pour mieux la regarder. C'était pur miracle qu'il y ait une femme aussi belle. Ni l'intelligence ni l'audace ne lui faisaient défaut. Maintenant que s'y ajoutait la fierté d'être la plus demandée au club, elle semblait parée d'une dignité inaccessible. Sataké finissait par éprouver une sympathie secrète pour les hommes qui s'entichaient d'elle.

Tout en conduisant, il regarda ses cuisses croisées, moulées dans son pantalon serré. Chairs élastiques, tout à la fois moelleuses et fermes.

– Garde toujours cette beauté. Je te protégerai.

Il avait dit ça en sachant parfaitement que la beauté est éphémère et que, dès qu'An-na vieillirait, il en chercherait une autre.

– Il faut que tu couches avec moi, au moins une fois, l'implora-t-elle sur un ton qui ne semblait pas être celui de la plaisanterie.

Il savait que les employés du club, ignorant son passé, répandaient le bruit que le propriétaire n'était qu'un pisse-froid.

– Mais non! Tu es un bien trop précieux, An-na!

– Moi, une chose?!

– Oui. Un jouet de rêve.

Dès qu'il eut prononcé le mot «jouet», le visage de sa victime se présenta à sa vue, mais, à force de fixer les feux arrière de la voiture qui le précédait, il le vit disparaître.

– C'est un jouet très cher que seul un homme riche peut se payer, ajouta-t-il.

– À moins que je tombe amoureuse et qu'on m'emmène.

– Tu ne tomberas jamais amoureuse, dit-il en regardant le visage d'An-na qui n'était pas du genre à se laisser avoir.

– Si! Si!

Elle serra sa main droite négligemment posée sur le volant. Il mit ses doigts sur ses cuisses douces. Lui qui gardait enfoui un spectre obscur en lui n'avait besoin que de la femme qu'il avait assassinée. Son seul plaisir était de transformer les femmes en jolis jouets pour les clients. De là son attachement au succès de ses deux établissements, et son objectif: éliminer Yamamoto.

Ce soir-là, alors qu'il se préparait pour sortir de chez lui, à Nishi-Shinjuku, il reçut un coup de fil de Kunimatsu.

– Yamamoto vient d'arriver. Il veut jouer vingt ou trente mille yens. Que dois-je faire? Je le vire?

– Non, laisse-le faire. J'arrive tout de suite.

Il enfila un costume gris métallisé, taillé sur mesure, et sortit. Il portait une chemise à col rigide.

Il gara sa Mercedes dans le parking du Batting Center de Kabukichô et passa d'abord au Mika. Du fond de l'établissement,

An-na l'aperçut et leva la main. Elle avait son visage professionnel, à la fois très sensuel et comme innocent. Les autres entraîneuses n'étaient pas moins belles. Sataké les passa en revue avec
satisfaction et appela Lihua, qui traversa la salle à sa rencontre,
saluant au passage les clients avec discrétion.

– Excusez-moi pour tout à l'heure. Je me suis entendu avec
Kunimatsu.

– Bien. Je ne savais pas que ce type avait aussi ses habitudes
là-haut.

– Oui, là-haut aussi, il crée des problèmes.

Elle pouffa. Elle portait une robe chinoise couleur de jade.
Elle paraissait plus jeune que d'habitude et plus digne de
confiance. Mais Sataké ne put s'empêcher de jeter un coup
d'œil vers un des vases de fleurs : l'eau y était encore trouble et
les fleurs semblaient plus fanées que dans l'après-midi. Il sortit
sans un mot. Il voulait voir le plus vite possible ce Yamamoto
qui harcelait An-na.

Il arriva devant la porte de l'Amusement Parco, au deuxième
étage. Craignant les descentes de police, on avait éteint l'enseigne, mais dès qu'on ouvrait la porte, le brouhaha du casino
ne pouvait être dissimulé.

Sataké entra tranquillement dans son établissement et y
jeta un regard de propriétaire. De soixante-dix mètres carrés
environ, la salle contenait deux tables de mini-baccara où pouvaient jouer sept clients et une autre plus grande qui pouvait
en accueillir quatorze ; toutes les places étaient prises. Il y avait
trois croupiers en costume noir, parmi lesquels Kunimatsu.
Trois serveuses, déguisées en lapins, servaient les boissons et
des amuse-gueules. Tout le monde s'activait.

Le croupier d'une des petites tables aperçut Sataké et le
salua du regard, sans cesser de distribuer les jetons de plastique.
Sataké acquiesça. Le jeune homme avait traîné dans des salles
de mah-jong où il s'était fait la main et avait acquis un beau
savoir-faire. En gros, tout allait à merveille.

Le baccara est un jeu simple. Le client mise sur le Joueur ou
sur la Banque. Le croupier se contente de prélever cinq pour

cent de commission sur les gains de la Banque, pour ainsi dire la part du propriétaire. Un bon croupier est quelqu'un qui sait entraîner le jeu. Les clients s'excitent très vite et se passionnent d'autant plus que les règles sont faciles.

Le score le plus fort est de neuf, obtenu par l'addition des chiffres de l'unité. Quelques règles permettent de déterminer si on a le droit de tirer une troisième carte. Quand le Joueur n'a tiré que deux cartes et a déjà obtenu le score de huit ou de neuf, il a gagné par ce qu'on appelle un «Naturel». À moins que la Banque n'ait le même score, auquel cas la partie est dite «nulle». La Banque, elle, n'a jamais le droit de tirer une troisième carte. Si le Joueur n'obtient que six ou sept comme score, il doit le confronter à celui de la Banque. Ce n'est que s'il a un score inférieur à six qu'il peut tirer une troisième carte. À cela, s'ajoutent des règles détaillées en fonction des différents scores des deux parties.

La simplicité de ses règles qui permettent à tout le monde de jouer est le secret du succès du baccara. Beaucoup de jeunes gens et de jeunes filles qui ont l'air de jeunes financiers et d'employés de bureau y jouent après le boulot. L'atmosphère était donc assez huppée, à la différence des autres salles de jeux. Mais Sataké savait parfaitement que plus de la moitié des joueurs étaient frappés d'interdictions judiciaires. En d'autres termes, c'étaient des paumés. Cela dit, Sataké était ravi qu'ils dépensent leur argent dans son établissement.

– C'est ce type, reprit Kunimatsu. Aujourd'hui, il s'est débrouillé pour perdre cent mille yens.

Il lui montra du doigt un homme qui, assis à un angle de la table de mini-baccara du fond, sirotait un whisky coupé d'eau et regardait les paris en se tenant le menton dans une main. Sataké l'observa en cachette.

L'homme avait dans les trente-cinq ans. Il portait une chemise blanche à manches courtes, une cravate terne et un pantalon gris. Son visage n'avait pas de traits marquants: c'était vraiment un homme très quelconque. Dans la rue, personne ne l'aurait distingué des autres employés de bureau.

Comment un homme aussi médiocre avait-il pu tomber amoureux d'An-na? Elle n'avait encore que vingt-trois ans: c'était la plus belle hôtesse d'un Mika qui se targuait de posséder les plus belles filles. On a certes le droit à la candeur, mais il y a des limites à l'inconscience! Comme le disait An-na, «on peut s'amuser, mais il y a des règles». Tout comme les jeux de hasard. Sataké, qui s'imposait un strict contrôle de lui-même, perdait son sang-froid devant ce genre de client qui les ignorait.

À la table de Yamamoto, la partie tirait à sa fin. Il ne restait qu'une ou deux donnes avant que le sabot ne soit vidé. Après une hésitation, Yamamoto misa le peu de jetons qui lui restaient sur le Joueur. Voyant cela, tous les autres misèrent sur la Banque. Ils savaient tous que la chance avait abandonné Yamamoto. L'air de ne rien remarquer, le croupier distribua les cartes qu'il puisa avec célérité dans le sabot.

Le Joueur tira deux figures. Autrement dit, zéro: baccara. Pas de pot! se dit Sataké. La Banque, elle, totalisa trois. L'un ou l'autre devait piocher une troisième carte. Une carte fut tendue à Yamamoto qui, selon la règle, l'incurva par les deux extrémités pour la regarder, puis la jeta comme par exaspération. C'était encore une figure. Du côté de la Banque, les clients esquissèrent un sourire. Zéro contre sept: naturellement la Banque avait gagné. La chance avait encore trahi Yamamoto. C'était sa dernière partie.

– Il joue comme un con! murmura Sataké.

Près de lui, Kunimatsu étouffa un rire. Le croupier de la table où se trouvait Yamamoto fut remplacé par une jeune femme. D'autres clients prirent la suite. Mais Yamamoto, désormais à court de jetons, restait là, à bouder. C'est le moment, se dit Sataké et, après avoir fait signe à Kunimatsu, il s'approcha de Yamamoto.

– Excusez-moi, monsieur, dit-il.

– Qu'est-ce qu'il y a?

Surpris, Yamamoto observa Sataké, son corps robuste, son visage doucereux et son costume typique du milieu, mais garda son air hébété. Peut-être tout en lui avait-il été émoussé.

– Si vous ne jouez pas, ne pourriez-vous pas céder la place à un autre client ?

– Pourquoi ?

– Il y a des gens qui attendent leur tour.

– Où est le mal si je les regarde jouer ?

Yamamoto était ivre. Il avait dû boire pas mal du whisky coupé d'eau qu'on servait gratuitement au casino. Sur la table, de la cendre de cigarette s'était dispersée. Sataké appela le jeune employé pour lui demander de la nettoyer.

– Excusez-moi, dit-il à voix basse. J'ai quelque chose à vous dire. Pourriez-vous venir par ici ?

– Dites-le ici.

Les clients qui étaient à la même table regardèrent Yamamoto d'un air embarrassé. Certains avaient les yeux baissés, effrayés par l'apparence de Sataké.

– Non, veuillez venir par ici, s'il vous plaît.

Yamamoto suivit Sataké à l'extérieur de l'établissement en claquant la langue, puis ils se regardèrent dans la pénombre du couloir.

– Monsieur, il paraît que l'autre jour, vous avez demandé à emprunter de l'argent, mais nous ne faisons pas crédit. Si vous n'avez pas d'argent pour jouer, je vous prie de vous en procurer ailleurs.

– Non mais, comment vous me parlez ? répliqua Yamamoto en arrondissant les lèvres et en lui lançant un regard d'enfant gâté qui râle. Vous dépendez des clients, non ?

– C'est justement pour ça que je vous le demande. Et puis, cessez de courir après An-na. Elle est encore jeune, vous lui faites peur.

– De quel droit vous me dites ça ? s'écria Yamamoto, le visage crispé d'humiliation. Je suis un client, moi. Combien croyez-vous que j'ai dépensé ?

– Je vous remercie d'être client, mais ne la suivez pas. Les filles, on ne les fréquente qu'au club.

– Quoi « on ne les fréquente qu'au club » ? répéta Yamamoto en ricanant. Ne me faites pas rire. Elle doit sûrement se prostituer.

– Justement! Et un type comme toi ne peut pas se la payer! lâcha Sataké, excédé. Je te dis de ne plus te pointer ici, tu as compris, trouduc?

– Qu'est-ce que tu dis, connard?

Yamamoto se précipita pour lui donner un coup. Sataké se protégea avec le bras droit et l'attrapa par le col de sa chemise. Puis il lui mit un coup de genou entre les jambes et le plaqua contre le mur, le maintenant immobile et suffoquant.

– Fous le camp d'ici avant que je t'arrange le portrait!

Un groupe de clients, des employés de bureau, était en train de monter l'escalier. En voyant les deux hommes, tous entrèrent timidement au Parco. Sataké relâcha son étreinte. Si jamais on répandait la rumeur que l'établissement appartenait à la mafia, ce serait mauvais pour les affaires.

Profitant d'un moment d'inattention, Yamamoto lui asséna un coup à la mâchoire, et Sataké gémit de douleur.

– Qu'est-ce que tu me fais là, petit crétin?

Dans un accès de rage, Sataké lui flanqua un violent coup de coude dans l'estomac. Dès que Yamamoto commença à s'écrouler, Sataké lui faucha les jambes pour le faire rouler dans l'escalier. Yamamoto fit la cabriole et se retrouva sur les fesses au milieu du palier. Sataké ne s'apaisa pas pour autant. Il avait retrouvé le goût de la bagarre de sa jeunesse, mais ce fut de courte de durée. Son self-control vigilant y veilla.

– Si tu reviens, je te tue, abruti!

Avait-il entendu la menace glaçante de Sataké? Toujours est-il que Yamamoto resta hébété en essuyant le sang sur ses lèvres. Les jeunes filles qui montaient l'escalier redescendirent à grands cris.

«Zut, j'ai effrayé les filles!» se dit Sataké en lissant son costume froissé.

Il se fichait pas mal du sort de Yamamoto.

CHAPITRE 5

La haine. Cela s'appelait de la haine.

C'est ce que se disait Yayoi Yamamoto en se regardant dans le miroir. Pratiquement au milieu du corps nu et blême de trente-quatre ans qu'elle y voyait, il y avait, au niveau de l'estomac, un hématome bleu-noir presque parfaitement rond. C'est là que, la veille, elle avait reçu un coup de poing de son mari, Kenji.

Le sentiment était nouveau. Non, elle l'éprouvait depuis longtemps, se dit-elle en hochant vigoureusement la tête. La femme nue dans le miroir hocha la tête avec elle. Ce sentiment, elle l'avait depuis toujours. Simplement, elle était incapable d'y mettre un nom.

Dès le moment qu'elle l'eut nommée, la chose se répandit en elle comme un nuage noir chargé de pluie et envahit instantanément son cœur. Il n'y eut bientôt plus que ça en elle, de la haine.

– Il n'a pas le droit! s'écria-t-elle.

Aussitôt ces mots prononcés, elle laissa couler ses larmes. Celles-ci ruisselèrent sur ses joues jusqu'au sillon creusé entre ses seins petits et bien dessinés. Quand elles eurent atteint son ventre, une douleur paralysante l'envahit et elle s'effondra sur le tatami. Elle souffrait tellement qu'air ou larmes, tout y concourait. Personne ne pourrait jamais la soulager.

Percevant peut-être son trouble, les enfants se mirent à bouger dans leur lit. Aussitôt elle se releva, essuya ses larmes avec ses mains et s'enveloppa précipitamment dans une serviette de bains. En aucun cas il ne fallait leur montrer ces marques de coups. Ni les laisser surprendre ses pleurs.

À cette idée, la solitude l'envahit : c'était seule qu'elle devait traverser cette épreuve. Être tourmentée par l'être le plus proche d'elle lui était insupportable. Elle ne savait pas comment sortir de cet enfer. Yayoi lutta contre l'envie d'éclater en sanglots comme un bébé.

Son fils aîné – il avait cinq ans –, fronça les sourcils comme s'il avait un sommeil agité et se retourna sur lui-même. Sous son influence, le cadet – il avait trois ans –, se retourna sur le dos. Si les enfants se réveillaient maintenant, elle ne pourrait pas aller à la fabrique. Elle s'écarta du miroir en rampant à quatre pattes pour sortir de la chambre, referma la porte coulissante en veillant à ne pas faire de bruit et éteignit la lampe en priant le ciel que les enfants aient un sommeil paisible.

Puis elle passa sur la pointe des pieds dans le living contigu à la petite cuisine et prit ses sous-vêtements dans la pile de linge plié posée sur la table. Un slip et un soutien-gorge bon marché, sans fioriture, qu'elle avait achetés au supermarché. Elle se souvint que, du temps où elle n'était pas encore mariée, elle n'achetait que de la lingerie en dentelle de qualité. C'est que Kenji l'appréciait.

À cette époque, elle n'aurait jamais pu imaginer qu'un tel avenir les attendait. Elle n'aurait jamais pu supposer qu'une rivière profonde allait séparer un mari idiot, qui avait perdu la tête pour une femme inaccessible, d'une épouse qui lui vouait une véritable haine. Jamais ils ne marcheraient plus sur la même rive car jamais elle ne le lui pardonnerait.

Aujourd'hui encore Kenji ne rentrerait pas avant l'heure où elle partirait au travail. Ce qui l'inquiétait mortellement, c'était de devoir laisser ses enfants à un homme aussi peu fiable. Surtout à cause de son fils aîné qui était extrêmement sensible et vulnérable.

Et puis, ça faisait trois mois que Kenji ne lui donnait plus son salaire. Les maigres revenus qu'elle gagnait grâce à son travail de nuit suffisaient à peine à nourrir trois bouches.

Dans quel pétrin elle se trouvait !

Un mari lâche qui rentre la nuit et se glisse dans le lit pendant qu'elle est à la fabrique... Les disputes interminables qu'elle avait avec lui le matin en rentrant, épuisée... Ces regards glacés et perçants qu'ils échangeaient... Elle était vraiment à bout. Avec un grand soupir, Yayoi s'accroupit pour enfiler son slip. Soudain elle ressentit une douleur aiguë au ventre. Alors qu'elle laissait échapper un cri et se tordait par terre, son chat Milk releva le museau et la regarda, les oreilles dressées. La veille, il s'était tassé sous le canapé : terrorisé, il poussait de faibles miaulements.

Yayoi blêmit en se rappelant cet incident. Un obscur, un insaisissable sentiment la terrassa. Elle n'avait jamais haï personne. Yayoi était fille unique ; elle avait grandi dans une ville de province, avec des parents ordinaires mais pleins d'affection.

Après de brèves études à l'université de Yamanashi, elle avait été engagée en qualité d'assistante commerciale dans une bonne société de carrelages de Tôkyô. Jolie et charmante, elle était le centre d'une grande attention de la part des employés masculins. À bien y réfléchir, cette époque-là avait été le meilleur moment de sa vie. Si elle l'avait voulu, elle n'aurait eu que l'embarras du choix pour se trouver un mari, mais elle était tombée amoureuse de Kenji, employé d'une entreprise de matériaux de construction qui travaillait avec sa société.

Aussi bien celui-ci lui avait-il fait une cour plus assidue que les autres. Jusqu'au jour de ses noces, Yayoi avait été l'objet d'une adoration perpétuelle : cette période n'était faite que de beaux souvenirs annonçant un avenir doré. Mais dès après le mariage, ses rêves de princesse s'étaient effondrés. Kenji l'avait vite délaissée pour boire et jouer, et elle avait rapidement passé ses soirées seule à la maison. Depuis peu, elle s'était rendu compte que c'était le genre d'homme à convoiter le bien d'autrui. Il ne l'avait désirée que parce qu'elle était le point de mire de l'entreprise. Dès qu'elle lui avait appartenu, elle n'avait plus eu d'intérêt pour lui. Un homme toujours à poursuivre des chimères, tel était Kenji.

La veille au soir, pour Dieu sait quelle raison, Kenji était rentré avant dix heures.

Yayoi était en train de faire la vaisselle dans la cuisine en silence en tentant de ne pas réveiller les enfants qui venaient enfin de se coucher quand, sentant une présence, elle s'était retournée. Kenji était debout derrière elle. Il contemplait son dos en grimaçant, comme s'il avait quelque chose de dégoûtant. Prise au dépourvu, Yayoi avait fait tomber l'éponge imprégnée de mousse dans l'évier.

– Tu m'as fait peur !

– Quoi ? T'as cru que c'était un autre homme ?

Pour une fois, Kenji n'était pas ivre, seulement d'une humeur exécrable. Elle y était habituée.

– Oui, c'est ce que j'ai cru. Maintenant je ne te vois plus que quand tu dors.

Ce sarcasme lui avait échappé tandis qu'elle ramassait l'éponge. Ah, ne plus voir devant elle sa mine patibulaire ! Honnêtement, elle aurait préféré qu'il ne soit pas rentré.

– Pourquoi rentres-tu si tôt ?

– Je suis à sec.

– Tiens donc. De toute manière, tu ne me laisses plus un sou depuis des mois.

Dans son dos, elle avait senti que Kenji souriait.

– Raide, complètement à sec. Pourtant, j'ai même dépensé toutes nos économies.

– Tu as quoi ? avait-elle répondu d'une voix tremblante.

La somme qu'ils avaient épargnée tous les deux devait s'élever à plus de cinq millions de yens. Ils avaient presque atteint l'apport minimal pour l'achat d'un appartement. À quoi bon s'être cassé les reins à la fabrique ?

– Comment ?! Comment as-tu pu alors que tu ne nous donnais même pas ton salaire ?

– Le jeu. Je joue au baccara.

– Non, mais je rêve !

Elle était si stupéfaite que c'est tout ce qu'elle avait pu dire.

– C'est pourtant vrai.

– Mais cet argent n'appartenait pas qu'à toi !

– Pas plus qu'à toi non plus.

Elle était si excédée qu'elle s'était tue. Normalement, il n'avait rien à lui dire, mais ce soir il avait réponse à tout.

Mais Kenji lui avait alors lancé :

– Tu veux que je te quitte ? Au fond, ça t'arrangerait, non ?

D'où lui venait cette dureté ? Qu'est-ce qui n'allait pas ? Chaque fois qu'il rentrait, il jetait sa famille dans une tempête qu'il créait. Ce qu'il trouvait lui-même insupportable. Mais cette fois-ci, il était allé plus loin.

– Tu ne régleras pas le problème en me quittant, lui avait-elle calmement répliqué.

– Que faire, hein ?

La ruse avec laquelle il lui laissait le soin de conclure se lisait sur son visage. Il le sait très bien, s'était-elle dit, exaspérée.

– Tu n'as qu'à larguer cette fille ! C'est elle, l'origine de tout le mal.

Aussitôt elle avait reçu quelque chose de dur et de lourd dans l'estomac. La douleur la transperçant, à lui faire perdre connaissance, elle était tombée sur place. Elle ne pouvait plus respirer et, en haletant, s'était demandé ce qui lui était arrivé. Tandis qu'elle se convulsait en gémissant, repliée comme une crevette, elle avait encore reçu un coup de pied dans le dos et avait poussé un hurlement.

– Espèce de conne ! avait crié Kenji.

Voyant à la dérobée qu'il entrait dans la salle de bains en se frottant la main, elle avait compris qu'il lui avait donné un coup de poing. De grands bruits d'eau montaient de la salle de bains.

Lorsqu'elle avait enfin retrouvé son souffle, elle avait retroussé son tee-shirt avec sa main couverte de mousse et qui serrait encore l'éponge. Sur son estomac, un hématome bleuâtre était parfaitement visible. Pour elle, c'était la fin de sa relation avec Kenji. Elle soupirait quand la porte coulissante s'était ouverte. Takashi, son fils aîné, la regardait.

– Maman, qu'est-ce qui s'est passé ?

– Rien. Je suis tombée. Je vais bien. Va vite te recoucher.

C'est tout ce qu'elle avait pu dire. Takashi semblait avoir deviné quelque chose et avait refermé la porte en silence. Elle s'était rendu compte qu'il prenait soin de ne pas réveiller son petit frère. Quand un enfant pouvait avoir de telles attentions pour autrui, comment Kenji, lui, pouvait-il se comporter ainsi ? Sa personnalité avait-elle changé ? Ou alors… avait-il toujours été ainsi ?

La main collée à l'estomac, Yayoi était parvenue à s'asseoir à la table. Surmontant la douleur, elle avait tenté de contrôler sa respiration. Dans la salle de bains, Kenji avait donné un grand coup de pied dans un seau en plastique. Il s'en prenait même à un seau, s'était-elle dit en ricanant, puis elle avait enfoui son visage dans ses mains. Plus que la colère, c'était la consternation qui l'atterrait : pourquoi devait-elle vivre avec un homme pareil ?

Elle s'aperçut qu'elle était toujours en sous-vêtements et enfila un polo et un jean. Elle avait tellement maigri que son jean lui retombait sous le bassin. Elle chercha une ceinture.

C'était bientôt l'heure de partir pour la fabrique. Elle n'en avait pas envie, mais si elle n'y allait pas ce soir, elle causerait des soucis à Masako et à la Patronne. Masako… Rien ne lui échappait : elle remarquait le moindre changement chez les gens. Masako l'intimidait, mais en même temps… pourquoi éprouvait-elle la pulsion irrépressible de tout lui raconter ? Elle pouvait compter sur elle. Si quelque chose lui arrivait, c'était la seule personne sur qui elle pourrait se reposer. Elle eut l'impression d'entrevoir une lueur d'espoir et ses mouvements s'accélérèrent un peu.

Puis elle entendit un bruit dans le vestibule. À l'idée que c'était Kenji qui rentrait, elle se crispa un instant, mais personne n'apparut dans la salle de séjour. Un inconnu se serait-il introduit dans la maison ? Elle se dépêcha de gagner l'entrée.

Kenji était assis sur la marche et lui tournait le dos. Les épaules tombantes, il regardait vaguement par terre. Le dos de sa chemise était sale. La tête baissée, il n'avait même pas remarqué la présence de Yayoi. Le souvenir de la veille lui revenant, la haine enfla soudain en elle.

Un type pareil ne devrait plus jamais revenir.

Elle n'avait plus envie de voir sa tête.

– C'est toi ? demanda Kenji en se retournant. Tu n'es pas encore partie ?

S'était-il bagarré ? Il avait les lèvres tuméfiées et ensanglantées. Yayoi resta immobile sans rien dire. Pourrait-elle contenir encore longtemps ce flot de haine prêt à rejaillir à tout moment ? Mais Kenji murmura :

– Quoi ? Pour une fois, tu devrais te montrer gentille envers moi.

Alors elle fut à bout de patience. Avec une célérité qui l'étonna, elle enleva la ceinture de son jean et l'enroula autour du cou de son mari.

Qui poussa un cri de stupeur.

Tenta de se retourner. Mais Yayoi tira sur la ceinture à deux mains. Kenji voulut y porter les siennes, mais le cuir s'était déjà trop enfoncé dans son cou et aucun doigt ne pouvait s'y glisser. Yayoi l'observa froidement. Il grattait en vain sous son menton. Elle mit encore plus de force à resserrer le nœud coulant. La tête de Kenji retomba en arrière avec une facilité étonnante. Ses doigts qui avaient renoncé à saisir la ceinture s'agitèrent dans le vide. *Qu'il souffre encore, et plus. Un homme comme lui ne méritait pas d'exister.* Elle prit appui sur son pied gauche pour heurter du droit l'épaule de Kenji et le forcer à se rabattre vers l'avant. Un râle pareil à un coassement monta du fond de la gorge de Kenji. Elle se sentait bien. C'était un vrai mystère : où avaient donc pu se cacher tant de violence et tant de cruauté en elle ? Mais le fait était là : elle se sentait incroyablement revigorée.

Kenji s'était affaissé dans le vestibule, ses pieds toujours chaussés, le torse en travers de la marche et la tête tordue.

– Pas encore, dit-elle. Je ne te pardonne pas encore.

Elle continua à serrer. Ce n'était pas qu'elle désirât vraiment sa mort. Tout ce qu'elle voulait, c'était ne plus voir sa tête et ne plus l'entendre parler.

Combien de minutes s'étaient écoulées ? Kenji ne faisait plus le moindre mouvement. Yayoi toucha la veine de son cou. Il s'était mouillé le devant du pantalon. Elle eut envie de rire en songeant qu'il s'était pissé dessus.

– Comme si tu n'avais pas pu être gentil une fois dans ta vie, dit-elle avec un sourire.

Elle ne savait plus combien de temps elle était restée clouée sur place. Le ronronnement de Milk la ramena à la réalité.

– Qu'est-ce qu'on va faire, Milk? Je l'ai tué, lui murmura-t-elle.

Le chat blanc laissa échapper un miaulement qui était presque un hurlement. Comme pour l'imiter, Yayoi poussa un petit cri. Elle venait de commettre l'irréparable, mais elle n'éprouvait pas l'ombre d'un remords. C'était bien ainsi, c'était la seule solution, se dit-elle à elle-même.

Elle regagna la salle de séjour et, retrouvant son sang-froid, elle jeta un coup d'œil à la pendule. Onze heures du soir. Bientôt l'heure d'aller au travail. Elle téléphona chez Masako.

– Madame Katori à l'appareil.

Heureusement, c'était elle. Yayoi respira un bon coup avant de parler.

– C'est moi, Yayoi Yamamoto, dit-elle.

– Ah, Yayoi. Qu'est-ce qui se passe? Tu ne viens pas travailler ce soir?

– Non. Simplement, je ne sais pas quoi faire.

– Pourquoi? demanda Masako, plus attentive que d'ordinaire. Il est arrivé quelque chose?

– Oui, répondit Yayoi avant de se décider à ajouter: J'ai fini par le tuer.

Après un moment de silence, la voix douce de Masako se fit entendre.

– C'est vrai?

– Oui, je ne te mens pas. Je viens de l'étrangler.

Masako se tut de nouveau. Cette fois, le silence dura une trentaine de secondes. Mais Yayoi savait que ce n'était pas à cause de la surprise, mais parce que Masako réfléchissait.

– Qu'est-ce que tu comptes faire?

Sur le moment, Yayoi ne comprit pas le sens de la question et resta muette. Masako poursuivit.

– Dis-moi ce que tu veux faire tout de suite. Je t'aiderai.

– Moi ? Je veux que ce soit comme avant. Les enfants sont encore petits.

Dès qu'elle eut prononcé ces mots, les larmes lui vinrent. La confusion la saisissait enfin. Masako interrompit ses sanglots.

– J'ai compris. J'arrive. Personne ne t'a vue au moins ?

– Je n'en sais rien, répondit Yayoi en tournant la tête vers le chat qui s'était glissé sous le sofa. Il n'y a que le chat.

– Bien, dit doucement Masako, un sourire dans la voix. Attends-moi.

– Merci.

Yayoi raccrocha et s'écroula sur place. Ses genoux heurtèrent son estomac, mais elle ne ressentait plus aucune douleur.

CHAPITRE 6

Masako raccrocha et vit en double les lettres du calendrier fixé au mur devant elle. C'était la première fois qu'elle éprouvait un vertige après un choc.

Si elle était inquiète de l'état dans lequel elle avait vu Yayoi la veille, elle était loin de vouloir se mêler des affaires d'une autre famille. Sauf que, maintenant, elle s'apprêtait à lui donner un coup de main. Avait-elle vraiment raison ? Elle s'appuya au mur en attendant que sa vision redevienne normale.

Elle ne voyait plus son fils Nobuki qui tout à l'heure encore regardait la télé, allongé sur le sofa du séjour. Sans qu'elle s'en soit aperçue, il avait dû se retirer dans sa chambre, au premier étage. Son mari Yoshiki s'était couché très tôt après avoir bu. Personne n'avait dû entendre sa conversation téléphonique. Rassurée, elle s'employa à mettre de l'ordre dans ses idées afin d'échafauder un plan d'action. Elle ne disposait pas de beaucoup de temps. Il allait falloir faire vite. Elle décida de réfléchir une fois dans sa voiture.

La clé de contact à la main, elle cria à Nobuki au premier :

– Je pars travailler. Pense à fermer les robinets du gaz.

Pas de réponse. Elle savait que pendant son absence Nobuki buvait et fumait en cachette. Qu'allait-il faire ? Qu'allait-il devenir ? Sans perspectives ni passions, il allait sur l'été de ses dix-sept ans sans la moindre idée de ce qu'il voulait faire ou être.

Ce printemps-là, il venait d'entrer au lycée municipal, mais surpris en possession de billets pour une fête – billets qu'on l'avait forcé à acheter –, il avait été accusé d'en avoir vendu et avait été expulsé. Il avait été tellement ébranlé par cette punition disproportionnée qu'il avait cessé de parler. Personne ne savait comment s'y prendre pour l'aider à s'ouvrir. Il s'était enfermé en lui-même derrière une porte si solide que sa mère même ne savait plus l'ouvrir et avait renoncé. De toute façon, il n'y avait plus rien à faire. Ce n'était déjà pas mal qu'il travaille à temps partiel comme plâtrier. Avoir un enfant, pensait-elle, c'était s'encombrer d'une relation humaine qu'on ne peut ni interrompre ni façonner à sa guise.

Masako s'immobilisa devant une petite pièce contiguë au vestibule. À travers la porte en aggloméré, elle entendit le ronflement de son mari. Depuis quand avait-il pris l'habitude de dormir dans cette pièce orientée au nord et qui, au début, devait servir de débarras ? Pendant un moment, Masako resta là, à réfléchir dans le couloir. En fait, ils avaient commencé à faire chambre à part avant d'emménager dans cette maison, quand elle travaillait encore dans un bureau. Ils avaient fini par trouver cela naturel. Aucune tristesse : maintenant chacun dormait dans sa chambre et s'y était habitué.

Yoshiki travaillait dans une entreprise de construction affiliée à une société immobilière. La boîte était prestigieuse, mais un jour il avait dit que, lorsqu'il y avait des problèmes financiers, on traitait plutôt mal les employés. Masako ne savait absolument pas ce que son mari y faisait, Yoshiki grimaçant chaque fois qu'on évoquait sa boîte. Il n'aimait pas en parler, ne fût-ce que du bout des lèvres.

Elle avait connu Yoshiki, qui avait deux ans de plus qu'elle, au lycée. Sa qualité était d'être doté d'une espèce d'intégrité qui le mettait à l'écart des autres. Il détestait tromper ou trahir, en quoi il n'était pas fait pour l'agressivité commerciale d'une entreprise de construction. Il n'avait d'ailleurs toujours pas dépassé le statut de simple employé, laissé sur le bas-côté des plans de carrière. Il devait souffrir de cette incompatibilité avec la vie sociale. Les jours de congé, il s'enfermait dans sa chambre comme un ermite abominant le monde d'ici-bas : par là, il ressemblait à son fils Nobuki, qui, lui, ne disait plus un mot. Pour sa part, elle avait renoncé à intervenir.

Son fils qui, après son expulsion, était devenu muet, son mari miné par une dépression, Masako elle-même qui, licenciée pour cause de restructuration, avait choisi de travailler la nuit, ils formaient un sacré trio. De la même manière qu'ils avaient chacun leur chambre, ils affrontaient la vie dans la solitude, chacun se débrouillant de son fardeau.

Lorsque, faute de trouver un nouvel emploi, Masako s'était finalement résignée à travailler de nuit dans une fabrique de paniers-repas, Yoshiki n'avait rien dit. Non pas qu'il ait été amorphe, non. Masako avait seulement senti qu'il avait renoncé à une combativité futile et qu'il commençait à former son cocon. Et dans ce cocon, il n'y avait pas de place pour elle. Il ne s'intéressait plus au corps de sa femme, ses doigts se contentant d'édifier patiemment une forteresse. Ayant partie liée avec le monde extérieur, Masako et Nobuki devaient en être exclus, aussi douloureux cela fût-il pour eux.

Incapable qu'elle était de faire face à ses problèmes familiaux, comment aurait-elle pu intervenir dans les affaires de Yayoi ? Tout en s'interrogeant, elle poussa la porte pour sortir. Il semblait faire plus frais que la veille. Elle leva les yeux et aperçut une lune rougeâtre qui se dessinait vaguement dans le ciel. Elle y vit un mauvais présage et détourna les yeux. Yayoi venait de tuer son mari. N'était-ce pas déjà le plus sûr des mauvais présages ?

Sa Corolla était garée dans un petit emplacement devant la maison. Elle se faufila habilement dans l'entrebâillement de la portière qu'on ne pouvait pas ouvrir davantage, mit le contact et démarra aussitôt. La nuit, dans ce quartier résidentiel en pleine campagne et entouré de champs, le vrombissement du moteur résonna fort. Elle ne craignait pas que les voisins se plaignent du bruit, mais redoutait les soupçons qu'une sortie nocturne pourrait susciter. Quand elle avait commencé à travailler à la fabrique, les voisins avaient cherché à savoir où elle allait à des heures si tardives.

Yayoi habitait tout près de la fabrique de paniers-repas, à Musashi-Murayama. Masako allait donc passer chez elle avant d'aller au parking habituel. Elle devait faire attention à n'être pas vue. Mais elle se rappela la promesse qu'elle avait faite à Kuniko. Elles se donnaient toujours rendez-vous au parking à vingt-trois heures trente pour marcher ensemble jusqu'à la fabrique. Elle arriverait donc en retard, c'était inévitable. Elle pria le ciel que Kuniko, toujours si soupçonneuse et intuitive, n'y accorde pas d'importance.

Mais cela ne servirait sans doute à rien. Il était plus que probable que quelqu'un ait déjà deviné qu'il s'était passé quelque chose chez les Yamamoto ou que Yayoi se soit rendue au commissariat. Il n'était même pas impossible que tout cela ne soit qu'une invention. Soudainement impatiente, Masako appuya à fond sur l'accélérateur.

Par la vitre ouverte de la voiture entra le parfum entêtant de gardénias, puis leur senteur se dissipa dans les ténèbres. De la même manière, la compassion qu'elle éprouvait pour Yayoi sembla s'évanouir. Mais enfin que veut-elle de moi? pourquoi vient-elle m'ennuyer avec ça? se demanda-t-elle, puis elle décida d'attendre de l'avoir rencontrée; elle verrait après si elle l'aidait ou non.

Au coin de la ruelle où se trouvait la maison de Yayoi, elle aperçut une silhouette blanche. Une femme. Elle pila.

– Masako! s'écria Yayoi, désemparée.

Elle portait un polo blanc et un jean trop lâche. La blancheur du polo se détachait dans la nuit. Yayoi semblait tellement vulnérable que Masako retint son souffle.

– Qu'est-ce que tu fais? lui demanda-t-elle.

– Le chat s'est échappé, dit-elle, des larmes dans la voix. Les enfants l'adorent et il s'est sauvé quand il m'a vue faire.

Portant son index à ses lèvres, Masako lui fit signe de se taire. Yayoi regarda autour d'elle, comme si elle comprenait le danger. Ses doigts qu'elle avait posés sur la portière se mirent à trembler. Masako le vit et décida de l'aider à se sortir de cette situation désespérée.

Elle redémarra doucement, en regardant les maisons voisines. À vingt-trois heures passées, en semaine, la plupart des pavillons étaient plongés dans le silence, quelques lumières brillant ici et là dans des chambres à coucher. Ce soir-là, la fraîcheur aidant, les climatiseurs étaient arrêtés et les fenêtres entrouvertes. Il fallait faire attention à ne pas faire de bruit. Masako fut soudain inquiète en entendant le claquement des sandales que Yayoi avait aux pieds.

La maison de Yayoi était située tout au fond de la venelle. De plain-pied, elle avait été construite une quinzaine d'années auparavant. Malgré son loyer élevé, elle était petite et inconfortable, et les Yamamoto avaient économisé pour pouvoir déménager. C'était maintenant inutile. Les gens finissent toujours par faire des bêtises. Qu'est-ce qui avait poussé Yayoi à faire ça ? Qu'est-ce qui avait poussé son mari à faire quelque chose qui l'avait mise pareillement en colère ? Perdue dans ses réflexions, Masako descendit de la voiture sans bruit. Yayoi arrivait.

– Ne sois pas choquée, dit celle-ci en ouvrant la porte d'entrée d'un geste craintif.

Masako comprit que Yayoi ne se référait pas à son acte, mais au fait que, derrière la porte, gisait un Kenji dont le visage et le corps étaient sans vie. Il avait encore la ceinture de cuir marron autour du cou, la langue qui pendait un peu et les yeux entrouverts. Son visage n'était pas congestionné, mais livide.

Masako s'était attendue à un choc, mais devant ce corps inerte elle fut curieusement gagnée par une forme de sérénité. Comme elle n'avait pas connu personnellement Kenji, son cadavre n'était pour elle que celui d'un homme immobile et au visage relâché de manière presque comique. Elle eut du mal à se faire à l'idée que Yayoi, jusque-là un modèle d'épouse et de mère à ses yeux, ait pu commettre un meurtre.

– Il est encore chaud, dit Yayoi en touchant le mollet qui sortait du pantalon retroussé.

Elle le palpa comme pour s'assurer qu'il était bien mort.

– C'est donc vrai, dit Masako d'une voix étouffée.

– Tu croyais que je mentais ? Ce n'est pas mon genre.

Contrastant avec l'humeur sombre de Masako, elle parut sourire, mais peut-être n'était-ce qu'une grimace.

– Que vas-tu faire ? Tu ne vas pas aller chez les flics, si ?

– Non, dit Yayoi en hochant la tête d'un air décidé. Tu vas peut-être penser que je suis bizarre, mais je n'ai absolument pas l'impression d'avoir mal agi. Il méritait de mourir, j'ai donc décidé de prétendre qu'il avait disparu dans la nature au lieu de rentrer à la maison cette nuit.

Masako réfléchit et jeta un coup d'œil à sa montre. Déjà 11 h 20. Il fallait être à la fabrique à 11 h 45 au plus tard.

– Il y a beaucoup de gens qui ne rentrent pas chez eux. Personne ne l'a vu venir de la gare ?

– Entre la gare et la maison, il y a peu de passage. Je pense qu'il n'y a pas de problème.

– Si jamais il a téléphoné à quelqu'un en rentrant, c'est fichu.

– Il suffit que je continue à dire qu'il n'est pas rentré, insista Yayoi avec détermination.

– Tu crois pouvoir faire l'idiote si les flics te foutent la pression ?

– Oui. Je suis sûre que…

Yayoi hocha la tête en écarquillant les yeux. Elle était mignonne et ne faisait pas ses trente-quatre ans. Avec son physique gracile, personne ne la soupçonnerait, mais le pari était très risqué.

– Bon, qu'attends-tu de moi ? demanda Masako, prudente.

– Qu'on le cache dans le coffre de ta voiture. Et après…

– Oui… ?

– On ira le jeter quelque part demain.

Il n'y avait sans doute pas d'autre possibilité. Masako accepta sans se faire prier.

– D'accord. On n'a pas de temps à perdre, on le charge tout de suite.

– Je ne sais comment te remercier, mais je trouverai. Je pourrai te payer.

– Je ne veux pas de ton argent.

– Pourquoi ? Pourquoi tu fais tout ça pour moi ? demanda Yayoi en passant la main sous l'aisselle de Kenji.

– Je ne sais pas, mais je réfléchirai à ça plus tard.

Masako souleva le corps de celui qui avait été le mari de Yayoi par ses deux jambes inertes. Il avait à peu près la même taille qu'elle, environ un mètre soixante-huit, mais, l'ossature masculine étant plus épaisse, il était lourd. Elles réussirent à le sortir tant bien que mal sur le seuil. Soutenu par les deux femmes, avec l'air qu'il avait et sa tête qui branlait, Kenji ressemblait à un type ivre mort. La ceinture serrée autour de son cou traînait par terre. Masako observa en silence Yayoi qui l'arrachait et l'enroulait autour de sa taille.

– Tu es sûre d'avoir pris tous ses vêtements ?

– Oui, oui. Il est rentré sans rien d'autre que ce qu'il porte.

En lui repliant les membres, elles parvinrent à caser Kenji dans le coffre.

– Nous ne pouvons absolument pas être absentes ce soir. Tu as besoin d'un alibi. On va le laisser au parking pendant la nuit. On réfléchira à la suite à la fabrique.

– D'accord. J'ai intérêt à y aller à vélo comme d'habitude.

– Évidemment. On fait comme si de rien n'était.

– Alors, je m'excuse, mais je te le confie.

Dès que le cadavre eut quitté sa maison, Yayoi se sentit soudain très détachée, son expression trahissant même le sentiment de liberté qu'on éprouve après avoir accompli un travail. À se demander si elle ne croyait pas sincèrement que Kenji avait disparu dans la nature. Inquiète de la voir se métamorphoser ainsi, Masako se mit au volant et attacha sa ceinture de sécurité.

– Si tu es trop euphorique, lui dit-elle à voix basse, tu vas te faire prendre.

Yayoi mit une main sur sa bouche comme pour réprimer son excitation. Masako fixa ses grands yeux.

– C'est l'impression que je donne ? lui demanda Yayoi.

– Un peu.

– Bon… Qu'est-ce que je fais pour le chat ? Les enfants vont faire des histoires. Ça m'ennuie.

– Il reviendra.

Mais Yayoi hocha la tête d'un air obstiné et répéta :

– Ça m'ennuie. Qu'est-ce qu'on fait ?

Masako mit le moteur en marche et s'éloigna de la maison. Au bout d'un moment, elle commença à s'inquiéter d'avoir le cadavre de Kenji dans le coffre. Si par malchance elle était soumise à un contrôle de police, ce serait la fin. Et un accident serait fatal. Ç'aurait dû l'inciter à la prudence, mais au contraire elle roula à toute vitesse dans la nuit, comme si quelqu'un la poursuivait. C'était le cas, mais le poursuivant était immobile dans son coffre. Calme-toi, se dit-elle.

Elle arriva enfin au parking. La Golf de Kuniko était garée de travers, à sa place habituelle. Elle avait dû partir sans l'attendre en voyant que Masako avait du retard. Celle-ci descendit de voiture, alluma une cigarette et regarda autour d'elle. Ce soir-là, il ne flottait dans l'air ni odeurs de friture, ni puanteurs de gaz d'échappement. Peut-être était-elle trop excitée pour les sentir.

Elle fit le tour de la Corolla et regarda fixement le coffre. Il y avait un cadavre à l'intérieur, et demain elle s'en débarrasserait : elle faisait des choses qu'elle n'aurait jamais imaginées quelques heures auparavant… Elle se dit que le cours de sa vie, jusque-là toute tracée, lui devenait opaque. À cette idée, elle commença à comprendre le sentiment de libération qu'avait éprouvé Yayoi.

Elle vérifia une fois encore que le coffre était bien verrouillé et, sa cigarette à la main, elle marcha dans le sentier mal éclairé. Elle allait être en retard, mais elle ne devait pas se faire remarquer par un comportement inhabituel.

Alors qu'elle longeait d'un pas vif l'usine désaffectée plongée dans l'obscurité, un homme coiffé d'une casquette surgit soudain de la gauche et lui saisit le bras. Elle fut très surprise ; elle avait totalement oublié la rumeur sur l'obsédé sexuel.

L'incident fut si imprévu qu'elle n'eut pas le temps de pousser un cri. Elle allait être entraînée de force sous l'auvent de l'usine désaffectée.

– Arrête ! hurla-t-elle, sa voix aiguë déchirant les ténèbres.

Pris au dépourvu, l'homme paniqua. Il lui mit la main droite sur la bouche et essaya de la tirer dans les hautes herbes du bord de la route. Mais Masako était assez grande et le repoussa d'un coup d'épaule. Puis elle agita son sac en tous sens pour échapper à l'emprise de l'individu qui voulait la bâillonner. Celui-ci lui empoignant le bras gauche, il s'en fallut de peu qu'elle ne soit plaquée à terre. Il n'était pas aussi grand que Kuniko l'avait décrit, mais il était trapu et sentait un parfum entêtant.

– Pourquoi tu t'attaques à moi? hurla-t-elle. Y a plein de jeunes!

Elle remarqua alors une hésitation chez l'homme qui lui tenait le bras gauche et eut alors la certitude que c'était un employé de la fabrique et qu'il la connaissait. Elle voulut dégager son bras pour courir vers la rue, mais l'inconnu fut plus rapide et, la devançant, chercha à la faire reculer jusqu'à l'usine désaffectée. Elle eut l'impression qu'il y avait un tunnel qui abritait un canal aux eaux croupissantes. Elle se souvint qu'il y avait des crevasses dans les dalles de béton. Il ne fallait surtout pas qu'elle y tombe. Elle chercha désespérément à assurer ses pas dans l'herbe et tenta de voir le visage de son agresseur. Elle ne put distinguer ses traits, mais aperçut ses yeux noirs sous sa casquette, à la lueur vague de la lune rouge.

– Mais… tu es Miyamori!

Elle avait lancé ce nom au hasard, mais elle constata que l'homme en était ébranlé.

– Tu t'appelles bien Kazuo Miyamori, non? répéta-t-elle. Si tu me lâches, je ne dirai rien. Je ne veux surtout pas arriver en retard aujourd'hui. Je te verrai à un autre moment. Je ne te mens pas.

L'homme avala sa salive mais ne répondit rien à cette proposition inattendue.

– Laisse-moi partir, insista-t-elle. On se retrouvera à une autre occasion.

Il lui répondit alors et, au son de sa voix lourdement accentuée, elle reconnut Miyamori:

– C'est vrai? Quand?

– Demain soir, ici même.

– À quelle heure?

– À neuf heures.

Au lieu de répondre, l'homme l'étreignit soudain et plaqua sa bouche sur la sienne. Écrasée par ce corps dur comme un roc, elle suffoqua. Elle se débattit et, leurs jambes s'entortillant, leurs corps heurtèrent à grand fracas le volet rouillé de l'entrée des marchandises. Surpris par ce bruit, l'homme s'immobilisa et épia les alentours. Profitant de ce moment d'inattention, Masako le repoussa, ramassa son sac et s'enfuit précipitamment. Elle faillit buter sur une cannette par terre, ce qui augmenta sa colère.

– Prends-t'en à des plus jeunes! hurla-t-elle.

Il resta les bras ballants et la regarda, stupéfait. Du dos de la main, elle essuya ses lèvres toutes dégoulinantes de la salive de l'homme et se fraya un chemin au milieu des herbes hautes de l'été.

– Je t'attendrai demain, lui lança l'homme d'une voix grave et suppliante.

Elle traversa à l'aveuglette les dalles de béton qui recouvraient le canal et se mit à courir à toutes jambes vers la route. Il fallait que ce soit aujourd'hui! Il fallait que ce soit elle qu'il attaque, elle qui avait pris tant de précautions! En elle se mêlèrent le remords et la conscience d'avoir été imprudente. Elle sentit monter en elle une colère sourde comme elle n'en avait pas connu depuis longtemps. Et avec ça, il fallait que l'obsédé sexuel soit Kazuo Miyamori! Elle s'en voulut de lui avoir dit bonjour la veille.

Alors qu'elle rentrait dans la fabrique, se passant la main dans les cheveux pour y mettre un peu d'ordre, elle tomba sur Komada, de la surveillance sanitaire, qui s'apprêtait à s'en aller.

– Bonjour, dit-elle, haletante.

Komada se retourna d'un air étonné.

– Dépêche-toi, dit-elle. Tu es la dernière.

Elle passa le rouleau adhésif sur le dos de Masako et rit, ce qui n'était pas dans ses habitudes.

– Qu'est-ce que tu faisais? Tu as plein d'herbes et de terre.

– À force de me presser, je suis tombée.

– Tu t'es étalée par terre ! C'est terrible ! Tu ne t'es pas blessée à la main ?

Il suffisait d'une petite égratignure pour qu'on n'ait pas le droit de toucher aux aliments. Masako s'empressa de regarder ses doigts : elle avait de la boue sous les ongles, mais pas de blessure. Elle hocha la tête, soulagée.

Il ne fallait absolument pas qu'on sache qu'elle avait été attaquée. Avec un sourire gêné, elle se précipita dans le vestiaire. Il n'y avait plus personne. Elle enfila vite sa blouse blanche et son pantalon de travail, prit le tablier en plastique et le bonnet pour aller aux toilettes et se regarda dans la glace : elle avait les lèvres légèrement tuméfiées.

– Le salaud ! lâcha-t-elle, et elle les rinça.

Elle avait aussi un bleu au bras gauche. Elle avait dû l'attraper quand il avait essayé de la plaquer dans l'herbe. Elle ne voulait pas garder la moindre trace de cet homme sur son corps. Elle eut envie de se déshabiller pour s'examiner, mais elle se mettrait en retard et ce serait enregistré par la pointeuse. Elle tenta de contrôler son énervement de toutes ses forces, mais se rappela les mots de Miyamori : « Je t'attends demain », et sa colère monta d'autant plus fort qu'elle ne pouvait pas porter plainte pour le faire arrêter.

Elle se lava soigneusement les mains et redescendit en courant au rez-de-chaussée de la fabrique. La machine de pointage marqua 23 h 59 sur sa carte. Elle était donc arrivée à l'heure de justesse, mais ce n'en était pas moins un écart par rapport à ses habitudes. À l'entrée de l'atelier, la file des employés commençait à avancer vers l'intérieur et la désinfection des mains avait débuté. Yoshié et Kuniko, qui étaient parmi les premières, se retournèrent pour la saluer. Masako leva une main en l'air, hocha la tête et s'aperçut que Yayoi, le visage caché par le masque et le bonnet, se trouvait à côté d'elle.

– Tu en as mis du temps ! Je m'inquiétais, dit Yayoi à voix basse.

– Je suis désolée.

– Il s'est passé quelque chose ? demanda-t-elle en la regardant dans les yeux.

– Non, rien de spécial. Mais toi… tu ne t'es pas blessée à la main ? Si c'est le cas, ça va être noté.

– Tout va bien, répondit Yayoi en regardant l'atelier qui ressemblait à un grand frigidaire. J'ai l'impression d'être devenue forte.

Mais Masako remarqua que sa voix tremblait légèrement.

– Contrôle-toi. C'est toi qui as choisi tout ce qui t'arrive.

– Je sais.

Les deux femmes se rangèrent au bout de la file de désinfection. Yoshié occupait déjà la tête de la chaîne et les regarda, l'air de leur dire de se presser.

– Dis-moi… ce machin-là, murmura Masako en nettoyant soigneusement ses avant-bras sous le jet violent du robinet, comment comptes-tu t'en débarrasser ?

– Je n'en sais rien, murmura Yayoi, la fatigue soudainement visible dans ses yeux creusés.

– C'est toi qui l'as fait, c'est toi qui dois trouver une solution, répliqua Masako non sans brutalité.

Puis elle rejoignit Yoshié qui l'attendait à la tête de la chaîne. En chemin, elle examina attentivement les employés brésiliens coiffés de bonnets bleus, mais ne trouva pas Kazuo Miyamori parmi eux. Elle eut alors la certitude que c'était bien lui, l'obsédé sexuel.

– Merci pour ce que tu as fait tout à l'heure, dit Yoshié en baissant la tête.

– De quoi parles-tu ? dit Masako, stupéfaite.

– Mais enfin ! Tu m'as prêté de l'argent. Tu l'as même apporté chez moi en fin d'après-midi. Tu m'as vraiment sauvée, dit-elle en lui donnant un coup de coude dans les côtes. Je te le rends dès que je reçois ma paie.

Yoshié lui passa le cahier de commandes qui spécifiait : « Côte de bœuf à la coréenne, huit cent cinquante portions ». Ce qui s'était produit dans l'après-midi appartenait à un passé fort lointain et Masako eut un rire amer. La journée avait été longue.

– Qu'est-ce qui t'est arrivé ce soir ? demanda Kuniko.

Profitant du retard de Masako, elle s'était approprié son travail, qui consistait à passer les récipients à Yoshié.

– Oh, excuse-moi ! J'ai eu des choses à faire au dernier moment.

– Ah bon ? Avant de partir, je t'ai appelée pour confirmer notre rendez-vous.

– Personne ne t'a répondu ? Ça devait être après mon départ.

– Peut-être, mais alors tu as traîné.

– J'ai fait des courses qui m'ont pris du temps.

Kuniko se tut, mais Masako savait qu'elle n'était pas satisfaite. Il allait falloir se méfier d'elle. Elle faisait preuve d'une dangereuse intuition.

Yoshié, elle, tout en s'occupant du dosage du riz, observait de temps en temps Yayoi en amont de la chaîne. Masako suivit son regard et vit que Yayoi paraissait vraiment dans la lune. La sauce de porc qui avait taché sa blouse blanche lorsqu'elle était tombée la veille était restée telle quelle : même séchée, la tache brunâtre qui s'étendait sur tout son dos et sa taille ne pouvait qu'attirer les regards.

– Il vous est arrivé quelque chose à toutes les deux ? demanda Yoshié.

– Pourquoi ça ?

– Elle a la tête ailleurs et tu arrives en retard.

– C'était pareil hier. Mais dis, la Patronne, tu devrais mettre en marche la chaîne avant que Nakayama ne vienne.

Masako occupa le poste de la préparation de la viande, dont personne ne voulait. Yoshié renonça à l'interroger ; en hochant légèrement la tête, elle appuya sur l'interrupteur du tapis roulant. Le cahier de commandes passa le long de la chaîne. Puis, dans un grand fracas, la machine à servir du riz commença à fonctionner. Du bec en acier inoxydable tombèrent des cubes de riz dans les récipients que Kuniko tendait à Yoshié un à un. Le long et pénible labeur avait commencé.

Masako devait détacher et aplatir les morceaux de viande, qui en refroidissant s'étaient fripés et collés les uns aux autres.

Elle sentit un regard posé sur elle et leva les yeux. C'était Yayoi qui s'était postée, elle aussi, à la préparation de la viande, de l'autre côté du tapis.

– Quoi? Qu'est-ce qu'il y a? demanda-t-elle.

– Réduit dans cet état, on ne le reconnaîtra plus, dit-elle en baissant les yeux sur la viande.

Ses yeux brillaient comme animés par la folie.

– Tais-toi, murmura Masako.

Elle regarda discrètement autour d'elle, mais personne ne prêtait attention à leur conversation. Yayoi remarqua le regard de Masako et parut épouvantée. Elle était euphorique mais, le rappel à l'ordre de Masako la précipitant dans la mélancolie, elle se mit à pleurer. Masako s'inquiéta: Yayoi pourrait-elle surmonter toutes les épreuves qui allaient se présenter? Le problème la concernait elle aussi maintenant qu'elle avait décidé de l'aider.

CHAPITRE 7

Dans l'atelier semblable à une boîte en acier inoxydable, on n'avait aucune idée du temps qu'il faisait dehors.

À cinq heures et demie du matin, le travail enfin terminé, Masako monta au premier en traînant ses jambes lourdes et entendit l'employée qui était montée la première s'écrier : « Oh, non, il pleut ! » Elle se représenta aussitôt le coffre de sa Corolla battu par la pluie. Il fallait qu'elles prennent vite une décision.

– Tu es pressée aujourd'hui ? lui demanda Yoshié, en se servant de son masque jetable pour essuyer ses chaussures couvertes d'huile.

– Pourquoi ? demanda Masako en essuyant elle aussi sa vieille paire de Stan Smith qu'elle réservait à la fabrique.

– Pourquoi ? Parce que tu as la tête de quelqu'un qui aurait vu un fantôme, et que je veux savoir ce qui ne va pas.

Yoshié, qui était petite et robuste, leva les yeux vers son amie grande et fine, mais Masako observait le ciel gris de l'aube par la fenêtre, en rangeant ses chaussures de tennis dans le casier juste au-dessous. Contrairement à ce qu'elle avait imaginé, ce n'était qu'une douce bruine qui mouillait et noircissait les bords relevés de la piste d'essai de l'usine de voitures, qu'elle voyait de l'autre côté de la route.

– Je me demandais ce qui te faisait froncer les sourcils, insista Yoshié.

– J'ai une affaire importante à régler, murmura Masako.

Puis elle réfléchit. Yayoi avait évidemment l'intention de se débarrasser du cadavre de Kenji dès aujourd'hui, mais il valait mieux qu'elle rentre chez elle pour jouer le rôle de l'épouse inquiète. Dans ce cas-là, ce serait à elle, Masako, de s'en charger. Elle y était déjà prête, mais elle serait incapable de sortir seule le cadavre du coffre. Elle fixa un moment le visage de Yoshié, dont les fins sourcils possédaient une certaine sensualité. Elle se résolut enfin à aborder le sujet avec elle.

– J'ai un service à te demander, la Patronne, dit-elle.

– Tu sais que je ferais n'importe quoi pour toi, dit Yoshié, toujours prête à aider. Je te dois beaucoup.

Tout en réfléchissant à la manière de présenter la chose, Masako fit la queue pour pointer. Se rappelant soudain qu'elle devait garder un œil sur Yayoi, elle regarda autour d'elle et la vit monter l'escalier, la dernière, la fatigue lui faisant traîner les pieds. Kuniko, elle, était déjà en haut et les attendait. Elle se doutait qu'il était arrivé quelque chose entre Masako et Yayoi. Elle devait être agacée d'en avoir été écartée. Yoshié rejoignit Masako.

– Tu ne le diras à personne, n'est-ce pas ? dit celle-ci.

– Quelle raison aurais-je de répéter quoi que ce soit ? protesta Yoshié. De quoi s'agit-il ?

Masako ne répondit pas tout de suite, pointa et garda les bras croisés.

– Je t'en parlerai plus tard. En tête à tête, dit-elle.

– Libre à toi, répondit Yoshié en se tournant pour regarder l'état du ciel.

Elle était venue à vélo et n'avait pas envie de se mouiller au retour.

– Surtout pas un mot à Kuniko !

– Promis.

Yoshié avait dû comprendre l'importance de l'enjeu, car elle resta bouche close. Elles traversèrent le couloir et entrèrent dans le salon. Elles entendirent les reproches que la surveillante, Komada, faisait à Yayoi :

– Madame Yamamoto, vous êtes priée de laver votre blouse. On ne va pas supporter trois jours durant la puanteur de cette sauce !

– Je suis désolée, répondit docilement Yayoi en ôtant son bonnet et en libérant ses cheveux du filet.

Puis elle se dirigea vers Masako.

Bien qu'elle eût les yeux cernés, elle était plus belle que d'habitude. Un jeune homme teint en blond – sans doute un étudiant qui travaillait à temps partiel – la contemplait avec surprise et ravissement.

– Tu sais, dit Masako en l'attirant dans un coin, tu devrais rentrer tout de suite chez toi et y rester toute la journée.

– Mais…

– La Patronne et moi, on va trouver une solution.

– La Patronne ? fit Yayoi sans cacher son trouble.

Elle regarda à la dérobée vers le vestiaire au fond du salon et ajouta :

– Tu lui en as parlé ?

– Pas encore. Mais je ne pourrai pas le transporter toute seule. Si elle refuse, tu seras bien obligée de me donner un coup de main. De toute façon, si on y réfléchit bien, tu seras la première suspecte. Il faut absolument que tu fasses comme si de rien n'était.

Yayoi poussa un grand soupir comme si elle prenait seulement conscience de la situation.

– Oui, bien sûr, dit-elle.

– Alors rentre chez toi sans rien changer à tes habitudes. Vers midi, tu téléphones à l'entreprise de ton mari et tu demandes s'il est allé travailler. Ils te diront qu'il ne s'est pas présenté et tu répondras qu'il n'est pas revenu de la nuit. Et donc, que tu es extrêmement inquiète. Et quand ils te diront de déclarer sa disparition, tu le fais tout de suite. D'accord ? Si tu ne le fais pas, on te soupçonnera.

– J'ai compris. Je le ferai.

– Et aujourd'hui, tu ne m'appelles pas. S'il y a quelque chose, c'est moi qui prendrai contact avec toi.

– Dis, Masako, qu'est-ce que tu comptes faire ?

– Juste ce que tu as dit toi-même ! répondit Masako avec un sourire gêné. C'est ce que je vais faire.

– Quoi ? dit Yayoi en blêmissant. Non… vraiment ?

Masako constata qu'un visage humain pouvait devenir absolument livide.

– Je vais le faire, oui. Enfin… je vais essayer.

– Merci, dit Yayoi en ayant à nouveau des larmes aux yeux. Merci du fond du cœur. Je ne pensais pas que tu irais jusque-là.

– Je ne sais pas si ça va marcher. Mais je crois que ça vaut mieux que d'aller creuser un trou dans la montagne pour l'enterrer. Parce que là, ça resterait. Alors qu'avec ma méthode on fera disparaître toutes les preuves.

Plus tôt, quand ç'avait été son tour d'aller aux toilettes qui se trouvaient dans un coin de l'atelier – devant, il y avait un grand bac bleu où l'on jetait pêle-mêle les aliments tombés par terre –, elle s'était dit que la solution à laquelle Yayoi avait fait allusion était la bonne.

– Mais c'est un crime, non ? C'est moi qui t'y ai entraînée, marmonna Yayoi d'un air désolé.

– Oui, je sais. Mais se débarrasser d'un cadavre est un travail horrible, de toute façon. Il suffit donc de le considérer comme un déchet. C'est ce qu'il y a de mieux. À condition que ça ne te pose pas de problème. C'est ton mari que nous allons découper en morceaux et jeter à la poubelle comme des ordures ménagères. Tu supporteras ?

– Oui, dit Yayoi avec l'espèce de rictus qui lui tenait lieu de sourire. Il n'a que ce qu'il mérite.

– Terrible ! dit Masako en la fixant des yeux. Tu es vraiment terrible !

– Toi aussi, Masako.

– Non, moi, c'est pas pareil.

– Pourquoi ?

– Pour moi, c'est juste du boulot.

Yayoi en resta interloquée.

– Masako, qu'est-ce que tu faisais avant de venir ici ?

– Comme toi, j'ai un mari, un enfant, un métier. Mais je me sens seule.

Soudain Yayoi baissa la tête, sans doute pour cacher ses larmes. Ses épaules retombèrent avec accablement.

– Ne pleure pas ! la reprit Masako. Ce qui est fait est fait. C'est toi qui as marqué le point final.

Masako faisant avancer Yayoi qui avait acquiescé plusieurs fois, elles entrèrent toutes les deux dans le salon. Déjà rhabillées, Yoshié et Kuniko buvaient du café en tête à tête. Une fine cigarette au coin des lèvres, Kuniko regarda Masako et Yayoi d'un œil soupçonneux.

– Kuniko, tu peux rentrer avant moi aujourd'hui? J'ai quelque chose à dire à la Patronne.

– Qu'est-ce que vous me cachez?

– On parle argent, répondit Yoshié. Je lui ai demandé de me prêter de l'argent.

Kuniko se résigna de mauvaise grâce, prit son sac avec une chaîne dorée – un faux Chanel, probablement – et se leva.

– Excuse-moi, dit Masako en agitant la main avant d'entrer au vestiaire.

Ainsi habilement débarrassée de Kuniko, Yoshié savoura son gobelet de café sucré.

Masako troqua rapidement sa blouse blanche contre son jean et son polo. Puis, en catimini, elle glissa dans un sac de papier les tabliers en plastique de deux employés qui ne venaient plus depuis un moment. Dans l'atelier, elle avait déjà subtilisé quelques paires de gants de plastique jetables et les avait fourrés dans sa poche. Puis, comme si de rien n'était, elle alla dans le salon, s'assit à la place encore chaude de Kuniko sur le tatami et sortit un paquet de cigarettes. Yayoi, également rhabillée, allait s'asseoir avec elle, mais Masako, d'un regard, lui enjoignit de rentrer vite.

– Eh bien, je vous laisse, dit Yayoi. Je suis pressée.

Manifestement angoissée, elle quitta le salon en se retournant plus d'une fois vers Masako. Dès qu'elle fut partie, Yoshié posa sa question d'une voix étouffée.

– Alors qu'est-ce qu'il y a? Tu m'énerves à ne rien dire.

– Écoute-moi et n'aie pas peur, dit Masako en la dévisageant. Yayoi a tué son mari.

Yoshié resta un moment silencieuse, bouche bée, puis elle murmura:

– Pour une surprise…

– Oui, bon… Mais on ne peut pas revenir sur ce qui est fait. J'ai donc décidé de l'aider. Tu veux me donner un coup de main ?

– Tu es folle ou quoi ? s'écria Yoshié avant de baisser le ton, de crainte d'être entendue. Mieux vaut qu'elle se constitue tout de suite prisonnière !

– Mais elle a des enfants encore très petits. Elle l'a fait parce qu'elle n'en pouvait plus d'être battue. Maintenant, elle a le visage d'une femme soulagée.

– Oui mais… de là à *tuer* ! dit Yoshié en retenant son souffle.

– Comme si, toi aussi, tu n'avais pas voulu tuer ta belle-mère !

Masako lui avait parlé d'un ton autoritaire en fixant son visage crispé.

– Ça m'est arrivé, oui. Mais passer à l'acte, c'est autre chose.

Elle termina son café d'une traite.

– C'est vrai que c'est autre chose. Mais il lui a suffi d'un rien pour franchir la limite. Tu vois bien que ce genre de choses, ça arrive, la Patronne. Et c'est pourquoi je vais faire ce que je peux pour l'aider.

– Faire *quoi* ? !

Cette fois sa voix avait résonné dans toute la pièce et tous s'étaient retournés. Les Brésiliens, rassemblés comme toujours près du mur, se turent et regardèrent Yoshié avec curiosité. Elle se fit toute petite.

– C'est impossible. Absolument impossible.

– Impossible ou pas, je vais essayer.

– Pourquoi aller jusque-là ? J'aime pas ça. Être complice d'un meurtre…

– Pas complice. C'est pas nous qui l'avons tué.

– Mais il y aurait pas « abandon de cadavre » ou un truc du genre ?

– Abandon de cadavre, destruction de cadavre…

Yoshié se passa la langue sur les lèvres à plusieurs reprises d'un air totalement perplexe.

– Comment ça ? Qu'est-ce que tu comptes faire ?

– On va le découper en morceaux. Pendant ce temps, Yayoi

fera comme si de rien n'était. Son mari sera porté disparu et tout s'arrangera.

Yoshié secoua la tête.

– Je ne marche pas. Je ne peux pas, c'est trop. Pas question.

– Alors, tu me rends mon argent, dit Masako en tendant la main par-dessus la table. Les quatre-vingt-trois mille yens que je t'ai prêtés hier, tu me les rends dès aujourd'hui, et en entier.

Yoshié réfléchit d'un air douloureux pendant que Masako écrasait sa cigarette dans le gobelet en carton du café qu'elle venait de terminer. Le mélange de sucre, de café instantané et de cendres produisit une odeur répugnante. Sans s'en préoccuper, Masako alluma une deuxième cigarette. Finalement, Yoshié prit sa décision.

– Je ne peux pas te rendre cet argent. Je suis donc bien forcée de t'aider.

– Merci. Je savais que je pouvais compter sur toi, la Patronne.

– Mais… il y a quelque chose que tu dois me dire, ajouta Yoshié en levant la tête comme pour protester. Je ne le fais que par obligation envers toi. J'y suis contrainte et forcée, mais toi, pourquoi fais-tu tout ça pour Yayoi ?

– Je ne le sais pas moi-même, mais j'en ferais autant pour toi.

À court d'arguments, Yoshié se tut.

La plupart des employés avaient déjà quitté la fabrique.

Masako et Yoshié sortirent ensemble. Il tombait une douce bruine du matin. Yoshié reprit son parapluie dans l'entrée. Masako, qui n'avait pas de parapluie à la fabrique, dut sortir sous la pluie.

– Passe chez moi à neuf heures.

– D'accord. Sans faute.

Yoshié partit sur son vélo sous la pluie. Masako la vit s'éloigner et se hâta de rejoindre le parking. C'est alors qu'elle aperçut un homme à l'ombre d'un platane. Kazuo Miyamori. Il portait un tee-shirt blanc, un jean et une casquette noire et avait la tête baissée. Il tenait un parapluie en plastique transparent à la main, mais il ne l'avait pas ouvert et ruisselait de pluie.

– Comment dit-on « va en enfer » en portugais ? lui lança-t-elle en passant.

Il la regarda d'un air perdu. Elle l'ignora et continua à marcher. Kazuo la suivit.

– Parapluie, dit-il en le lui tendant.

– Je n'en ai pas besoin, dit-elle en le repoussant de la main.

L'objet tomba sur le trottoir bétonné aux rebords ébréchés. L'interminable mur gris de l'usine longeait la route où ne se trouvaient ni passants ni voitures. Le bruit de la chute se répercutant, Masako sentit que Kazuo avait sursauté. Elle se rappela qu'il avait eu la même expression lorsque, l'avant-veille, Yayoi avait ignoré son salut.

Il était encore jeune. Il la suivait d'un air perdu, sans savoir où aller. Sa jeunesse l'exaspéra. L'éclat noir de ses yeux, sous la casquette, était le même que la veille, dans la lueur de la lune rouge.

– Ne me suis pas !

– Pardon, dit-il en la dépassant et posant ses deux mains sur sa poitrine musclée.

Elle comprit tout de suite qu'il s'excusait du fond du cœur, mais elle n'y prêta aucune attention et tourna à droite, sur le chemin bordé par les usines désaffectées, où il l'avait agressée. Elle devina qu'il continuait à la suivre. Elle n'avait aucune envie de penser à ce qui s'était produit la veille.

– Tu reviendras ce soir ?

– Tu rêves !

– Mais…

Pour se débarrasser de lui, elle se mit à courir. Elle vit sur sa droite l'entrée des camions de l'usine désaffectée. Le volet marron et rouillé contre lequel Kazuo l'avait plaquée la veille n'avait pas changé et paraissait encore plus foncé sous la pluie. Les herbes d'été qu'elle croyait avoir piétinées brutalement se dressaient vigoureusement devant elle comme si rien ne s'était passé. Que rien n'ait changé la mit soudain en fureur, l'humiliation et l'autodérision de la nuit précédente ne faisant que redoubler de force.

Elle s'arrêta et attendit qu'il la rejoigne. Elle ne pouvait plus contenir la colère qui montait en elle. Kazuo, qui avait récupéré son parapluie, la dévisagea.

– Rentre-toi ça dans le crâne. Si tu recommences, j'avertis la police, lui dit-elle. Je te dénoncerai aussi au chef du personnel et tu ne pourras plus travailler.

– Oui.

Il acquiesçait comme s'il était soulagé. Puis, il leva son visage basané où se lisait une expression étrange. Il devait avoir peur d'être dénoncé.

– Ne crois pas que je t'aie pardonné. Ne te fais pas des idées.

Elle tourna les talons. Il ne la suivit pas. Arrivée au parking, elle se retourna et vit qu'il n'avait pas bougé.

«Imbécile!», eut-elle envie de crier, mais elle refoula ce désir et, tout en se demandant à qui s'adressait vraiment cette insulte, elle regarda longuement sa Corolla. Elle n'avait pas changé de place, elle non plus. Évidemment.

Elle repensa à la chose dans le coffre et trouva très étrange que, immobile et privée de vie, elle ait pu y passer la nuit. Elle en vint même à se demander si ce jeune homme égoïste qui, peu de temps auparavant, avait désespérément imploré son pardon, n'avait pas pour fonction de lui rappeler la présence du cadavre dans son coffre. C'était donc à ce corps immobile, et à elle-même qui lui était liée, que s'adressait son insulte.

Elle déverrouilla le coffre, en entrebâilla le capot de dix centimètres et jeta un coup d'œil à l'intérieur. Elle vit le pantalon gris et le mollet velu de sa jambe gauche, soit la partie même de son corps que, la veille, Yayoi avait touchée pour sentir si elle était encore chaude. La peau était livide et les poils paraissaient sales comme des bouts de fil secs.

– Ce n'est qu'une chose, qu'une simple chose, murmura-t-elle avant de refermer le coffre.

DEUXIÈME PARTIE
LA SALLE DE BAINS

CHAPITRE 1

Debout à l'entrée de la salle de bains, Masako écoutait le bruit de la pluie par la fenêtre.

Le rangement avait été fait par Nobuki qui avait dû prendre son bain en dernier : il avait vidé la baignoire et en avait rabattu les couvercles en plastique sur le rebord. Les murs et les carrelages avaient complètement séché, mais la pièce gardait encore une odeur propre d'eau chaude. C'était le parfum d'un foyer doux et paisible. Masako eut envie d'ouvrir en grand la fenêtre pour laisser entrer un air humide.

Cette maison lui avait imposé bien des contraintes : en balayer les moindres recoins, désherber le jardin de la taille d'un mouchoir, faire disparaître les relents de tabac et rembourser un énorme emprunt. Pourtant, Masako n'arrivait pas à se faire à l'idée qu'elle était chez elle. Pourquoi s'y sentait-elle toujours de passage, comme une locataire ?

Dès qu'elle avait quitté le parking avec le cadavre de Kenji dans son coffre, sa décision avait été prise. Une fois chez elle, elle était allée droit à la salle de bains et l'avait examinée sous tous les angles pour voir comment y allonger le corps et procéder. L'acte dépassait la raison, mais c'était aussi un défi exaltant.

Elle posa ses pieds nus sur la partie carrelée et s'étendit sur le dos. Elle avait à peu près la même taille que Kenji. Ainsi, placé de biais, il se caserait facilement. Au moment de la construction, Yoshiki avait souhaité une grande salle de bains. C'était une bonne idée, se dit-elle avec ironie.

Elle sentit le froid du carrelage sec dans son dos et leva les yeux vers la fenêtre. Le ciel était comme une chape grise sans relief. Elle se rappela Kazuo Miyamori ruisselant sous la pluie et retroussa la manche de son polo pour voir l'ecchymose sur son bras gauche. C'était sûrement la trace du gros pouce de Kazuo. Elle n'avait jamais encore affronté un homme assez fort pour lui infliger un hématome.

— Mais qu'est-ce que tu fais ? lança une voix dans la pénombre.

Masako redressa le buste. Debout en pyjama, Yoshiki la regardait du vestiaire de la salle de bains.

— Qu'est-ce que tu fais là ? répéta-t-il.

Masako s'empressa de se relever et rabaissa sa manche en le dévisageant. À peine sorti du sommeil, ses cheveux ternes tout ébouriffés, il la regardait d'un air effrayé. La façon qu'il avait de plisser les yeux pour mieux voir lui rappelait son fils Nobuki.

— Rien de spécial. J'allais prendre une douche.

Il n'était pas dupe de ce mensonge et regarda par la fenêtre.

— Aujourd'hui il ne fait pas chaud, dit-il. Il pleut.

— Oui, mais j'ai beaucoup transpiré à la fabrique.

— Comme tu veux. Mais un instant j'ai bien cru que tu avais perdu la tête.

— Pourquoi ?

— Tu étais debout à ne rien faire dans le noir, je me suis demandé ce que tu regardais, et tout d'un coup tu te couches par terre. Ça m'a surpris.

Elle était agacée qu'il l'ait espionnée ainsi de dos, sans défense. Depuis quelque temps, il les observait de loin, comme s'il voulait ériger une muraille immatérielle autour de lui.

— Tu aurais quand même pu me parler, dit-elle.

Il ne répondit pas et se contenta de hausser les épaules. Elle sortit de la salle de bains et se faufila habilement entre lui et la machine à laver, sans les effleurer.

— Tu vas prendre ton petit déjeuner ? lui demanda-t-elle.

Sans attendre sa réponse, elle gagna la cuisine, où elle versa du café en grains dans le moulin électrique, qui démarra dans un bruit assourdissant. Elle comptait préparer des toasts et des œufs brouillés, comme d'habitude. Il y avait longtemps que le matin la cuisine n'embaumait plus l'odeur du riz en train de cuire dans l'autocuiseur. Maintenant que son fils n'en avait plus besoin pour le repas de midi, elle avait cessé d'en préparer.

– C'est déprimant, la pluie, murmura Yoshiki en s'asseyant à la table et en regardant par la véranda après avoir fait un brin de toilette.

Masako songea qu'il ne se référait pas seulement au temps, mais aussi à l'ambiance familiale. Il était étouffant pour un couple de se faire face, un matin de pluie, sans télévision ni radio. Elle se massa les tempes qui lui faisaient mal – le manque de sommeil. Yoshiki prit une gorgée de café et ouvrit le journal du matin. La pile de prospectus insérés tomba bruyamment par terre. Masako ramassa les papiers et survola les publicités pour des supermarchés.

– Qu'est-ce que tu as au bras ?

Elle leva les yeux vers lui sans comprendre.

– Au bras, là, à ton bras… Tu as un bleu là, dit-il en lui montrant son bras gauche.

Elle fronça les sourcils.

– Je me suis cognée à la fabrique.

Fut-il satisfait de la réponse ? Il ne l'interrogea pas davantage. Un peu plus tôt, en regardant son bleu, elle avait pensé au pouce de Kazuo Miyamori. Il était peu douteux que Yoshiki ne fût assez sensible pour soupçonner quelque chose. Mais il ne chercha pas à en savoir plus. Il préférait ne rien comprendre. Résignée, elle alluma une cigarette. Lui, qui ne fumait pas, détourna la tête pour éviter la fumée.

Tout à coup, ils entendirent qu'on dévalait énergiquement l'escalier. Yoshiki se crispa imperceptiblement, tandis que Nobuki apparaissait dans l'encadrement de la porte vêtu d'un tee-shirt trop ample et d'un bermuda lui aussi trop lâche et qui lui descendait jusqu'aux hanches. Dès qu'il fut dans la salle à manger, l'énergie juvénile avec laquelle il était descendu mourant aussitôt, il afficha un masque mortuaire, où ses yeux au regard perçant disaient que tout lui déplaisait. Il avait serré les lèvres, manifestant ainsi sa ferme intention de ne pas parler. Cette volonté têtue aurait-elle abandonné son visage qu'on y aurait reconnu, à s'y méprendre, les traits de Yoshiki jeune. Nobuki se

dirigea vers le réfrigérateur et en sortit une bouteille d'eau minérale qu'il but au goulot.

– Prends donc un verre! protesta Masako.

Nobuki l'ignora. Masako ne supportait pas de voir sa pomme
d'Adam suivre sa déglutition.

– Tu ne réponds pas, mais tu m'as entendue, non?

Elle se leva instinctivement et tenta de lui arracher la bouteille des mains. Il la repoussa du coude sans dire un mot. Il
avait grandi très vite et, surtout depuis qu'il travaillait pour son
argent de poche, était devenu robuste et lui fit mal. Elle alla se
cogner la hanche contre l'évier. Il reboucha tranquillement la
bouteille et la rangea dans le réfrigérateur.

– Tu es libre de te taire, dit Masako, mais pas de caprice, s'il
te plaît!

Nobuki lui adressa une grimace provocante et la regarda d'un
air méprisant. C'était son fils, mais il était soudain devenu un
étranger – et un étranger qu'elle n'aimait pas. Elle lui donna
instinctivement une gifle de la main droite. Au contact de sa
joue, qu'elle avait frôlée un instant, elle sentit une chair ferme et
non plus celle d'enfant qu'il avait encore récemment. La gifle
qu'elle reçut en retour fut bien plus douloureuse. Pétrifiée,
Masako le regarda passer à côté d'elle et disparaître dans la salle
de bains. Il n'avait pas prononcé un seul mot.

Mais à quoi s'attendait-elle? Tout ce qu'elle avait fait était
aussi inutile que d'arroser le désert sous un soleil brûlant. Elle
contempla sa main droite toute rouge, puis se tourna vers
Yoshiki, mais il s'était plongé dans son journal, comme s'il
n'avait jamais eu de fils appelé Nobuki.

– Laisse-le tranquille. Ça ne sert à rien, dit-il.

Il avait décidé d'ignorer Nobuki et de le laisser prendre sa vie
en main tout seul. À force de s'élever au-dessus des contin-
gences, Yoshiki se montrait impitoyable avec les comportements
immatures. Nobuki en voulait à son père de ne lui avoir été d'aucun secours pour ses problèmes à l'école. Ils avaient pris tous
trois des directions trop divergentes. C'en était à se demander
pourquoi ils continuaient à vivre ensemble.

Comment Yoshiki et Nobuki réagiraient-ils si Masako leur annonçait qu'elle avait mis un cadavre dans le coffre de la voiture ? Nobuki, sous le coup, dirait-il enfin quelque chose ? Yoshiki laisserait-il exploser sa colère et la frapperait-il ? Non, ils n'y croiraient même pas. Elle eut la conviction que c'était elle qui, dans sa famille, atteindrait l'horizon le plus lointain. Elle n'en fut même pas attristée.

Quand le père et le fils eurent enfin quitté les lieux, la maison retrouva son calme. Masako termina son café et s'allongea sur le sofa du séjour, pour faire un petit somme, même bref. Mais elle ne put s'endormir.

L'interphone sonna.

– C'est moi, dit la voix hésitante de Yoshié.

Masako s'était attendue à moitié à une dérobade, mais Yoshié avait tenu parole. Elle ouvrit la porte de l'entrée. Yoshié était habillée misérablement comme le matin même, d'un pantalon de jersey aux genoux usés et d'un tee-shirt rose délavé. Elle regarda autour d'elle d'un air effrayé.

– Il n'est pas là. Il est encore dans le coffre, lui dit Masako en lui indiquant la voiture près de l'entrée.

Yoshié eut un mouvement de recul.

– Finalement, je ne pourrai jamais, dit-elle. Pardonne-moi, mais je refuse.

Yoshié entra dans le vestibule et s'agenouilla par terre.

Masako la regarda s'accroupir comme une grenouille et se demanda à quand remontait sa dernière permanente. Elle l'avait prévu et ne fut pas surprise outre mesure.

– Et si je proteste, tu vas à la police, c'est ça ? demanda Masako.

Yoshié leva vers elle un visage blême.

– Non, dit Yoshié.

– Mais tu ne veux pas me rendre l'argent. Autrement dit, tu veux envoyer ta fille en voyage scolaire, mais tu me refuses un service vital !

– Mais enfin... ce n'est pas un service ordinaire ! C'est se rendre complice d'un meurtre !

– C'est bien pour ça que je dis que c'est vital.

– Mais c'est un meurtre !

– Si c'était pour autre chose, tu dirais oui ? Pour un vol ou un hold-up, disons ? C'est si différent que ça ?

Masako resta pensive, alors que Yoshié lui souriait en ouvrant des yeux ahuris.

– Mais enfin, c'est une évidence !

– Une évidence pour qui ?

– Pour tout le monde. Pour le reste de l'humanité.

Masako la regarda sans rien dire. Les yeux baissés, Yoshié passa plusieurs fois ses deux mains dans ses cheveux en bataille : sa manie quand elle était dans l'embarras, Masako le savait.

– Bon, j'ai compris, dit-elle. Mais au moins aide-moi à le transporter. Je ne pourrai jamais le porter seule jusqu'à la salle de bains.

– Il faut que je sois de retour avant que la vieille se réveille.

– On n'en aura pas pour longtemps.

Masako chaussa les sandales de Yoshiki et sortit. Il pleuvait encore et il n'y avait donc personne. De l'autre côté de la rue, les terrassements ayant été abandonnés, la terre argileuse retournée était à découvert. Les maisons mitoyennes semblaient collées comme joue contre joue, mais, l'entrée de la maison de Masako formant un angle mort, on ne la voyait de nulle part.

Le poing fermé sur la clé de sa voiture dans sa poche, Masako donna de rapides coups d'œil autour d'elle. Personne. C'était le bon moment. Mais Yoshié n'était pas encore sortie du vestibule.

– Qu'est-ce que tu fabriques ? cria Masako, excédée. Tu m'aides, oui ou non ?

– Seulement pour le porter, répondit Yoshié en sortant de mauvaise grâce.

Masako prit une bâche bleue qu'elle avait déjà préparée devant l'entrée. Yoshié hésitait encore et traînait sous le porche. Masako fit le tour de la voiture et déverrouilla le coffre.

– Ah ! s'exclama Yoshié en retenant son souffle et regardant par-dessus l'épaule de Masako.

Le visage cadavérique de Kenji leur faisait face. Les yeux miouverts, il avait l'air toujours détendu. La salive qui avait coulé de sa bouche avait laissé une traînée sur sa joue. Ses membres s'étaient raidis. Il avait les genoux légèrement repliés et les doigts dressés en l'air comme s'il voulait attraper quelque chose. Son cou, étiré d'une manière peu naturelle, avait conservé des marques rouges de strangulation. Masako se rappela comment, la veille au soir, Yayoi avait remis la ceinture qu'elle avait ôtée de son cou. Yoshié disait quelque chose.

– Qu'est-ce que tu viens de dire ? demanda Masako en se tournant vers elle.

Yoshié haussa un peu la voix en joignant les mains. Elle psalmodiait une invocation à Bouddha. Masako lui tapota les mains.

– Ne fais pas ce genre de truc, ça attire l'attention ! Aide-moi plutôt à le rentrer en vitesse dans la maison.

Ignorant la mine maussade de Yoshié, elle recouvrit Kenji avec la bâche, le saisit sous les aisselles et fit signe à Yoshié de se dépêcher. À contrecœur, celle-ci prit le cadavre par les pieds et le tira vers elle, les deux femmes se donnant enfin le signal de départ pour le sortir du coffre. Les cadavres étant raides, c'était facile à attraper, mais vu le poids du bonhomme et l'inconfort du transfert, elles vacillèrent. Cela dit, l'entrée n'étant distante que de quelques mètres, elles réussirent à le rentrer assez vite dans la maison.

– On va jusqu'à la salle de bains, la Patronne, dit Masako en haletant.

– Je sais, répondit-elle en enlevant ses espadrilles d'écolière. C'est où ?

– Tout au fond.

Elles durent s'arrêter plusieurs fois dans le couloir pour poser le corps par terre et reprendre leur souffle, mais elles finirent par réussir à le transporter jusqu'au vestiaire de la salle de bains. Masako enleva la bâche du cadavre et l'étendit sur la partie carrelée où l'on se lave[1]. Il aurait été ennuyeux que des bouts de chair restent coincés dans les rainures.

---

1. Au Japon, on ne se savonne pas dans la baignoire, mais à côté. (*N.d.T.*)

– Posons-le là-bas, dit-elle.

Yoshié hocha la tête sans résister davantage. Elles soulevèrent le corps de Kenji à nouveau et, ainsi que Masako l'avait projeté, le placèrent en diagonale, comme dans le coffre.

– Pauvre bougre ! Finir comme ça. Jamais il n'aurait imaginé se faire assassiner par sa propre femme. Paix à son âme et qu'il repose en paix !

– Ça m'étonnerait...

– Tu n'as pas de cœur !

Yoshié la blâmait d'une voix montrant qu'elle s'était un peu ressaisie. Masako se dépêcha de lui demander un autre service.

– Je vais chercher les ciseaux. Tu peux m'aider à couper ses vêtements ?

– Mais qu'est-ce que tu vas en faire ?

– Les découper en morceaux et les jeter à la poubelle.

Yoshié respira un grand coup, mais garda son calme.

– On dirait qu'il a quelque chose dans sa poche, fit-elle remarquer.

– Sans doute son portefeuille et sa carte de transports. Regarde.

Quand Masako revint de la chambre à coucher avec une grosse paire de ciseaux, Yoshié avait déjà rangé à l'entrée de la salle de bains tout ce qu'elle avait trouvé dans les poches de Kenji : un portefeuille en cuir noir aux coins usés, un porte-clés, une carte de transport, des pièces de monnaie.

Masako examina l'intérieur du portefeuille. Elle y trouva plusieurs cartes de crédit et trente mille yens en liquide. Les clés devaient être celles de chez lui.

– Tout doit disparaître, dit-elle.

– Que fait-on de l'argent ?

– Tu peux le garder.

– Mais ça appartient à Yayoi, non ? dit Yoshié avant de murmurer : Mais c'est vrai que ce serait un peu bizarre de les rendre à la femme qui l'a tué !

– Évidemment. Prends-les pour ta peine.

Yoshié parut soulagée. Masako glissa le porte-clés, le portefeuille vide, les cartes de crédit, de transport et d'identité professionnelle et le reste dans un petit sac en plastique. Il y avait des champs et des terrains vagues dans tout le quartier. Une fois enterré, personne ne le trouverait.

Yoshié glissa l'argent dans la poche de son pantalon d'un air coupable.

– C'est quand même bizarre de le voir avec sa cravate nouée, alors qu'il a été étranglé… ! dit-elle avec compassion, et elle lui défit son nœud de cravate.

Il était si serré qu'elle y mit du temps. Masako s'énerva.

– Ce n'est pas le moment ! Quelqu'un peut revenir d'un instant à l'autre. Tu n'as qu'à la couper.

– Tu n'as donc aucun respect pour les morts ? s'écria Yoshié, outrée. Tu es un démon ! Je ne t'imaginais pas comme ça. Tu devrais avoir honte !

– Du respect pour les morts ? J'essaie surtout de le considérer comme une chose, dit Masako en enlevant les chaussures de Kenji et en les mettant dans le sac.

– Une chose ? Qu'est-ce que tu racontes ? C'est un être humain.

– C'était un homme, maintenant c'est une chose. C'est ce que je pense.

– Je ne suis pas d'accord, dit Yoshié avec une colère inhabituelle et d'une voix tremblante. Alors pour toi, la vieille dont je m'occupe, c'est quoi ?

– Elle vit encore, c'est donc un être humain.

– Non. Si cet homme est une chose, alors la vieille en est une autre. Nous, qui sommes des êtres vivants, nous sommes des choses. Et ça, là, c'est une chose. Il n'y a pas de différence.

Elle avait probablement raison, pensa Masako que les mots de Yoshié avaient frappée de plein fouet et qui se souvint du moment où, le matin même, elle avait ouvert le coffre au parking de la fabrique.

Le jour s'était levé, il pleuvait et nous, nous étions en vie et animées. Or le cadavre était inanimé, immuable. J'ai donc décidé que c'était une chose. Était-ce une idée opportuniste induite par la peur ?

– Tu te trompes en disant que seul un être vivant est humain et qu'un cadavre est une chose, insista Yoshié. C'est de la pure arrogance !

– Possible. Mais l'idée m'a soulagée.

– Pourquoi ?

– J'avais peur, j'ai donc décidé de le considérer comme une chose. Si je considère ce cadavre comme une chose, peut-être que ce sera plus facile…

– Hein ?

– Plus facile de le découper en morceaux.

– Pourquoi ? s'écria Yoshié. Je ne vois pas comment tu en arrives à cette conclusion. Tu subiras le châtiment divin. Nous serons châtiées toutes les deux.

– Je m'en fiche.

– Pourquoi ? Pourquoi tu t'en fiches ?

Si elle devait être châtiée, Masako voulait savoir en quoi consisterait le châtiment, ce que Yoshié ne comprendrait jamais. Elle se tut et commença à enlever les chaussettes noires de Kenji.

C'était la première fois qu'elle touchait un cadavre : il était d'une froideur à vomir. Serait-elle vraiment capable de le découper en morceaux ? Il y aurait sans doute beaucoup de sang qui coulerait. Des viscères répugnants qui déborderaient. La sensation qu'elle avait eue ce matin-là, le désir de se mettre à l'épreuve, s'estompa soudain. Son cœur se mit à battre la chamade et elle perdit un peu le sens de la réalité. Elle songea que regarder ou toucher un cadavre devait aller à l'encontre de la nature humaine.

– Moi, j'ai pas envie de le toucher, lança timidement Yoshié, qui partageait le même sentiment. Tu n'aurais pas des gants ?

Masako apporta les gants et les deux tabliers qu'elle avait subtilisés à la fabrique. Yoshié pliait déjà soigneusement la cravate qu'elle avait ôtée du cou du mort et déboutonnait la chemise de bas en haut. Masako lui donna une paire de gants, puis elle en enfila une autre pour déchirer le pantalon à partir du revers. Kenji fut bientôt nu comme un ver. Il avait des taches violacées sur la partie de son corps qui avait touché le plancher du coffre.

– Quand mon mari est mort, j'ai dû le déshabiller comme ça

pour le laver, murmura Yoshié en regardant le sexe rabougri de Kenji. Yayoi n'a pas envie de le regarder une dernière fois ? Tu crois qu'on a raison de faire ça ?

Yoshié gardait toujours le tablier en plastique à la main. Masako en avait assez de toutes ces émotions qui suintaient de Yoshié comme d'une source.

– Mais oui. C'est elle qui l'a voulu. Si elle le regrette plus tard, c'est son problème.

Yoshié la regarda avec effroi et poussa un grand soupir. Masako en fut tellement outrée qu'elle lui lança :

– On va commencer par lui couper la tête. C'est assez désagréable de voir sa gueule. De fait, ça m'est même physiquement intolérable.

– Intolérable ! Comment peux-tu utiliser un mot pareil ?

– Tu crains le châtiment divin ?

– C'est pas ça.

– Alors, fais-le, toi, la Patronne.

– Je ne veux pas, dit Yoshié, épouvantée. Je t'avais bien dit que je serais pas capable.

Dépecer seule le corps lui demanderait trop d'efforts. Il fallait absolument qu'on lui donne un coup de main. Une idée lui traversa l'esprit.

– Puisque Yayoi a dit qu'elle voulait nous remercier, tu n'as qu'à lui demander de l'argent. Alors, tu serais prête ?

Yoshié leva la tête, stupéfaite. Ses yeux hébétés trahirent son hésitation.

– J'ai commencé par refuser, mais à bien y réfléchir... oui, il faudrait peut-être lui demander de l'argent. Ce serait plus pragmatique, dit Masako.

– Combien ? demanda à voix basse Yoshié en regardant avec dégoût les yeux vitreux du mort.

– Combien tu veux ? Je vais négocier.

– Disons... cent mille yens ?

– C'est pas assez. Que dirais-tu de cinq cent mille ?

– Avec ça, je pourrais peut-être déménager, murmura Yoshié. Au fond, tu m'achètes.

C'était exactement cela. Mais elle insista :

– Alors, tu m'aideras ? Je peux compter sur toi, la Patronne ?

– D'accord. Comme si je pouvais reculer !

Elle avait un besoin trop pressant d'argent pour ne pas se résigner. Elle passa le tablier en plastique, ôta ses chaussettes blanches et retroussa adroitement son pantalon en jersey.

– Ton pantalon va être tout éclaboussé de sang, dit-elle. Tu ferais mieux de l'enlever.

Masako obéit docilement et enleva son jean dans la partie carrelée de la salle de bains. Puis elle fouilla dans le panier à linge pour y prendre un short, l'enfila et se regarda dans la glace. Elle y découvrit un reflet à l'expression sévère qu'elle ne se connaissait pas. Yoshié, elle, avait l'air égaré.

Revenue dans la partie carrelée de la salle de bains, Masako examina le cou de Kenji pour savoir où mettre la scie. Elle ne put s'empêcher d'observer sa grosse pomme d'Adam. Elle lui rappela celle de Nobuki qui n'arrêtait pas de monter et descendre avec vigueur. Pour couper court à cette association d'idées, elle demanda à Yoshié :

– Tu crois qu'on pourra lui trancher la tête à la scie ?

– La chair va s'accrocher aux dents, c'est sûr. Il vaudrait donc mieux commencer par faire des petites entailles avec un couteau de cuisine ou un canif. Si ça ne marche pas, on avisera.

Maintenant qu'elle avait décidé que ce n'était qu'un travail, Yoshié s'était mise à diriger les opérations comme si elle était à la tête de la chaîne à la fabrique. Masako passa aussitôt dans la cuisine et en revint avec son meilleur couteau à sashimis et une boîte d'outils.

Il faudrait aussi des sacs en plastique pour tout évacuer comme des ordures ménagères. On les remplirait à mesure de la découpe. Masako compta les sacs dont elle disposait : il y en avait une bonne centaine. Elle les avait achetés dans un supermarché du quartier, mais c'étaient des sacs en carbonate de calcium, recommandés par la ville de Tôkyô. Ils passeraient inaperçus.

– La Patronne, dit-elle, on va doubler chaque sac. Cinquante sacs devraient suffire. On commence par quoi ?

– Je crois qu'il faudrait commencer par sectionner toutes les articulations, répondit Yoshié en vérifiant que la lame était bien affûtée. Après, on le découpera en morceaux plus petits.

Ses mains tremblaient légèrement. Masako mesura avec ses doigts l'écart entre les vertèbres cervicales et la pomme d'Adam, puis elle enfonça le couteau d'un geste franc. La lame rencontra un os et le contourna. Du sang noir jaillit à flots de l'incision. Surprise par la quantité, Masako suspendit son geste.

– C'est la carotide ?

– Probablement.

En un instant, la bâche se transforma en une mare de sang. Masako s'empressa d'enlever le filtre métallique qui protégeait la bonde. Le sang, extrêmement visqueux, s'y vida en formant un tourbillon. L'idée que l'eau chaude du bain de la veille, qui n'avait rien à voir, et le sang de Kenji puissent se mélanger dans les égouts lui parut étrange. Les extrémités de ses gants devinrent vite si gluantes qu'elle n'arrivait plus à remuer les doigts. Yoshié trouva un tuyau et le raccorda au robinet pour laver tout le sang. Mais dans cette salle de bains exiguë l'odeur se fit suffocante.

Trancher la tête à la scie ne posa aucune difficulté. Elle tomba avec un bruit sourd. Le cadavre se transforma en un objet de forme bizarre. Masako doubla un sac en plastique noir, y mit la tête et le posa sur le couvercle qui fermait la baignoire.

– On devrait le vider de tout son sang, fit remarquer Yoshié.

Et de prendre d'un seul coup d'un seul le cadavre sans tête par les deux pieds. Béante, la trachée laissa paraître une chair rouge, tandis que le sang ne cessait de couler des artères. Devant ce spectacle, Masako sentit ses poils se hérisser et se dit que tout cela était l'œuvre d'un démon. Pourtant elle gardait un calme étrange et souhaita en terminer le plus tôt possible. Elle découvrit que se concentrer sur sa tâche l'aidait à maîtriser ses nerfs à vif.

Elle passa ensuite à l'attache des jambes. La lame glissa sur une couche de graisse jaunâtre.

– C'est comme avec les poulets, murmura Yoshié.

Masako, elle, parvint tant bien que mal jusqu'au fémur, plaqua son pied gauche sur la cuisse de Kenji et scia l'os épais comme on débite un tronc d'arbre. Elle y mit du temps, mais les jambes se détachèrent plus facilement que prévu.

Elle eut en revanche plus de mal pour les articulations des épaules parce qu'elle ne savait pas trop où entailler. Et la rigidité cadavérique ne lui facilitait pas la tâche. La sueur perlait à son front. Yoshié, elle, commençait à s'impatienter.

– Dépêche-toi, sinon la vieille va se réveiller.

– Je sais, je sais ! Aide-moi à scier.

– Mais il n'y a qu'une scie !

– J'aurais dû te demander d'en apporter une autre.

– Je ne serais jamais venue ! répondit Yoshié, interloquée.

– C'est juste.

Masako eut une envie soudaine d'éclater de rire. Tout cela était absurde : tous ces efforts pour découper en morceaux un type qui n'était rien pour elles ! Les bras ballants et ruisselants de sang, elles se regardèrent par-dessus le cadavre.

– Dis, la Patronne, c'est quel jour que passent les éboueurs par chez toi ?

– Le jeudi. Demain.

– Comme ici. Il faut donc tout jeter demain matin. Il faut qu'on se partage les morceaux. Autrement, on ne s'en sortira pas.

– Quoi ? On va trimballer tous ces sacs ? Rien que pour les porter, ça va être l'enfer !

– On prendra la voiture.

– On va se faire remarquer... avec ta voiture rouge. Tout le monde surveille les poubelles.

– Tu as raison.

Masako se mordit les lèvres en reconnaissant qu'elle avait traité le problème des ordures un peu à la légère.

– Il faut en finir vite, reprit Yoshié. On réfléchira aux poubelles plus tard.

– D'accord.

Masako scia l'articulation de l'épaule. Une fois les bras coupés, elles s'attaquèrent aux entrailles. Masako prit son courage à deux mains et se saisit du couteau à sashimis pour ouvrir le bonhomme de la gorge au pubis. La masse grise des intestins s'en déversa aussitôt, la puanteur des viscères en voie de décomposition, ajoutée aux relents de tout l'alcool que Kenji avait ingurgité la veille, envahissant d'un coup toute la salle de bains et forçant les deux femmes à retenir leur respiration.

– Si on essayait de faire couler tout ça..., proposa Masako.

Puis elle craignit que ça ne bouche la canalisation, se ravisa et décida de tout mettre dans des sacs.

C'est alors que l'interphone sonna. Elles s'immobilisèrent. Il était dix heures et demie passées.

– Quelqu'un de la maison ? demanda Yoshié d'un air inquiet.

– Je ne pense pas qu'ils reviennent, répondit Masako en hochant la tête.

– Alors, ne bouge pas.

C'était bien son intention. L'interphone sonna plusieurs fois, puis se calma.

– Qui ça peut être ? demanda Yoshié sans dissimuler son inquiétude.

– Je ne sais pas. Un démarcheur ? Si on me pose la question, je dirai que je dormais.

Masako souleva la scie qui dégoulinait de graisse. Il fallait continuer encore un moment ce travail infernal. Elles ne pouvaient plus faire machine arrière.

CHAPITRE 2

Au moment même où Masako et Yoshié commençaient à se débattre désespérément avec le cadavre, Kuniko Jônouchi errait en voiture dans la ville morne d'Higashi-Yamato.

Elle ne savait ni où aller ni quoi faire : chose rare chez elle, elle était déprimée. Elle se gara à côté de la fontaine qui venait d'être construite sur le rond-point devant la gare. Le jet d'eau qui en jaillissait par cette matinée pluvieuse lui sembla symboliser le gaspillage et ne fit que la démoraliser davantage. C'est comme moi, se dit-elle dans une pénible prise de conscience qui ne lui arrivait qu'une fois par an.

Inquiète, elle se tourna plusieurs fois vers la cabine téléphonique, de l'autre côté de la clôture d'un futur chantier. Elle hésitait à appeler Masako pour lui demander de lui prêter de l'argent. Au fond d'elle-même, elle redoutait beaucoup cette femme dont elle ne perçait jamais les pensées. Mais là, elle avait le couteau sur la gorge. Elle devait absolument disposer de liquide dans la journée.

Elle descendit de voiture et ouvrit son parapluie. Le chauffeur d'un bus garé derrière elle la menaça en actionnant les freins à air comprimé, qui sifflèrent bruyamment.

– Il est interdit de se garer là ! lui cria-t-il en baissant la vitre.

En d'autres circonstances, elle l'aurait insulté, du genre : « Tais-toi, crétin ! », mais elle n'en eut pas la force. Elle regagna sa Golf, dont la capote mouillée lui parut misérable, et mit le moteur en marche. Elle démarra sans savoir où aller et finit par se retrouver dans un embouteillage. Elle avait perdu l'occasion de dénicher une cabine de téléphone. La circulation étant plus dense que d'habitude à cause de la pluie, elle se trouva vite immobilisée.

Que faire ? Elle poussa un soupir en regardant l'agitation urbaine à travers le pare-brise embué – le dégivrage ne fonctionnait pas bien. En proie au désarroi, elle crut devenir folle.

Ce matin-là, lorsqu'elle était rentrée de la fabrique, Tetsuya, qu'elle trouvait en général endormi à son retour, n'était pas revenu. Manifestement il avait découché, agacé par la dispute de la veille. Bof, un mec comme ça, moins on le voit, mieux on se porte ! s'était-elle dit en se couchant plus tôt que d'habitude. Elle commençait à somnoler quand le téléphone avait sonné. Il n'était encore que sept heures du matin.

Elle avait répondu de mauvaise humeur. L'homme au bout du fil était obséquieux.

– Madame Kuniko Jônouchi ? Excusez-moi de vous appeler si tôt, mais...

– Oui. Qu'est-ce qu'il y a ?

– C'est le « Centre des consommateurs - le Million ».

Un cri avait failli lui échapper. Elle s'était réveillée d'un coup et maudite d'avoir oublié une affaire aussi importante.

L'interlocuteur lui avait fait part de sa requête sur un ton professionnel et impassible, sans marquer de pause.

– Je me permets de vous appeler parce que je crains que vous n'ayez oublié. Hier, le 20, c'était l'échéance pour le remboursement, mais nous avons constaté que le virement n'avait pas été effectué sur notre compte. Vous connaissez certainement le montant du versement, mais permettez-moi de vous le rappeler. Il s'agit de la quatrième échéance : cinquante-cinq mille deux cents yens. Si le virement n'est pas fait aujourd'hui même, les intérêts seront appliqués. Nous préférons donc passer maintenant chez vous. Si ça ne vous dérange pas.

C'était une agence de crédit, autrement dit un usurier. Depuis quelques années, Kuniko était aux abois pour rembourser ses dettes, tant celles-ci avaient gonflé à cause du crédit automobile et de sa carte de crédit. Ce n'est que l'année précédente qu'elle s'était aperçue que, de fait, elle ne faisait que rembourser les intérêts, la dette elle-même restant intacte. Tenant à s'acquitter de ces intérêts qui s'accumulaient, elle avait emprunté à un organisme de crédit, mais naturellement c'était au tour de ce dernier de lui demander le remboursement. Au fond, elle n'avait fait que doubler ses créanciers : aussi bien la carte de crédit que l'organisme de crédit menaçaient de la mettre sur liste rouge.

Elle n'avait plus eu d'autre solution que de s'adresser à un prêteur qui disait dans sa publicité : « Pour vous qui vous démenez avec vos versements mensuels. Pour vous qui êtes pressés ! » Mais la cavalerie n'avait fait que commencer. L'employée entre deux âges s'était montrée compatissante avec elle et lui avait dit : « Vous devez vraiment vous trouver dans une mauvaise passe. » Et sur-le-champ, rien que sur son permis de conduire et le nom de la société de son mari, elle lui avait prêté trois cent mille yens. Cette somme avait servi à rembourser les dettes de la carte de crédit et de l'organisme de crédit, mais maintenant la dette auprès de l'usurier ne se réduisait plus.

Elle était loin d'imaginer que les trois cent mille yens qu'elle avait empruntés généraient quarante pour cent d'intérêts. Tout cela parce qu'elle n'avait aucune perspective et qu'elle vivait au jour le jour. Mais Kuniko n'en était plus à se soucier du qu'en-dira-t-on. Elle avait fini par demander de l'argent à Tetsuya pour rembourser le prêteur. La femme sympathique lui avait aussitôt déclaré : « On peut vous accorder cinq cent mille yens sans problème. » Kuniko n'avait pu résister à cette offre.

Elle *devait* donc trouver de l'argent aujourd'hui. Elle ouvrit la boîte à biscuits où était caché l'argent du foyer. Bizarrement, il ne s'y trouvait plus que de la petite monnaie. Quand avait-elle dépensé le reste ? Intriguée, elle ouvrit son faux portefeuille Gucci dans son sac. Mais le mois n'était pas fini et elle n'avait qu'un peu plus de dix mille yens. Il ne restait plus qu'à faire payer Tetsuya.

– Où est-il passé, ce mec ? marmonna-t-elle.

Elle feuilleta son répertoire et appela la société de son mari, mais il était trop tôt et personne n'était encore arrivé au bureau. Et de toute façon, réussirait-elle à obtenir la compagnie au téléphone que Tetsuya se débrouillerait pour se rendre injoignable. Elle commença à s'énerver. Si elle ne payait pas aujourd'hui, des hommes de main viendraient lui réclamer l'argent. C'est ce qu'elle craignait le plus : malgré son aspect tapageur, elle était timide.

Elle se précipita dans la chambre à coucher pour ouvrir le tiroir en bas de la commode. En prévision d'un pépin, elle y avait caché des économies au milieu des sous-vêtements et des chaussettes. Elle eut beau retourner dans tous les sens les soutiens-gorge et les bas qui y étaient jetés en désordre, elle n'y trouva rien.

Prise d'un mauvais pressentiment, elle ouvrit les autres tiroirs et l'armoire et dut constater que les vêtements et les sous-vêtements de Tetsuya avaient disparu. Il lui fallut un moment pour se rendre compte que, par représailles, son mari s'était fait la malle avec tout l'argent du foyer.

Plus moyen de se rendormir : elle avait pris sa voiture pour aller jusqu'au distributeur de billets devant la gare. Elle y avait consulté le solde du compte commun : il ne restait plus rien. Tetsuya, à tous les coups. Elle ne pourrait même pas payer le loyer. De fureur, elle s'était arraché les cheveux.

Elle sortit enfin de l'embouteillage. Tournant au feu à gauche, elle arriva dans un quartier où se succédaient de vieilles habitations municipales de plain-pied. C'est là qu'elle trouva une cabine dont l'aspect flambant neuf contrastait avec l'arrière-plan. Elle se gara sur le bas-côté et, sans même se munir de son parapluie, se précipita dans la cabine.

– Allô ? Les laboratoires Max ? lança-t-elle. Je voudrais parler avec M. Jônouchi, du service commercial.

La réponse fut inattendue.

– Il a démissionné le mois dernier.

Dire qu'elle avait traité Tetsuya d'imbécile et d'incompétent ! Elle l'avait méprisé et sous-estimé. Il venait de la berner en beauté. Prise de fureur, elle fit tomber l'annuaire tout écorné et le piétina avec ses chaussures mouillées de pluie. Le papier fin se déchira en lambeaux qui s'éparpillèrent dans la cabine. Mais ce n'était pas assez : elle s'accrocha de tout son poids au combiné dans l'espoir de le détruire.

Bien entendu, cela ne suffit pas à apaiser sa colère.

– Merde ! Merde ! hurla-t-elle. Qu'est-ce que je vais faire ? Où est-ce que je peux aller s'ils viennent me réclamer l'argent ?

Il n'y avait que Masako sur qui elle pouvait compter, elle le décida. Yoshié ne lui avait-elle pas dit ce matin qu'elle lui avait emprunté de l'argent ? Où serait le mal si elle en faisait autant ? Si elle refusait, ce ne pourrait qu'être méchanceté de sa part. Kuniko, dont les réflexions tournaient toujours autour d'elle-même, arriva vite à la conclusion égoïste qu'elle avait droit à cet argent.

Elle réintroduisit la carte téléphonique pour composer le numéro de Masako. Mais peut-être que le téléphone avait été abîmé, car elle n'obtint pas la ligne. Elle remit plusieurs fois la carte, mais celle-ci était toujours rejetée. Elle claqua la langue sans insister davantage et se résolut à se rendre directement chez Masako.

Elle n'habitait pas si loin que ça. Kuniko n'y était allée qu'une fois et n'en avait qu'un vague souvenir, mais elle se débrouillerait. Elle regagna sa voiture et, laissant le groupe d'immeubles à main droite, elle reprit la route de Shin-Ômé.

La maison de Masako était petite mais, comme celles du voisinage, récente et construite sur mesure. Rien que pour cela, Kuniko était jalouse. Cela dit, à en juger par sa façon de s'habiller, Masako ne devait pas rouler sur l'or. Ainsi Kuniko se consolait-elle de devoir lui demander de l'argent.

De l'autre côté de la route, les champs étaient devenus des chantiers de construction. Elle se gara devant un monticule de terre argileuse et s'approcha de la maison. Devant la porte, il y avait un vélo qui lui était familier.

C'était celui de la Patronne. La Patronne était venue. Kuniko en conclut hâtivement que Yoshié l'avait précédée pour demander de l'argent et en fut contrariée. Si Yoshié n'avait pas à rembourser ses dettes le jour même, Kuniko pourrait demander à avoir la priorité. Voilà, c'était ça qu'il fallait faire. Elle sonna à l'interphone. Mais n'obtint pas de réponse. Elle appuya plusieurs fois, mais le silence resta total. Peut-être étaient-elles allées quelque part? Non, la Corolla était bien là, avec le vélo de Yoshié. Bizarre. Peut-être dormaient-elles toutes les deux? se dit Kuniko qui elle-même manquait de sommeil. Sauf que Yoshié qui avait à charge une grabataire ne pouvait absolument pas aller dormir chez quelqu'un.

Intriguée, Kuniko se protégea sous son parapluie et fit le tour de la maison. Du jardin, elle vit, derrière la véranda, ce qui lui sembla être la salle de séjour plongée dans la pénombre. Mais, à travers le rideau de dentelle, elle constata que la lumière était allumée au fond du couloir. Les deux femmes étaient-elles trop éloignées de l'entrée pour entendre l'interphone?

Elle regagna la porte d'entrée en faisant le tour de la maison dans l'autre sens. Derrière, ce qui avait l'air d'être la salle de bains était allumé. Par la fenêtre, elle entendit les voix de Masako et de Yoshié qui murmuraient. Que pouvaient-elles faire dans cette pièce? Kuniko tapota sur la vitre entre les barreaux en aluminium.

– Hé! C'est moi, Kuniko, dit-elle.

De l'autre côté, le silence s'installa soudain.

– S'il te plaît, j'ai un service à te demander... Mais... la Patronne est là elle aussi?

Il y eut un moment de silence, puis la vitre s'ouvrit et Masako apparut, l'air en colère.

– Qu'est-ce que tu veux? Quel service?

– J'ai une faveur à te demander, répondit Kuniko sur le ton le plus aimable possible.

Elle devait susciter la compassion de Masako pour lui demander de l'argent. Elle avait besoin d'au moins cinquante-cinq mille deux cents yens. Mais il lui fallait aussi de quoi vivre dans l'immédiat.

– De quel genre?

— C'est un peu difficile à t'expliquer ici, répondit Kuniko en se retournant vers la maison voisine dont une fenêtre était à demi ouverte.

— Nous sommes occupées, lui répondit Masako, énervée. Dis-le d'où tu es.

— Eh bien…

Pour la première fois, Kuniko se demanda ce que Masako et Yoshié pouvaient bien faire dans la salle de bains… Une odeur déplaisante, légèrement animale, en émanait. Elle renifla, mais Masako referma aussitôt la fenêtre.

— Attends ! s'écria Kuniko en bloquant la vitre pour pouvoir lui parler. Je suis dans un sale pétrin.

— D'accord, passe par l'entrée, je vais t'ouvrir.

Masako ne devait pas vouloir que les voisins entendent la voix de Kuniko. Soulagée de voir son amie céder, Kuniko l'exprima en posant une main sur sa poitrine. Mais dans l'entrebâillement de la fenêtre que Masako cherchait à fermer brutalement, elle aperçut, l'espace d'un instant, un objet bizarre et son cœur s'emballa. On aurait dit un quartier de viande. Masako était-elle en train de découper des tranches de viande dans sa salle de bains ? Sans même parler de la quantité qu'il semblait y avoir ! Yoshié, qui était avec elle, ne se montrait pas et l'attitude de Masako lui paraissait bien étrange.

Kuniko attendit à l'entrée, perplexe, mais Masako tardait à lui ouvrir. Lassée d'attendre, Kuniko retourna sous la fenêtre de la salle de bains. C'est alors qu'elle entendit l'eau couler. Visiblement, Masako était en train de laver quelque chose. Kuniko les entendit parler. Elle n'en fut que plus curieuse de savoir ce qu'elles fabriquaient. Il devait y avoir une histoire d'argent là-dessous.

En entendant Masako quitter la salle de bains, Kuniko retourna précipitamment à l'entrée. Elle attendit comme si elle n'avait pas abandonné son poste et la porte s'entrouvrit enfin sur une Masako vêtue d'un polo et d'un short. Elle s'était fait une queue de cheval et paraissait plus arrogante que ce matin. Kuniko en fut intimidée.

– Qu'est-ce qu'il y a ?

– Je peux rentrer un instant ?

– Que veux-tu ? demanda Masako d'un ton toujours aussi sec.

– Je ne peux pas parler ici, dit Kuniko d'une voix sirupeuse.

– D'accord.

Masako ouvrit la porte d'un air résigné. Kuniko entra dans le vestibule et regarda autour d'elle. Ce n'était pas grand, mais parfaitement rangé. Pas un tableau, pas une fleur. Tout à fait à son image.

– Bon alors ?

Tandis que Kuniko cherchait à voir le fond de la pièce, Masako se redressa de toute sa hauteur, comme pour signifier qu'elle ne l'autorisait pas à s'avancer plus loin. Kuniko se sentit à nouveau dominée – comme toujours. La haine monta en elle.

– Je m'excuse, mais… tu ne pourrais pas m'avancer de l'argent ? Une échéance m'est tombée hier et ça m'était complètement sorti de l'esprit. Je n'ai plus un sou à la maison en ce moment.

– Mais tu as ton mari, non ?

– C'est que… il s'est barré avec tout le fric.

– Il s'est barré ?

En voyant Masako se détendre, Kuniko sentit sa haine s'accentuer. Mais elle se contrôla et garda son air affligé.

– Oui, c'est ça. Et je ne sais pas où. Je suis dans le pétrin.

– Bon. Il te faut combien ?

– Cinquante mille yens. Non… quarante suffiront.

– Je n'ai pas cette somme sur moi. Il faudrait que je passe à la banque.

– Tu ne peux pas y aller ? S'il te plaît…

– Là, tout de suite, non, c'est pas possible.

– Mais tu as bien prêté à la Patronne…

Devant tant d'insistance, Masako fronça les sourcils d'un air agacé.

– Jouons franc jeu : tu pourras me rembourser ?

– Mais oui ! C'est pour ça !

Elle n'hésitait jamais à mentir pour obtenir gain de cause. Masako réfléchit en se mettant un doigt sur le menton. Kuniko eut un haut-le-cœur en s'apercevant que sous ses ongles il y avait quelque chose qui ressemblait à des traces de sang d'un rouge noirâtre.

– Bon, mais aujourd'hui, ce n'est pas possible. Si tu peux attendre jusqu'à demain, je pourrai peut-être m'arranger...

– Ce sera trop tard. Si je ne fais pas un versement aujourd'hui, j'aurai affaire à des types effrayants.

– C'est de ta faute, non?

Kuniko se tut. Masako avait vu juste, mais sa façon de parler était comme toujours trop brutale. Elles entendirent soudain la voix de Yoshié au fond de la maison.

– Ce n'est peut-être pas à moi de le dire, mais tu pourrais quand même faire un geste, non? On n'est pas amies?

Masako se retourna vers Yoshié en laissant exploser sa colère. Pas contre ce qu'elle venait de dire, contre la façon dont elle était apparue. Yoshié était habillée comme à la fabrique, mais elle avait des cernes sous les yeux et semblait à bout de force.

Elles étaient sûrement en train de faire quelque chose qu'elles voulaient lui cacher. Kuniko se dit que c'était le moment de contre-attaquer.

– Qu'est-ce que vous fabriquez, toutes les deux? demanda-t-elle.

Masako ne répondit pas et Yoshié se hâta de détourner les yeux. Kuniko insista:

– Qu'est-ce que vous foutez dans cette salle de bains?

– D'après toi?

Devant le fin sourire que lui adressait Masako, Kuniko eut la chair de poule, sans comprendre pourquoi.

– Je ne sais pas.

– Tu as vu quelque chose?

– Oui... quelque chose comme un morceau de viande.

– Viens voir, que je te montre.

Stupéfaite, Yoshié poussa un cri de protestation. Masako lui saisit vivement le poignet. Dans sa tête, Kuniko entendit une voix épouvantée lui conseiller de fuir, et vite ! Dans le même temps, à sa curiosité se mêlait l'idée qu'elle pourrait peut-être en profiter pour obtenir de l'argent, ce désir finissant par l'emporter.

– Mais enfin… que vas-tu faire ? demanda Yoshié en tirant Masako par le bras. Tu es sûre que c'est une bonne idée ?

– Évidemment ! Elle peut nous aider, elle aussi.

– Je n'en suis pas si sûre !

Sa protestation résonna comme un hurlement. Kuniko s'empressa de l'interroger.

– Qu'est-ce que je peux faire pour vous aider, la Patronne ?

Sans répondre, Yoshié garda la tête baissée et les bras croisés, tandis que Masako entraînait de force Kuniko dans la salle de bains, au fond du couloir. Bien obligée de la suivre, celle-ci entra dans la salle de bains violemment éclairée, découvrit ce qui semblait être un bras d'homme par terre et crut s'évanouir.

– Mais qu'est-ce que c'est que ça ? hurla-t-elle.

– Le mari de Yayoi, lui répondit Masako en allumant une cigarette et en soufflant la fumée.

Kuniko se rappela le sang séché sous les ongles de Masako et les relents animaux qu'elle avait sentis et eut envie de vomir. Elle mit une main sur sa bouche pour réprimer sa nausée.

– Mais pourquoi ? Pourquoi ça ?

Elle n'arrivait pas à admettre que ce qu'elle voyait était bel et bien la réalité. Elle avait l'impression de se retrouver dans une maison fantôme aménagée spécialement pour elle par ses deux amies.

– C'est Yayoi qui l'a tué, reprit Yoshié dans un soupir.

– Mais qu'est-ce que vous faites ?

Masako se tourna vers elle d'un air excédé.

– On le coupe en morceaux. On a décidé que c'était un travail comme un autre.

– Mais enfin… c'est pas un travail !

– Si, c'en est un ! décréta Masako pour couper court. Tu as besoin d'argent, tu nous aides.

Ces mots la réveillèrent.

– Vous aider, mais à quoi ?

– On va en faire des petits morceaux qu'on mettra dans des sacs que tu iras jeter.

– Je n'aurai rien d'autre à faire ?

– Non.

– Et ça me rapportera combien ?

– Combien tu veux ? Je négocierai avec Yayoi. Mais en échange, tu es notre complice. Tu ne parles de rien à personne.

– Compris.

C'est tout ce qu'elle put dire. Stupéfaite, elle comprit qu'elle était tombée dans le piège tendu par Masako pour s'assurer de son silence.

CHAPITRE 3

Yayoi quitta la fabrique avant ses amies et pédala en tenant son vieux parapluie rouge.

La lumière filtrée par ce dernier égayait de rose ses bras nus. Elle songea que ses joues, elles aussi, devaient avoir l'éclat rosé d'un teint de jeune fille.

Mais alors que cette bulle rose avançait au rythme de ses coups de pédale, tout le reste – la route en asphalte noir sous la pluie, les arbres vert foncé qui la bordaient et les maisons endormies aux volets encore fermés – lui paraissait plongé dans une ombre ténébreuse.

Sous son parapluie, tout était rose, mais le monde extérieur l'encerclait comme un paysage menaçant. Elle ne pouvait s'empêcher d'y voir le symbole d'un monde altéré par le meurtre de son mari. Elle se tassa sous son parapluie pour ne plus voir l'extérieur.

Elle se rappelait parfaitement le moment où elle avait tué Kenji. C'était bien de ses propres mains qu'elle l'avait étranglé. Dans le même temps, l'idée s'enracinait en elle que Kenji était peut-être parti quelque part et avait disparu dans la nature. Ce n'était déjà plus une chimère qui l'arrangeait bien : le cœur de Kenji ne s'était-il pas déjà éloigné de la maison où elle vivait avec ses enfants ? Un jour, ce fantasme finirait par supplanter la réalité de ce crime conjugal.

Tout imprégné d'eau, le parapluie de nylon s'était alourdi. Yayoi baissa sa main gauche qui le tenait. Elle sortit alors de son monde tout rose et contempla les petits pavillons, tous semblables, qui retrouvaient leur teinte habituelle. La pluie était douce, qui s'abattit sur elle. Ses cheveux et son visage ruisselèrent aussitôt. Yayoi eut l'impression de renaître et reprit courage.

Arrivée à l'angle, elle se rappela y avoir attendu la voiture de Masako la veille. Son amie l'avait aidée, elle ne l'oublierait jamais et ferait tout pour elle. À l'idée que le cadavre de Kenji était en de si bonnes mains, elle se sentit déchargée d'un lourd fardeau.

Elle ouvrit la porte d'entrée et entra dans la maison plongée dans la pénombre. Était-ce la présence des enfants ? Il y flottait une odeur nostalgique de chiot qui prend le soleil. Cette maison n'appartenait plus qu'à ses enfants chéris et à elle. Elle se sentit soulagée. Kenji ne reviendrait plus jamais. Elle allait devoir faire bien des efforts pour ne pas montrer qu'elle le savait mort. Soudain inquiète, elle se demanda si elle serait en mesure de jouer la bonne épouse angoissée par la disparition de son mari.

Puis elle revit le visage de son mari étranglé par-derrière, sur le rebord de l'entrée, et en éprouva une satisfaction mauvaise.

– Ça lui fait les pieds, à ce fumier ! lâcha-t-elle.

Elle n'avait jamais été aussi ordurière. Elle n'avait jamais chassé, mais se sentait aussi féroce que si elle avait acculé un petit animal dans une lande. Peut-être était-ce là sa vraie nature.

Retrouvant son calme, elle se déchaussa dans le vestibule et vérifia qu'il ne restait pas d'objets laissés par son mari. Sa nouvelle paire de chaussures avait disparu. Elle en fut rassurée : au moins Masako n'aurait-elle pas à le débarrasser de ses vieilles chaussures sales.

Elle alla droit à la chambre des enfants et fut rassérénée de les voir endormis tous les deux. Mais en recouvrant le cadet du drap qu'il avait repoussé, elle se sentit légèrement coupable de leur avoir arraché leur père à jamais.

– Mais il avait tellement changé…, murmura-t-elle.

Soudain Takashi, le plus grand – il avait cinq ans –, se réveilla. La surprise fut telle que Yayoi crut que son cœur s'arrêtait. Takashi battait des paupières en regardant anxieusement autour de lui. Elle lui tapota le dos.

– Maman est rentrée. Ne t'inquiète pas, rendors-toi.

– Papa est là?

– Non, il n'est pas encore rentré.

Takashi allait-il se lever avec angoisse? Elle continua à lui caresser le dos et il se rendormit. Elle songea à ce qui allait se passer bientôt et décida de se reposer un peu. Elle se glissa sous la couette à côté de lui. Elle pensait ne jamais trouver le sommeil, mais elle s'endormit sans problème en se massant le bleu qu'elle avait au ventre.

– Maman! Où est passé Milk?

Elle se réveilla en sursaut: Yukihiro, le plus petit, était grimpé sur sa couette. Yayoi qui vagabondait dans ses rêves retrouva la réalité et s'empressa de regarder le réveil: il était plus de huit heures. Elle devait conduire les enfants à l'école maternelle avant neuf heures. Elle bondit hors du lit, tout habillée. La température avait dû monter parce qu'elle était en sueur. Elle s'essuya le front.

– Maman! Milk a disparu, répéta Yukihiro d'une voix plaintive.

– Tu crois? Il doit être par là.

Elle rangea le futon en se rappelant les événements de la veille. Après avoir assassiné Kenji, elle avait vu le chat s'enfuir par la porte entrebâillée. Elle trouvait extraordinaire que tant d'événements se soient produits et soient devenus flous comme s'ils appartenaient déjà à un passé lointain.

– Ben moi, je le trouve pas, dit en pleurnichant le petit qui adorait cette bête.

Yayoi eut envie de demander au grand, qui était gentil, de s'en occuper. Elle alla le chercher.

– Takashi, où es-tu? Tu pourrais chercher Milk avec ton frère?

Takashi parut en pyjama, l'air triste.

– Papa est déjà parti au bureau?

Depuis longtemps, Kenji, qui rentrait tard, avait pris l'habitude de dormir seul dans la petite pièce près du vestibule. Dès son réveil, Takashi était allé y voir.

– Il a dû dormir ailleurs, lui expliqua Yayoi. Il n'est pas rentré cette nuit.

– C'est pas vrai! Il est rentré cette nuit!

Elle dévisagea son fils avec étonnement. Le petit, dont le visage était clair et gracieux pour un garçon, grimaça. Yayoi s'aperçut alors qu'il était son portrait.

– À quelle heure?

Elle se rendit compte qu'elle avait la voix qui tremblait et songea qu'elle allait devoir apprendre à noyer le poisson; on n'en était encore qu'à une escarmouche avant la bataille qui l'attendait.

– Je ne sais pas à quelle heure, répondit Takashi avec un sérieux d'adulte. Mais j'ai entendu du bruit comme s'il rentrait.

Rassurée, Yayoi fit l'innocente:

– Du bruit? Ce n'était pas plutôt maman qui allait travailler? Si tu ne te dépêches pas, tu vas être en retard.

Takashi commença à protester mais elle l'ignora et s'adressa à son frère Yukihiro qui cherchait le chat sous le sofa, derrière l'armoire à vaisselle de la cuisine.

– Dépêche-toi de te préparer, maman s'occupera du minet.

Elle leur prépara le petit déjeuner avec ce qui lui tomba sous la main. Puis elle leur fit enfiler leurs imperméables, les plaça à l'avant et à l'arrière de son vélo et les conduisit à l'école maternelle. Après quoi, elle éprouva une manière de sérénité. Elle brûlait d'envie d'appeler Masako pour savoir ce qui s'était passé, ou même de filer à vélo pour la voir, mais Masako lui avait demandé d'attendre son appel. Elle renonça à la contacter et prit le chemin du retour.

Devant chez elle, une voisine d'un certain âge mettait de l'ordre dans les poubelles qui étaient sorties. Elle se plaignait que les habitants d'un immeuble proche vident leurs ordures n'importe où. Yayoi ne put échapper à l'obligation de la saluer poliment.

– Bonjour. Vous vous donnez bien du mal, lui dit-elle.

La réponse de sa voisine fut plutôt inattendue:

– C'est pas votre chat, là-bas? lui demanda-t-elle en lui mon-

trant un petit chat blanc qui se cachait derrière un poteau électrique.

C'était bien Milk.

– Mais oui ! Milk ! Viens ici, mon minet.

Yayoi tendit la main en avant, mais le chat blanc trembla en
se crispant et miaulant.

– Tu vas être tout mouillé sous la pluie. Allez, rentre vite.

Le chat s'enfuit précipitamment.

– Ça alors, qu'est-ce qui lui prend ? demanda la voisine, étonnée.

Pour sauver les apparences, Yayoi appela désespérément son
chat tout en paniquant intérieurement.

– Milk ! Minet, minet ! Reviens donc, quoi !

Mais le chat avait disparu. Il ne reviendrait pas plus que
Kenji. Yayoi s'en fit une raison.

Yayoi menait une vie décalée : en rentrant après son travail de
nuit, elle préparait le petit déjeuner pour Kenji et les enfants,
puis elle amenait ces derniers à l'école maternelle ; c'est seulement après qu'elle pouvait dormir.

Ça ne l'enchantait guère de travailler la nuit, mais il y avait
peu d'employeurs prêts à engager une mère de famille obligée
de s'absenter dès qu'un enfant tombait malade. Avant d'être
embauchée à la fabrique de paniers-repas, elle avait travaillé à
temps partiel comme caissière dans un supermarché. Mais après
avoir refusé de travailler le dimanche et s'être absentée plusieurs
fois pour rester près d'un de ses fils alité, elle avait été licenciée
sans autre forme de procès. Le travail de nuit était certes pénible,
mais mieux payé que celui de jour, et elle pouvait y partir tranquillement après avoir couché ses enfants. De plus, elle avait eu
la chance de trouver des collègues comme Masako et Yoshié.

Cela dit, elle allait être amputée du salaire de Kenji. Mais elle
s'était débrouillée sans ces derniers mois et se dit que ça ne changerait pas grand-chose. Ça s'arrangerait. Voilà, elle ferait tout
pour que ça s'arrange. Depuis la veille, elle avait le sentiment
d'être devenue plus forte.

Elle voulait appeler la société de Kenji le plus tôt possible pour manifester son inquiétude. Mais en le faisant trop tôt, elle risquait d'attirer des suspicions. Elle décida de passer sa journée comme d'habitude : elle prit un somnifère et s'allongea. Elle eut du mal à s'endormir. Et quand enfin elle se mit à somnoler, elle fit un rêve trop réaliste : Kenji dormait à côté d'elle.

S'étant enfin profondément endormie, elle fut réveillée par la sonnerie lointaine du téléphone. Craignant que ce soit Masako, elle se leva précipitamment. Mais, probablement sous l'effet du somnifère qui perdurait, elle eut un vertige.

– M. Hirosawa à l'appareil. Votre mari est là ?

C'était quelqu'un de la petite boîte de matériaux de construction où Kenji travaillait.

– Non. Il n'est pas au bureau ?

– Pas encore, répondit Hirosawa visiblement étonné par sa question.

Yayoi se tourna vers l'horloge accrochée au mur de la salle de séjour : il était une heure de l'après-midi passée.

– À vrai dire, reprit-elle, il n'est pas rentré cette nuit. Je ne sais pas où il a passé la nuit. Je pensais qu'il était retourné au travail. J'hésitais à téléphoner pour m'en assurer parce qu'il m'aurait grondée…

– Je vois, se hâta de dire Hirosawa, sans doute par un réflexe de solidarité masculine. Vous devez être inquiète.

– C'est la première fois que ça arrive et je ne sais pas quoi faire. Je me disais que je devrais vous appeler, mais j'hésitais.

Yayoi se rappela que Hirosawa était le directeur commercial, donc le supérieur direct de Kenji, se représenta son physique décharné et malingre et s'obligea à continuer de jouer les épouses tiraillées entre la honte et l'inquiétude.

– Ne vous inquiétez pas ! lui dit enfin Hirosawa. Il doit cuver une cuite quelque part. Évidemment, ça n'est pas pour vous rassurer. Vu qu'il n'a jamais été absent, je suis sûr qu'il y a une explication… le stress ? Il aura voulu aller quelque part. Tout le monde a ce genre d'envie, vous savez.

– Sans avertir sa famille ? le coupa Yayoi.

Il grommela, faute d'argument.

– Que me conseillez-vous de faire ? insista-t-elle.

– Eh bien, madame, faisons comme ça : attendez jusqu'à ce soir et, si vous n'avez pas de nouvelles, allez déclarer sa disparition.

– Où dois-je me présenter ? Au commissariat de quartier ?

– Non, je ne pense pas. Je vais me renseigner. Ne faites rien en attendant que je vous rappelle. Je comprends que vous soyez inquiète, mais vous savez, les hommes font souvent des bêtises. Il n'a quand même pas disparu !

Hirosawa raccrocha. Elle regarda la pièce qui était plongée dans un silence total et remarqua que le ciel s'était dégagé et que la pluie avait cessé. Puis elle se rendit brusquement compte qu'elle avait faim. Elle n'avait rien mangé depuis la veille. Elle décida de finir le reste du petit déjeuner des enfants et le riz qui se trouvait dans l'autocuiseur, mais, une fois qu'elle eut la nourriture devant elle, son estomac se ferma. Elle picorait ses aliments avec ses baguettes lorsque le téléphone sonna de nouveau.

– C'est encore moi, M. Hirosawa.

– Que dois-je faire ?

– Eh bien… nous pensons qu'il vaut mieux attendre jusqu'à demain matin. Qu'en dites-vous ?

– Je vois, fit-elle avec un soupir. Ce serait gênant de déranger pour rien.

– Ce n'est pas ça, mais il est peut-être préférable d'agir ainsi. S'il ne devait pas revenir demain matin, on pourrait craindre un accident et il faudrait appeler la police.

– La police ?

– Oui, le 110.

Autrement dit, le lendemain matin, elle n'échapperait pas à l'obligation de déclarer sa disparition. Car Kenji ne reviendrait plus, jamais plus.

– Mais je suis très inquiète. Je vais téléphoner dès ce soir.

– À la police ?

– Oui. Le pauvre ! Il a peut-être été hospitalisé suite à un accident. C'est vraiment la première fois. J'ai un mauvais pressentiment.

– Je comprends. Si ça peut vous rassurer, faites-le. Mais je pense qu'il ne va pas tarder à revenir… un peu honteux de lui-même.

J'en doute, lui répondit-elle intérieurement. Elle était bien décidée à appeler la police dès le soir. Elle donnerait alors mieux l'impression de paniquer après la disparition de son mari. Depuis quand était-elle capable de ce genre de calculs éhontés ?

À un peu plus de quatre heures, alors qu'elle s'apprêtait à aller chercher les enfants à l'école maternelle, le téléphone sonna de nouveau.

– C'est moi, dit une voix basse et brutale.

Masako. D'un côté, Yayoi se sentit rassurée, mais de l'autre, elle craignit qu'il n'y ait eu un problème.

– Merci de m'appeler. Comment ça s'est passé ? demanda-t-elle craintivement.

– Tout est terminé, ne t'inquiète pas. Il y a simplement eu un petit changement de programme.

– Que veux-tu dire ?

– La patronne et Kuniko m'ont aidée.

Yayoi n'était pas étonnée que Yoshié ait été mise dans le coup, mais elle ne s'attendait pas à l'intervention de Kuniko. Si elles étaient en assez bons termes à la fabrique, Yayoi ne faisait pas vraiment confiance à Kuniko, qu'elle trouvait futile. Elle fut soudain très inquiète.

– On peut vraiment compter sur Kuniko ? demanda-t-elle. Elle ne risque pas de parler ?

– Justement… Elle a débarqué chez moi à l'improviste et nous a surprises. Mais, à bien y réfléchir, elle savait déjà que tu avais été battue par ton mari, que tu avais reçu un coup au ventre et qu'il avait tout dépensé au baccara. Elle en aurait parlé à la police et on t'aurait soupçonnée.

Masako avait raison, se dit Yayoi en blêmissant. En toutes choses on démêle l'écheveau quand on remonte le temps. Elle s'était confiée l'avant-veille au soir parce que jamais elle n'aurait prévu qu'elle assassinerait Kenji. Bref, Masako avait raison. On pouvait toujours se reposer sur elle.

– Comme elle nous a surprises en plein travail, j'ai décidé d'en faire une complice. La Patronne et elle ont besoin d'argent et... Je suis désolée de te dire ça aussi brutalement, mais... tu ne pourrais pas disposer de cinq cent mille yens?

Yayoi ne s'attendait pas à une demande d'argent mais était prête à lui obéir.

– Cinq cent mille pour les deux?

– Oui, quatre cents pour la Patronne et cent pour Kuniko. Elle, elle se limitera à jeter les sacs. Ça devrait suffire à les satisfaire. Tu l'as tué, tu payes pour t'en débarrasser. Rien de plus.

– D'accord. Je vais emprunter l'argent à mes parents.

Les parents de Yayoi, qui vivaient à Yamanashi, ne roulaient pas sur l'or. Son père n'était qu'un petit employé à deux doigts de la retraite. Elle répugnait à lui demander son aide, mais, maintenant que leurs économies étaient parties en fumée, elle n'avait même plus de quoi vivre. Tôt ou tard il faudrait bien qu'elle fasse appel à lui.

– Je t'en prie, fais-le. Et toi? Comment ça se passe? demanda Masako sans perdre de temps.

– Tout à l'heure quelqu'un de sa boîte m'a appelée pour me prévenir qu'il ne s'était pas présenté au boulot et qu'il n'avait averti personne de son absence. Et le type m'a demandé de le déclarer à la police si Kenji ne rentrait pas avant demain matin. Je lui ai dit que j'étais trop inquiète et que je préférais alerter les flics dès ce soir.

– Bien vu, ça. Comme ça, tu donneras l'impression d'être affolée. Et donc ce soir, j'imagine que tu ne viendras pas au travail?

– Non.

– Tu as raison. Bon, je te rappelle demain.

Ayant terminé ce qu'elle avait à dire, Masako allait raccrocher quand Yayoi l'arrêta.

– Attends!

– Quoi ?

– Qu'en as-tu fait ?

– Ah... Ç'a été plutôt dur... mais... c'est devenu quelque chose d'incroyablement petit... On va se partager la tâche entre toutes les trois et demain matin tôt, on ira jeter tout ça... Demain, jeudi, c'est le jour de ramassage des ordures. On a tout mis dans des sacs-poubelle réglementaires. Personne ne remarquera rien.

– Mais où allez-vous les jeter ?

– On ne peut pas aller très loin. C'est peut-être risqué, mais on va les laisser dans les endroits du quartier réservés aux poubelles à ramasser. On a décidé de choisir les lieux les plus discrets possible.

– J'ai compris. Merci pour tout.

Se rappelant la femme qui nettoyait la zone des poubelles en se plaignant, elle espéra que tout se passerait bien.

Elle raccrocha et se résolut à composer le numéro qu'elle n'avait encore jamais fait. Une voix masculine répondit aussitôt.

– Ici, le 110. Que puis-je pour vous ?

– Eh bien... mon mari n'est pas rentré à la maison.

Elle s'attendait à une réaction ironique, mais son interlocuteur resta extrêmement courtois. Il lui demanda son adresse et son nom et la pria de patienter. Une autre voix se fit entendre.

– Ici, les Affaires domestiques. Depuis quand votre mari n'est-il pas rentré ?

– Depuis hier soir. Il n'est pas allé travailler aujourd'hui non plus.

– Des problèmes qu'il aurait ?

– Non, pas que je sache.

– Dans ce cas, pouvez-vous encore attendre une nuit ? S'il ne revient toujours pas, venez faire une déclaration au commissariat de Musashi-Yamato. Vous savez où il se trouve ?

– Mais je ne peux pas attendre ! Je suis bien trop angoissée.

– Même si vous venez ici, dit-il d'une voix douce, vous ne pourrez faire que la déclaration. On ne va pas se mettre à sa recherche tout de suite.

– Je suis inquiète, insista-t-elle avec un halètement forcé. C'est la première fois que ça arrive.

– Votre mari n'est ni un enfant ni un vieillard. Vous pouvez patienter une nuit avant de venir.

– Bon… D'accord.

Ainsi en avait-elle terminé avec ses obligations de la journée. Elle poussa un gros soupir et raccrocha.

Ils dînaient frugalement tous les trois ensemble lorsque Takashi demanda :

– Maman ? Tu ne vas pas au travail ce soir ?

– Non, je reste à la maison.

– Pourquoi ?

– Papa n'est pas rentré et je m'inquiète.

– Je suis content que toi aussi tu t'inquiètes.

Yayoi fut abasourdie d'entendre son fils exprimer un tel soulagement. Elle constata avec terreur que les enfants percevaient le fond même des relations humaines, en ayant l'air de ne rien remarquer. Peut-être Takashi était-il réveillé la veille, quand Kenji était rentré, et avait-il tout entendu ? Elle prit peur. Si c'était le cas, il allait falloir le faire taire. Comme elle réfléchissait, Yukihiro se plaignit en faisant la moue.

– Maman ? Milk est dans le jardin, mais même quand je l'appelle, il veut pas rentrer.

C'était plus qu'elle ne pouvait supporter.

– Laisse-le tranquille, quoi ! Ce n'est qu'un chat. Maman a d'autres soucis !

En voyant sa mère, d'habitude si gentille, se mettre en colère, Yukihiro fut surpris et laissa échapper ses baguettes. Takashi baissa les yeux comme s'il ne voulait rien voir.

Tout en s'en voulant de cette réaction, Yayoi songea à demander conseil à Masako pour Takashi et pour le chat. Elle avait fini par s'en remettre entièrement à elle.

Elle avait oublié que jadis, quand elle s'entendait bien avec Kenji, elle était dans le même état de dépendance.

CHAPITRE 4

Masako étala une autre bâche sur les couvercles de la baignoire et y posa en tout quarante-trois sacs en plastique. Tel était le poids d'un homme. Les couvercles se creusèrent sous la charge.

– Avec tout le sang qu'il a perdu, il pèse encore très lourd! murmura Masako, comme pour elle-même.

Kuniko secoua la tête entre deux soupirs et s'exclama:

– Quelle horreur quand même! J'arrive pas y croire!

La réplique n'avait pas échappé à Masako.

– Qu'est-ce que tu racontes? lui demanda-t-elle.

– J'ai dit que j'arrivais pas à y croire, répliqua Kuniko en pinçant les lèvres. Comment pouvez-vous rester calmes après avoir fait un truc pareil?

– Je n'ai jamais dit que j'étais calme, dit Masako. Mais moi, je trouve beaucoup plus extraordinaire que quelqu'un comme toi qui es criblée de dettes roule dans une voiture étrangère et ose me demander de l'argent! À moi!

Aussitôt les petits yeux de Kuniko s'emplirent de larmes. D'habitude, elle était soigneusement fardée, mais ce matin-là elle avait eu la tête à autre chose. De fait, ça lui donnait l'air jeune et ingénue.

– Tu crois? Je suis mieux que toi… à tous les coups… quelle idée de me comparer à toi! Toi, tu as fait ça volontairement, alors que moi, je me suis fait avoir! Complètement.

– Ah bon? Alors comme ça, tu n'as plus besoin d'argent?

– Si, j'en ai besoin. Sinon, c'est la ruine.

– Ben, ça l'est déjà! J'en ai connu des tas comme toi.

– Où ça ?

– Là où je travaillais avant.

Masako regarda calmement Kuniko dans les yeux. Quelle idiote ! Elle méritait ce qui lui arrivait.

– Et tu travaillais où avant ? demanda Kuniko, curieuse.

– Ça ne te regarde pas, répondit Masako en hochant la tête.

– Si. Du reste, tu ne parles qu'à tort et à travers.

– Je ne parle pas à tort et à travers. Si tu veux de l'argent, il faut le mériter.

– Je suis prête. Mais il y a des limites qu'un être humain ne devrait pas dépasser…

– Venant de toi, j'aime assez, dit Masako en riant.

Kuniko se souvint du prêteur qui allait venir chez elle et ravala sa réponse. Elle sécha ses larmes, mais des gouttes de sueur apparurent sur l'arête de son nez, où les pores étaient visibles.

– Tu nous as aidées pour de l'argent. Tu es complice à part entière. Arrête de te croire au-dessus de la mêlée.

– Mais… commença Kuniko, qui se tut aussitôt, les yeux brillants de larmes indignées.

– Désolée de vous interrompre, mais je dois rentrer chez moi, dit Yoshié.

Pour elle, ce n'était évidemment pas le moment de se disputer. Elle avait des poches sous les yeux à cause du manque de sommeil et ne cessait de s'inquiéter de l'heure.

– Je suis sûre que la vieille s'est réveillée. J'ai encore du pain sur la planche.

– D'accord. Mais dis… ça ne t'ennuierait pas d'en emporter un peu ? dit Masako en lui montrant les sacs pleins de lambeaux de chairs et de fragments d'os.

– Mais je suis à vélo ! s'écria Yoshié avec une répulsion non dissimulée. Tu crois que je vais transporter ça à vélo ? Et en plus en tenant un parapluie ?

Masako regarda par la fenêtre. La pluie avait cessé et entre les nuages on apercevait du ciel bleu. La température allait monter. Si elles ne s'y prenaient pas au plus vite, la décomposition commencerait. Les viscères étaient déjà entrés en putréfaction.

– Il ne pleut plus, dit-elle.

– Mais j'en n'ai pas envie.

– Bon, mais comment on va s'en débarrasser, hein?

Masako croisa les bras, s'adossa au mur en carrelage et regarda Kuniko qui paraissait glacée dans l'entrée de la salle de bains.

– Toi aussi, tu devras en emporter, dit-elle.

– Il faudra que je les mette dans le coffre de ma voiture?

– Évidemment. Ta voiture serait trop belle pour ça?

Masako se demanda comment on pouvait être aussi bête.

– Ce travail, c'est pas comme à la fabrique où tout s'arrête avec la chaîne. Ça ne sera fini que quand on se sera débarrassé de tous les sacs dans les endroits qui conviennent. Alors seulement vous aurez votre argent. Si on les découvre, mieux vaudrait qu'on n'arrive pas à identifier la victime, mais si c'est le cas, le tout est qu'on ne fasse pas le lien avec nous!

– Et Yayoi, hein? Elle ne risque pas de tout avouer?

– On pourra toujours dire qu'on a agi sous la contrainte.

– Eh bien, moi, je dirai que tu m'as forcée à le faire, dit Kuniko qui ne voulait pas s'avouer vaincue.

– Je m'en fous. Si tu ne le fais pas, tu n'auras pas un sou.

– Mais c'est horrible! T'es vraiment quelqu'un d'horrible! protesta Kuniko en réprimant ses sanglots. Tu n'as pas pitié du mort? Personne ne s'apitoie sur lui! Personne ne trouve ça affreux.

– Arrête, tout de suite! la coupa Masako. Ce n'est pas notre affaire! C'est un problème entre Yayoi et lui.

– Vous savez ce que je pense? lança Yoshié d'un air ému, en attirant les regards de Kuniko et de Masako. C'est peut-être bizarre, mais pour moi ce mort est ravi qu'on l'ait mis dans cet état. Avant, quand j'apprenais qu'on avait coupé quelqu'un en morceaux, je trouvais ça vraiment cruel. Mais ce n'est pas ça. Bien démembrer un mort, c'est le traiter avec respect.

Masako se dit que Yoshié recommençait à se justifier: elle interprétait tout en sa faveur. Cela dit, c'était vrai que parler de travail soigné au vu de ces morceaux de chair répartis dans quarante-trois sacs n'était pas déplacé. Masako regarda de nouveau ces derniers sur les couvercles de la baignoire.

Après avoir décapité le corps, elles lui avaient arraché les bras et les jambes en les sectionnant aux articulations. Chaque pied, chaque jambe et chaque cuisse avait été coupé en deux, ce qui avait donné six sacs par membre inférieur. Les bras, eux, avaient été divisés en cinq parties. Pour les empreintes digitales, afin de parer au pire, elle avait demandé à Yoshié de lui peler les doigts, comme pour un poisson. Les membres supérieurs étaient donc dispersés dans vingt-deux sacs.

Le grand problème avait été le tronc. Le résoudre avait pris beaucoup de temps. Elles avaient dû le fendre de haut en bas pour en extraire les viscères : d'où huit sacs pour les entrailles. Elles avaient commencé par lui arracher les muscles extérieurs, puis elles lui avaient brisé les côtes pour en faire des rondelles : soit vingt sacs pour le tronc. En ajoutant la tête qui avait été sectionnée dès le début, on arrivait à un total de quarante-trois sacs. Elle aurait aimé un déchiquetage plus fin, mais ce travail, auquel elles n'étaient pas habituées, leur avait déjà demandé trois bonnes heures. Il était plus d'une heure passée. Elles étaient arrivées à la limite de leur résistance physique et du temps qui leur était imparti.

Après, elles avaient noué chaque sac et les avaient tous glissés à l'intérieur d'un autre sac réglementaire : ainsi doublés, ils n'étaient plus transparents. À moins qu'on n'en devine le contenu, ils seraient détruits comme n'importe quel sac d'ordure ménagère. Chacun d'entre eux pesant plus d'un kilo, elles y avaient mélangé des bouts de différentes parties du corps pour qu'on ne puisse pas en identifier l'origine : viscères et pieds, épaules et doigts, ainsi de suite. Masako en avait chargé Kuniko qui avait obtempéré à contrecœur et en pleurant. Yoshié avait bien proposé d'envelopper chaque lambeau dans du papier journal, mais elles y avaient renoncé par crainte qu'on ne devine l'identité de l'abonné. Le problème était maintenant de savoir où jeter tous ces sacs.

– Toi, la Patronne, comme t'es en bécane, tu n'en prendras que cinq. Kuniko, toi, t'en prendras quinze. Moi, je m'occupe du reste et de la tête. Vous mettrez des gants pour ne pas laisser d'empreintes digitales sur les sacs.

— Qu'est-ce que tu vas faire de la tronche? voulut savoir Yoshié.

Elle regardait avec dégoût l'objet enveloppé tout seul dans un sac de plastique noir: il avait été découpé en premier et trônait sur le couvercle de la baignoire avec une grande noblesse.

— La tronche? répéta Masako en souriant du terme employé par Yoshié. Je l'enterrerai plus tard. Je ne vois pas d'autre solution. Si on la découvre, on est cuites.

— Le mieux serait qu'elle se décompose, fit remarquer Yoshié.

— Oui, mais on pourra l'identifier à ses dents, de toute façon, dit Kuniko d'un ton expert. C'est comme ça qu'on fait après les accidents d'avion.

— En tout cas, vous jetez le plus loin possible d'ici et dans des endroits différents. Et vous êtes priées de ne pas vous faire remarquer.

— On n'a qu'à le faire en allant à la fabrique ce soir, proposa Yoshié.

— Ça risque d'être attaqué par des chats et des corbeaux, dit Kuniko. Il vaudrait mieux attendre demain matin.

— Les deux sont possibles à condition qu'on ne soit surprises par personne, trancha Masako. Mais le plus vite sera le mieux.

— Masako? Pour en revenir à la question de tout à l'heure..., commença timidement Kuniko. Tu ne peux pas faire quelque chose pour mon argent? Pour aujourd'hui, cinquante mille ou même quarante-cinq mille suffiraient. Comme ça, je pourrais rembourser ce qu'on me réclame. Mais je n'aurai pas de quoi vivre à partir de demain et je te demanderai de m'en prêter encore un peu dès demain.

— Bon, d'accord. Mais ce sera prélevé sur ta part.

— Ma part, c'est combien? demanda Kuniko avec une lueur malicieuse dans ses yeux encore pleins de larmes.

Yoshié pressait sa poche avec sa main. Seule Masako savait qu'elle avait piqué l'argent dans le portefeuille de Kenji.

— Eh bien, répondit-elle, toi, tu n'as fait que remplir les sacs et tu as échappé à la basse besogne. Cent mille yens, ça t'ira?

Pour la Patronne, ce sera quatre cent mille. Mais il n'est pas certain que Yayoi trouve les fonds.

Kuniko et Yoshié échangèrent un regard. La déception se lut nettement sur leurs deux visages, mais elles se turent, peut-être parce que Yoshié était satisfaite du supplément qu'elle avait obtenu et peut-être parce que Kuniko, elle, s'estimait heureuse d'avoir échappé à une tâche aussi épouvantable. Peut-être même seulement parce qu'elles avaient toutes les deux peur de Masako.

– Bon, je vous laisse, dit Yoshié en partant sans même se retourner.

Kuniko s'avança, elle aussi, mais fit volte-face.

– On se retrouve au parking ce soir, Masako ?

– Non. Maintenant, on fait bande à part, dit Masako en mettant dans un seul grand sac noir tous les sacs dont elle chargeait Kuniko.

– Il s'est passé quelque chose hier soir ? demanda Kuniko d'un air soupçonneux. Tu es arrivée en retard.

– Non, rien du tout.

– Bon, bon, dit Kuniko, incrédule, en scrutant Masako de la tête aux pieds.

Après le départ des deux femmes, Masako plaça dans le coffre de la voiture les sacs qu'elle devait jeter, les vêtements déchirés et les effets personnels de Kenji. Elle pensait faire quelques repérages en allant à la fabrique et tout jeter sur-le-champ ou dès le lendemain matin.

Puis elle nettoya soigneusement la salle de bains avec une brosse à chiendent.

Mais elle eut beau frotter, elle ne put s'empêcher de penser que du sang visqueux continuerait à imprégner la matière même des carrelages. Les fenêtres grandes ouvertes et le ventilateur ne suffiraient jamais à évacuer la puanteur du sang et des viscères en voie de décomposition.

Elle tenta de se convaincre que c'était une illusion de son esprit affaibli. Pour atténuer l'odeur de ses mains, elle les trempa dans du crésol au point d'en rendre sa peau toute lisse. En voyant le corps de Kenji ainsi dépecé, Kuniko, qui s'était pourtant contentée de mettre des morceaux de chair dans les sacs, avait déclaré qu'elle ne pourrait plus jamais manger de viande, était allée vomir aux toilettes et avait rempli les sacs en pleurant. Masako, elle, était parvenue au bout de sa tâche avec un calme relatif.

Si elle s'échinait à frotter et refrotter avec la brosse à chiendent et du détergent, c'est qu'elle craignait que la police scientifique ne procède à une vérification au Luminol pour déceler des traces de sang. Elle qui avait toujours exclu l'irrationnel, elle trouvait honteux de se laisser tourmenter par un simple pressentiment.

Un cheveu était resté collé au mur. Un cheveu court et dur, un cheveu d'homme. Elle le prit entre ses doigts et se demanda s'il appartenait à son mari, à son fils ou au cadavre de Kenji. Puis elle finit par trouver cette question absurde. À moins de recourir à un test ADN, ce n'était rien d'autre qu'un cheveu tombé par terre dans un foyer normal. Peu importait qu'il provienne d'un homme vivant ou d'un cadavre : c'était un déchet. Elle le fit disparaître dans la bonde. Et avec lui, son mauvais pressentiment.

Ensuite, elle discuta argent au téléphone avec Yayoi et s'étendit sur son lit. Il était déjà plus de quatre heures de l'après-midi. D'habitude, elle se couchait à neuf heures du matin pour se réveiller à quatre heures de l'après-midi. Elle était épuisée, mais avait l'esprit parfaitement clair et le sommeil ne venait pas.

Elle prit une bière dans le réfrigérateur et la but d'une traite. Elle n'avait jamais connu un tel état d'excitation depuis qu'elle avait quitté son précédent travail. Elle alla se recoucher, mais ne cessa de tourner et virer dans son lit dans la chaleur moite de cette fin d'après-midi d'été.

Alors qu'elle avait pensé ne dormir que quelques heures, l'air humide de la nuit s'infiltrait par la fenêtre ouverte quand elle se réveilla. Elle se leva en regardant sa montre qu'elle avait conservée à son poignet. Huit heures du soir. L'air s'était rafraîchi, mais son tee-shirt était tout imprégné de sueur. Elle avait fait plusieurs cauchemars dont elle avait oublié le contenu.

Elle entendit la porte de l'entrée s'ouvrir. C'était Yoshiki ou Nobuki. Elle s'était endormie sans leur avoir préparé le dîner. Elle se dirigea lentement vers la salle de séjour.

Assis à la table, Nobuki mangeait un plat tout préparé qu'il avait acheté à la supérette. Il avait dû constater qu'il n'y avait rien de prêt et était ressorti faire des courses. Quand elle se plaça près de la table, il se crispa sans rien dire. Avait-il deviné un changement quelconque ? Il regardait derrière elle d'un air craintif. Elle se souvint alors que c'était un enfant sensible.

– Tu n'as rien acheté pour moi ? lui demanda-t-elle.

Son visage se fermant encore plus, Nobuki baissa les yeux sur son plat comme s'il voulait défendre quelque chose. Mais qu'avait-il à protéger ? Sa mère, elle, n'avait plus depuis longtemps quoi que ce soit à défendre.

– C'est bon ? lui demanda-t-elle.

Nobuki ne répondit pas, posa ses baguettes et regarda fixement son plat. Masako prit le couvercle en plastique, auquel des grains de riz étaient restés collés, pour contrôler le lieu et la date de fabrication. « Miyoshi Foods, Fabrique de Higashi-Yamato, confectionné à 15 h 00 ». Était-ce un hasard ou une intention délibérée de Nobuki ? Sans aucun doute possible, c'était un menu complet confectionné dans sa fabrique, dans la journée même. La mélancolie la gagna tandis qu'elle promenait son regard sur la salle de séjour parfaitement en ordre. Ce qu'elles avaient accompli dans la journée lui sembla irréel. Nobuki reprit ses baguettes pour continuer son repas.

Masako s'assit en face de lui et posa son regard vide sur son fils qui mangeait. Elle se rappela ce qu'elle avait éprouvé à l'endroit de Kuniko – comme un désir sauvage de ne plus avoir à se débrouiller des relations humaines changeantes et superficielles. Mais là, devant elle, se trouvait une relation qu'elle ne pouvait pas changer, et le comprendre lui donna une impression de complète impuissance.

Elle se leva et se dirigea vers la salle de bains plongée dans l'obscurité. Dès qu'elle alluma, la pièce qu'elle avait astiquée au détergent et qui était complètement sèche lui parut incroyablement propre. Elle fit couler de l'eau chaude dans la baignoire.

Dès que cette dernière fut remplie, elle se déshabilla et se doucha sur la partie carrelée. Et se rappela quelque chose : la veille, dans les toilettes de la fabrique, elle avait voulu effacer toute trace de Kazuo Miyamori. Depuis, elle avait découpé le cadavre de Kenji, s'était souillée de son sang jusqu'aux chevilles et avait eu sous ses ongles des cellules de son corps. Pourtant, ce qu'elle voulait noyer sous le jet de la douche, c'étaient toujours les traces de Kazuo Miyamori. Elle se rappela les mots de Yoshié prétendant que les êtres humains et les cadavres ne sont qu'une seule et même chose. Elle acquiesça et s'aspergea d'eau chaude. Un cadavre est certes répugnant, mais il ne bouge pas. Vivant qu'il était, Kazuo avait pu essayer de l'attraper et c'était ça qui le rendait encore plus ignoble.

Une fois les sacs contenant la tête et différentes parties du corps de Kenji rangés dans le coffre, elle quitta sa maison avec deux heures d'avance sur son horaire habituel. Yoshiki n'était pas encore rentré, à son grand soulagement. Contrairement aux relations qu'elle avait avec son fils, son couple était quelque chose qu'elle pouvait changer si elle le voulait ; peut-être valait-il mieux oublier les sentiments qu'elle éprouvait envers Kuniko.

Sur la route de Shin-Ômé, elle prit la direction de Tôkyô. Il n'y avait pas beaucoup de circulation, mais elle roula lentement en regardant le paysage. Elle avait décidé d'oublier le service qui l'attendait et ce qu'elle avait dans son coffre pour contempler ces lieux d'un regard neuf.

Elle emprunta un grand viaduc, laissant sur la gauche une usine de traitement des eaux. Du haut du viaduc, elle vit, au loin dans le ciel nocturne, la grande roue du parc d'attractions de Seibu briller comme une pièce de monnaie. Ce paysage lui était complètement sorti de la tête. Elle était montée sur la grande roue avec Nobuki, quand il était petit : il y avait une éternité. De la même manière que Nobuki lui était devenu étranger, elle avait franchi la frontière d'un territoire inconnu.

Sur la droite, la route longeait le mur de béton du cimetière de Kodaira. Dès qu'elle aperçut le terrain d'entraînement de golf, pareil à une gigantesque volière, elle bifurqua sur la droite, vers Tanashi. Elle traversa un quartier résidentiel perdu dans des champs et vit enfin se dresser devant elle le grand immeuble qu'elle attendait.

La société où elle avait travaillé autrefois se trouvant à Tanashi, elle n'était pas totalement perdue. Elle avait gardé en mémoire cet immeuble, qui comportait beaucoup d'appartements et pâtissait d'une maintenance défaillante ; le local des poubelles dans l'arrière-cour était ouvert à tout vent. Elle se gara tout près et sortit cinq sacs du coffre, comme si de rien n'était. Plusieurs bennes bleues portaient l'inscription « Ordures ménagères » et « Recyclables » et contenaient de nombreux sacs qu'on y avait entassés avec négligence. Elle en écarta quelques-uns et y cacha les siens. Il n'y avait plus moyen de distinguer les morceaux du cadavre de Kenji du reste des ordures ménagères.

Elle reprit la route et, chaque fois qu'elle repérait un grand immeuble, elle y cherchait le local des poubelles. Et dès qu'elle jugeait la chose possible, elle y abandonnait quelques sacs. Elle roula ainsi très lentement dans ce quartier résidentiel qui lui était presque inconnu et répéta plusieurs fois son geste dès qu'elle y trouvait un local désert. Le corps et les vêtements de Kenji qu'elle avait mis en pièce étant ainsi éparpillés un peu partout au hasard, il ne lui resta plus que sa tête et le contenu des poches.

L'heure d'aller au travail approchait. À mesure que le coffre se vidait, le cœur de Masako s'allégeait. Elle s'inquiéta de savoir où Yoshié, qui n'avait pas de voiture, avait pu se débarrasser de ses sacs. Ils étaient moins nombreux et elle pourrait s'en sortir. C'était une débrouillarde. Le problème, c'était plutôt Kuniko. Masako regretta d'avoir confié à la légère quinze sacs à cette femme peu sûre. Si Kuniko ne les avait pas encore jetés, peut-être valait-il mieux qu'elle, Masako, s'en charge.

Elle reprit la route en sens inverse et arriva au parking de la fabrique au bout d'une demi-heure. Kuniko n'était pas encore là. Masako attendit un peu, mais la voiture voyante de Kuniko n'apparaissait toujours pas. Le choc de l'après-midi avait-il été violent au point qu'elle avait préféré s'absenter cette nuit? Elle en fut d'abord en colère puis songea que l'absence de Kuniko n'aurait rien de suspect.

Dès qu'elle sortit de la voiture, elle fut frappée par les relents de friture qui flottaient dans l'air très sec pour un mois de juillet. Il faisait plus froid que dans la matinée. Elle se rappela que les dalles de béton qui recouvraient le canal, devant l'usine désaffectée, étaient criblées de trous. Elle n'avait qu'à y jeter le porte-clés et le portefeuille de Kenji. Personne ne les retrouverait. Quant à sa tête... elle irait l'enterrer le lendemain dans la journée... dans les montagnes de Sayama.

Soudain elle voulut se débarrasser au plus vite des effets personnels de Kenji et en finir ainsi avec toute cette affaire. Elle aperçut les volets de l'usine désaffectée et les carrés d'herbe d'été et les mots que Kazuo Miyamori avaient prononcés la veille au soir lui revinrent à l'esprit: «Je t'attends demain.» Mais après ce qui s'était passé ce matin-là, il n'y avait aucune raison qu'il l'attende. Néanmoins, par acquit de conscience, elle regarda autour d'elle: il n'y avait pas un chat.

Elle se rapprocha du bord du canal et chercha les trous dans le béton en plissant les yeux. Elle trouva plusieurs failles à la jointure des couvercles. Elle sortit de son sac le portefeuille vide et le porte-clés et les jeta dans l'une d'elles. Elle fut rassurée d'entendre le clapotis et reprit son chemin dans l'obscurité. Au loin devant elle, les lumières de la fabrique brillaient fort.

Elle ne s'était pas aperçue que Kazuo était tapi au pied du volet rouillé contre lequel il l'avait plaquée la veille au soir.

CHAPITRE 5

Dès qu'elle se fut échappée de la maison de Masako, Kuniko respira profondément.

Le temps semblait meilleur, avec des grands pans de ciel bleu entre les nuages. Aspirant l'air humide et purifié par la pluie, elle se sentit enfin soulagée. Mais le grand sac noir qu'elle tenait dans sa main droite était plein de trucs abominables et cela gâchait tout. L'air qu'elle respirait en devenait nauséabond.

Elle posa le sac par terre et ouvrit le coffre avec des gestes gauches. De nouveau, elle eut une nausée en respirant l'odeur caractéristique de la voiture – mélange de poussière et d'essence. C'était là qu'il fallait mettre ces choses repoussantes. Elle fit de la place en écartant les affaires hétéroclites qui s'y trouvaient : outils, parapluies, chaussures, etc. Elle n'arrivait toujours pas à croire à ce qu'elle avait fait.

Cette consistance répugnante à travers les gants de caoutchouc quand elle avait touché un morceau de chair rosâtre du cadavre... Ces os blancs brisés... Il y avait même un bout de peau livide avec une touffe de poils. Tous ces détails s'étant gravés dans sa tête, elle se dit qu'elle ne pourrait plus jamais faire de plats de viande – mais elle n'avait jamais été bonne cuisinière, de toute façon.

Devant Masako, elle avait fait bonne figure, mais elle ne voulait plus qu'une chose : se débarrasser de tout ça au plus vite. Elle ne voulait surtout pas garder ces horreurs dans sa voiture adorée, ne serait-ce qu'un instant de plus. Et si tout ça commençait à se décomposer tout de suite et à dégager des odeurs pestilentielles ? La puanteur pénétrerait dans les sièges en cuir lisse et, aucun désodorisant n'en venant à bout, elle la tourmenterait à jamais. Elle ne pouvait pas supporter ça et regarda autour de la maison de Masako pour trouver un endroit où jeter tout ce bazar.

Le lotissement avait été gagné sur des champs aplanis. Au sommet d'une colline basse couverte de terrains cultivés s'étaient concentrées de petites constructions récentes. Elle y trouva un dépôt de poubelles entouré de murets en béton, à la lisière des zones d'habitation et de cultures. Après s'être retournée vers la maison pour vérifier que Masako n'était pas là, elle y transporta le gros sac noir.

Elle savait que si on l'y trouvait, on remonterait jusqu'à Masako, mais au point où elle en était, elle s'en moquait : c'était quand même elle qui l'avait forcée à faire tout ça, non ? Elle jeta le sac noir dans le dépôt qui avait été nettoyé soigneusement. Il était légèrement crevé, révélant la présence d'un des sacs translucides. Kuniko s'enfuyait en détournant le regard lorsqu'elle entendit une voix d'homme qui l'arrêta net.

– Attendez un instant !

Un vieil homme basané, en bleu de travail, se tenait devant le dépôt, d'un air courroucé.

– Dites, vous n'êtes pas du coin, vous !

– Bah…

– C'est pas bien de faire ça…

Et d'un geste brusque, il souleva le sac qu'avait laissé Kuniko, le lui rendit et lui montra le champ d'un air satisfait.

– De temps en temps il y a des gens qui ont le culot de faire comme vous. Alors moi, je surveille le manège de là-bas.

– Excusez-moi.

Kuniko, qui était facilement démontée par les reproches, reprit le sac et s'en alla précipitamment. Elle regagna sa voiture et, cette fois-ci sans la moindre hésitation, elle jeta le sac dans le coffre et mit aussitôt le contact. Puis elle regarda dans son rétroviseur et y vit le vieil homme qui la surveillait de loin. Elle démarra sur les chapeaux de roues.

– Va crever, vieux connard ! lança-t-elle au rétroviseur.

Elle ne savait où aller. Au bout de quelque temps, elle se dit qu'il ne serait pas facile de se débarrasser du sac et comprit avec horreur qu'elle s'était embarquée dans une vraie galère. C'étaient *quinze* morceaux qu'elle avait dans son coffre! Le poids était énorme et elle ne passerait pas inaperçue avec un tel chargement! Il fallait liquider tout ça le plus tôt possible. Les mains serrées sur le volant, elle regarda partout autour d'elle pour trouver un endroit propice. Mais elle était tellement énervée qu'elle oubliait de repartir au feu vert et que les voitures derrière elle klaxonnaient furieusement.

Elle arriva ainsi dans le quartier des petites HLM départementales par où elle était déjà passée le matin. Dans un misérable square de jeunes mères faisaient jouer leurs enfants. L'une d'elles était justement en train de jeter un sachet de confiserie dans une poubelle près d'un banc. Une idée lumineuse lui traversa aussitôt l'esprit: elle n'avait qu'à jeter les sacs dans un jardin public! Il y avait tant de poubelles dans les squares qu'on ne remarquerait rien! Un jardin public, voilà ce qu'il lui fallait. Encore mieux, s'il était grand et avait beaucoup de passage.

Elle était si satisfaite de sa trouvaille qu'elle se sentit soulagée et se mit à fredonner en conduisant.

Elle était déjà venue une fois au parc de K. avec des collègues de la fabrique pour contempler les cerisiers en fleur. C'était, disait-on, le plus grand de Tôkyô, elle pourrait y jeter ces trucs ignobles sans risquer d'être démasquée.

Elle se gara sur la berge de la rivière Shakujii, derrière le parc. Comme c'était un jour de semaine, il y avait moins de monde à cette heure. Elle enfila les gants en plastique que lui avait donnés Masako, sortit du coffre le grand sac noir qui contenait les membres déchiquetés du mort et emprunta une porte secondaire pour entrer dans le parc. On y trouvait un bois naturel et touffu, avec des arbres de différentes espèces, certains de haute taille et qui dégageaient une odeur végétale presque étouffante. Kuniko quitta le chemin pour marcher dans les herbes trempées de pluie et ses chaussures blanches se mouillèrent rapidement. Il faisait chaud et ses mains devinrent moites sous les gants. Elle haleta sous le poids des sacs et se demanda où elle pourrait trouver une poubelle pour les jeter sans éveiller les soupçons. C'était son obsession. Mais il n'y avait rien en vue dans le bois.

Un grand pré s'étendait à l'endroit où s'achevait le bosquet. La pluie venant à peine de cesser, le lieu était presque désert, contrairement à ce qui se passait à la période des cerisiers en fleur. Deux jeunes garçons s'amusaient avec une balle de baseball et il y avait un promeneur solitaire. Deux amoureux en maillots de bain roucoulaient sur un tapis argenté qu'ils avaient étalé sur le gazon. Plus loin, elle vit un groupe de mères avec leurs enfants qui jouaient et un vieil homme qui promenait son gros chien dans une allée. C'est tout ce qu'elle remarqua. Difficile de trouver mieux pour se débarrasser de ses sacs. Elle sourit de satisfaction.

Pour ne pas se faire remarquer, elle passa d'un arbre à l'autre en cherchant des poubelles. Elle en trouva une grande en forme de corbeille près d'un court de tennis et y jeta un premier sac. Et deux autres encore, près d'une aire de jeux. En chemin, elle croisa un groupe de vieux qui se promenaient et préféra retourner dans le bois. Ainsi erra-t-elle dans tout le parc à la recherche de poubelles discrètes. Il lui fallut une bonne heure pour venir à bout de son chargement.

Soulagée sans doute, elle fut prise d'une faim soudaine. Elle n'avait rien mangé depuis le matin. Elle trouva une buvette et s'y précipita en fourrant dans son sac à main ses gants et le plastique noir. Elle acheta un hot-dog et un Coca et s'assit sur un banc pour manger. Dès qu'elle eut fini, elle jeta son assiette et le gobelet de carton dans une poubelle et y vit des mouches qui s'agglutinaient sur des restes de nouilles sautées. Si ses sacs se déchiraient, les mouches grouilleraient de la même manière sur leur contenu. En se décomposant, les chairs mortes attireraient les mouches et les asticots. De nouveau, la nausée la saisissant, sa bouche se remplit d'une salive aigre.

Le mieux était de rentrer tout de suite se coucher. Elle alluma une cigarette mentholée et marcha dans l'herbe mouillée de pluie.

Manque de sommeil, choc provoqué par la séance chez Masako, plus la tâche dont elle venait de s'acquitter au parc, elle chancelait lorsqu'elle arriva devant sa porte. Elle vit un jeune homme venir lentement vers elle du fond de la galerie extérieure de l'immeuble. Elle le regarda à la dérobée. Vêtu d'un costume sobre, il tenait un attaché-case noir à la main : le représentant type. Pas question d'avoir affaire à un démarcheur. Elle se hâta de tourner la clé dans la serrure et se précipitait chez elle lorsqu'il la retint.

– Madame Jônouchi ?

Sa voix lui rappelait quelqu'un.

Comment connaissait-il son nom ? Elle lui lança un regard soupçonneux. Il s'approcha d'elle en souriant. Costume en lin à carreaux, cravate jaune. Il était mince et habillé avec goût, et avec ses cheveux teints en châtain il avait de l'allure. Il ressemblait à une vedette de la télévision. Elle éprouva une certaine curiosité.

– Pardon de vous interpeller comme ça, dit-il. Je m'appelle Jûmonji.

Il sortit de la poche de sa veste une carte de visite et la lui tendit d'un geste expert. Elle laissa échapper un cri en y lisant «Centre des consommateurs - le Million. Administrateur général. Akira Jûmonji».

Elle avait réussi à emprunter cinquante mille yens à Masako, mais avait été tellement absorbée par les sacs à jeter qu'elle en avait oublié de passer à la banque. Pourquoi donc avait-elle commencé par aller chez Masako ? Qu'est-ce qu'elle pouvait être bête ! Elle, qui était si facilement arrogante, eut l'air mortifiée.

– Je suis vraiment désolée, dit-elle. J'ai l'argent, mais j'ai complètement oublié de faire le virement. Je l'ai vraiment sur moi.

En sortant son portefeuille de son sac à main, elle laissa échapper les gants en plastique, qui tombèrent sur le sol en béton sale. Jûmonji se baissa pour les ramasser et, après les avoir regardés avec curiosité, les lui rendit.

Elle paniqua encore plus, mais fut rassurée que ce ne fût pas un yakuza qui soit venu lui réclamer l'argent ; l'homme avait l'air étonnamment charmant. Peut-être qu'avec lui tout pourrait s'arranger. Son optimisme habituel lui revint.

– Cinquante-cinq mille deux cents yens, c'est bien ça ? dit-elle en sortant les cinquante mille yens que lui avait prêtés Masako. (Et elle y ajouta un billet de dix mille qu'elle avait.) Vous me rendez la monnaie ?

– Peut-être pas ici.

– Vous préférez que j'aille faire le virement ?

Elle regarda sa montre : il était presque quatre heures de l'après-midi. Mais il était toujours possible de le faire avec une machine automatique.

– Non, ce ne sera pas nécessaire. Vous pouvez me les donner ici. Je craignais seulement les regards indiscrets.

– Ah oui. Merci, dit-elle en baissant timidement la tête.

– C'est dur, je comprends bien. J'ai tout de suite senti votre honnêteté.

Jûmonji lui rendit la monnaie et lui tendit un reçu, puis, inquiet, il murmura :

– Il paraît que votre mari a quitté son travail ?

– C'est ça, répondit-elle.

Elle eut soudain très peur : ils avaient donc poussé l'enquête jusque-là ?

– Comment le savez-vous ? lui demanda-t-elle.

– Eh bien, nous savons que c'est indiscret, mais nous avons l'habitude de faire des vérifications dans ce genre de situations. Où travaille-t-il maintenant ?

Il ne se départait pas de son sourire. Sentant que la douceur avec laquelle il lui parlait et son expression avenante la ligotaient comme dans une toile d'araignée, elle lâcha ce qu'elle n'aurait jamais dû dire :

– Ben justement, je n'en sais rien.

– C'est-à-dire ? lui demanda Jûmonji, surpris.

Il avait la mine étonnée d'une jeune vedette devant une question facile dans un jeu télévisé : charmant. Elle céda à l'envie de tout lui révéler.

– Il n'est pas rentré depuis hier. J'ai peur qu'il n'ait fait une fugue et ça m'inquiète.

– Excusez-moi, mais… vous êtes mariés ?

– Non, on est ensemble, répondit-elle avec une petite voix.

– Ah, je vois, soupira-t-il.

La porte d'à côté s'ouvrit et, sans doute pour aller faire des courses, la voisine sortit avec son bébé sur le dos et une poussette repliée à la main. Elle salua Kuniko et ne tenta même pas de cacher la curiosité que lui inspirait son visiteur. Ce dernier, par souci de discrétion, se contenta d'acquiescer sans un mot, et attendit qu'elle ait disparu. Il paraissait sincèrement s'inquiéter du sort de Kuniko.

– Mais si votre mari est vraiment parti, que comptez-vous faire ? Pardonnez-moi d'être aussi direct, mais pourrez-vous vous en sortir pour les dépenses courantes ? Excusez ma franchise, mais…

Kuniko en resta sans voix. Il avait raison. Les cent vingt mille yens qu'elle gagnait à la fabrique servaient presque tous à rembourser les intérêts de son prêt et, pour les dépenses courantes, elle comptait sur le salaire de Tetsuya. S'il s'avérait qu'il avait vraiment disparu, elle ne pourrait jamais s'en sortir sans son salaire d'appoint.

– En effet. Je vais peut-être être obligée de changer de travail.

– Eh bien ! lança Jûmonji d'un air particulièrement gêné. Bah, un autre travail vous permettra de survivre. Pardonnez-moi encore, mais le problème là-dedans, ce sont vos dettes.

– Vous avez raison, dit Kuniko d'un air accablé.

– Si ça vous dit, nous pourrions concevoir un plan de remboursement.

Il avait l'air de vouloir entrer chez elle. Elle paniqua. Elle était partie complètement affolée et le désordre devait être indescriptible. Il était hors de question de laisser entrer un homme aussi chic que lui dans sa maison.

– Il n'y a pas un café-restaurant dans le coin ? reprit-il. Je suis venu en voiture.

Elle se détendit.

– D'accord. Ça ne vous ennuie pas de m'attendre un peu ? Je dois passer chez moi.

– Je vous attends en bas. C'est la Nissan Cima bleue garée dans le parking.

Il lui fit un sourire aimable, la salua et s'en alla.

Une Cima bleue... Un plan de remboursement dans un café-restaurant...

Elle avait déjà oublié ce qui s'était passé chez Masako et entra chez elle tout excitée. Pourquoi fallait-il qu'aujourd'hui justement elle soit sortie sans se maquiller ? Pourquoi fallait-il qu'aujourd'hui justement elle ait enfilé ce jean et ce vieux tee-shirt ? On aurait pu la prendre pour la Patronne !

Et puis pourquoi s'était-elle imaginé que l'homme qui viendrait réclamer son argent serait un yakuza ? Jamais elle ne se serait attendue à voir un homme aussi jeune et aussi beau. Elle s'empressa de se mettre du fond de teint sur tout le visage. Et elle ressortit la carte de visite pour la regarder : « Centre des consommateurs - le Million. Administrateur général. Akira Jûmonji ».

Administrateur général... c'était bien le patron, non ? Ce qui l'intriguait, ce n'était pas que le patron se fût déplacé en personne, ni que son nom fût aussi farfelu qu'un pseudonyme de vedette : ce qui la fascinait, c'était l'homme lui-même.

CHAPITRE 6

Tout en buvant un café allongé et insipide dans le café-restaurant, Jûmonji observait le visage de Kuniko, assise juste en face de lui.

Elle s'était maquillée pendant qu'il l'attendait dans la voiture et paraissait un peu plus à son avantage que lorsqu'il l'avait vue dans la galerie sombre de son HLM. Mais Rimmel épais et fond de teint inégal, son excès de maquillage lui donnait l'air d'une femme louche d'un âge incertain et d'une origine douteuse.

Jûmonji, qui de toute façon n'aimait pas les femmes au-dessus de vingt ans, avait éprouvé d'emblée une répulsion à son endroit. Elle illustrait à merveille sa thèse selon laquelle les femmes se salissent en vieillissant.

« C'est une créance pourrie de plus », se dit-il.

Il gardait les yeux fixés sur les dents un peu saillantes de Kuniko, pendant que celle-ci lui expliquait encore et encore combien le travail à la fabrique était dur. Elles étaient maculées de traces rosâtres de rouge à lèvres.

– Vous n'avez pas l'intention de travailler pendant la journée, madame Jônouchi ?

– Si, mais j'ai du mal à trouver quelque chose qui me convienne, répondit-elle d'un air dépité.

– Quel type de travail aimeriez-vous faire ?

– Un travail de bureau. Mais je n'ai trouvé rien de bien alléchant.

– Vous en trouverez en cherchant.

Il lui avait répondu à la légère, en se disant que, si par hasard elle en trouvait un, jamais elle ne serait à la hauteur. Chez cette femme, la négligence et l'irresponsabilité se voyaient vraiment comme le cartilage dans une méduse. Il n'avait que trente et un ans, mais il avait croisé des tas de femmes de ce genre. Il suffisait que la surveillance se relâche un peu pour qu'elles emportent chez elles toute la papeterie du bureau, qu'elles donnent des coups de téléphone privés et s'absentent sans prévenir personne. Elles n'avaient aucun scrupule à détourner de l'argent, tant qu'elles ne se faisaient pas prendre. Si la décision lui en était revenue, en aucun cas il ne l'aurait engagée.

– Bien, madame Jônouchi, reprit-il. Vous vous contenterez du travail de nuit?

– Vilain! Quand vous dites travail de nuit, on dirait que je suis une prostituée! dit Kuniko en riant avec coquetterie.

Tu crois que c'est le moment de plaisanter? songea-t-il. Tu n'en seras jamais une. Tu sèmes tes dettes à tout vent. C'est avec ces pensées mauvaises qu'il posa brusquement sa lourde tasse de café sur la table. Cette femme le hérissait.

– Je peux être franc avec vous? dit-il.

– Je vous en prie, répondit Kuniko avec sérieux.

– Pardonnez-moi de vous le demander, mais est-ce que vous n'aurez pas de problème pour le versement du mois prochain?

Jûmonji feignit une inquiétude intense. Ses sourcils d'une forme parfaite, comme s'ils avaient été dessinés, exprimèrent aussitôt une sollicitude douloureuse. Il était fier de cette mimique qui lui donnait un air de sincérité ingénue. Il savait que c'était le moyen d'ébranler la résistance de cette femme. Effectivement, elle chancela, mais ça ne l'impressionna guère. Il se demanda si elle le prenait vraiment pour un naïf.

– Oh, je me débrouillerai. Il faudra bien que je paye de toute façon.

– Bien sûr. Mais comment le pourrez-vous? Si votre mari ne reparaît pas, vous allez avoir besoin d'un nouveau garant.

Le mari de Kuniko travaillait dans une société cotée en bourse, mais il n'y avait passé que deux ans. C'était la raison pour laquelle elle avait obtenu huit cent mille yens de prêt sans difficulté. Elle était persuadée qu'elle pouvait emprunter comme avec une baguette magique alors que, de fait, personne ne lui aurait prêté un sou sans la présence de son mari, qui du reste ne l'était pas officiellement. Si cet homme non seulement avait démissionné mais s'était perdu dans la nature, elle était pour ainsi dire insolvable. La bêtise de Kuniko faisait enrager Jûmonji. Qui aurait prêté de l'argent à une femme aussi inepte ?

– Oui, mais je ne vois personne qui puisse jouer ce rôle.

Manifestement, elle n'avait jamais envisagé cette éventualité. Elle avait l'air accablée.

-- Vos parents vivent à Hokkaidô, n'est-ce pas ?

Jûmonji regardait le formulaire qu'elle lui avait apporté. Elle y avait précisé l'adresse de ses parents et le travail de son père, mais la rubrique des autres liens familiaux était vide.

– Oui, mon père habite à Hokkaidô, mais il est malade.

– Oh, je suis sûr qu'en apprenant que sa fille est dans une mauvaise passe, il l'aidera.

– C'est impossible : il est constamment hospitalisé et n'a pas d'argent.

– Alors ce sera quelqu'un d'autre, un parent lointain ou un ami. Sa signature et son paraphe suffiront.

– Je ne connais personne.

– C'est très ennuyeux, dit-il en soupirant exagérément. Vous payez encore les traites de votre voiture ?

– Oui, j'en ai encore pour deux ou trois ans.

– Et votre carte de crédit ?

– J'essaie de ne pas trop y penser.

Cette réponse irresponsable le stupéfia. Elle arrêta soudain de fumer et parut égarée. Elle avait les yeux rivés sur le steak haché que lui avait apporté une serveuse en uniforme rose. Intrigué, Jûmonji remarqua la sueur grasse qui perlait au front de Kuniko.

– Qu'y a-t-il ? lui demanda-t-il.

– Rien, mais la viande me dégoûte un peu.

– Vous êtes végétarienne ?

– Non, mais je ne raffole pas de la viande.

– Vous n'êtes pas maigrichonne pourtant.

Peu lui importait que cette pique lui ait échappé. Il eut un petit rire gêné, mais il ne se souciait plus guère des réactions de Kuniko. Il n'avait plus qu'une idée en tête : comment récupérer son argent auprès de cette écervelée qui ne comprenait rien à sa propre situation.

Si elle se mettait dans l'impossibilité de rembourser, on pourrait peut-être envisager de la forcer à vendre ses charmes. Mais avec cette tête et ce physique, elle ne rapporterait pas grand-chose. On pourrait peut-être aussi l'obliger à recourir à un prêteur assez bête pour lui faire confiance, mais là aussi, sans son mari, elle aurait du mal. La question était de savoir où était passé ce dernier. Devant cette accumulation de problèmes, Jûmonji commença à se sentir découragé. Soudain, Kuniko leva la tête.

– Mais j'ai une petite possibilité d'obtenir de l'argent. Je crois que je peux y compter. Et puis oui, je chercherai un travail de jour.

– Ah bon, et cette petite possibilité... c'est un travail d'appoint ?

– Voilà, quelque chose de ce genre.

– Combien pouvez-vous espérer ?

– Deux cent mille au bas mot.

Il se demanda si elle ne le menait pas en bateau et fixa ses yeux au regard vide. Comme chez un animal, le fond de la prunelle scintillait. Il en fut effrayé.

Autrefois, quand il avait pour métier de récupérer les « créances pourries », il avait rencontré plus d'un débiteur dangereux. Ne pouvant plus rembourser leurs dettes, ils étaient prêts à n'importe quel expédient, hold-up ou escroqueries. Un homme acculé est une vraie bombe. Kuniko, elle, ne présentait pas ce danger : en elle, il y avait comme une ombre plus pernicieuse, qui lui rappela quelqu'un. Une femme, elle aussi. Il finit par retrouver son visage. Après sa visite, elle avait rédigé un long testament plein de rancœurs, précipité son enfant du haut d'un pont dans une rivière et s'était suicidée en laissant son mari derrière elle.

Ces femmes-là accusaient toujours les autres et ne voulaient jamais voir leur part de responsabilité. Leur paranoïa grandissant, elles entraînaient tout le monde dans la fange qu'elles s'étaient créée, y compris des personnes qui n'avaient rien à voir avec elles.

Il eut l'impression qu'une sensualité déplaisante se dégageait de Kuniko. Il détourna aussitôt le regard pour observer les socquettes relâchées d'une lycéenne qui fumait.

– Monsieur Jûmonji, ça sera peut-être cinq cent mille yens, reprit-elle avec un fin sourire.

– Ce sera un revenu régulier ? lui demanda-t-il aussitôt.

– Non, pas régulier, mais presque, dit-elle en tournant la tête.

Elle aurait eu un filon ? Après tout, ça ne le regardait pas de savoir quel vieux elle allait tromper ou à qui elle se vendrait. Il décida de ne pas trop s'immiscer dans ses affaires. Ce qui comptait, c'était qu'il récupère son argent. Pour le moment, il allait s'assurer d'un garant et il verrait bien comment les choses se présenteraient ensuite.

– Très bien, dit-il. Jusqu'ici aucune échéance n'a été sautée. Alors faisons comme ça. Vous n'aurez qu'à passer à mon bureau demain ou après-demain. Si vous voulez, je peux même revenir ici. D'ici là, vous aurez donc obtenu la signature d'un garant, insista-t-il en lui remettant le document.

– Pourquoi ? Il me faut un garant même si je suis sûre de pouvoir payer ? demanda-t-elle, l'air contrarié.

– Oui, je suis désolé, mais le problème de votre mari a de quoi m'inquiéter. Commencez à chercher un garant dès ce soir, je vous en prie.

– Je comprends, dit-elle de mauvaise grâce.

– Faites comme ça, si ça ne vous ennuie pas.

– Oui.

Elle baissa la tête et se passa la langue sur les lèvres, comme pour goûter son rouge à lèvres.

– Bien, je vous laisse.

Il prit la fiche de commande et se leva. La déception se lut sur le visage de Kuniko qui s'attendait à être raccompagnée chez elle. Mais Jûmonji, qui aurait cru déplacé de lui offrir un café, l'abandonna en se hâtant vers la sortie. Puis il épousseta sa veste comme pour écarter les miasmes qu'il ne manquait pas de sentir chaque fois qu'il rencontrait une « créance pourrie ».

Jûmonji ne détestait pas récupérer les prêts. Sachant qu'ils ne pourraient jamais effacer leurs dettes, la plupart de ses débiteurs essayaient de se dérober. Il prenait donc les devants pour leur faire cracher l'argent et éprouvait le plus vif plaisir à les acculer.

Il regagna sa Cima d'occasion qu'il avait laissée dans le vaste parking du restaurant. À la place voisine était garée une Gloria noire aux vitres teintées. Il sortit sa clé de sa poche et s'apprêtait à ouvrir sa voiture quand la vitre de la Gloria s'abaissa, découvrant le visage d'un homme maigre.

– Akira ! Mais c'est toi, Akira !

C'était Soga. De deux ans son aîné, il l'avait connu au collège de Takénotsuka, dans l'arrondissement d'Adachi. Après l'école, Jûmonji avait fait partie d'une bande de voyous à moto et était devenu membre actif d'un gang.

– Soga ! Quel bon vent… ? s'écria Jûmonji en se tournant vers lui.

La dernière fois qu'il l'avait vu – dans un bar d'Adachi, où il était tombé sur lui par hasard – remontait à cinq ans. Resté maigre, Soga avait un visage anguleux et le teint aussi jaunâtre que s'il avait une maladie de foie. À l'époque, il n'était encore qu'un voyou débutant. Mais il avait l'air d'avoir pris du galon. Jûmonji examina ses habits qui disaient son niveau de vie. Il avait les cheveux gominés et coiffés en arrière. Le col d'une chemise bordeaux sortait élégamment de sa veste bleu clair.

– « Quel bon vent » toi-même ! Qu'est-ce que tu fous dans ce patelin ? lui demanda Soga en sortant tout sourire de sa voiture. Y a une concentration de motards ou quoi ?

– Une concentration ? Je ne suis plus motard ! Je suis dans les affaires.

– Les affaires ? Quel genre ?

Les mains dans les poches, il reluqua l'intérieur de la voiture de Jûmonji. Elle était impeccablement ordonnée, rien n'y traînait, hormis les cartes routières.

– Où sont tes chaînes ? insista Soga, railleur.

– Arrête ça ! C'est une vieille histoire.

– Non mais ! Comment tu es coiffé ?! Si tu crois en imposer comme ça ! Tu as pris le style minet ?

Soga regardait avec un étonnement amusé son camarade qui se coiffait avec la raie au milieu.

– Non, non, c'est pas mon truc.

– Tu t'es rangé ? reprit Soga en souriant et le prenant par le col de sa veste.

– Je suis prêteur.

– Ça, c'est un bon métier. C'est vrai que t'as toujours été radin. Comme quoi, on finit toujours par retourner à sa vraie nature.

– Et toi, Soga ? demanda Jûmonji en se cambrant légèrement.

– Moi, je fais ça.

Et il esquissa un geste qui évoquait le blason du gang qui sévissait dans l'arrondissement d'Adachi.

– Ça, je sais, dit Jûmonji avec un sourire amer. Mais qu'est-ce qui t'amène ici ?

– Eh bien…

Soga regarda de côté. Suivant son regard, Jûmonji aperçut deux voitures garées dans un coin du parking. Apparemment, l'une d'elles avait percuté l'autre par l'arrière. Un homme entre deux âges avait la tête baissée et l'air terrorisé. Un jeune homme habillé de façon voyante lui gueulait dessus. Le pare-chocs d'une des voitures était embouti.

– Un accident ?

– On pourrait dire ça. Il l'a pris dans le cul.

– Je vois.

Jûmonji se rappela que les gangs qui provoquaient des accidents pour faire chanter certains conducteurs s'étaient déplacés du centre vers les banlieues. Un confrère lui avait envoyé par mail les numéros des plaques minéralogiques de ces gangs.

Ils roulaient devant une voiture qu'ils avaient repérée et brusquement ils pilaient pour se faire percuter par elle. Le conducteur qui les avait emboutis sortait affolé de son véhicule et, en fonction de sa réaction, ils mettaient au point une stratégie pour lui soutirer de l'argent. Telle était leur recette, mais Jûmonji était loin d'imaginer que le gang de Soga était impliqué là-dedans.

– C'était donc vous?

– Les gens sont vraiment mauvaises langues! dit Soga en riant. C'est cet imbécile qui nous est rentré dans le cul. Nous sommes des victimes.

De l'entrée du restaurant, Kuniko les regardait avec effroi. Son regard ayant croisé celui de Jûmonji, elle s'éloigna comme on fuit. Jûmonji se dit qu'elle allait sûrement chercher un garant. Il fut ravi de l'effet produit par sa rencontre inopinée.

– Monsieur Soga, on va à l'hôpital, dit l'un des types impliqués dans l'«accident».

Un des autres s'était accroupi par terre et se tenait le cou de façon théâtrale. L'homme entre deux âges lui parlait comme un fou. Jûmonji se dit qu'il allait se faire arnaquer. Il ne méritait pas de compassion. Ce n'était qu'un imbécile.

– Oui, d'accord, répondit Soga en acquiesçant et se donnant des airs.

Puis il tendit sa main noueuse à Jûmonji.

– Akira, dit celui-ci, donne-moi ta carte de visite.

– Ah oui, excuse-moi, dit Jûmonji en sortant une carte de sa poche intérieure et en la lui tendant avec un semblant de cérémonie. À ton service.

– C'est quoi, ça? Tu t'appelles Jûmonji maintenant? dit Soga en pouffant.

De fait, Jûmonji s'appelait Akira Yamada. Le nom était si banal qu'il l'avait changé en choisissant celui de son coureur cycliste préféré.

– Ça te paraît bizarre?

– Ben oui, c'est bizarre. On dirait un nom du show-biz. C'est vrai que t'as toujours été frimeur. Mais là t'as fait très fort.

Soga glissa la carte dans sa poche de poitrine.

– C'est le destin qui a voulu qu'on se retrouve. On va pouvoir faire de mauvais coups ensemble.

– Tu l'as dit! répondit Jûmonji pour ne pas être en reste.

Il n'en avait gardé aucune trace, mais Jûmonji avait autrefois appartenu à la même bande de voyous motards que Soga.

– Tu veux que je te prête du renfort pour récupérer tes fonds?

– Je me signalerai à toi quand j'en aurai besoin. Mais chez nous, on ne manie que des petites sommes. Ça ne va jamais chercher bien loin.

S'il exagérait, les débiteurs disparaissaient dans la nature et il perdait au change. Les pétochards devaient être traités en pétochards. C'était là toute la difficulté du métier.

– Allons, ne fais pas le modeste! Tu as peut-être une tête de minet, mais t'es salement tordu, dit Soga en lui tapotant les joues. T'es un sacré lascar. Je serais trop heureux d'avoir avec moi quelqu'un qui sait utiliser sa cervelle. Je n'ai que des petits cons. Ils me fatiguent. Ils auraient besoin de prendre des leçons.

Soga posa un regard perçant sur ses deux acolytes.

– Dis, Soga, t'aurais pas un tuyau pour se faire du fric?

– T'as pas changé, toi! Tout le monde en cherche, connard!

Soga détacha les yeux de Jûmonji et reprit son expression naturelle pour regagner la Gloria. Un jeune homme teint en blond qui lui servait de chauffeur et de garde du corps l'attendait depuis un moment en lui tenant la portière ouverte et gardant la tête baissée. Jûmonji le salua et les regarda s'éloigner. Une fois qu'il eut bien vérifié que la voiture avait disparu, il quitta le parking à son tour. Il n'avait pas besoin de seconds couteaux, mais s'il était possible de se faire de l'argent, pas de problème! L'argent, on en a toujours besoin.

Dans une venelle, près de la gare de Higashi-Yamato, il y avait un restaurant de sushis plutôt délabré qui ne faisait plus que des plats à emporter. Le rideau de l'entrée était sale et le deux-roues pour les livraisons n'avait jamais été lavé. Derrière le restaurant, un jeune employé nettoyait les bacs de bois avec une brosse de W.-C. Le bureau d'hygiène aurait pu exiger la fermeture immédiate de l'établissement.

À côté, un escalier sentait le nouveau matériau de construction. À son sommet était installé le bureau de Jûmonji. Il gravit énergiquement les marches qui grinçaient et ouvrit la porte en aggloméré avec une plaque blanche barrée de l'inscription : « Centre de consommateurs - le Million ».

– Ah, vous voilà de retour ! dirent les deux employés en le voyant entrer.

Un ordinateur, quelques téléphones, un jeune homme qui avait l'air de s'ennuyer et une femme mûre, aux cheveux artificiellement ébouriffés, coiffure qui n'était plus de son âge.

– Quoi de neuf ?

– Rien de spécial cet après-midi.

Tout en sachant la tentative inutile, Jûmonji avait demandé au garçon de retrouver la trace du mari de Kuniko.

– Je crois que ce sera impossible.

– Probablement. Si ça coûte trop cher, tu arrêtes.

Le jeune employé, qui depuis le départ n'y croyait pas, acquiesça d'un air rassuré. Ignorant ce qui se passait autour d'elle, la femme aux cheveux ébouriffés se leva en examinant ses ongles vernis en rouge.

– Patron, est-ce que je pourrais rentrer plus tôt ? J'arrête à cinq heures ?

– Oui, ça ira.

Il avait pensé la remplacer par une femme plus jeune, mais il y avait renoncé en se disant qu'une autre ne serait pas à la hauteur. Il savait que certains clients venaient pour elle. Était-ce le garçon qu'il fallait virer ? Depuis quelque temps, Jûmonji ne pensait plus qu'aux problèmes de trésorerie.

Il regarda dehors en se demandant quel pouvait être le « filon » de Kuniko. Il aperçut un terrain herbeux entouré de clôtures où l'on devait ériger de nouvelles constructions. Au-delà le soleil d'été était sur le point de disparaître.

CHAPITRE 7

Les insectes bourdonnaient. Doux et vaporeux, le bruit évoquait l'herbe mouillée par la rosée de la nuit. Ce n'était pas comme ça à São Paolo. Là-bas, l'air était chaud et sec et les insectes d'été chantaient comme des clochettes qui tintent au vent.

Accroupi dans l'herbe d'été, Kazuo Miyamori serrait ses genoux dans ses bras. Depuis un moment, des moustiques le harcelaient: il était en tee-shirt et avait été déjà piqué plusieurs fois aux bras. Mais il ne devait surtout pas bouger. C'était l'épreuve qu'il s'était imposée. Telle était sa façon de faire: il s'imposait toujours des épreuves. Sans cela, estimait-il, l'homme perdait de sa valeur.

En prêtant l'oreille dans le noir, il entendit sous le bourdonnement des insectes le bruit de l'eau qui coulait. Ni murmure, ni fracas, c'était plutôt celui d'un ruisseau qui coule lentement. Kazuo savait qu'il s'agissait des eaux pourries du canal qui dégageaient une odeur épouvantable. Même les eaux troubles chargées d'excréments, de cadavres d'animaux et d'ordures arrivaient à produire ce bruit de flux incessant.

Sous le vent, l'herbe ondoya en bruissant. Derrière lui, les volets rouillés grinçaient comme un animal qui geint. Ce bruit caverneux lui rappela qu'il y avait une cave qui s'étendait sous l'usine désaffectée. C'était contre ce volet qu'il l'avait plaquée. Il sentit des gouttes de sueur froide ruisseler dans son dos. Comment avait-il pu faire une chose pareille? Il ne devait plus être lui-même. Quand il oubliait les épreuves qu'il s'imposait, Kazuo n'était plus qu'un vaurien.

Il arracha un brin de sétaire verte et caressa du bout du doigt les épis semblables à une queue de chaton.

À dix-neuf ans, le père de Kazuo avait laissé sa province natale de Miyazaki pour s'installer seul au Brésil en 1953, lorsque l'émigration japonaise y avait repris après la guerre. Il comptait sur l'aide d'un parent qui travaillait dans une plantation japonaise dans la banlieue de São Paolo. Il espérait s'enrichir, mais il y avait un grand écart de mentalité entre la génération qui avait reçu l'éducation libérale de l'après-guerre et les émigrants d'avant-guerre qui avaient connu des années difficiles. Le père de Kazuo, qui avait un esprit indépendant, avait tout de suite fui la plantation pour vagabonder dans les rues de São Paolo, où il ne connaissait personne.

Celui qui l'avait aidé n'était pas un de ses compatriotes, pourtant réputés pour leur solidarité, mais un brave coiffeur brésilien. Il était devenu son apprenti et, âgé de plus de trente ans, avait enfin eu la responsabilité de la boutique. Une fois bien installé dans la vie, il avait épousé une belle mulâtresse et avait eu vite Roberto avec elle. Celui-ci n'avait encore que dix ans lorsque son père était mort dans un accident. De ce fait, Kazuo ne connaissait pour ainsi dire rien ni de la langue ni de la culture de son père. De japonais, Kazuo n'avait gardé que sa nationalité et son nom.

Après avoir fait ses études dans un lycée de São Paolo, Kazuo avait travaillé dans une imprimerie et, un jour, avait vu une affiche qui disait : « Offre emploi au Japon. Affaire exceptionnelle ! » Les Brésiliens d'origine japonaise pouvaient entrer au Japon sans visa et y travailler autant d'années qu'ils voulaient. L'économie japonaise était florissante et, comme la main-d'œuvre manquait, les immigrants étaient accueillis à bras ouverts.

Était-ce bien vrai ? Il avait interrogé un ami d'origine japonaise qui lui avait répondu qu'aucun autre pays n'était aussi riche : on trouvait tout dans les magasins et le salaire hebdomadaire y équivalait à un mois de sa paye au Brésil. Kazuo se sentait fier d'avoir du sang japonais. Il avait envie de voir le pays natal de son père un jour.

Quelques années plus tard, l'homme qui l'avait renseigné sur le Japon était reparu dans une voiture neuve. Il lui avait affirmé qu'il tenait tellement à s'offrir une voiture qu'il avait passé deux ans dans une usine automobile au Japon avant de rentrer au pays. Kazuo l'avait beaucoup envié. Le Brésil était en proie à une crise économique qui ne semblait pas devoir s'arrêter. Avec son bas salaire à l'imprimerie, vouloir s'acheter une voiture tenait du rêve le plus pur. Kazuo avait donc pris la résolution d'aller travailler au Japon. Il lui suffirait de deux ans de patience pour pouvoir s'acheter une voiture. Il pourrait même acquérir une maison en y restant un peu plus et en économisant. Et puis il voulait voir le pays de son père.

Il avait annoncé son intention de partir à sa mère. Il craignait qu'elle s'y oppose, mais contre toute attente elle l'y avait poussé chaleureusement. Peu importait qu'il ne connaisse ni la langue, ni la culture : la moitié de son sang étant japonais, il était donc *patricio*[1] et l'on est toujours gentil avec son *patricio*.

Tous les émigrants japonais ne connaissaient pas le même sort : les enfants de ceux qui avaient réussi allaient à l'université où ils recevaient la meilleure éducation et, par la suite, faisaient partie de l'élite du pays. Lui était différent. Fils de coiffeur, il était né dans un quartier populaire. S'il allait au pays de son père, ce serait pour gagner de l'argent, économiser et rapporter cette fortune au pays. Ne ressemblerait-il pas alors à son père qui avait un esprit éminemment indépendant ?

C'était donc ainsi que, six mois auparavant, Kazuo avait quitté l'imprimerie où il avait passé six ans et débarqué à l'aéroport de Tôkyô. À l'idée que son père était parti de ce pays à dix-neuf ans, il s'était ému. Il avait vingt-cinq ans et avait obtenu un permis de travail pour deux ans.

Mais la patrie de son père n'avait pas vu en lui un *patricio*. À l'aéroport, au port, dans les rues, chaque fois qu'on le cataloguait comme *gaijin*[2] d'un seul regard, il avait envie de crier : «Je suis à moitié japonais. J'ai la nationalité japonaise. »

Comme il avait des traits différents et ne parlait pas leur

1. Un «compatriote» en portugais. *(N.d.T.)*
2. «Étranger» en japonais. *(N.d.T.)*

langue, les Japonais ne le reconnaissaient pas comme un des leurs. Kazuo avait fini par se rendre compte que les Japonais jugeaient tout sur les apparences. Et la notion de « compatriote » était bien vague dans leur esprit. L'idée tenait de la métaphysique et ils n'y avaient guère accès. Kazuo s'était fait une raison : tant qu'il ne changerait ni de tête ni de stature, il serait un *gaijin*. Le Japon le désespérait. Sans compter que le travail à la fabrique était plus monotone, plus pénible et plus démoralisant que celui qu'il avait au Brésil.

Ainsi avait-il décidé de considérer ses jours au Japon comme une épreuve. Une épreuve de deux ans. Une épreuve pour gagner de l'argent, une épreuve pour s'offrir une voiture. Cela dit, cette épreuve ne revêtait pas le même sens que pour sa mère, qui était une catholique fervente. Pour Kazuo, il s'agissait d'une manière d'ascèse et de contrôle de soi tendant vers un but que sa volonté s'était assigné et qui ne lui avait pas été imposé par Dieu. La veille, exceptionnellement, il avait oublié son épreuve.

Le brin de sétaire verte entre les dents, il contempla le ciel. Les étoiles y étaient infiniment moins nombreuses qu'au Brésil.

La veille, il avait eu son jour de congé. Les employés brésiliens de la fabrique avaient en effet droit à un jour de repos après cinq jours de travail. Cela contribuait à perturber leur horloge interne. Voilà pourquoi ils étaient tous complètement épuisés quand le jour de repos arrivait.

C'était le jour tant attendu, mais il était si fatigué qu'il avait décidé de ne pas quitter son lit de la journée. Il ne savait pas pourquoi il était déprimé. Il se disait que c'était probablement à cause de la saison des pluies qu'il découvrait. L'humidité engluait ses cheveux naturellement brillants et noirs et ternissait son teint basané. Le linge ne séchait pas. Son moral flanchait.

Il avait pris sur lui pour faire une longue excursion jusqu'à une ville située entre le département de Gunma et celui de Saitama et qu'on surnommait Little Brazil. En auto, c'était un saut. Mais il n'avait pas plus de permis que de voiture. Il avait dû emprunter le train et le bus, et le trajet avait duré près de deux heures.

Il avait feuilleté un magazine de foot au kiosque du Brazilian Plaza et acheté des aliments brésiliens de base. Puis regardé la vitrine d'un loueur de vidéos. Au moment de regagner Musashi-Murayama, il avait complètement cédé au mal du pays. Il avait la nostalgie de São Paolo. Comme pour retarder son retour, il était entré dans un café-restaurant, où il s'était imbibé de bière brésilienne. Ses amis n'étaient pas là. Mais en parlant avec des Brésiliens inconnus, il s'était senti heureux, comme s'il se retrouvait dans un quartier populaire de São Paolo.

Près de la fabrique se dressait un immeuble que l'entreprise louait à des travailleurs brésiliens célibataires – des studios qu'on se partageait à deux. Kazuo habitait avec un certain Alberto. À neuf heures passées, alors qu'il rentrait ivre de Little Brazil, il n'avait pas trouvé trace de son compagnon qui devait être allé manger dehors. Comme il ne travaillait pas, Kazuo était détendu et, l'ivresse aidant, il avait sombré immédiatement dans le sommeil en s'affalant sur la couchette supérieure.

Une heure plus tard, un gémissement le réveillait. Quand Alberto était-il revenu ? Dans la couchette du bas, il faisait l'amour avec sa petite amie sans la moindre retenue. Ils n'avaient sans doute pas remarqué la présence de Kazuo. Il y avait longtemps qu'il n'avait pas entendu d'aussi près la voix douce et langoureuse d'une femme. Il s'était bouché les oreilles, mais c'était trop tard. Il avait eu le sentiment que son corps brûlait. S'il avait enfoui la poudre tout au fond de lui-même, la mèche n'en demeurait pas moins prête : il suffisait de l'enflammer pour que l'explosion se produise. Comme pris de folie, il s'était couvert les oreilles et la bouche pour étouffer tous les bruits et s'était beaucoup contorsionné.

L'heure du travail approchant, le couple s'était rhabillé et s'en était allé en échangeant bruyamment des baisers. Kazuo avait quitté précipitamment la pièce pour errer dans la nuit à la recherche d'une femme. Le feu avait été mis aux poudres. Qu'il n'arrive pas à apaiser sa fébrilité et il en mourrait. Il n'avait jamais connu pulsion aussi impérieuse de toute sa vie. Il craignait que les épreuves auxquelles il s'était soumis ne rendent l'explosion encore plus forte. Mais il ne pouvait plus se maîtriser.

Il était sorti de l'immeuble et avait pris le chemin sombre qui conduisait à la fabrique. C'était une route désolée, où se succédaient une usine désaffectée et un bowling fermé. Qu'il attende un peu et il était sûr de voir passer une ou deux employées. Il savait qu'elles avaient l'âge de sa mère, voire plus, mais ça ne le gênait pas. Sauf qu'il était trop tard et qu'il n'y avait plus de passage.

Il avait été soulagé, mais en même temps une partie de lui avait ressenti l'exaspération du chasseur venant de rater une proie. Il avait fixé la route plongée dans l'obscurité, avec un sentiment mêlé. C'est alors qu'il l'avait vue avancer d'un pas vif dans la nuit.

Elle semblait absorbée dans ses pensées. Lorsqu'il s'était approché d'elle pour lui parler, elle ne l'avait pas remarqué. Il l'avait saisie par le bras. Elle l'avait repoussé par réflexe. Mais en voyant la peur dans ses yeux, il l'avait entraînée dans les hautes herbes.

Aurait-ce été mensonge de sa part que de prétendre qu'il n'avait aucune intention de la violer ? Qu'il voulait seulement qu'une femme le caresse doucement ? Qu'il voulait seulement sentir cette douceur entre ses bras ? Rencontrant une résistance, il avait décidé de l'immobiliser par la force. Elle l'avait reconnu.

– Mais c'est Miyamori ! lui avait-elle dit calmement.

La peur l'avait saisi. En la regardant bien, il avait vu qu'il connaissait, lui aussi, son visage. C'était la grande bringue qui ne riait jamais et qui était toujours fourrée avec la jolie fille. Il s'était souvent dit que ses traits étaient ceux d'une femme qui souffrait autant que lui. Sa peur s'était muée en un violent remords. Il s'était aperçu qu'il avait commis un crime.

Quand elle avait proposé de le revoir plus tard en tête à tête, il avait mordu à l'hameçon. L'espace d'un instant il avait cru tomber amoureux de cette femme bien plus âgée que lui. Mais il avait vite compris qu'elle avait imaginé ce subterfuge pour lui échapper. Et là, une colère noire l'avait pris.

Pourquoi rien de tout cela ne lui était permis alors qu'il se sentait si seul ? Il n'avait jamais eu l'intention de la violer. Il voulait seulement un peu de tendresse. Pourquoi la lui interdisait-on ? Il ne savait pas comment s'y prendre devant un tel flot de sentiments. Il l'avait plaquée contre le volet et embrassée de force.

Il avait honte de ce qu'il avait fait.

À bout de nerfs, il s'était enfoui le visage dans les mains. Mais ce qui allait suivre était encore plus honteux.

Lorsque la femme s'était enfuie en se libérant de son étreinte, il avait eu peur qu'elle n'aille le dénoncer au responsable du personnel ou à la police. Des bruits couraient sur la présence d'obsédés sexuels dans les environs, il s'en souvenait. Cette rumeur était un grand sujet de conversation parmi les travailleurs brésiliens. Certains prétendaient que c'était pure démagogie sans le moindre fondement, d'autres soupçonnaient quelqu'un en particulier. Mais en aucun cas ce ne pouvait être lui ! Il allait falloir qu'il l'explique à cette femme et qu'il lui demande pardon, le plus tôt possible.

Sans fermer l'œil de la nuit, il avait continué de rôder dans les parages en attendant l'aube. À un moment donné, il s'était mis à pleuvoir. Toujours cette bruine japonaise, vaporeuse et pénétrante, qu'il détestait tant ! Il était allé chercher l'unique parapluie qui traînait chez lui et avait attendu la femme à la sortie de la fabrique. Mais quand elle était apparue enfin, elle s'était montrée extrêmement froide alors qu'il s'était trempé pour l'attendre. Elle n'avait même pas voulu écouter ses excuses et il n'avait pas pu lui expliquer qu'il n'était pas l'obsédé sexuel dont on parlait.

Pourquoi aurait-elle voulu lui pardonner ? Si elle avait été sa petite amie ou sa mère, il aurait tué tout homme ayant agi comme lui. Il s'était alors imposé de s'excuser auprès d'elle et d'obtenir son pardon. L'épreuve était nouvelle et difficile. Et c'est ainsi que depuis neuf heures du soir, soit l'heure convenue, il attendait dans les hautes herbes sans bouger. Elle ne viendrait peut-être pas, mais lui tiendrait parole.

Enfin il entendit des bruits de pas en provenance du parking. Il se tint sur ses gardes. Une silhouette de grande taille, qui ressemblait bien à celle de la femme, venait dans sa direction. C'était elle, se dit-il le cœur battant. Il pensait qu'elle allait continuer, mais elle s'arrêta devant les hautes herbes où il était caché. Était-elle venue pour respecter son engagement de la veille ? Il en fut heureux.

Mais il comprit tout de suite que ce n'était qu'une illusion. Sans même jeter un coup d'œil vers l'endroit où il se tapissait, elle sortit un objet de son sac à main et le jeta par une fissure entre les dalles de béton qui protégeaient le canal. Au son, il sut que c'était un objet en métal. Qu'avait-elle donc pu jeter dans ces eaux troubles ? Il trouva ça bizarre. Se moquait-elle de lui en sachant qu'il était là ? Non, manifestement non ; elle ne s'en était même pas rendu compte. Il pourrait toujours revenir voir ce qu'elle avait jeté le lendemain matin, dès qu'il ferait jour.

Quand elle eut disparu, il déplia ses jambes engourdies et se leva. Le sang se remit à circuler dans ses veines et les piqûres de moustiques le démangèrent de nouveau. Il se gratta et tenta de regarder l'heure à sa montre en la tournant vers le peu de lumière qu'il y avait. Il était 11 h 30. Lui aussi, il fallait qu'il aille bosser à la fabrique.

À l'idée que cette femme travaillerait sur la même chaîne, il fut en proie à un mélange de gêne et d'excitation. Pour la première fois il venait d'éprouver une émotion véritable au milieu de cette épreuve aussi longue que terne.

Il entra dans le salon. Tout de suite, il la vit. Devant le distributeur automatique de boissons près de l'entrée, elle bavardait en chuchotant avec une femme plus âgée avec laquelle elle était toujours collée.

Elle portait un jean, une chemise assortie et se tenait les bras fermement croisés sur la poitrine. Elle était, comme toujours, vêtue avec négligence, mais ne donnait pas la même impression que quand il l'avait vue ce matin-là, après le travail. Il l'observa, intrigué. Elle croisa son regard. Il en fut troublé, mais la salua.

– Bonjour.

Elle l'ignora, mais la petite vieille à côté d'elle lui adressa un signe de tête. Parmi les Brésiliens, on savait que c'était une ouvrière expérimentée et respectée, surnommée la «Patronne».

Il chercha dans sa mémoire les mots japonais pour leur parler, mais elles en profitèrent pour gagner le vestiaire. Déçu, il alla prendre son uniforme sur son cintre, se changea rapidement et s'assit dans le coin du salon où les Brésiliens avaient l'habitude de se rassembler. Puis, une cigarette aux lèvres et en réprimant ses palpitations, il regarda à la dérobée vers le vestiaire des femmes.

Ceux-ci n'étant pas munis de rideaux, on pouvait voir les femmes se changer entre les vêtements accrochés aux cintres. Il aperçut le profil dur de cette femme. À la commissure de ses lèvres crispées, des rides étaient creusées. Il se douta qu'elle était plus âgée qu'il ne l'imaginait. Son âge ne devait pas être très éloigné de celui de sa mère, qui avait quarante-six ans. Il n'avait jamais connu de femme au visage aussi impénétrable. Jusque-là, il avait préféré la jolie fille qui l'accompagnait souvent, mais il y avait chez cette femme quelque chose de mystérieux qui l'attirait.

Il la vit ôter son jean. Ses doigts se crispèrent légèrement sur sa cigarette. Il baissa instinctivement les yeux, mais ne put s'empêcher de relever la tête et leurs regards se croisèrent de nouveau. Elle avait enfilé son pantalon de travail et son jean traînait en boule par terre. Il rougit de honte. Mais la femme semblait fixer le mur derrière lui, comme s'il était transparent. Elle avait un regard totalement inexpressif. Elle lui faisait une impression différente du matin précédent parce que la colère avait disparu de ses traits. En fait, elle semblait ne pas du tout penser à lui, ce qui était pire.

La femme et son amie retournèrent dans le salon, leur bonnet blanc à la main. Elles devaient vouloir descendre tout de suite à l'atelier parce qu'elles passèrent devant lui sans un mot. Il mémorisa aussitôt les idéogrammes qui figuraient sur le badge de la femme.

Presque tout le personnel était déjà descendu. Il alla prendre la fiche de pointage de la femme et la montra à un Brésilien qui savait lire le japonais.

– Comment tu lis ça? lui demanda-t-il.

177

– Masako Katori, lui répondit l'autre qu'il remercia. Pourquoi ça ? Elle te plaît ? Un peu vieille pour toi, non ?

L'homme avait émigré au Brésil trente ans plus tôt et venait de rentrer au pays.

– Je lui ai emprunté quelque chose, lui expliqua Kazuo d'un air sérieux.

– Du fric ? fit l'autre en riant.

Si seulement ç'avait été le cas ! Il ne lui répondit pas et alla remettre la fiche à sa place.

Maintenant qu'il connaissait son nom, elle prenait une consistance plus particulière à ses yeux. Avant de ranger la fiche, il nota que son jour de congé hebdomadaire était le samedi et s'aperçut que la veille elle avait commencé à 23 h 59. C'était à cause de lui qu'elle avait manqué de ponctualité, mais c'était la seule preuve du lien qui les unissait. Dans un casier à chaussures qui portait l'inscription « Masako Katori » se trouvait une paire de chaussures de tennis déformées. Il imagina leur tiédeur.

Il se dépêcha de se nettoyer les mains au désinfectant, se soumit au contrôle de la surveillante d'hygiène et descendit lentement les marches qui conduisaient à l'atelier. Juste en bas, les employées attendaient leur tour, toutes à la file. Elles formaient un rang, impatientes de voir s'ouvrir le portillon. Bien qu'elles se ressemblent toutes sous leurs bonnets et leurs masques, il tenta de reconnaître Masako.

Elle était juste devant lui. Elle s'était isolée de la file et fixait quelque chose. Il suivit son regard et fut surpris de constater que c'était une poubelle en plastique bleu. Y aurait-il eu quelque chose d'intéressant dedans ? Il se pencha pour regarder de plus près. On y avait jeté des aliments qui étaient tombés par terre, du porc pané et des beignets de poisson. En se retournant, Kazuo rencontra son regard glacial et se résolut à lui adresser la parole.

– Euh…

– Quoi ? dit Masako, d'une voix étouffée sous le masque.

– Pardon… hier…, dit-il instinctivement en ne trouvant pas d'autres mots.

Puis il ajouta dans son japonais hésitant :

– Je veux parler.

Mais comme si ces mots n'étaient pas parvenus jusqu'à ses oreilles, elle se retourna en regardant fixement devant elle d'un air fermé. Il fut choqué d'être ignoré et s'en voulut d'avoir cru obtenir sa compréhension.

Il était minuit, le travail allait commencer. La porte s'ouvrit. L'équipe de nuit entra en masse et commença la désinfection des mains. Chargé de transporter les aliments sur un chariot, Kazuo devait aller les chercher dans la cuisine.

Assez curieusement ce travail qui était pénible lui parut agréable. Il devait verser des bacs de riz froid dans la machine automatique en tête de chaîne. C'était une tâche ennuyeuse et lourde de responsabilités ; s'il traînait, le tapis s'immobilisait. Sauf qu'au début de la chaîne, près de la Patronne, il y avait nécessairement Masako.

Quand il apporta le riz, elles dirigeaient déjà les opérations.

– Dépêche-toi d'en remettre. Bientôt on va en manquer, lui dit la Patronne.

Kazuo prit à deux mains le bac lourd et versa du riz blanc dans la machine. Occupée à faire passer les récipients, Masako ne le regardait même pas. Il put voir à la dérobée son profil qui était à moins d'un mètre. Son visage étant caché par son bonnet et par son masque, il ne voyait que ses yeux baissés avec mélancolie. La Patronne, d'habitude plus riante, colérique et bruyante, était ce soir-là des plus calmes. Il remarqua l'absence de la jolie fille et de la grosse qui étaient normalement avec elles.

CHAPITRE 8

— Maman, où étais-tu passée ?

En rentrant physiquement et mentalement épuisée de chez Masako, Yoshié fut surprise d'entendre une voix au fond de la maison. Ce n'était pas possible ! Elle se précipita à l'intérieur, agacée de devoir perdre du temps à se déchausser. Kazué était revenue !

Elle n'en avait pas soufflé mot à ses collègues, mais Yoshié avait deux filles. Il faut dire que, pour elle, Kazué était un vrai boulet.

Elle devait avoir vingt et un ans. À l'âge de dix-huit ans, elle avait abandonné le lycée, en fuguant avec un homme plus âgé qu'elle. Depuis, Yoshié n'avait plus eu de nouvelles. Cela faisait bien trois ans. Tout à la fois soulagée et inquiète des ennuis que pouvait causer sa fille, Yoshié laissa échapper un lourd soupir. Depuis ce qui s'était passé chez Masako, tout lui semblait inattendu. Arrivant enfin à réprimer sa stupeur et son trouble, elle scruta le visage de Kazué.

Celle-ci s'était teint en marron ses cheveux qui lui tombaient jusqu'aux reins. Un petit garçon en tenait les pointes dans ses mains en regardant sa mère. Son petit-fils, celui dont elle avait appris fortuitement la naissance deux ans auparavant. Le portrait craché de son minable de père. Elle l'examina et ne le trouva pas vraiment mignon. Il était émacié, avait mauvaise mine et, chose rare pour un enfant d'aujourd'hui, avait le nez qui coulait. Le compagnon de Kazué était un vaurien qui traînait les rues sans trouver d'emploi fixe. L'enfant devinait-il la réaction de Yoshié ? Il regardait avec réticence le visage fatigué de sa grand-mère.

– Pourquoi tu choisis juste ce moment ? demanda Yoshié à sa fille. Tu ne m'appelles pas une seule fois de tout ce temps et tu débarques brusquement comme ça ? ! Tu espères m'émouvoir ?

Les phrases qu'elle prononçait étaient brutales. Il était passé, le temps où Yoshié s'inquiétait et se mettait en colère. Ce qui la tourmentait maintenant, c'était la crainte que sa cadette Miki ne suive l'exemple de Kazué. Si jamais celle-ci s'incrustait, il ne faisait aucun doute qu'elle exercerait une mauvaise influence sur sa cadette. Et pour couronner le tout, Yoshié venait de participer à un crime. Et elle avait encore à faire.

– Tu me demandes pourquoi alors que c'est ta fille qui revient au bout de trois ans ! Tu n'es pas heureuse ? C'est ton petit-fils !

Elle haussa ses sourcils épilés comme ceux d'une lycéenne. Elle essayait de se rajeunir, mais on voyait du premier coup d'œil que la vie l'avait marquée. Mère et fils étaient pauvrement vêtus de vieux habits qui leur donnaient un air crasseux.

– Mon petit-fils ? Je ne connais même pas son nom, répondit Yoshié avec rancœur.

– Il s'appelle Issey. Comme le styliste, tu sais ?

– Non, connais pas, répondit Yoshié de mauvaise humeur.

Kazué fit une grimace d'amertume.

– Mais enfin qu'est-ce que c'est, tout ça ? Quel accueil agréable après trois années, dit-elle sur un ton agressif qui rappela à Yoshié des jours anciens. Je me force à revenir, et c'est comme ça que tu m'accueilles ! Ça me fait gerber ! Qu'est-ce que t'as ? Tu as l'air crevée. Tu fais une gueule d'enterrement !

– Je travaille de nuit dans une fabrique de paniers-repas.

– Et tu reviens si tard que ça ?

– Non, je suis passée chez une amie.

Yoshié s'inquiétait du sac contenant les morceaux de Kenji, que lui avait confié Masako. Tout était rassemblé dans un gros sac de carton solide. Elle trouva un prétexte pour tout cacher dans le local à poubelles de sa cuisine.

– Mais alors quand tu dors ? Tu vas t'abîmer la santé.

Kazué, qui semblait avoir gagné de l'assurance en prenant

du poids, feignait, du moins en paroles, d'être préoccupée. C'était la même Kazué qui avait fui cette petite maison, où traînait une vieille grabataire qu'elle détestait, comme Miki aujourd'hui. Mais à quoi aurait-il servi que Yoshié lui raconte les soucis qu'elle avait eus pendant toutes ces années ? Tous les désagréments, tous les ennuis, tous les problèmes, c'était toujours à Yoshié de les résoudre ! Elle s'était fait une règle d'or de ne rien dire de ses efforts mais, devant le sans-gêne de sa fille, elle ne put s'empêcher de protester.

– Et qui s'occuperait de grand-mère si je dormais, hein ? Il n'y aurait personne dans la journée. Est-ce que tu as jamais proposé de m'aider ?

– Arrête ça !

– Que veux-tu que je fasse d'autre ? Au fait, comment tu as trouvé grand-mère ? Il n'y a pas de problème ?

Yoshié lui avait déjà fait prendre son petit déjeuner et lui avait changé sa couche, mais elle avait dû la laisser pour se rendre chez Masako. Inquiète, elle jeta un coup d'œil vers la petite salle du fond. Sa belle-mère y était allongée et écoutait manifestement leur conversation, car elle avait les yeux grands ouverts.

– Excuse-moi d'être rentrée aussi tard, dit-elle à la vieille femme.

– Hmm, grommela celle-ci en faisant la grimace. Où es-tu allée encore traîner ? Toujours à me laisser seule. J'ai failli mourir, moi.

Yoshié sentit monter la colère. Pourquoi tout le monde n'en faisait-il qu'à sa tête ? Croyaient-ils tous qu'elle était un robot en acier ? Elle s'aperçut qu'elle s'était mise à hurler.

– Crève ! Quand tu seras morte, je te découperai en morceaux et je les jetterai comme des ordures ménagères ! Et je commencerai par te couper ta tête de momie !

Aussitôt sa belle-mère éclata en sanglots, mais sans trop laisser voir ses larmes. Seuls ses gémissements s'entendaient fort. Et entre deux plaintes, elle murmurait comme une prière.

– Enfin, tu révèles ta vraie nature ! lui lança-t-elle. Tu es une vraie démone. Tu as un visage doux, mais tu as une sale nature. Imagine un peu ce que c'est de vivre chez une démone !

Elle aussi faisait entendre sa vraie voix. Yoshié, dont la colère ne s'était pas apaisée, resta là, à contempler les pois de senteur imprimés sur le tissu délavé du futon d'été. Mais, le calme revenant peu à peu dans son cœur, elle fut saisie d'un remords presque douloureux.

Pourquoi avait-elle dit ça ? S'était-elle métamorphosée ? Était-ce parce que Masako l'avait entraînée dans cette besogne ? C'était sa faute. Non, c'était la faute de Yayoi qui avait commis un meurtre. Non, ce n'était pas ça non plus : c'était de sa faute à elle puisqu'elle s'était rendue complice de ce crime pour de l'argent. Voilà, c'était ça : c'était le manque d'argent qui était à la source du mal.

Kazué, qui s'appuyait à la table en silence, reprit enfin la parole.

— Du calme, dit-elle. Des cris ne régleront rien.

— Tu as raison.

Yoshié sentit ses forces l'abandonner et regagna la salle de séjour. Sa belle-mère pleurait encore. Comme pour calmer le jeu, Kazué déclara :

— Maman, j'ai changé la couche tout à l'heure.

— Ah bon… ? Merci.

Désemparée, Yoshié s'assit à la table. Des voitures de police et de pompiers miniatures que le petit avait apportées, toutes d'un grand réalisme, y étaient dispersées. Pour épancher sa colère, elle les jeta sous la table. L'enfant ne s'en aperçut pas : il jouait, sans en avoir demandé la permission, dans la chambre de Miki.

— Si tu demandais une aide ménagère à la mairie ? Il paraît qu'on peut en avoir quelques heures par semaine.

— Je l'ai déjà fait. Mais en trois heures par semaine, on peut à peine faire des courses.

— Ah bon…

Yoshié, qui n'avait pas dormi de la nuit et commençait à avoir la migraine, hocha tête, puis elle aborda le sujet qui la préoccupait :

– À propos, qu'est-ce que tu viens faire ici ?

– Eh bien, justement... dit Kazué en se passant nerveusement la langue sur les lèvres.

Yoshié se souvint que c'était sa manie quand elle mentait.

– Le père du petit a un travail temporaire à Ôsaka et comme, moi aussi, j'aimerais bien travailler... Je me demandais si tu ne pourrais pas me prêter de l'argent en attendant.

– Je n'en ai pas. S'il est parti pour Ôsaka, pourquoi tu ne l'y as pas suivi ? Vous y allez en famille avec le bébé.

– Je ne sais pas où il est en ce moment !

Yoshié ouvrit la bouche de stupeur. En d'autres termes, il avait abandonné femme et enfant. Qu'allait-elle faire si sa fille et son petit-fils s'incrustaient dans cette maison exiguë ? Elle commença à paniquer.

– Mets le bébé à la crèche et trouve du boulot.

– Je le ferai, mais prête-moi de l'argent, dit Kazué en tendant la main. S'il te plaît... tu as bien des économies, non ? Tout à l'heure, la voisine m'a dit qu'on allait raser la maison pour construire un immeuble neuf. Peut-être qu'on pourrait s'installer dans le nouvel appartement avec toi, non ?

– Où veux-tu que je trouve l'argent pour le déménagement ?

– Arrête ! protesta Kazué, irritée. Tu bénéficies de l'aide sociale, tu as ton salaire pour le travail de nuit, Miki a un job, et tu as aussi une allocation pour une personne invalide à charge. Je t'en prie, je n'ai même pas de quoi acheter un hamburger à Issey.

Elle avait les larmes aux yeux. L'enfant s'approcha en trottinant et regarda d'un air intrigué sa mère en pleurs.

Yoshié fouilla dans ses poches et sortit l'argent de Kenji. Il y avait en tout vingt-huit mille yens.

– Tiens, prends ça. Il faudra que tu te débrouilles avec ça. C'est tout ce que j'ai en ce moment. Même pour payer le voyage scolaire de Miki, j'ai dû emprunter.

– Tu me sauves la vie !

Kazué glissa précieusement l'argent dans sa poche et se leva, l'air de penser que l'affaire était réglée.

– Bon, ben je vais aller chercher du travail, dit-elle.

– Où habites-tu ?

– À Minami-Senju. Rien qu'en transports, je me ruine.

Elle passa dans le vestibule et enfila ses sandales bon marché à semelles compensées.

– Et le petit ?

– Si ça ne t'ennuie pas… tu pourrais le garder ?

– Mais attends !

– S'il te plaît. Je repasse le prendre tout de suite.

Elle en parlait comme d'un bagage. Elle ouvrit la porte d'entrée. L'enfant, qui se rendit compte qu'elle allait l'abandonner, eut l'air stupéfait et se mit à crier.

– Maman, où tu vas ?

– Issey, tu vas être un gentil petit garçon avec ta mémé. Maman reviendra vite te chercher.

Yoshié, qui n'avait pas pu placer un mot, la regarda s'en aller. Elle s'y attendait plus ou moins et ne fut pas surprise outre mesure. Loin de paraître avoir le moindre remords de laisser son fils, Kazué semblait déchargée d'un poids. Yoshié aurait aimé pouvoir en faire autant. Elle aurait voulu abandonner dans cette maison sale tout ce qui encombrait sa vie, tout ce qui lui déplaisait, absolument tout, et partir. Hébétée, elle se sentit jalouse de sa fille.

– Maman, maman ! hurla l'enfant en laissant tomber ses petites voitures.

– Viens. Mémé va te prendre dans ses bras, dit Yoshié.

– Je veux pas.

Avec une force inattendue, l'enfant repoussa la main de sa grand-mère et se mit à pleurer. Dans la pièce du fond, de faibles gémissements se firent entendre.

Yoshié n'en pouvait vraiment plus ! À bout de force, elle s'allongea sur le tatami encombré d'objets. Elle ferma les yeux et resta immobile, à écouter les pleurs de l'enfant et de la vieille. Le petit s'arrêta assez vite. En se murmurant des histoires pour lui-même, il se mit à ramasser ses petites voitures pour jouer avec. Visiblement, il s'était habitué à ce qu'on le confie à des inconnus, mais Yoshié eut du mal à le prendre en pitié.

C'est d'elle-même qu'elle avait pitié. Des larmes roulèrent sur ses joues. Ce qui lui serrait le cœur, c'était l'affreux sentiment d'avoir ainsi utilisé l'argent du pauvre Kenji qui avait été assassiné par sa femme et découpé en morceaux par Masako et par elle-même.

Elle avait donc franchi la ligne. En tuant son mari Yayoi avait dû elle aussi avoir cette sensation.

Cette nuit-là, Yoshié confia l'enfant à Miki qui ne manqua pas de se plaindre abondamment. Quand Yoshié arriva à la fabrique, Masako l'attendait.

Dans un coin du salon, elles se dévisagèrent un moment en silence. Masako avait dû tuer tout sentiment en elle. Son expression ne s'en faisait que plus menaçante. C'était peut-être sa vraie nature, se dit Yoshié en la regardant, intimidée. Elle se demanda avec inquiétude comment Masako pouvait la percevoir.

– Comment te sens-tu, la Patronne ? lui demanda Masako.

Si son visage était froid, sa voix avait conservé une certaine chaleur.

– Au plus bas.

Yoshié n'osait tout de même pas lui raconter que sa fille disparue avait soudain resurgi et qu'elle était repartie avec l'argent de Kenji en lui laissant son enfant.

– Tu as pu dormir ?

Les questions de Masako étaient toujours simples et précises. Yoshié acquiesça bien qu'elle n'eût guère dormi.

– Qu'as-tu fait des sacs-poubelle ?

– Ne t'inquiète pas. Je les ai jetés en venant ici.

– Merci. Avec toi, je suis tranquille. Mais Kuniko m'inquiète.

– Je comprends ça.

Elles regardèrent autour d'elles. C'était déjà l'heure et elle n'était pas encore arrivée.

– Elle n'est pas venue.

– Elle est peut-être clouée au lit, sous le choc.

Masako claqua la langue discrètement.

– C'est ennuyeux. Il faudrait peut-être aller la voir.

– Fais-le.

– Mais si j'y vais, elle va prendre peur.

– Si elle vend la mèche, on est fichues, dit Yoshié en regardant le signal clignotant «Je ne rends pas la monnaie» du distributeur de boissons.

Si la chose était découverte, c'était la fin. À cette idée, elle eut peur. Peut-être que, pour sa vie aussi, il y avait un signal d'alerte qui clignotait déjà.

– Kuniko est logée à la même enseigne que nous, reprit Yoshié. Elle ne va pas se précipiter à la police. Mais c'est vrai qu'elle est faible et il y a de quoi s'inquiéter.

Masako fronça les sourcils, pensive.

– En tout cas, dit Yoshié, je te fais entièrement confiance. Au fait, on peut compter sur Yayoi pour l'argent?

Elle avait posé cette question sans vergogne. Au point où on en était, plutôt que de se torturer l'esprit, mieux valait laisser Masako veiller à tout. Yoshié, à qui ce rôle incombait si souvent au foyer, éprouvait un réel plaisir à s'en décharger sur elle. Ce qui l'inquiétait le plus, en effet, était de ne pas avoir l'argent sur lequel elle comptait.

– Ne t'inquiète pas pour ça, répondit Masako. Elle dit qu'elle paiera, quitte à emprunter à ses parents. Elle doit déclarer la disparition de son mari à la police dès demain.

Elles chuchotaient front contre front, quand un jeune Brésilien au visage familier passa en les saluant. C'était un Japonais fils d'émigrant, mais si grand qu'il ne pouvait passer que pour un étranger. Yoshié lui rendit son salut par réflexe et fut intriguée de voir Masako ne lui prêter aucune attention.

– Qu'est-ce qu'il y a? lui demanda-t-elle.

– Quoi?

– Tu es bien froide avec lui.

Yoshié jeta un coup d'œil vers l'homme, qui, embarrassé, s'immobilisa avant d'entrer dans le vestiaire. Sans répondre, Masako changea de sujet.

– Tu sais où habite Kuniko?

– Dans une HLM de Kodaira, je crois.

Yoshié se représenta Masako en train de déplier une carte dans sa tête, pour organiser le plan d'action. Elle sentait que, pour Masako, cela relevait d'un simple travail. Mais d'un travail qui ne tolérait aucun échec. Pour Yoshié qui avait commencé par critiquer le crime de Yayoi, ce n'était plus devenu qu'une façon de gagner de l'argent. Elle eut honte. De nouveau, elle eut l'affreux sentiment de s'être fourvoyée.

– Comme c'est facile pour un être humain de tomber, murmura-t-elle.

Masako la regarda d'un air désolé.

– Oui, c'est comme un vélo aux freins cassés qui dévale une pente.

– Personne ne peut l'arrêter.

– Non, tu t'arrêtes… au moment où tu rencontres l'obstacle.

Allaient-elles en rencontrer un ? Qu'est-ce qui les attendait au coin de la rue ? Yoshié frissonna d'effroi.

TROISIÈME PARTIE

LES CORBEAUX

CHAPITRE 1

Alors qu'elle épluchait des pommes de terre dans la cuisine pour un dîner léger, Yayoi fut soudain éblouie par les rayons du soleil couchant. Elle porta la main, qui tenait le couteau, à son front et détourna les yeux pour éviter la lumière aveuglante.

En cette période, durant laquelle les jours sont les plus longs, il y avait un moment où le soleil, juste avant de se coucher, envoyait ses rayons de plein fouet dans la cuisine. L'idée lui traversa l'esprit que Dieu la châtiait ainsi de son crime. Tel un laser, sa lumière allait anéantir sa part maudite. Et elle en mourrait. Elle n'était qu'une grande criminelle qui avait tué son mari.

Pourtant ce n'était que dans un coin de son esprit qu'elle se tenait ces propos ; au fond, depuis la nuit où elle avait vu partir la voiture de Masako chargée de son cadavre, Kenji avait disparu dans les ténèbres. Chaque fois que les enfants demandaient : « Où est passé Papa ? », elle répondait : « C'est vrai ça, où a-t-il bien pu passer ? », sans même pouvoir se rappeler l'épaisse obscurité de cette nuit-là. Trois jours seulement s'étaient écoulés, mais comment se faisait-il que même la sensation d'avoir étranglé Kenji de ses propres mains se soit ainsi dissipée ?

En détournant encore les yeux, elle se hâta de tirer les rideaux de coton pour se protéger de la lumière. La cuisine fut soudain obscurcie par les rideaux cousus dans un tissu qu'elle avait également utilisé pour faire des pochettes pour le repas que les enfants emportaient à l'école. Elle eut du mal à s'habituer à la différence de lumière et resta un moment immobile en se couvrant les yeux.

L'angoisse qu'elle croyait avoir évacuée en s'occupant des enfants et des tâches ménagères refit surface dans son cœur, comme des bulles qui montent du fond d'un marais.

Son inquiétude ne concernait plus Kenji, mais Kuniko.

La veille, dans l'après-midi, celle-ci était passée à l'improviste, sans même s'annoncer par téléphone.

– Je peux entrer ? lui avait demandé une voix féminine à l'interphone.

Elle avait ouvert la porte et reconnut Kuniko. Elle était habillée de façon voyante : minijupe, débardeur blanc à la mode et mules blanches. Pâle et épaisse comme elle était, cet accoutrement ne lui convenait pas.

– Ah, c'est toi…

Étonnée par cette visite inopportune, elle avait hésité à la laisser entrer. Au moins les enfants faisaient-ils la sieste à l'école maternelle.

– Tu as l'air en grande forme ! lui avait lancé Kuniko en la regardant avec un étonnement ironique.

À sa façon de parler, elle lui laissait si clairement entendre qu'elle était au courant de son crime que son attitude la révulsa.

– Ça peut aller, répondit Yayoi, embarrassée. Qu'est-ce qui t'amène ?

– Tu ne viens plus à la fabrique, Yayoi, alors je suis venue aux nouvelles.

– C'est gentil.

Que venait-elle faire ? Elle n'était pas du genre à venir prendre des nouvelles. Yayoi fixa avec une méfiance accrue ses petits yeux en boutons de bottine. Elle avait trop mis de Rimmel pour qu'on puisse saisir son expression. Passant outre à l'hésitation de Yayoi, Kuniko empoigna le rebord de la porte.

– Je peux entrer ?

Yayoi fut bien obligée de lui ouvrir en grand. Kuniko jeta un coup d'œil autour d'elle et demanda, en baissant la voix :

– Dis-moi… où l'as-tu tué ?

– Pardon ?

– Je t'ai demandé où tu l'as tué ! répéta-t-elle en la dévisageant.

À la fabrique, Kuniko, qui se faisait passer pour une jeune, utilisait des formules de politesse et ne se départait jamais d'un ton révérencieux. Qui était cette femme au sourire arrogant ? Yayoi en eut les mains moites.

– Je ne vois pas où tu veux en venir.

– Ne fais pas l'innocente, s'il te plaît, riposta Kuniko avec un petit ricanement. C'est quand même moi qu'on a chargée d'aller jeter les sacs pleins de la viande répugnante de ton mari.

Yayoi sentit ses forces l'abandonner et voulut aller se plaindre à Masako. Dire que cette femme était sa complice ! Kuniko se déchaussa et gravit la marche du vestibule. La plante de ses pieds humides fit un bruit de succion en se posant sur le parquet.

– Dis, où est-ce que tu l'as tué ? Tu sais, on parle souvent des photos de scènes de crimes… On dit que ces endroits sont hantés par les esprits.

Kuniko ne savait pas qu'elle se tenait très précisément à l'endroit où Kenji avait rendu son dernier souffle. Yayoi se dressa devant Kuniko, qui était plus grande qu'elle, pour l'empêcher d'entrer.

– Mais qu'est-ce que tu viens faire ici à me dire ça ?

– Ah, il fait chaud ici. Il n'y a pas de climatisation ?

Kuniko repoussa Yayoi afin de se diriger vers le fond de la pièce. Par mesure d'économie, Yayoi n'avait pas allumé le climatiseur dans sa minuscule salle de séjour.

– Il y a la climatisation et tu ne l'as pas branchée ! Tu mégotes sur les sous !

Il ne fallait absolument pas qu'on les entende. Yayoi se hâta de mettre la climatisation en route et de fermer toutes les fenêtres. Kuniko se dressa comme une statue à l'endroit où le climatiseur soufflait de l'air frais, s'amusant de voir Yayoi s'affoler. Elle avait sur le front de grosses gouttes de sueur qui brillaient.

– Dis, qu'est-ce que tu viens faire ici? répéta Yayoi sans dissimuler son inquiétude. Dis-le.

– Ça m'a surprise, dit Kuniko en affichant tout son mépris. Avec ton visage d'ange! Oui, j'ai été vraiment surprise de savoir qu'une fille comme toi avait pu tuer son mari. Comme quoi, il ne faut jamais se fier aux apparences. Tuer le père de tes enfants! Terrifiant. Que diront-ils en apprenant que c'est leur maman qui a tué leur papa? Tu y as pensé un peu?

– Arrête! Je ne veux pas entendre ça, dit Yayoi en se bouchant les oreilles.

Kuniko saisit Yayoi par le bras. Sa main moite était gluante: Yayoi voulut se dégager, mais Kuniko était plus forte qu'elle.

– Tu dis que tu ne veux pas m'entendre, mais il le faudra bien! Écoute-moi. Moi, on m'a obligée à prendre dans mes mains des bouts de chair de ton mari pour les mettre dans des sacs en plastique. Tu imagines un peu comme ça peut être dégoûtant et ignoble? Dis, tu imagines un peu ça?

– Oui, j'imagine.

– Non, tu n'imagines pas, la reprit-elle en lui empoignant les deux bras.

– Arrête! hurla Yayoi.

Mais Kuniko ne relâcha pas sa prise.

– Écoute-moi. Elles l'ont découpé en morceaux. Tu n'as pas idée de ce que c'est atroce. Toi, le corps de ton mari, tu l'as tout juste vu après ton meurtre. Moi, j'ai vomi plusieurs fois. C'était dégoûtant et puant. Il n'y a pas pire. La vie en est changée du jour au lendemain.

– Je t'en prie, ne dis pas ça, je t'en prie.

– «Ne dis pas ça»! Comment veux-tu que je ne te dise pas ça? Dis, est-ce que je te devais quelque chose pour faire ça pour toi?

– Pardonne-moi, je suis désolée, dit Yayoi en se recroquevillant comme un petit animal.

Kuniko la relâcha avec un sourire mauvais.

– Bon, passons. Je ne suis pas venue pour te dire ça. Je suis venue m'assurer que tu nous paierais, la Patronne et moi.

– Oui, je vous paierai. C'est sûr.

C'était donc pour ça qu'elle était venue. En comprenant les intentions de Kuniko, Yayoi se sentit soulagée et baissa les bras qu'elle avait levés pour se protéger. Elle regarda Kuniko. Les gouttes de sueur qui ruisselaient sur son front s'évaporaient à vue d'œil sous le vent frais du climatiseur.

Elle devait mentir en prétendant n'avoir que vingt-neuf ans. Yayoi se demanda soudain si en réalité Kuniko n'était pas plus âgée qu'elle. Elle éprouva un profond dégoût pour cette fille assez vaniteuse pour mentir à propos d'un truc aussi vain.

– Bon, cet argent, tu me le donnes quand? reprit Kuniko.

– Je ne l'ai pas sur moi. Je vais devoir l'emprunter à mes parents. Tu pourras patienter un peu?

– Ah... Et c'est vrai que tu vas me donner cent mille?

– Masako a décidé...

Mais elle s'interrompit et se reprit:

– Je lui fais confiance pour la somme.

En entendant le nom de Masako, Kuniko fut agacée et croisa les bras sur son ventre proéminent. Soudain, son langage se fit brutal.

– Combien tu vas lui donner, à Masako?

– Elle dit qu'elle ne veut rien.

Kuniko écarquilla exagérément les yeux pour exprimer son incrédulité.

– Qu'est-ce qu'elle a dans la tête, cette bonne femme? Elle se donne toujours des airs en commandant à tout le monde!

– Mais elle m'a sauvé la vie!

– D'accord, d'accord, dit Kuniko en acquiesçant d'un air accablé, avant de changer de sujet. Au fait, mes cent mille yens, ça ne pourrait pas être cinq cent mille?

– Si.

Comment la contredire? Yayoi n'avait pas le choix.

– Mais je ne pourrai pas te payer tout de suite.

– Quand tu pourras?

– Je vais en parler à mon père. Pas avant deux semaines. Et en plusieurs fois.

Si elle lui donnait plus d'argent qu'à Yoshié, celle-ci ne se plaindrait-elle pas à son tour? Cela l'inquiéta et la fit hésiter. Kuniko réfléchit un moment.

– Enfin, bon… on en parlera plus tard. En attendant, peux-tu mettre ta signature et apposer ton sceau là-dessus? Même si ce n'est pas officiel…

Kuniko sortit une feuille de son cabas en plastique et la posa sur la table.

– Qu'est-ce que c'est?

– Le contrat pour le garant.

Kuniko, sans demander l'autorisation, prit une chaise pour s'asseoir et alluma une de ses cigarettes mentholées. Yayoi approcha d'elle le cendrier destiné aux invités et prit la feuille avec appréhension. Le document disait que Kuniko avait emprunté de l'argent à un établissement appelé «Centre de consommateurs - le Million» à un taux de 40 %. Une clause, imprimée en corps plus petit, précisait, en termes obscurs, que tout paiement retardé serait soumis à une majoration au même taux. La case pour le garant avait été laissée vide. On avait marqué un cercle pour signifier que la signature de Yayoi y était attendue.

– Pourquoi est-ce moi qui dois signer? demanda Yayoi.

– J'ai besoin d'un garant! Tu ne seras pas solidaire. C'est une simple garantie. Ne t'inquiète pas. Maintenant que mon mari n'est plus là, il faut que je trouve quelqu'un pour signer. Mais ça peut être n'importe qui. Même un assassin.

– Qu'est-ce que ça veut dire que ton mari n'est plus là?

– Ça ne te regarde pas. Sauf que moi, je ne l'ai pas tué, ajouta-t-elle en riant.

– Mais…

– Écoute, même moi, je n'irai pas jusqu'à te refiler mes dettes. Je ne suis pas aussi retorse. Mais tu vas me donner cinq cent mille yens, n'est-ce pas? Ça m'ira tout à fait. Alors signe vite.

Rassurée par ces paroles, Yayoi apposa son sceau et signa. Sans cela, Kuniko ne serait pas repartie et l'heure d'aller chercher les enfants à la maternelle approchait. Et si Yayoi refusait et que Kuniko repasse à l'attaque en présence des enfants, ce serait extrêmement embarrassant.

– Ça ira comme ça?

– Merci.

Satisfaite d'être arrivée à ses fins, Kuniko se leva en écrasant sa cigarette. Yayoi la raccompagna jusqu'à l'entrée. Kuniko chaussa ses mules et se retourna comme si une idée lui venait soudain.

– Dis-moi, quelle sensation ça fait quand on tue quelqu'un?

Sans répondre, Yayoi posa un regard vide sur les emmanchures auréolées de sueur du vêtement de Kuniko. C'était donc du chantage. Elle le comprenait enfin.

– Dis, quelle sensation ça fait?

– Eh bien, je ne sais pas…

– Allez, dis-le, quoi, insista Kuniko. Comment c'était?

– Comment dire? Je me suis dit: « Qu'il crève! », répondit-elle d'une petite voix.

Kuniko parut pour la première fois intimidée et recula d'un pas. À ce moment-là, le talon d'une de ses mules glissa et elle faillit tomber. Elle se rattrapa en saisissant le coin de l'armoire à chaussures et regarda Yayoi d'un air effrayé.

– C'est ici que je l'ai étranglé, dit Yayoi en tapotant de la plante des pieds l'endroit où elle se trouvait.

La peur se lut dans le regard de Kuniko. Yayoi fut ahurie de constater que ce qu'elle avait fait effrayait cette moins que rien. Elle se dit que, depuis cette nuit-là, quelque chose était mort en elle.

– Tu retournes à la fabrique bientôt? s'enquit Kuniko en levant le menton dans l'espoir de reprendre le dessus.

– J'aimerais bien y aller, mais Masako préfère que je reste un peu à la maison.

– Tu n'as que ce nom à la bouche! Masako, Masako! Vous seriez pas gouines par hasard?

Après avoir craché cette question, Kuniko partit sans même dire au revoir.

« Espèce de truie blanche! Dégage! » songea Yayoi en ressassant sa rancœur, immobile sur le rebord de la marche d'entrée. Là, à l'endroit même où son mari était mort l'avant-veille au soir.

Elle décrocha le téléphone pour raconter à Masako tout ce qui venait de se passer. Mais, de peur d'essuyer des reproches pour avoir donné sa signature, elle coupa avant que Masako ne réponde.

Depuis, elle n'avait plus parlé à personne, du moins jusqu'à ce jour.

De toute façon, il fallait qu'elle appelle Masako, quitte à subir ses réprimandes. Yayoi se décida enfin : elle laissa les pommes de terre dans l'eau et se planta devant le téléphone.

C'est alors que l'interphone sonna. Yayoi retint son souffle, mais un petit cri lui échappa. Kuniko était-elle revenue ? Elle répondit craintivement à l'interphone et entendit une voix d'homme un peu enrouée.

– C'est le commissariat de Musashi-Yamato.

– Ah, oui.

En apprenant que c'était la police, Yayoi sentit son cœur s'emballer.

– Madame Yamamoto ?

L'homme avait pris un ton courtois et doux, mais Yayoi n'en était pas moins affolée. Elle ne s'attendait pas à voir débarquer la police aussi tôt. Elle se demanda si Kuniko ne l'avait pas dénoncée. C'était fichu, ils savaient tout. Elle eut envie de s'enfuir comme elle était, pieds nus.

– J'ai quelques questions à vous poser.

– Oui, j'arrive tout de suite.

Yayoi se ressaisit et se dirigea vers l'entrée. Elle ouvrit la porte et découvrit un homme malingre aux cheveux grisonnants ; il portait sa veste sur le bras et affichait un sourire avenant. C'était Iguchi, le chef du service de la Sécurité domestique.

– Bonjour, Madame. Votre mari n'est pas revenu ?

Lorsque Yayoi s'était rendue au commissariat, c'était ce même Iguchi qui, en l'absence de l'employé au guichet, lui avait expliqué avec beaucoup d'attentions la démarche à suivre. C'était aussi lui qui avait répondu au téléphone avec gentillesse quand elle avait appelé le commissariat pour la première fois. Elle en avait gardé une excellente impression.

– Non, pas encore, répondit-elle en réprimant son inquiétude.

– Je vois, dit Iguchi le visage un peu assombri. À vrai dire, ce matin, au parc de K., on a découvert un cadavre d'homme découpé en morceaux.

En entendant la nouvelle, Yayoi eut un malaise, comme si tout son corps s'était vidé de son sang. Sa vue se brouillant, elle chancela. Elle allait s'écrouler par terre, mais se retint à la porte. Elle avait donc été démasquée ! Que faire ? Mais Iguchi prit la peur qui se lisait sur son visage pour l'angoisse de l'épouse qui s'inquiète de la disparition de son mari. Il s'empressa de la rassurer.

– Ne vous inquiétez pas. Il n'est pas dit que ce soit votre mari.

– Je sais.

– Simplement, nous rendons visite aux familles du quartier qui ont déclaré des disparitions, pour avoir plus de renseignements.

– Ah bon, dit-elle avec un sourire soulagé.

Mais, certaine qu'il ne pouvait s'agir que de Kenji, elle était folle d'inquiétude.

– Pourrions-nous entrer ?

Iguchi bloqua la porte avec son pied et glissa son corps de gringalet à l'intérieur. Yayoi vit alors que, derrière lui, se tenaient des hommes en uniforme bleu.

– Il fait sombre ici, dit-il en pénétrant dans la salle de séjour.

Les rideaux étaient toujours tirés pour protéger la pièce du soleil du crépuscule. Une maison plongée dans la pénombre, quand il y a de la lumière au-dehors, donne la sensation que quelque chose de licencieux s'y déroule. Yayoi se précipita à la fenêtre pour ouvrir les rideaux. Désormais très bas, le soleil inonda le plafond de ses rayons rouges.

– Ici on reçoit la lumière du couchant de plein fouet, dit-elle comme pour s'excuser.

Iguchi remarqua les pommes de terre épluchées.

– Je vois, la cuisine est orientée vers l'ouest. Il doit faire chaud en été.

L'absence de climatisation était manifestement au-delà de ses forces : Iguchi sortit son mouchoir pour s'essuyer le front. Yayoi se hâta d'allumer le climatiseur et ferma les fenêtres. Elle avait répété les mêmes gestes que la veille, en présence de Kuniko.

– Ne vous dérangez pas, madame, dit Iguchi en promenant un regard attentif sur les moindres recoins de la pièce.

Lorsque ses yeux s'arrêtèrent sur Yayoi, elle sentit au creux de l'estomac une angoisse foudroyante qui la paralysa comme si elle était soumise pour la première fois à la loi de la pesanteur. C'est précisément dans ses yeux que se concentrait la preuve de sa dispute avec Kenji. Jamais elle ne devrait la révéler. Elle croisa instinctivement les bras.

– J'aimerais connaître le nom du dentiste de votre mari, reprit-il. Et pourrait-on relever des empreintes digitales et faire une empreinte palmaire ?

– Le dentiste s'appelle Harada. Son cabinet se trouve devant la gare, répondit Yayoi d'une voix rauque.

Pendant que Iguchi prenait des notes, les autres – probablement des agents de la police scientifique – attendaient ses instructions.

– Madame, avez-vous des objets quotidiens de votre mari… comme son verre à dents ?

Les jambes flageolantes, Yayoi conduisit les agents dans la salle de bains. Elle leur désigna le verre, ils le couvrirent de poudre blanche. Avec une indolence inattendue, Iguchi regardait le tricycle dans le jardin.

– Vos enfants sont-ils encore petits ?

– Oui, j'ai deux garçons ; un de cinq ans et un de trois.

– Sont-ils sortis jouer ?

– Non, ils sont à la garderie.

– Vous travaillez ?

– Avant j'étais caissière dans un supermarché, mais maintenant je travaille de nuit dans une fabrique de paniers-repas.

– Ah bon ? Vous travaillez de nuit ? Ce doit être dur, dit-il d'un air compatissant.

– Oui, un peu. C'est pénible, mais je peux dormir pendant que les enfants sont à la garderie.

– Ah oui. Il paraît qu'il y a de plus en plus de femmes qui font ça. C'est votre chat, là-bas ?

Surprise, Yayoi suivit le doigt d'Iguchi. Milk s'était tapi à côté du tricycle, semblait ne plus savoir où aller et regardait dans leur direction. Son poil blanc commençait à paraître sale.

– Oui.

– Un chat blanc. Ne faut-il pas le laisser entrer ? demanda Iguchi, soudain préoccupé parce qu'il avait fait fermer la pièce pour mettre la climatisation.

– Non, ça ira. Il aime bien rester dehors.

Yayoi détestait ce chat qui, depuis la nuit où il s'était enfui, ne voulait plus rentrer dans la maison. Elle prenait naturellement un ton brutal pour répondre. Iguchi parut ne rien remarquer et regarda sa montre.

– Ça va être l'heure d'aller chercher vos enfants.

– Oui. À propos… qu'est-ce que c'est une empreinte palmaire ? demanda-t-elle, inquiète.

– La main a sa géométrie. Nous n'avons que des parties du cadavre et, en plus, l'épiderme a été arraché et les doigts n'ont plus d'empreintes. Heureusement, il nous reste les paumes des mains. C'est comme ça qu'on va essayer d'identifier le corps. J'espère que ce ne sera pas votre mari. Mais le groupe sanguin et l'âge correspondent aux siens. Voilà ce que je peux vous dire pour le moment.

Il avait dit ça très vite et baissa les yeux.

– Découpé en morceaux, vous dites ? murmura-t-elle.

– C'est cela, répondit-il prenant un ton didactique. Au parc de K., on a trouvé en tout quinze sacs. Ils sont tous de cette taille. Mais cela ne fait que, disons, un cinquième du corps. En ce moment même, on est en train de fouiller le parc. Ce sont des corbeaux qui ont été à l'origine de la découverte.

– Des corbeaux ? répéta-t-elle sans comprendre.

– Oui, des corbeaux. En voulant nourrir des corbeaux, une balayeuse a fouillé une poubelle et est tombée dessus. Si elle n'avait pas eu cette idée, personne ne s'en serait aperçu.

Yayoi luttait pour dissimuler sa nervosité.

– Si par hasard c'était mon mari, pourquoi lui aurait-on fait ça ?

Iguchi répondit par une question.

– Votre mari a-t-il eu des ennuis ces derniers temps ? Par exemple… n'a-t-il pas emprunté de l'argent ?

– Je ne crois pas.

– Il rentrait tous les soirs ?

– Il rentrait toujours avant que je parte pour la fabrique.

– Il ne jouait pas ? Il n'avait pas de mauvaises fréquentations ?

Au mot «jouait», Yayoi pensa au baccara, mais elle fit signe que non.

– Pas que je sache, mais je crois qu'il buvait un peu.

– Pardonnez-moi cette question, mais… vous vous disputiez ?

– Des fois oui. Mais il… est très proche des enfants. C'est un bon mari.

Elle avait failli mettre le verbe au passé et se trouva à court de mots. En se rappelant que c'était en effet un gentil père pour les petits, elle sentit monter ses larmes. Craignant qu'elle éclate en sanglots, Iguchi se leva.

– Pardonnez-moi, mais si par hasard le corps était identifié comme étant le sien, pourriez-vous revenir au commissariat ?

– Oui.

– Si jamais c'était le cas, ce serait terrible pour vous… avec de si petits enfants.

Lorsqu'elle leva les yeux, Iguchi regardait de nouveau le tricycle. Le chat n'avait pas bougé.

Dès que les policiers furent partis, Yayoi appela Masako. Sans la moindre hésitation, cette fois-ci.

– Qu'y a-t-il ?

Rien qu'au ton qu'avait pris Yayoi, Masako avait deviné qu'il s'était passé quelque chose. Yayoi lui raconta qu'on avait découvert des morceaux de cadavre au parc de K.

– C'est l'œuvre de Kuniko, dit sombrement Masako pleine de remords. Comment ai-je pu faire confiance à une femme aussi négligente ? Mais les corbeaux... tout de même.

– Que dois-je faire ?

– Si ça marche avec la géométrie de la main, c'est sûr qu'ils vont l'identifier comme ton mari. Tôt ou tard. Alors, tu n'auras qu'à faire l'innocente jusqu'au bout. Il n'est pas rentré. La dernière fois que tu l'as vu, c'était le matin. Vous vous entendiez bien.

– Mais si quelqu'un l'a vu rentrer ?

L'inquiétude montait en Yayoi à mesure qu'elle parlait avec Masako.

– Tu as dit toi-même qu'il n'y avait pas de problème de ce côté-là.

– Oui, mais...

– Ce n'est pas le moment de te dégonfler ! Tu t'attendais quand même à ce genre de trucs, non ?

– Mais j'espère que personne ne nous a vues le transporter.

Comme à son habitude, Masako réfléchit un moment en silence. La réponse qui vint fut loin de rassurer Yayoi.

– On n'en sait rien.

– Dis-moi... faut absolument que je cache le bleu que j'ai au ventre, non ?

– Ça va de soi. Mais toi, tu as un alibi pour ce soir-là. De toute façon, tu ne sais pas conduire non plus. Tout ira bien. Tu es venue à la fabrique et le lendemain matin tu es allée à la garderie.

– Oui, en plus, j'ai parlé avec une dame qui était au dépôt des poubelles, ajouta Yayoi pour se rassurer.

– Ne t'inquiète pas : ils ne feront pas le lien entre nos maisons. Ils peuvent fouiller ta salle de bains, mais ils ne trouveront rien.

– C'est vrai, dit Yayoi pour elle-même.

En même temps, elle se souvint de Kuniko : une autre source d'inquiétude. Elle se résolut à en parler.

– À dire la vérité, hier, Kuniko est venue ici pour me faire chanter.

– Quoi ? !

– Elle veut cinq cent mille yens au lieu de cent.

– Ça lui ressemble. Elle a fait une bourde et elle est rapace.

– Et elle m'a obligée à lui servir de garante pour une dette.

– Où l'a-t-elle contractée ?

– Chez un prêteur en ville, mais je ne sais pas trop.

Même Masako n'avait pas prévu ce coup-là. Elle se tut de nouveau. Yayoi eut très peur qu'elle la couvre de reproches, mais Masako garda son calme.

– C'est sûr que c'est ennuyeux. Quand la mort de ton mari sera connue, si ce prêteur rend public le document que tu as signé, tout le monde pensera que Kuniko t'a fait chanter car il n'y a absolument aucune raison pour que tu te portes garante de Kuniko.

– Absolument aucune.

– Mais je ne crois pas qu'on connaisse l'existence de ce document. Après tout, Kuniko ne t'a pas demandé de payer ses dettes à sa place, non ? Cette femme est peut-être une faillite ambulante, mais ça ne va pas plus loin.

– Je lui ai dit que je voulais bien la payer, mais que je n'avais pas d'argent liquide. C'est là qu'elle m'a demandé de signer le papier.

Bien entendu, Yayoi ne faisait pas entière confiance à Kuniko. Elle lutta pour réprimer l'inquiétude qui la tenaillait.

– J'ai une idée, dit Masako d'une voix calme. Il y aura quand même quelque chose de positif quand on aura identifié le cadavre...

– Quoi ?

– Tu auras l'argent de l'assurance. Ton mari était assuré, non ?

C'était vrai. Yayoi n'en revenait pas. Kenji s'était assuré pour cinquante millions de yens ! Dire qu'après avoir assassiné son mari, elle s'était échinée à payer celles qui l'avaient découpé en morceaux, et voilà que les choses prenaient un tout autre cours ! Dépassée par les événements, Yayoi se sentit seule dans la pièce plongée dans la pénombre teintée de jaune et garda le combiné dans la main.

CHAPITRE 2

Dès qu'elle eut raccroché, Masako regarda sa montre: 17h20.

C'était son jour de congé à la fabrique. Elle avait compté passer la soirée tranquillement sans se soucier de son mari et de son fils qui rentreraient on ne sait quand, mais tout était soudain bouleversé. La situation avait évolué plus vite que prévu. Quand, après un succès, on pèche par excès d'optimisme, il y a toujours un désastre qui se dresse soudain sur le chemin. Tout s'était déroulé comme il faut, mais maintenant on arrivait aux chausse-trapes. Masako se concentra un moment.

Finalement, elle prit la télécommande sur la table, alluma la télévision et passa d'une chaîne à l'autre pour chercher les actualités. Mais ce n'était pas encore l'heure. Peut-être en avait-il été question dans le journal du soir et que ça lui avait échappé. Elle éteignit la télévision et reprit l'édition du soir du quotidien qu'elle avait abandonné sur le sofa après l'avoir à peine survolé.

En bas de la page des faits divers, elle découvrit une brève qui avait pour titre «Cadavre découpé en morceaux dans un parc».

Comment cela avait-il pu lui échapper? Voilà qui prouvait qu'elle avait tout envisagé à la légère. Prise de remords, elle s'empressa de lire le petit article.

Elle apprit qu'aux premières heures du jour une balayeuse avait découvert des morceaux de cadavre dans un sac jeté au fond d'une poubelle du parc. La police avait fouillé dans tout le parc et fini par trouver quinze sacs contenant des morceaux d'un corps d'homme adulte.

Vu l'endroit et vu le nombre de sacs, il était évident que c'était Kuniko (on l'avait contrainte à s'en charger et elle s'en était plainte) qui les avait jetés dans les poubelles du parc. C'était une grosse erreur que de l'avoir entraînée dans l'aventure. Dès le départ, Masako s'en était méfiée et elles n'auraient jamais dû lui remettre les sacs. Masako avait commis une bévue gigantesque. Hors d'elle, elle se rongea les ongles, ce qu'elle n'avait plus fait depuis longtemps.

Maintenant, l'identification de Kenji n'était plus qu'une simple question de temps. On ne pourrait plus revenir sur ce qui s'était passé. Il faudrait se montrer ferme pour empêcher Kuniko de commettre d'autres bourdes. Tant pis si cela équivalait à une menace. Il convenait de prévenir Yoshié au plus vite.

Yoshié ayant elle aussi peut-être l'intention d'aller travailler ce jour-là, mieux valait passer tôt chez elle, se dit Masako en se levant.

Masako et Yoshié avaient décidé d'un commun accord que leur congé hebdomadaire serait la nuit de vendredi à samedi : le dimanche leur était payé avec un bonus de 10 %. Elles avaient donc choisi samedi comme jour férié. Mais pour avoir un jour de paye de plus, Yoshié se passait souvent de son congé hebdomadaire.

Lorsque Masako appuya sur l'austère bouton en plastique de la sonnerie, la porte de l'entrée s'ouvrit aussitôt. Son grincement trahissait la mauvaise qualité de la construction.

– Tiens, qu'est-ce qui t'amène ? demanda Yoshié qui était en train de préparer le dîner.

Masako sentit la moiteur et la chaleur du bouillon dans la cuisine. Il y flottait aussi l'odeur imperceptible du crésol, caractéristique de la maison de Yoshié.

– Tu peux sortir un moment, la Patronne ? lui murmura discrètement Masako.

Dans la petite pièce juste après l'entrée – elle faisait office de salle de séjour –, Miki regardait la télévision. Elle était en short et serrait ses jambes nues entre ses bras. Comme un enfant, elle était passionnée par un dessin animé et ne chercha même pas à voir Masako.

Yoshié devina quelque chose et changea de mine. Sur son visage couvert d'un voile de sueur se lisait clairement sa fatigue. Masako détourna le regard et ressortit toute seule pour l'attendre.

À côté de la porte se trouvait un petit jardin qui servait de potager. Masako observa avec curiosité les tomates rouges qui y poussaient en grande quantité.

– Je suis à toi! Que regardes-tu? demanda Yoshié en suivant le regard de Masako.

– Tes tomates. C'est une belle récolte.

– Si c'était possible, j'aimerais bien cultiver du riz! dit Yoshié en riant et en regardant le terrain qui tenait dans un mouchoir de poche. Quand il n'y a que des tomates, on s'en lasse. Mais apparemment la terre est idéale et elles sont très sucrées. Tu en emporteras.

Yoshié arracha une grosse tomate et la posa dans la main de Masako. Contrairement à la maison et à sa propriétaire, qui étaient on ne peut plus usées, la tomate était ferme, saine et pulpeuse. Sa tomate dans la main, Masako garda le silence.

– Qu'y a-t-il? demanda Yoshié.

– Ah oui, fit Masako en se tournant. Tu as lu le journal du soir?

– Je ne suis pas abonnée, répondit Yoshié d'un air gêné.

– Ah bon. On a découvert certains des sacs au parc de K.

– Au parc de K.?! s'écria Yoshié. Ce n'est pas moi.

– Je sais. C'est Kuniko. Sans l'ombre d'un doute. Alors, la police est venue chez Yayoi puisqu'elle avait déclaré la disparition de Kenji.

– On a déjà compris que c'était lui?

– Non, pas encore, répondit Masako en voyant Yoshié froncer les sourcils.

Ses yeux étaient encore plus cernés que la veille au soir, lorsque Masako l'avait vue à la fabrique.

– Qu'est-ce qu'on va faire? dit Yoshié en chancelant. Ils vont découvrir le pot aux roses.

– Le corps sera identifié, c'est certain.

– Et donc?

– Tu vas à la fabrique aujourd'hui, non?

– Oui, répondit Yoshié en hésitant. Je pensais y aller seule, mais qu'est-ce que je vais faire? Tu penses que je dois y aller?

– Vas-y. Et ne fais rien qui sorte de l'ordinaire. Personne ne sait que tu es venue chez moi l'autre jour, n'est-ce pas?

– Personne, répondit-elle d'un air pensif avant d'acquiescer plusieurs fois.

– N'en parle à personne. Yayoi va être la première à être soupçonnée, mais si la police vient, n'évoque jamais ses disputes avec son mari ni le fait qu'il l'a frappée. Sinon, on va toutes se retrouver comme ça, dit Masako en faisant le geste des mains ligotées.

– D'accord, dit Yoshié en avalant sa salive et en regardant les poignets osseux de Masako.

C'est alors qu'un petit animal chancelant s'accrocha aux jambes de Yoshié.

– Mémé!

Car l'animal baragouinait. C'était un bébé maigre qui s'accrochait au pantalon de Yoshié qui godait aux genoux. Il était sorti de la maison derrière Yoshié. Il était en culotte et avait le torse et les pieds nus.

– Qui est cet enfant?

– C'est mon petit-fils, répondit honteusement Yoshié en saisissant fermement la main du bébé pour le retenir.

– Tu as un petit-fils? Première nouvelle!

Masako, très étonnée, caressa la tête de l'enfant dont les cheveux fins s'entremêlaient à ses doigts. Elle se souvint avec nostalgie de l'époque où Nobuki était encore un bébé.

– Je ne t'en ai pas parlé. Mais j'ai une autre fille. C'est son fils.

– Elle te l'a confié?

– Oui, répondit Yoshié en baissant les yeux sur le bébé avec un soupir.

L'enfant tendait la main, convoitant la tomate que Masako

tenait dans la sienne. Masako la lui donna et le bébé la renifla en y frottant la joue. Tout en l'observant, Masako murmura :

– C'est une boule de vie !

– N'est-ce pas ? fit Yoshié. Mais c'est curieux : c'est juste après que j'ai découpé l'autre en morceaux qu'on me l'a confié. Ça me perturbe complètement.

– Un enfant de cet âge, c'est dur. Il porte encore des couches, non ?

– Ça m'en fait deux maintenant ! dit Yoshié en riant.

Mais au fond de son regard se lisaient la crainte et le tremblement de quelqu'un qui se retrouve responsable de la vie et de la mort d'autrui. Masako ne manqua pas de le noter.

– S'il y a quelque chose, je repasserai, dit-elle.

Tandis que Masako s'apprêtait à se retirer, Yoshié lui demanda timidement :

– Qu'as-tu fait de la tête ?

Elle parlait tout bas, craignant même son petit-fils. L'enfant souleva la tomate, trop grosse pour ses deux mains, sans prêter aucune attention à la conversation des grandes personnes. Masako se retourna, inquiète d'un vélo qui passait derrière elle, et répondit :

– Je l'ai enterrée le lendemain. Ne t'inquiète pas.

– Où l'as-tu enterrée ?

– Il vaut mieux que tu ne le saches pas.

Masako se dirigea vers la Corolla garée dans l'avenue. Elle avait décidé de ne parler à Yoshié ni du chantage de Kuniko sur Yayoi, ni de la possibilité pour Yayoi de toucher l'argent de l'assurance. Il était inutile de multiplier ses soucis, mais la vérité était que Masako ne faisait confiance à personne.

Tout près sonna la trompette d'un marchand ambulant de tôfu. Masako entendit la vaisselle et la télévision résonner dans les maisons par les fenêtres ouvertes. C'était l'heure où les femmes au foyer s'affairaient. Masako pensa à sa cuisine vide et à la salle de bains où elle avait accompli cette tâche. Elle songea que, maintenant qu'elle avait séché, la salle de bains lui plaisait mieux que la cuisine.

Elle vérifia l'emplacement de l'HLM de Kuniko sur la carte. C'était à la périphérie de la ville voisine, Kodaira.

À l'entrée de l'immeuble, des boîtes à lettres en bois s'alignaient. Des autocollants pour enfants et d'autres qui indiquaient «Pas de publicité», tous délavés et salis, y étaient collés négligemment. Les appartements devaient changer sans cesse de propriétaires : on voyait que les noms avaient été corrigés plusieurs fois. Dans le meilleur des cas, un nom écrit au feutre avait été barré et remplacé par un autre, toujours au feutre. D'après sa boîte à lettres, Kuniko vivait au quatrième étage.

Masako prit un ascenseur aussi délabré que les boîtes à lettres et monta au quatrième. Elle sonna plusieurs fois à la porte de Kuniko sans obtenir de réponse. Sa Golf étant garée dans le parking d'en bas, Kuniko devait faire des courses dans le quartier. Masako décida d'attendre son retour, discrètement dans un coin de la galerie extérieure.

Des moucherons voltigeaient autour du tube de néon et s'y brûlaient avant de tomber. Masako alluma une cigarette et attendit Kuniko en comptant le nombre d'insectes morts sur le sol de béton.

Vingt minutes plus tard, elle vit enfin Kuniko sortir de l'ascenseur avec un sac de provisions. Malgré la chaleur, elle était habillée à la mode, en noir de la tête aux pieds. Elle semblait de bonne humeur, tout juste si elle ne fredonnait pas. Son accoutrement rappela à Masako les corbeaux du parc.

– Ah, tu m'as fait peur ! dit-elle en distinguant Masako dans la pénombre.

– J'ai quelque chose à te dire.

– Qu'est-ce qu'il y a encore ? demanda Kuniko en dévisageant Masako d'un air maussade.

– Tu nous as mises dans un sale pétrin.

Masako sortit le quotidien du soir de la boîte à journaux et le lui mit sous le nez. Son geste était si violent qu'il fit du bruit et Kuniko s'inquiéta du voisinage.

– Qu'est-ce que tu veux dire ?

– Tu n'as qu'à lire.

Intimidée par la fureur de Masako, Kuniko s'empressa d'ouvrir la porte.

– Excuse-moi pour le désordre, mais on ne peut pas se parler dans le couloir.

Masako suivit Kuniko dans l'appartement. Il n'y avait pas tant de désordre que ça. Mélange de chic et de puérilité, l'aménagement intérieur résumait toute la personnalité de Kuniko.

– J'espère que ce ne sera pas long, dit Kuniko en allumant la climatisation et se tournant vers Masako.

– Ne t'en fais pas.

Masako ouvrit le journal, chercha la brève et la lui montra. Kuniko posa le sac de provisions par terre et parcourut l'article. Sous son épais fond de teint se lut une terrible agitation. Après l'avoir noté, Masako commença son interrogatoire.

– C'est bien toi qui les as jetés là-bas, non ?

– Je pensais qu'il n'y aurait pas de problème dans un parc…

– Espèce d'idiote. Les parcs sont très surveillés. C'est pour ça que je t'avais dit de les jeter comme des ordures ménagères.

– Je ne vois pas ce qui t'autorise à me traiter d'idiote, dit Kuniko, boudeuse.

– Je te traite d'idiote parce que tu es idiote. À cause de ta bêtise, la police est venue voir Yayoi.

– Déjà ? dit Kuniko en grimaçant de stupeur.

– Oui, déjà. On n'a pas encore identifié le corps, mais avec des recoupements, ce sera vite fait. Si on découvre qu'elle l'a tué, nous plongerons toutes.

Kuniko avait dû cesser de penser car elle fixait le visage de Masako d'un air hébété.

– Tu comprends ce que ça veut dire ? Même si par miracle nous échappons à l'arrestation, si elle est arrêtée, tu ne verras pas la couleur de ton argent.

Enfin Kuniko parut comprendre quelque chose.

– Et ce n'est pas tout, poursuivit Masako. La garantie de la dette que tu lui as fait signer va aussi poser problème. Son mari a été découpé en morceaux. Non seulement tu es complice, mais tu seras accusée de chantage.

– Mais enfin, s'écria Kuniko, ce n'était pas dans mes intentions !

– Tu parles ! Tu l'as menacée.

– Moi aussi, j'étais dans le pétrin. Je voulais seulement un coup de main. Il n'y a pas de mal à ce qu'on s'entraide, non ? J'avais fait beaucoup pour elle.

Kuniko s'embrouillait dans ses explications, tandis que son visage dégoulinait de sueur. Ce que Masako craignait par-dessus tout, c'était que, lorsque Yayoi toucherait la prime de l'assurance, le prêteur de Kuniko ne vienne lui extorquer de l'argent. Ceux-là ne s'intéresseraient guère au meurtre.

– Tu parles d'une aide ! s'écria Masako. Tu n'as fait que l'enfoncer.

Puis elle lui tendit la main.

– Dis, poursuivit-elle, où il est, ce fameux contrat de garantie ? Montre-le-moi.

– Je l'ai laissé tout à l'heure, répondit Kuniko en regardant sa montre d'un air énervé.

– Où ça ?

– Chez le prêteur, devant la gare. C'est le « Centre de Consommateurs - le Million ».

– C'est un usurier. Demande-leur de te rendre le document, dit Masako d'un ton sévère.

Pour un peu, Kuniko aurait éclaté en sanglots.

– Mais, c'est impossible.

– Impossible ou pas, ça va nous causer des ennuis. Demain, tout le monde sera au courant du meurtre et ton prêteur viendra rôder autour de chez Yayoi.

– D'accord.

De mauvaise grâce, Kuniko sortit une carte de visite et prit le téléphone sans fil couvert d'autocollants.

– Madame Jônouchi à l'appareil, dit-elle. Pourriez-vous me rendre le contrat que je vous ai donné tout à l'heure ?

Le prêteur refusa net, en arguant que c'était impossible. Le ton suppliant de Kuniko n'y fit rien : la situation semblait bloquée.

– Alors, dis-lui qu'on va y aller maintenant, dit Masako à Kuniko en mettant la main sur le combiné.

Elle s'assit par terre comme si ses genoux s'étaient dérobés sous elle.

– Je dois y aller moi aussi ? demanda Kuniko.

– Ça va de soi.

– Pourquoi ?

– Parce que c'est toi qui as provoqué tout ça.

– Mais ce n'est pas moi qui ai découpé le cadavre en morceaux !

– Tais-toi ! s'écria Masako en se retenant de l'assommer.

Kuniko se mit à pleurnicher.

– Combien as-tu emprunté ?

– Cinq cent mille yens cette fois-ci.

Ils avaient dû commencer par lui prêter d'abord trois cent mille yens puis, vu la façon dont elle remboursait, ils étaient montés à cinq cent mille. Masako devina sans trop de mal que, déjà fortement endettée à la carte de crédit, Kuniko ne pouvait faire rien de plus que de rembourser les intérêts qui s'accumulaient.

– À vrai dire, reprit-elle, il n'est pas nécessaire d'avoir un garant. Tu t'es fait avoir.

Le visage de Kuniko se fit plaintif.

– Mais il m'a dit que, sans le garant, je devrais rembourser la totalité.

– Tu as eu affaire à une crapule.

Incrédule, Kuniko hocha la tête.

– Il n'en avait pas l'air. Il était gentil et très comme il faut. Il n'avait rien d'un mafieux. Tout à l'heure, il m'a dit : « Si ça ne vous ennuie pas. »

– Il doit s'adapter en fonction de la proie. Au fond, ça veut dire que tu ne vaux pas plus.

Masako était tellement lassée par la bêtise de Kuniko qu'elle eut envie de claquer la langue. Énervée, Kuniko se montra ironique.

– Tu as l'air d'être bien renseignée, lui lança-t-elle.

– C'est toi qui es trop ignorante. Tu ferais mieux de te préparer, et vite.

Masako, qui regrettait même de perdre son temps à parler avec elle, enfila vite ses tennis aux talons usés. Kuniko traînait, comme pour l'agacer.

La lumière du «Centre de consommateurs - le Million» était éteinte. Sans s'en soucier, Masako gravit les marches de l'escalier et frappa à la porte, qui était très mince, une voix d'homme lui répondant aussitôt:

– C'est ouvert.

Masako ouvrit la porte et entra, suivie par Kuniko. Dans la pénombre, un jeune homme, vautré sur le sofa près de la fenêtre, fumait nonchalamment une cigarette. Sur la table plutôt négligée se trouvaient un journal sportif froissé et une canette de café poisseuse.

– Bonjour. Que puis-je faire pour vous? dit l'homme qui se leva en souriant.

Il portait une cravate grenat sur un costume gris. Son habillement était impeccable, détonnant presque en ce lieu, mais ses cheveux teints en châtain lui donnaient une allure superficielle. Il paraissait un peu affolé, preuve qu'il ne s'attendait pas du tout à la venue de Kuniko, en dépit de l'appel téléphonique.

– Monsieur Jûmonji, la personne qui a signé le document que je vous ai donné tout à l'heure ne veut plus rien savoir. Elle désire le récupérer.

– C'est pour madame? demanda Jûmonji en regardant Masako sans dissimuler sa méfiance et sa curiosité.

– Non, je suis une de ses amies. C'est une simple femme au foyer qui ne souhaite pas être impliquée dans ce genre d'histoires. Pourriez-vous lui rendre le papier?

– Malheureusement, c'est impossible.

– Alors, peut-on le voir?

– Bien sûr.

Jûmonji ouvrit de mauvaise grâce le tiroir de son bureau et remit le document à Masako, qui le parcourut.

215

– Vous avez fait un avenant sur une feuille séparée et ça n'a aucune valeur juridique. Vous avez consenti ce prêt dans des conditions bien définies. Pouvez-vous me montrer la reconnaissance de dettes?

– Non, dit Jûmonji, soudain grave.

Ses sourcils froncés lui donnèrent un air sournois. Il sortit la reconnaissance et en montra un passage à Masako.

– Vous voyez ici, dit-il. «Toutefois ces clauses ne s'appliquent pas en cas de changement notable des conditions de solvabilité du client.» Le mari de Mme Jônouchi a démissionné de sa société et a disparu. On peut donc parler d'un changement notable.

Masako sourit du prétexte grossier de Jûmonji.

– Vous pouvez dire ce que vous voulez. Mais, c'est la première fois qu'elle a tardé à payer. Et d'un jour seulement. Je ne crois pas que de telles pratiques soient courantes.

Jûmonji, qui ne s'attendait pas à cette contre-attaque, regarda le visage de Masako, ahuri. Kuniko jetait des coups d'œil nerveux dans la pièce, craignant qu'un homme ne surgisse soudain pour la menacer. Jûmonji dévisagea longuement Masako.

– Je vous ai rencontrée quelque part?

– Non, répondit-elle tout net en secouant la tête.

– Ah bon, dit-il perplexe avant de radoucir le ton. Enfin, pour parler franc, le plan de remboursement de madame manque de sérieux.

– Elle vous remboursera sans faute, déclara Masako.

– Vous vous portez garante?

– Garante, non. Mais je l'obligerai à vous rembourser, quitte à ce qu'elle emprunte ailleurs.

– Bien. Simplement, je garderai un œil sur ses versements.

Jûmonji semblait s'être résigné. Il regagna le sofa et s'y assit, les jambes écartées. Le contrat de garantie si facilement récupéré, Kuniko regarda Masako, stupéfaite.

– Allez, on rentre, dit celle-ci.

Alors que Masako s'apprêtait à repartir en entraînant Kuniko, Jûmonji lança:

– Ça y est, je vous remets ! Vous êtes Mme Katori !

Masako se retourna. Elle se rappela le visage de Jûmonji quand il n'était encore qu'un voyou aux tempes rasées. C'était l'homme chargé de récupérer les dettes, comme sous-sous-traitant. Elle ne se souvenait pas de son nom véritable, mais la façon qu'il avait de changer de regard en fonction de l'interlocuteur était bien la sienne.

– Je vois, dit-elle. Mais vous avez changé votre nom.

Jûmonji eut un sourire gêné.

– S'il y a Mme Katori derrière tout ça, on n'est pas de taille.

– Comment tu le connais ?

Kuniko, qui descendait la première, était rongée de curiosité et se retourna vers Masako.

– Je l'ai croisé dans mon précédent travail.

– Quel type de travail avais-tu ?

– Dans les finances…

– Prêteur ?

Masako se tut. Kuniko la regarda un moment, puis se mit à marcher à pas pressés, en se penchant en avant comme pour fuir la ville triste, où le soleil s'était couché.

Pour Masako, ces retrouvailles fortuites avec une vieille connaissance lui donnaient le sentiment de s'être fait rattraper par des ténèbres poussiéreuses. Qu'est-ce qui l'attendait désormais ? Elle était en proie à une vive inquiétude : contrairement à Kuniko, elle avait envie de se perdre dans les venelles pour s'y tapir, la tête entre les mains. Car Masako n'avait plus d'endroit où rentrer.

CHAPITRE 3

Elle savait qu'il était mort, pourquoi communiquait-elle avec lui dans son rêve?

Le sommeil léger, Masako rêvait que son père décédé se tenait debout dans le jardin et regardait le gazon cruellement dégarni. Il était mort d'une tumeur au menton. Il restait là, désœuvré, sous un ciel nuageux, habillé du yukata[1] qu'il portait souvent à l'hôpital. Puis il remarqua la présence de Masako sur la véranda, et ses joues, déformées par des opérations répétées, se détendirent.

– Que fais-tu là?

– Je pensais sortir.

Dans ses derniers jours, incapable d'ouvrir la bouche, son père était pratiquement privé de toute conversation, mais dans le rêve il parlait distinctement.

– Mais tu attends un visiteur, dit-elle.

Elle ne savait pas de qui il s'agissait, mais s'affairait à préparer sa venue. Si le jardin était celui de la vieille demeure que son père louait à Hachiôji, la maison était curieusement celle, toute neuve, de Yoshiki et de Masako. Et l'enfant qui s'agrippait au jean de Masako était certainement Nobuki encore petit.

– Alors, il faudra nettoyer la salle de bains, reprit son père d'un air soucieux.

Masako trembla. Une grande quantité de cheveux de Kenji y était tombée. Comment son père le savait-il? Certainement parce que c'était un mort. Masako détacha les petites mains de

1. Kimono léger d'été. *(N.d.T.)*

218

Nobuki et se justifia désespérément. Son père s'avança vers elle sur ses jambes aussi frêles que des bâtons. Il avait le visage violacé comme au moment de sa mort.

– Masako. Laisse-moi mourir.

Elle entendit ces mots tout contre ses oreilles et se réveilla en sursaut.

C'étaient les seuls mots que son père avait pu articuler clairement devant elle, dans les souffrances de la phase finale, où il ne pouvait plus ni parler ni manger. Cette voix qu'elle croyait avoir enfouie au fond de sa mémoire avait ressuscité à ses oreilles et Masako tremblait de peur comme si elle avait vu un fantôme.

– Hé, Masako !

Yoshiki se tenait debout à côté du lit. Il entrait rarement dans la chambre quand sa femme était endormie. Masako, qui n'était pas encore tout à fait sortie de son cauchemar, regarda distraitement le visage de son mari qui n'aurait pas dû être là.

– Réveille-toi et lis ça, dit-il. Ce n'est pas quelqu'un que tu connais ?

Il lui montra un article paru dans le journal du matin. Masako se redressa aussitôt et lut, en ouverture de la page des faits divers :

« Un cadavre en morceaux retrouvé dans le parc de K. Il s'agit d'un employé de bureau de Musashi-Murayama. »

Comme elle l'avait prévu, on avait réussi à l'identifier dès la veille au soir. Une fois la chose imprimée, elle perdait tout lien avec la réalité. Elle trouva ce phénomène curieux et lut l'article.

« Le soir où la victime, M. Kenji Yamamoto a disparu, son épouse, Mme Yayoi Yamamoto, n'était pas chez elle, car elle travaillait dans une fabrique voisine. Les enquêteurs cherchent à reconstituer l'emploi du temps de M. Yamamoto, après qu'il a quitté son bureau. »

Il n'y avait aucun détail. Dans l'ensemble, l'article flattait le goût morbide des lecteurs en insistant sur le fait que les morceaux du cadavre avaient été mis dans des sacs plastique et jetés à droite et à gauche.

– Tu la connais, non ?

– Oui, mais comment le sais-tu ?

– Elle t'appelle de temps en temps, en disant : «Madame Yamamoto, de la fabrique.» De toute façon, de travail de nuit dans une fabrique dans le coin, il n'y en a pas d'autre.

Avait-il pu entendre le coup de téléphone où Yayoi avait appelé au secours ? Masako ne put s'empêcher de fixer les yeux de Yoshiki. Ce dernier détourna le regard, comme s'il avait honte de sa propre excitation.

– Je pensais que tu aimerais le savoir au plus vite.

– Merci.

– Qu'est-ce qui a pu se passer ? Il aurait suscité des haines ?

– Je ne crois pas que c'était son genre, mais je n'en sais rien.

– Mme Yamamoto est une amie proche, non ? Tu devrais peut-être aller la voir.

Il semblait étonné de voir que Masako ne s'affolait pas du tout.

– Oui, c'est vrai, répondit-elle vaguement.

Elle fit semblant de lire le journal posé sur le lit. Yoshiki trouvait bizarre qu'elle ne dise rien et sortit un costume de l'armoire. On était samedi et il allait au bureau ? Masako se leva précipitamment et fit le lit en pyjama.

– Dis, tu ne veux vraiment pas y aller ? insista Yoshiki en lui tournant le dos. Elle doit être débordée… entre la police et les médias. Pauvre femme !

– Justement, il ne faut pas en faire trop.

Yoshiki enleva son tee-shirt en silence. Masako regarda son dos. Ses muscles s'étaient affaissés et l'ensemble de son corps paraissait décharné. Sentant le regard de Masako dans son dos, il se crispa.

Si le souvenir de l'époque où elle avait encore quelque intimité avec lui s'était évaporé, ce n'était pas parce qu'ils avaient cessé de se toucher, mais parce qu'ils avaient pris un chemin différent. Maintenant chacun jouait son rôle. Ni homme ni femme, ni père ni mère, ils ne faisaient qu'accomplir fidèlement leurs devoirs, en allant au travail ou en s'occupant de la maison. Masako se dit qu'ils se dirigeaient lentement vers le délabrement. Yoshiki, qui avait enfilé sa chemise directement sur sa peau, se retourna.

– Tu devrais au moins lui donner un coup de téléphone, dit-il. Tu es dure.

Masako intériorisa ces reproches. À force de s'investir dans cette affaire, elle avait peut-être oublié les règles ordinaires des rapports humains. Il était dangereux de perdre le sens commun.

– Je vais l'appeler, dit-elle à contrecœur.

Yoshiki la dévisagea comme s'il lâchait un verdict.

– Quand tu estimes que quelque chose ne te concerne pas, tu cherches toujours à t'en détacher.

– Je ne me vois pas comme ça, dit-elle en levant les yeux vers lui.

Elle comprit qu'il lui reprochait l'attitude qu'elle avait eue ces temps derniers. Il avait senti un changement depuis le crime de Yayoi.

– J'ai peut-être dit quelque chose de trop.

Il grimaça comme s'il avait quelque chose d'amer dans la bouche et la regarda.

Ils semblaient admettre qu'ils avaient quelque chose de glacé dans le cœur et que ça se lisait sur leurs visages. Ils se regardèrent un moment, puis Masako baissa les yeux et arrangea le couvre-lit.

– Tout à l'heure, tu gémissais dans ton sommeil, reprit Yoshiki en nouant sa cravate.

Masako trouvait que cette cravate n'allait pas avec son costume. Elle lui répondit calmement.

– Je faisais un cauchemar.

– À propos de quoi?

– Mon père mort m'apparaissait pour me raconter des choses.

Yoshiki se contenta de grommeler et glissa dans les poches de son pantalon son portefeuille et sa carte de transport. Yoshiki s'était bien entendu avec son beau-père. Il ne l'avait pas interrogée sur le contenu de son rêve – elle y vit la preuve qu'il avait renoncé à percer son cœur. Peut-être n'éprouvait-il plus le besoin de le faire. Et elle-même ? En ajustant interminablement le couvre-lit, elle réfléchit à ce que son couple avait perdu.

Après le départ de Yoshiki, Masako téléphona chez Yayoi.

– Vous êtes bien chez les Yamamoto, répondit une voix à la fois agacée et épuisée.

Elle ressemblait à celle de Yayoi, mais ce n'était pas la sienne. Elle était un peu plus vieille et avait un accent provincial.

– Madame Katori à l'appareil. Yayoi est là ?

– Elle a pris un somnifère et elle dort. Qui êtes-vous ?

– Une collègue de la fabrique. J'ai appris la nouvelle dans le journal et je m'inquiétais...

– Je vous remercie. Après tous ces événements, elle a craqué. Elle dort depuis hier soir.

Elle avait une façon mécanique de répondre. Depuis le matin, combien y avait-il eu d'appels ? Des parents, des collègues de Kenji, des amis de Yayoi, des voisins, sans parler des journalistes. Elle avait dû répéter la même rengaine comme un disque de répondeur téléphonique.

– Vous êtes la maman de Yayoi ?

– En effet.

Elle répondait sur un ton sec, peut-être par peur de prononcer une parole déplacée.

– C'est vraiment terrible. Nous sommes désolés. Nous pensons beaucoup à elle.

Cette conversation, sur écoute, laisserait certainement des traces. C'était parfait, se dit Masako. Il aurait été plus bizarre de ne pas téléphoner. Il ne restait plus qu'à faire tout son possible pour ne pas être démasquée.

Dès qu'elle eut terminé son appel, Nobuki se leva. Il prit son petit déjeuner sans un mot et disparut pour aller au travail ou traîner dehors. Laissée seule, Masako alluma la télévision pour avoir les actualités. Mais partout on racontait la même chose : il n'y avait rien de nouveau.

La voix étouffée, Yoshié lui téléphona. À la différence de Masako qui s'était reposée, Yoshié avait fait sa nuit, puis vaqué aux tâches ménagères et attendu que sa belle-mère se soit couchée pour l'appeler.

– C'est exactement ce que tu avais prévu, dit-elle d'une voix sombre. Je viens d'allumer la télé et je suis ahurie.

– Oui, la police ne va pas tarder à débarquer à la fabrique.

– Les poubelles qu'on a jetées, nous, ne vont pas être découvertes ?

– Probablement pas.

– Que faudra-t-il dire à la police ?

– Que tu n'en sais rien parce que, depuis cette nuit, Yayoi n'est pas revenue à la fabrique.

– C'est vrai, c'est parfait.

Yoshié semblait reposer toujours les mêmes questions, comme pour se les répéter à elle-même. Masako était agacée qu'elle l'ait appelée rien que pour ça.

Elle entendit derrière Yoshié les cris mécontents de son petit-fils et se rappela son rêve. La force avec laquelle Nobuki avait tiré sur son jean fut ravivée avec réalisme. Elle se rendit alors compte qu'elle avait fait ce rêve parce qu'elle avait vu le petit-fils de Yoshié. En analysant ainsi chaque élément de son cauchemar, elle serait en mesure de conjurer sa peur.

– Mais…

– En tout cas, à ce soir, dit Masako pour couper court, car Yoshié semblait encore inquiète.

Et elle raccrocha. Kuniko n'avait pas téléphoné. Mais Masako lui avait fait suffisamment peur pour que cette trouillarde se tienne tranquille pendant quelque temps.

En commençant la lessive, elle se rappela Jûmonji qu'elle venait de revoir après tout ce temps. Il devait s'adonner à des activités financières agressives qui ne feraient pas long feu. Masako ne se souciait guère des dettes de Kuniko, mais si par malheur Jûmonji lisait le journal et faisait le lien entre Yayoi et le nom de la garante de Kuniko, on risquait gros.

Comment avait-il été autrefois ? Elle fouilla dans sa mémoire et retrouva l'époque où ils s'étaient croisés. Elle n'en avait que de mauvais souvenirs.

Elle remplit d'eau la machine à laver, puis versa la poudre à laver qui disparut en produisant des bulles de savon. Peu à peu, en regardant, elle laissa s'entrouvrir les vannes de son cœur.

Les souvenirs de son travail précédent commençaient toujours par l'obligation de réchauffer le saké pour le banquet du Nouvel an.

La Caisse de crédit de T., où elle avait passé vingt-deux ans après ses études au lycée, organisait une fête à la fin de chaque année. La veille de la reprise du travail, la Caisse invitait les cadres dirigeants des sociétés qu'elle finançait et des coopératives agricoles. Ce jour-là, les employées étaient priées de s'y rendre en kimono d'apparat, bien que cette règle se limitât aux plus jeunes qui n'avaient que quelques années d'expérience.

Les autres employées étaient reléguées dans les coulisses où elles devaient préparer les amuse-gueules, faire la vaisselle ou réchauffer le saké dans la salle des chaudières. Si les tâches qui exigeaient le plus de force, comme de transporter les caisses de bière ou d'installer le décor, étaient confiées aux hommes, les femmes, elles, en avaient pour toute la journée. Elles devaient s'occuper non seulement des préparatifs, mais aussi du nettoyage. En principe, les congés officiels allaient du 30 décembre au 4 janvier, mais ce festin leur enlevait une journée. La participation était obligatoire et, sous le prétexte que c'était une fête, elle n'était pas comptée comme journée de travail.

Masako, qui à un moment était devenue la doyenne, s'était retrouvée attachée exclusivement au chauffage du saké. Pour elle qui détestait se mêler aux autres, c'était idéal ; mais après une demi-journée passée debout dans la chaufferie exiguë et pleine de relents de saké, elle finissait par se sentir mal. De plus, certains hommes qui étaient saouls venaient de temps en temps demander aux femmes de venir servir le saké dans la salle. Elle était pour ainsi dire la seule à se charger du saké et à laver les verres à bière : le spectacle n'était même plus pitoyable, mais comique. Une année particulièrement atroce, un employé ivre mort avait vomi partout et elle avait dû nettoyer. Beaucoup de femmes étaient dégoûtées par l'absurdité de cette tâche et préféraient démissionner.

Mais ce banquet n'avait lieu qu'une fois par an et il ne fallait pas en faire un drame. Ce qui la rendait furieuse, c'était que, malgré ses efforts quotidiens, elle n'obtenait pas le moindre avancement et accomplissait exactement le même travail, à savoir : la tâche administrative des prêts. Elle avait beau arriver au bureau à huit heures du matin et accumuler des heures supplémentaires tous les jours, parfois jusqu'à neuf heures du soir, le contenu de son travail ne changeait jamais d'un iota. Son zèle n'y faisait rien, les opérations importantes, telles que les décisions concernant les prêts, étaient confiées à des hommes, tandis qu'elle ne jouait toujours qu'un rôle subalterne.

Les employés masculins qui étaient entrés en même temps qu'elle avaient été nommés chefs de service au bout de dix ans et, après quelques stages, la dépassaient sur le plan hiérarchique. Elle s'était même retrouvée sous les ordres d'hommes plus jeunes qu'elle.

Un jour, elle était tombée sur la fiche de paye d'un employé qui avait le même âge qu'elle et son sang n'avait fait qu'un tour. Son salaire annuel était supérieur au sien de près de deux millions. Après vingt ans de services, Masako gagnait à peine quatre millions six cent mille yens par an.

Après maintes réflexions, elle était allée discuter directement avec le chef de bureau qui avait la même ancienneté qu'elle et lui avait déclaré qu'elle voulait faire le même travail que les employés masculins. Elle avait demandé à occuper un poste à responsabilités, pour lequel elle se donnerait corps et âme.

Dès le lendemain, elle avait fait l'objet d'un harcèlement moral éhonté. Tout d'abord, l'histoire avait dû être déformée, car ses collègues féminines s'étaient montrées froides avec elle : le bruit courait que Masako tentait de monter en grade à leurs dépens. Elle n'avait plus été invitée aux dîners mensuels entre collègues féminines et avait fini par connaître un isolement total.

Ses collègues masculins, eux, chaque fois qu'ils recevaient des visiteurs, lui demandaient de servir le thé. Devant aussi faire plus de photocopies qu'avant, elle avait moins de temps à consacrer à son travail et se trouvait contrainte de faire des heures supplémentaires. Du coup, on la trouvait inefficace, ce dont se ressentait son évaluation. Mal notée, elle n'avait pas droit à un poste de responsabilité : telle était la logique qui avait conduit à sa dépréciation.

Elle avait enduré tout ce qu'il était possible d'endurer. Non seulement elle restait au bureau bien après la fermeture, mais elle n'hésitait pas à emporter chez elle le travail qui restait à faire. Nobuki, qui était alors à l'école primaire, avait commencé à manifester des symptômes de déséquilibre émotionnel. Yoshiki s'était irrité et lui avait enjoint d'abandonner un travail aussi ingrat. Tous les jours, elle allait et venait entre travail et famille comme une balle de ping-pong et dans les deux cas était acculée à la solitude. Il n'y avait de refuge nulle part.

C'est alors que l'incident s'était produit. Masako ayant relevé une erreur commise par un supérieur sur un prêt qui s'était révélé irrécouvrable, celui-ci lui avait expédié une gifle. Tout supérieur qu'il était, il était plus jeune qu'elle et incompétent.

– Ta gueule, la vieille ! lui avait-il lancé.

Comme cela s'était produit pendant les heures supplémentaires, l'incident n'avait pas fait de bruit. Mais une blessure profonde et invisible avait marqué le cœur de Masako. Pourquoi être un homme conférait-il une telle valeur ? Suffisait-il d'avoir fait des études universitaires pour tout se permettre ? L'expérience et l'ambition ne comptaient-elles pour rien dans cet emploi ? Il lui était arrivé de penser à changer de profession. Comme elle aimait travailler dans la finance, elle était restée. Mais après cette histoire, elle s'était dit que c'était terminé.

L'incident de la gifle s'était produit en pleine bulle spéculative. La Caisse de crédit s'affairait fiévreusement à proposer des financements et prêtait de l'argent sans même procéder à des contrôles élémentaires. Masako trouvait certains clients particulièrement douteux, mais la caisse leur avançait des fonds. Lorsque la bulle spéculative avait éclaté, la caisse s'était retrouvée avec une montagne de créances pourries. La chute de l'immobilier impliquait aussi la perte en valeur des hypothèques. Les ventes aux enchères des biens immobiliers saisis s'étaient multipliées, mais sans rapporter suffisamment, et les pertes s'étaient accumulées.

Finalement, la caisse n'était plus arrivée à assainir sa trésorerie et une banque plus solide, affiliée aux coopératives agricoles, avait pris le contrôle de la Caisse de crédit de T. La chose s'était faite en un tournemain. Puis le bruit avait couru qu'il allait y avoir une fusion et on avait parlé restructuration. Masako était la doyenne et on l'avait mise sur la touche au bureau. Elle s'attendait à être la première menacée. Et en effet, comme prévu, elle avait été la première à être convoquée au service du personnel.

– Nous aimerions que vous soyez affectée à la succursale d'Odawara, lui avait-on dit.

C'était l'année qui précédait l'examen d'entrée de Nobuki au lycée. Si elle allait à Odawara, elle devrait s'y installer seule. C'était exclu, et elle avait décliné la proposition. On lui avait alors demandé de démissionner. C'était la conséquence logique. Elle ne s'avouait pas vaincue, mais le pire était encore à venir. La nouvelle de son départ avait déclenché des applaudissements au bureau.

Jûmonji avait fréquenté la Caisse de crédit de T. après l'éclatement de la bulle spéculative, quand les créances pourries commençaient à se multiplier. Pour faire payer le plus possible de clients débiteurs, la Caisse de crédit avait fait appel à des hommes de son acabit.

Quand la conjoncture était plus favorable, la Caisse prêtait l'argent généreusement, mais quand elle était elle-même dans l'œil du cyclone, elle ne se souciait plus guère des apparences. Masako n'aimait ni les prêts consentis n'importe comment, ni leur recouvrement brutal et, Dieu sait pourquoi, pensait que Jûmonji éprouvait les mêmes sentiments. Elle n'avait jamais parlé personnellement avec lui, mais, s'il affichait un sourire affecté avec des employés arrogants, ses yeux trahissaient sa tension intérieure.

Elle revint à la réalité, une sonnerie annonçant la fin de la lessive, mais elle s'était tellement absorbée dans ses pensées qu'elle avait oublié de mettre le linge !

Les eaux tourbillonnantes dans lequel elle avait dissous la poudre s'étaient évacuées, rechargées, vidées… C'était à l'image de ce qu'elle avait été à cette époque. Elle tournait à vide ! se dit-elle en riant.

Chapitre 4

Jûmonji se réveilla en s'apercevant que son bras, dont la fille se servait comme d'un oreiller, s'était engourdi.

Il le dégagea du cou frêle de la fille et ferma et ouvrit alternativement le poing. Sa tête ayant brutalement roulé, la fille ouvrit les yeux. Ses sourcils étant presque entièrement épilés, elle eut l'air ahuri, comme un enfant ou une femme vieillissante.

– Qu'est-ce qu'il y a? demanda-t-elle.

Jûmonji regarda le réveil sur la table de nuit. Huit heures du matin. C'était l'heure de se lever. À travers le mince rideau, la chaleur du soleil d'été commençait à envahir la pièce exiguë.

– Allez, on se lève, dit-il.

– Je n'ai pas envie, gémit la fille en s'agrippant à lui.

– Tu dois aller au lycée, non?

Elle devait être en seconde. Ce n'était presque qu'une «fillette». Mais pour lui, qui ne désirait que les fillettes, toute fillette était une fille.

– Ça va, on est samedi. Je sèche.

– Oui, mais pour moi ça ne va pas. Debout.

– Tss! fit-elle avant de bâiller bruyamment.

Dans sa bouche béante, la chair était rose. Tout était rose et blanc chez elle. Elle était encore immature, mais elle avait un joli corps. Jûmonji la regarda non sans regret. Puis, en se levant, il alluma le climatiseur. Un vent poussiéreux fouetta son visage.

– Hé! Prépare le petit déjeuner, lui ordonna-t-il.

– Je ne veux pas.

– Idiote! T'es une femme, tu me prépares le petit déjeuner.

– Je sais pas.

– Idiote ! Pour qui tu te prends ?

– Arrête de me traiter d'idiote. Tu me gonfles ! dit-elle avec une moue en portant une cigarette de Jûmonji à ses lèvres. C'est dégoûtant. Les bonshommes parlent tous comme ça.

– Je n'ai que trente et un ans ! protesta-t-il avec sérieux.

– Ben, tu as l'âge d'être un bonhomme, répondit-elle avec un rire déluré.

– Ton père, il a quel âge ? lui demanda Jûmonji qui, se croyant toujours jeune, était piqué au vif.

– Quarante et un, je crois.

– Il n'a que dix ans de plus que moi ?

Il se sentit soudain vieilli et gagna la salle de bains près de l'entrée pour uriner. Il en profita pour se laver le visage. Il rouvrit la porte en espérant que la fille avait au moins mis de l'eau à chauffer. Mais elle dormait encore. Seuls ses cheveux longs teints en châtain clair sortaient des draps. Jûmonji se fâcha.

– Allez, lève-toi et dégage.

– Tss, sale blaireau ! cria-t-elle en lançant des coups de pied dans le vide de ses jambes plutôt fortes.

– Quel âge a ta mère ? lui demanda Jûmonji.

– Quarante-trois ans. C'est elle, la plus âgée.

– Ah bon. Passé trente ans, une femme n'est plus une femme.

– Quelle horreur ! Ma mère est encore jeune et jolie ! répondit-elle excédée.

Jûmonji, qui n'avait aucun intérêt pour les femmes mûres, rit avec la satisfaction de s'être vengé. Il ne se croyait pas infantile. Sans prêter attention à la fille qui boudait encore, il alla chercher le journal du matin, la cigarette aux lèvres.

Il se laissa tomber sur le lit et la fille le regarda à la dérobée d'un air accusateur. Il y avait dans son regard une maturité exceptionnelle qui lui rappela les femmes âgées qu'il avait en horreur. Quelle tête cette fille aurait-elle en vieillissant ? Il imagina le visage de sa mère. Entre les extrémités de ses doigts, il prit le menton de la fille, le souleva et le regarda de face et de côté.

– Qu'est-ce qu'il y a? dit-elle. Tu m'agaces!

– Où est le problème?

– Arrête! Qu'est-ce que tu regardes?

– Rien. Je me suis dit que toi aussi tu allais vieillir.

– Évidemment, dit-elle en repoussant sa main. À peine réveillé, tu racontes des horreurs. Ça me déprime.

Quarante-trois ans… Masako Katori, qu'il avait revue la veille après tant d'années, n'avait-elle pas plus ou moins cet âge-là? Toujours desséchée, elle était devenue une vieille plus terrifiante que jamais. Elle lui avait fait une forte impression.

Masako Katori avait été employée à la Caisse de crédit de T., qui se trouvait à Tanashi. «Se trouvait», à l'imparfait, car l'établissement n'avait pas réussi à récupérer les créances de ses prêts immobiliers après l'éclatement de la bulle spéculative et avait été absorbé par une autre caisse de crédit plus importante. Jûmonji, qui était alors sous-traitant d'un assureur, avait fait partie de l'équipe qui avait eu pour mission de recouvrer une quantité astronomique de créances pourries. Il se souvenait bien de Masako qui s'occupait de la partie administrative des prêts.

Assise devant son ordinateur, Masako portait toujours impeccablement son tailleur gris tout juste sorti du pressing. À la différence des autres employées, elle n'était pas maquillée de façon voyante et ne faisait rien pour charmer : elle abattait son travail monotone en silence. Elle était austère et difficile d'accès, mais les sbires de l'entreprise avaient tous un certain respect pour elle. Car ses directives étaient précises et elle avait une maîtrise hors pair des affaires.

À l'époque, Jûmonji ne manifestait aucun intérêt pour la situation de la Caisse de crédit, mais il avait entendu la rumeur selon laquelle on tenait Masako à distance à cause de ses vingt ans d'expérience. C'était, disait-on, pour cela qu'elle avait été la première à être victime de la restructuration. Mais d'instinct, il avait senti qu'il y avait autre chose.

Autour de Masako se dressait une sorte de mur qui empêchait les autres de l'approcher. C'était comme un « signe » montrant qu'elle luttait seule contre le reste du monde. Il n'y avait aucun mystère à ce que Jûmonji, marginal et mafieux sur les bords, y soit sensible. Qui se ressemble s'assemble. En revanche, les persécuteurs étaient toujours des employés qui n'avaient pas, eux, la protection de ce mur.

Mais enfin… pourquoi cette même Masako Katori côtoyait-elle maintenant cette « créance pourrie » vivante ? C'était plutôt cela qui lui paraissait bizarre.

— Hé, j'ai faim. Si on allait au McDo ?

La voix de la fille interrompit ses réflexions. Il ouvrit le journal qu'il avait oublié de lire.

— Attends un moment.

— Tu n'auras qu'à le lire là-bas.

— Tais-toi.

En repoussant le bras de la fille, Jûmonji fut attiré par la une. Les mots « Musashi-Murayama » frappèrent ses yeux. C'était un article sur l'assassinat de l'homme découpé en morceaux. Son attention fut retenue par le passage sur « son épouse Yayoi » : ce nom lui disait quelque chose.

Mais… n'était-ce pas le nom de la garante ?

Il en avait un vague souvenir, car Masako lui avait arraché le contrat de garantie, alors qu'il s'apprêtait à faire une enquête sur elle. Il lui semblait que c'était bien ce nom-là. La fille qui regardait le journal en même temps poussa un cri.

— Pouah, je viens d'y aller, moi, au parc de K. C'est dégoûtant, dit-elle en cherchant à lui arracher le journal. Tu sais, il y a un type qui fait du roller là-bas et il avait drôlement insisté pour que je vienne le voir.

— Ta gueule !

Jûmonji lui reprit brutalement le journal des mains et relut l'article dès le début et sérieusement. Il se souvint que Kuniko travaillait de nuit dans une fabrique de paniers-repas. La fabrique, où cette Yayoi Yamamoto travaillait, devait être la même. Donc, c'était bien elle la garante. Elles étaient collègues. Cette « créance pourrie » de Kuniko avait demandé la garantie à cette femme, dont le mari avait été découpé en morceaux ! Mais qu'est-ce que ça voulait dire ? C'était trop beau pour être vrai !

Si Masako Katori était venue récupérer le contrat avec autant d'insistance, c'était parce qu'elle savait qu'il s'était passé quelque chose avec Yayoi. Il regretta de lui avoir restitué le document aussi facilement.

– Merde !

Mais tu ne perds rien pour attendre, songea-t-il. Il relut encore une fois l'article. Comme le mari n'était pas rentré chez lui depuis mardi soir, les enquêteurs pensaient qu'il avait été tué cette nuit-là et découpé en morceaux aussitôt après. Dans ce cas il n'y avait rien d'étrange à ce que Masako Katori se soit inquiétée de la situation de Yayoi, dont le mari avait disparu, et qu'elle ait voulu récupérer le contrat. Là-dessus, aucun problème. En revanche, pourquoi Kuniko avait-elle demandé précisément à Yayoi de se porter garante au moment où elle avait des ennuis ? Pourquoi Yayoi avait-elle accepté de le faire alors qu'elle avait bien d'autres soucis avec la disparition de son mari ?

Quel était le rôle de Masako Katori entre ces deux femmes ? Cette vieille n'était pourtant pas du genre à faire preuve de mièvre compassion à l'égard d'autrui. Son esprit fut en proie à toutes sortes de doutes.

Cela méritait une enquête approfondie. Il referma son journal et le jeta brutalement sur la moquette poussiéreuse. Impressionnée par son expression, la fille, qui avait gardé le silence, tendit timidement la main pour prendre le quotidien et se mit à lire la page des programmes de télévision. Il la regarda distraitement et aspira profondément. Tout ça sentait l'affaire juteuse, se dit-il tout ragaillardi.

Maintenant que les jeunes pouvaient emprunter de l'argent dans des distributeurs automatiques, le métier de prêteur ne rapportait plus grand-chose. Le « Centre de consommateurs - le Million » ferait faillite dès l'année suivante. Il allait être obligé de devenir maquereau et voilà que lui arrivait une grosse affaire ! Il inspira de nouveau profondément comme s'il avait une liasse de billets sous les yeux.

– Hé, j'ai faim ! se plaignit encore la fille. On va quelque part ?

– Oui, on y va.

La bonne humeur soudaine de Jûmonji la surprit.

CHAPITRE 5

Yayoi se trouvait prise entre la compassion et la suspicion des gens. Comme une balle de ping-pong, elle était ballottée entre ces deux sentiments extrêmes. Perdue, elle ne savait pas du tout comment se comporter.

Dès la nuit où les empreintes des mains avaient été attribuées à Kenji, la compassion dont avait tout d'abord fait preuve Iguchi, le chef de la Sécurité domestique, au commissariat de Musashi-Yamato, avait laissé la place aux soupçons.

– Grâce aux empreintes des mains, le cadavre découpé en morceaux du parc de K. a été identifié comme étant celui de votre mari, lui avait-il dit. Puisqu'il s'agit de l'abandon et de la destruction d'un cadavre, l'enquête sera désormais confiée à la Police centrale et au commissariat local. L'affaire ayant été jugée grave, le quartier général de l'enquête a été installé au commissariat de Musashi-Yamato. Je vous demande donc de coopérer pleinement avec nous, madame.

Iguchi s'était déplacé lui-même, bien qu'il eût demandé à Yayoi de venir au commissariat. Mais lorsqu'il reparut à la porte ses petits yeux n'avaient plus la douceur avec laquelle il avait regardé le tricycle dans le jardin ; son regard était devenu glaçant et ce n'était qu'un début.

Après dix heures du soir, deux commissaires se présentèrent – l'un de la Première section du commissariat de Musashi-Yamato et l'autre de la Police centrale – et l'on n'avait plus du tout le regard d'Iguchi.

– Kinugasa de la Police centrale, annonça le premier en lui présentant sa carte dans un étui de cuir noir.

Il avait entre quarante-cinq et cinquante ans. Habillé de manière décontractée, il portait un polo Lacoste noir un peu délavé et un pantalon de coton. De petite taille, avec sa tête rentrée dans le cou et ses cheveux ras, il avait tout d'un mafieux. Yayoi n'avait pas la moindre idée de ce que pouvaient être la Police centrale et le travail de la Première section. Mais à l'idée de devoir affronter un homme aussi rustaud, elle ne put s'empêcher de trembler.

L'autre, qui était plus mince mais avait un cou d'oie, était du commissariat municipal et se présenta ainsi :

– Je m'appelle Imai.

Il était plus jeune et l'on voyait qu'il se comportait avec déférence envers Kinugasa et se tenait en retrait.

Une fois entrés dans la maison, ils demandèrent au père de Yayoi, qui se tenait près d'elle avec un air soucieux, de sortir de la pièce avec les enfants. Les parents de Yayoi, stupéfiés par le coup de téléphone de leur fille, étaient accourus de Kôfu en voiture. Ils emmenèrent le cadet qui se plaignait d'avoir sommeil et l'aîné que la situation crispait. Ils n'auraient jamais pu se douter que leur fille était l'objet de soupçons. Pour eux, c'était une catastrophe inouïe.

– Madame, commença Imai, excusez-nous de vous déranger, mais nous avons des questions à vous poser.

Ils entrèrent dans la salle de séjour, dont le plafond parut lourd et bas à Yayoi qui soupira. Dire que tout était si calme maintenant qu'elle était débarrassée de la mauvaise humeur constante de Kenji et qu'elle était seule avec ses deux enfants. La présence de ces deux hommes la faisait suffoquer.

– Je vous en prie, dit-elle d'une voix étouffée.

Kinugasa, sans rien dire, l'examina de la tête aux pieds sans la moindre retenue. Elle vit bien que, sous la menace de ce genre d'individu, elle risquait de tout dire sur-le-champ. Elle se ressaisit instinctivement et Kinugasa se mit à parler. Elle fut décontenancée par sa voix, plus haute et douce que le laissait penser son souffle qui puait le tabac.

– Madame, si vous coopérez avec nous, nous pourrons arrêter tout de suite le criminel, lui dit-il.

– Oui.

Kinugasa se passa la langue sur ses lèvres épaisses et regarda Yayoi dans les yeux. Peut-être se demandait-il pourquoi elle ne pleurait pas. Mais la source de ses larmes était tarie.

– Ce soir-là, reprit-il, il paraît que vous êtes allée au travail alors que votre mari n'était pas rentré. Comment avez-vous pu laisser les enfants ? Vous n'avez pas eu peur d'un incendie ou d'un tremblement de terre ?

Ses petits yeux retors se firent encore plus petits. Ce n'est que bien plus tard que Yayoi comprit que c'était sa façon de sourire.

– Il était toujours… commença-t-elle.

Elle allait dire qu'il était toujours en retard, mais elle se retint car, si elle avait prononcé ces mots, ils auraient compris que la paix ne régnait pas dans le ménage. Elle s'empressa donc de reformuler sa réponse :

– Il était toujours… à la maison à temps. Mais ce jour-là, il a tardé et je suis partie la mort dans l'âme. Quand, à mon retour, j'ai constaté qu'il n'était pas rentré, j'ai été abasourdie.

– Abasourdie ? Et pourquoi donc ?

Kinugasa sortit de sa poche revolver un carnet en skaï marron et y inscrivit quelque chose.

– Comment « pourquoi » ? riposta-t-elle en colère. Vous n'avez pas d'enfant, monsieur le commissaire ?

– Si, l'aîné est à l'université et ma cadette au lycée. Et vous, monsieur Imai ?

– Les deux premiers sont à l'école primaire et le cadet encore à la maternelle, répondit diligemment celui-ci.

– Alors vous comprenez certainement… Laisser seuls deux petits enfants toute une nuit ! Au départ, j'étais en colère.

Kinugasa écrivit quelque chose. Imai, qui avait l'air d'être totalement dépassé par son collègue, resta silencieux, son carnet ouvert entre les mains.

– En colère… vous voulez dire contre votre mari ?

– Bien sûr. Rentrer si tard alors qu'il savait que je devais aller au travail !

Toute sa colère se concentra dans ces mots « rentrer si tard », mais elle se rendit compte que sa langue avait fourché et se corrigea :

– Il n'est pas rentré.

Puis elle laissa retomber ses épaules avec accablement. Pour la première fois, elle dut se rendre à l'évidence : Kenji ne rentrerait plus jamais. C'est toi qui l'as tué. Une voix murmurait en elle, mais elle l'ignora.

– Oui, en effet... Mais cela s'était-il déjà produit ?

– Qu'il ne rentre pas ?

– Oui.

– Non, jamais. Il lui était arrivé de rentrer tard après avoir trop bu. Et alors, il n'arrivait pas à temps, avant que je parte. Mais bien sûr, il finissait par se dépêcher de revenir.

– C'était un homme, expliqua Kinugasa en expert. Il avait des obligations professionnelles. Il était normal qu'il rentre tard de temps à autre.

– Oui, c'est ce que je me disais et j'en étais désolée. C'était quelqu'un de gentil.

Menteuse, menteuse !

Dans son cœur, quelque chose résistait. Pas une fois il ne s'était empressé de revenir. Il savait toujours qu'elle attendait jusqu'au dernier moment avec l'angoisse de devoir laisser seuls les enfants. Et qu'elle partait finalement avec mauvaise conscience. Il faisait exprès d'arriver en retard pour ne pas la voir. C'était un homme abject. Vraiment abject.

– Mais alors pourquoi vous vous êtes mise en colère s'il a découché pour la première fois ? En général, on s'inquiète.

– Pour une seule nuit ? On imagine plutôt qu'il prend du bon temps, répondit-elle d'une petite voix.

– Vous vous disputiez avec votre mari ?

– Des fois, oui.

– À propos de quoi ?

– De vétilles.

– C'est vrai, les couples se disputent en général pour un rien. Permettez-moi de vous interroger sur cette journée-là.

Le matin, votre mari est parti comme d'habitude, n'est-ce pas?

– Oui.

– Comment était-il habillé?

– Eh bien, comme d'habitude. Une veste d'été...

Ayant dit ces mots, elle se souvint que justement, ce soir-là, il n'en portait pas. Au moment de rentrer, il ne l'avait pas sur lui et ne la tenait pas davantage sur le bras. Peut-être était-elle toujours dans la maison? Ou bien il était si ivre qu'il l'avait perdue en chemin. Elle ne s'en était pas aperçue jusqu'à maintenant. L'angoisse monta et une douleur lui transperça l'estomac. Elle crut étouffer, mais se contrôla.

– Tout va bien? lui demanda Kinugasa en plissant à nouveau les yeux.

Il avait une façon douce de s'exprimer, qui contrastait avec son apparence un peu rude. Ce n'en était que plus déconcertant.

– Excusez-moi. Quand je me suis dit que c'était la dernière fois que je le voyais, je me suis sentie très triste.

– La séparation est dure quand elle vous frappe brusquement, dit Kinugasa en lançant un coup d'œil vers Imai. Nous voyons ce genre de chose tout le temps, mais nous n'y sommes toujours pas habitués, n'est-ce pas, monsieur Imai?

– C'est juste.

Ils se comportaient comme s'ils compatissaient à sa douleur, mais il était évident qu'ils guettaient un faux pas.

Il ne fallait surtout pas qu'elle se trahisse. Elle devait faire front, toute seule. Il fallait absolument tout cacher jusqu'au bout.

Elle s'était mille fois préparée à cette épreuve et avait appris par cœur les discours mensongers à tenir. Mais maintenant qu'elle se trouvait exposée à leurs regards soupçonneux, elle n'échappait pas au sentiment d'être totalement transparente devant eux, jusqu'au bleu qu'elle avait au ventre. C'était tellement pénible qu'elle eut presque envie de se déshabiller pour le leur montrer.

Elle se sentait sur la corde raide. Sans même le savoir, elle serrait désespérément les mains. Elle avait l'impression d'essorer une serpillière invisible et que sa volonté de se protéger s'en écoulait. La volonté, ici, n'était qu'un instrument au service de l'instinct de liberté.

– Excusez-moi d'être aussi perturbée, dit-elle.

– Je vous en prie, je vous en prie. N'importe qui à votre place... Nous comprenons parfaitement ce que vous ressentez. Vous êtes plus forte que d'autres. Beaucoup éclatent en sanglots et peuvent à peine parler.

Après l'avoir consolée en ces termes, il attendit qu'elle poursuive.

– Et puis... une chemise blanche et une cravate sobre, bleu foncé.

Elle commençait enfin à décrire les vêtements qu'il portait ce soir-là.

– ... il avait des chaussures noires, continua-t-elle.

– Quelle était la couleur de sa veste?

– Gris clair.

– Couleur cendre? demanda-t-il, en le notant dans son carnet. Vous pouvez me dire le nom de la marque?

– La marque, je ne sais pas, mais nous achetions tout, y compris les chemises, dans un magasin bon marché qui s'appelle Sannami...

– Les chaussures aussi?

– Non, je ne connais pas la marque. Mais nous les avons achetées aussi dans un magasin de soldes du quartier.

– Où ça? demanda Imai.

– Je crois que c'était... le Centre de distribution des chaussures de Tôkyô...

– Et les sous-vêtements? demanda encore Imai.

– Ça, je les achetais au supermarché, dit-elle en baissant les yeux avec gêne.

Kinugasa retint Imai.

– Tout cela, on vous le redemandera dans le détail demain. Aujourd'hui nous ne disposons pas de beaucoup de temps.

Imai se tut, mais parut en prendre ombrage.

– À quelle heure votre mari se rendait-il au travail?

– Il prenait le direct de 7 h 45 pour Shinjuku. Tous les jours.

– Et depuis vous ne l'avez plus revu et il n'a plus téléphoné, c'est ça ?

– C'est ça, répéta-t-elle en posant les mains sur ses paupières avec tristesse.

Kinugasa regarda la maison exiguë, comme s'il l'observait pour la première fois. Des livres illustrés et des jouets que les grands-parents avaient dû apporter aux enfants en toute hâte étaient dispersés par terre.

– À propos, où sont les enfants ?

– Mes parents ont dû les emmener manger dehors.

– C'est ennuyeux… dit-il alors qu'il avait lui-même demandé de faire sortir les enfants.

Kinugasa regarda sa montre. Il était près de onze heures du soir.

– Je crois qu'ils sont dans un café-restaurant du quartier.

– Ah bon, alors dépêchons-nous.

– Votre mari et vous-même, d'où êtes-vous originaires ? demanda Imai en levant les yeux de son carnet.

– La famille de mon mari est du département de Gunma. Ils ne vont pas tarder. Mes parents sont du département de Yamanashi.

– J'imagine qu'ils étaient au courant de la disparition de leur gendre.

– Eh bien, non, bredouilla Yayoi. Je ne leur avais pas dit.

– Mais pourquoi ? demanda Kinugasa en grattant ses cheveux courts à deux mains.

– Pourquoi ? Eh bien parce que quelqu'un de son bureau m'a dit que ce genre de choses arrivait souvent et qu'il rentrerait sans problème. Alors j'ai estimé que ce ne serait pas bien de faire du bruit pour rien.

Imai regarda son carnet avec perplexité.

– Mais, madame, la nuit où votre mari n'est pas rentré, c'était bien mardi ? Autrement dit, vous ne l'avez pas retrouvé en rentrant mercredi matin ? Et vous avez téléphoné mercredi soir pour déclarer sa disparition. Quoique la déclaration proprement dite, ce soit jeudi matin que vous l'avez faite. Vous vous êtes pressée pour faire la déclaration, mais vous n'avez pas averti vos parents? En général, on ne demande pas plutôt conseil avant?

– C'est-à-dire que… quand nous nous sommes mariés, des deux côtés, nos familles s'y sont opposées. C'est pour ça que je me sentais un peu en froid avec eux.

– Peut-on connaître la raison de leur opposition? demanda Kinugasa.

– La raison… c'est que mes parents n'aimaient pas beaucoup Kenji. Alors sa mère en a pris ombrage.

Effectivement, Yayoi ne s'entendait pas bien avec la mère de Kenji. Elles n'avaient pour ainsi dire aucune relation. La perspective de voir sa belle-mère arriver bouleversée l'avait beaucoup angoissée. Si l'amour de Yayoi pour Kenji s'était à ce point affaibli, c'était peut-être parce qu'elle avait reporté la haine envers sa belle-mère sur lui. Kinugasa l'interrompit dans ses réflexions.

– Pourquoi vos parents n'aimaient-ils pas votre mari?

– Je ne sais pas trop, dit Yayoi d'un air songeur. Comme j'étais leur fille unique, il se peut qu'ils aient idéalisé mon mariage. C'est difficile à expliquer.

– Bien sûr, c'est que vous êtes jolie.

– Non, non, ce n'est pas ça.

– Ah bon? De quoi s'agit-il, alors?

Kinugasa avait pris soudain un ton paternel, comme s'il lui avait dit: «Allons, vas-y, tu peux tout dire.» Yayoi se sentit de plus en plus mal à l'aise. Elle ne s'attendait pas à être interrogée là-dessus. Ils fouillaient tout sur leur couple, façonnant ainsi une image qui leur convenait pour mieux juger à leur guise.

– C'était avant notre mariage, répondit-elle. Mon mari aimait le jeu… jouer aux courses, de chevaux ou cyclistes. Mais une fois, il a contracté des dettes. En l'apprenant, mes parents se sont opposés à notre mariage. Mais quand on a été ensemble, il a tout arrêté.

En entendant le mot «jeu», les deux commissaires échangèrent un bref regard. Kinugasa se hâta de demander:

– Et ces temps derniers?

Yayoi hésitait à parler du baccara. Masako ne lui avait-elle pas conseillé de n'en rien dire? Elle n'arrivait pas à s'en souvenir. Si elle évoquait le baccara, elle craignait qu'on ne découvre le coup de poing qu'elle avait reçu. Elle garda le silence.

– Ce n'est pas grave, dites-le; vous pouvez tout nous dire.

– Eh bien…

– Il avait donc recommencé, c'est ça?

– C'est possible. Il parlait du baccara ou je ne sais pas quoi.

L'atmosphère se tendit soudain. En le remarquant, elle se ramassa sur elle, sans comprendre encore que ces mots l'avaient miraculeusement sauvée.

– Ah, le baccara! Vous ne savez pas où il jouait?

– Il me semble qu'il parlait de Shinjuku, répondit-elle d'une voix presque inaudible.

– Ah bon… merci. Je vous remercie vraiment d'avoir accepté d'en parler. Nous trouverons sans faute l'assassin de votre mari.

L'interrogatoire touchait à sa fin.

– Pardon… je ne pourrais pas voir mon mari? demanda-t-elle.

Ni Imai ni Kinugasa n'avaient abordé ce problème.

– Nous pensions demander au frère de votre mari de se charger de l'identification. Ce serait un peu dur pour vous.

Tout en parlant, Kinugasa sortit de sa serviette au cuir fatigué une pochette en papier. Il en retira des photos en noir et blanc du format 16,5 × 21,5. Comme s'il avait joué aux cartes, il en choisit une à l'abri du regard de Yayoi et la posa sur la table.

– Si vous tenez vraiment à le voir, je pense qu'il est préférable que vous regardiez cela avant.

Elle prit en main la photo avec la plus grande appréhension. On y voyait un sac en plastique contenant un tas de chairs mélangées. On y distinguait clairement la main de Kenji. Les bouts de doigts avaient été rabotés, laissant une plaie noirâtre.

Elle laissa échappa un cri.

Ce qu'elle ressentit en cet instant? De la haine contre Masako et les autres. Comment avaient-elles pu faire une chose pareille ? C'était trop. Elle savait sa réaction absurde, puisque c'était elle qui l'avait tué et leur avait demandé de l'en débarrasser. Mais, dès qu'elle vit ce tas de lambeaux de viande auquel avait été réduit Kenji, une violente colère jaillit en elle. Aussitôt elle versa un torrent de larmes et s'affaissa sur la table.

– Je suis désolé, madame, dit Kinugasa en lui tapant sur l'épaule pour la consoler. Je sais que c'est dur, mais soyez forte. Soyez forte aussi pour les enfants qui restent.

Les commissaires semblaient rassurés de voir Yayoi – qui jusque-là était apparue aussi résistante – éclater en sanglots. Quelques minutes plus tard, elle releva la tête et essuya ses larmes avec le dos de la main. Elle était totalement bouleversée. Ce que Kuniko lui avait dit, en cet endroit même, était donc la vérité : « Non, tu n'imagines pas… » Kuniko avait raison. Yayoi s'était d'abord sentie soulagée de savoir Kenji disparu.

– Tout va bien, madame ?

– Oui, excusez-moi.

– Pourriez-vous venir demain au commissariat ? demanda Kinugasa en se levant. Il faudrait que vous nous racontiez un peu plus en détail ce que vous venez de nous dire.

Yayoi réfléchit un moment, dans la confusion de ses pensées. Ça allait continuer et continuer, jusqu'à quand ? Imai, qui était resté assis et récapitulait ses notes, se tourna enfin vers elle.

– Excusez-moi, mais il y a un point que j'ai oublié de vous demander.

– Oui ?

Elle avait beau s'essuyer, ses larmes continuaient de couler. Elle dirigea son regard vers lui. Il fixa ses yeux en pleurs comme si c'était un objet d'observation.

– Le lendemain matin, à quelle heure êtes-vous rentrée de la fabrique ? Pouvez-vous me dire ce que vous avez fait ?

– Le travail s'est terminé à cinq heures et demie. Le temps de me changer, je suis rentrée un peu avant six heures.

– Vous êtes rentrée directement du travail ? demanda calmement Imai.

– Oui, répondit-elle en triant tant bien que mal, au fond de son esprit si brumeux après un tel choc, ce qu'elle pouvait dire et ce qu'elle ne devait pas dire. D'habitude, je prends un thé ou je bavarde avec des collègues, mais là j'étais inquiète à cause de mon mari. Je suis donc revenue tout de suite.

– Je vois, acquiesça Imai.

– Une fois rentrée, j'ai dû faire une sieste de deux heures. Et j'ai accompagné les enfants à la garderie.

– Il pleuvait. Vous y êtes allés en voiture ?

– Non, nous n'avons pas de voiture et je ne sais pas conduire. Je mets les enfants à l'avant et à l'arrière de mon vélo.

Les deux commissaires se regardèrent de nouveau. Qu'elle n'eût pas de permis était un bon point pour elle.

– Et après ?

– Je suis rentrée vers neuf heures et demie et j'ai bavardé avec une voisine devant les poubelles. Puis j'ai fait la lessive et du rangement. Et j'ai dû me recoucher un peu avant onze heures. À une heure, quelqu'un de la compagnie où travaille mon mari m'a téléphoné pour me dire qu'il n'était pas venu au travail et ça m'a angoissée.

En répondant sans heurt, elle avait retrouvé son calme. Elle s'en voulait d'avoir haï Masako ne fût-ce qu'un instant.

– Bien, je vous remercie, dit Imai en la saluant poliment.

Et il referma son carnet avec un claquement. Kinugasa l'attendait, les bras croisés, l'air énervé.

Ils se rechaussèrent dans le vestibule. En les raccompagnant, Yayoi eut l'intuition que les soupçons des deux hommes se muaient peu à peu en compassion.

– Eh bien, à demain.

Ils sortirent et refermèrent la porte derrière eux. Yayoi vérifia l'heure. Bientôt la mère et le frère de Kenji allaient arriver. Cette fois-ci, elle devrait supporter les cris et les larmes. Elle déglutit. Pour résister à la scène, il lui suffirait d'éclater en sanglots elle aussi. Elle avait appris comment se comporter en parlant avec les commissaires.

Elle n'était à présent ni perturbée ni désorientée. En promenant son regard dans la maison déserte, elle s'aperçut qu'elle se tenait à l'endroit même où Kenji était mort. Elle fit un petit bond pour s'en écarter.

QUATRIÈME PARTIE
LE SPECTRE NOIR

CHAPITRE 1

Encore la canicule.

Dans son appartement du premier étage, Mitsuyoshi Sataké, les bras croisés, regarda dehors par la fenêtre. Ombre et soleil : la ville, en cet après-midi de plein été, n'avait que ces deux couleurs. Celles des feuilles brillantes des arbres qui bordaient la rue et leurs revers noirs. Celles des passants et de leurs ombres. Les lignes blanches du passage clouté donnaient l'impression d'avoir fondu. Sataké se rappela la sensation désagréable du talon de la chaussure qui s'enfonce dans l'asphalte surchauffé, et déglutit.

La masse des gratte-ciel de Shinjuku se trouvait toute proche. Le ciel bleu, encadré par les lignes latérales des tours, était sans nuage et si débordant de lumière blanche qu'on ne pouvait pas en supporter la vue à l'œil nu. Sataké ferma les yeux, mais l'image de l'été resta gravée sur ses rétines et n'y disparut pas facilement.

Il referma soigneusement les stores pour ne pas laisser entrer la lumière et se retourna vers la pénombre. Ses yeux s'y accoutumèrent peu à peu. Il y avait là deux pièces de taille moyenne avec de vieux tatamis et séparées par une porte coulissante au papier délavé. Au milieu de la chambre agréablement rafraîchie par la climatisation, des lueurs blafardes montaient du téléviseur. Aucun meuble en dehors de la télé. À côté de l'entrée, une petite cuisine, mais, comme il en faisait rarement usage, il n'y avait ni casserole ni vaisselle. Pour Sataké qui soignait tant son apparence et veillait à la rendre voyante, c'était une demeure austère et même triste.

Quand il était chez lui, Sataké sa manière de s'habiller était aussi dépouillée que son appartement : chemise blanche et pantalon gris déformé aux genoux. C'était la tenue qu'il préférait. Mais dès qu'il faisait un pas dehors, il jouait consciencieusement le rôle du propriétaire de night-club, M. Mitsuyoshi Sataké. Il retroussa les manches de sa chemise et se lava les mains et le visage au robinet. L'eau était tiède.

Il s'essuya avec une serviette et s'assit par terre en s'agenouillant correctement devant le téléviseur grand écran. On donnait un vieux film américain doublé. Contrarié, il passa les mains à plusieurs reprises dans ses cheveux ras et détourna les yeux de l'écran. Il ne voulait qu'une chose : recevoir cette lumière artificielle sans avoir à y chercher de sens.

Sataké n'aimait pas l'été. Pas qu'il supportât mal la chaleur, non ; il avait simplement en horreur l'atmosphère du plein été qui écrase les venelles de la ville. C'était pendant des vacances d'été qu'il avait fait une fugue, quittant sa maison après avoir donné à son père un coup de poing qui lui avait presque brisé la mâchoire. Et le drame qui avait bouleversé sa vie s'était lui aussi produit en août, dans une chambre moderne où ronflait un climatiseur.

Pris dans l'atmosphère de la ville, véritable fournaise de gaz d'échappement et de chaleurs corporelles, il ne sentait plus la frontière entre l'intérieur et l'extérieur de son corps. L'air pollué entrait en lui par tous les pores de sa peau, pour le souiller, tandis que ses sensations dilatées jaillissaient et se déversaient dans la ville. Il avait peur que l'été de Tôkyô ne le salisse autant que cette ville pourrie. Il valait mieux qu'il évite l'été avant que ne le mine l'air torride que les climatiseurs crachaient dans les rues.

S'il était de cette humeur, c'est que la saison des pluies était terminée et que l'été, le vrai, avait commencé. Il devait chasser au plus vite la canicule urbaine de cette pièce.

Il se leva, passa dans la pièce voisine, ouvrit la fenêtre et en ferma rapidement les volets pour empêcher que le bruit et l'air chaud chargé de gaz d'échappement ne l'envahissent. Tout fut aussitôt plongé dans la pénombre. Soulagé, Sataké s'assit sur les tatamis décolorés.

Dans cette pièce, il y avait une armoire et un futon plié au carré. Les coins du futon étaient parfaitement perpendiculaires, comme travaillés à l'équerre. Les initiés auraient dit que cette pièce ressemblait à une cellule de prison. Sauf qu'il n'y a pas de téléviseur dans une cellule de prison.

Ce qui avait tourmenté le prisonnier Sataké, ce n'était pas seulement le souvenir de la femme qu'il avait tuée. L'espace rectangulaire exigu où il avait été confiné l'avait aussi torturé. C'est pour cela que, redevenu libre, il fuyait tout appartement encastré dans du béton et préférait les vieux immeubles de bois. Pour la même raison, il laissait allumée la télévision comme une porte qui le reliait au monde extérieur.

Il regagna la pièce avec le téléviseur et se rassit par terre, devant l'écran. La pièce étant privée de volets, la lumière filtrait par les interstices des stores. Sataké coupa le son de la télévision et n'entendit plus que le bruit de la circulation dans l'avenue Yamaté voisine et le grondement du climatiseur.

Il alluma une cigarette et, grimaçant dans la fumée, regarda l'écran sans le regarder. Cette fois-ci, c'était une émission sur les faits divers. Un présentateur parlait d'un air grave, une pancarte à la main. Il s'agissait du meurtre d'un homme dont on avait retrouvé le cadavre découpé en morceaux dans un parc de la banlieue. Sataké n'y prêta aucune attention et appuya ses deux avant-bras contre ses oreilles pour se protéger des bruits extérieurs. Son portable sonna juste à ce moment-là, comme si quelqu'un l'épiait.

– Oui, allô? dit-il d'une petite voix.

Il rechignait à répondre. En ce jour où son passé enfoui ressurgissait aussi nettement, il n'avait aucune envie d'être rattaché au monde extérieur, mais était aussi tenté de s'y raccrocher pour noyer son angoisse. Sa nervosité le mettait de mauvaise humeur. Il avait beau détester les venelles en plein été, il ne pouvait vivre qu'en ville.

– Grand frère, c'est moi!

An-na. Il regarda la Rolex à son poignet : 13h00. Son travail l'attendait. Il hésitait à sortir dans la ville sous un soleil aussi brûlant.

– Qu'y a-t-il ? demanda-t-il, hésitant. Tu vas chez le coiffeur ?

– Non. Par cette chaleur, j'ai envie d'aller à la piscine.

– À la piscine ? Maintenant ?

– Oui. On y va ensemble ?

Des relents d'eau chlorée et de vent sec transportant le parfum musqué des bords de piscine lui revinrent en mémoire. Ce n'était pas vraiment ce genre d'été qu'il souhaitait fuir à tout prix, mais ce jour-là il n'en voulait vraiment pas. Il lui fallait encore un peu de temps pour s'habituer à l'été.

– C'est un peu tard, dit-il. On pourrait y aller pendant le week-end.

– Mais il y a du monde le dimanche.

– On n'y peut rien.

– Alors on y va ! Tu ne veux pas nager ? Moi, j'ai envie.

– D'accord, dit-il enfin décidé. Je passe te prendre.

Il raccrocha et alluma une autre cigarette. Le menton en l'air, les yeux plissés, il regarda la télévision dont il avait coupé le son.

Une femme à l'air tendu qui semblait être l'épouse de la victime était apparue à l'écran. Elle était habillée simplement, en tee-shirt délavé et en jeans et, les cheveux tirés en arrière, n'était pratiquement pas maquillée. Sataké scruta son visage. Elle avait des traits plutôt fins. Comme à son habitude, il l'évalua. Trente-deux-trente-trois ans… Avec un peu de maquillage, elle pourrait encore faire l'affaire. Mais elle paraissait bien calme pour une femme qui avait perdu son mari, se dit-il. En bas de l'écran défilait sa présentation : « Mme Yamamoto, épouse de la victime ». Ce nom ne lui dit absolument rien. Il y avait longtemps qu'il avait oublié qu'il avait viré à coups de poing un client nommé Yamamoto.

Ce qui le déprimait, c'était plutôt l'air étouffant de cet après-midi d'été. Si à l'époque il en avait eu le moindre pressentiment, le drame ne se serait pas produit. S'il n'avait pas rencontré cette femme, sa vie aurait été tout autre. Mais maintenant, ce pressentiment-là, il l'avait à coup sûr.

Un quart d'heure plus tard, des lunettes de soleil sur le nez, il se dirigea d'un pas vif vers le parking vertical, où il louait un box. Les voitures qui roulaient au loin paraissaient déformées par la chaleur, comme dans un mirage. Sa peau encore fraîche et habituée à l'obscurité de l'intérieur frémit sous la chaleur de la ville et les rayons brûlants du soleil. Il essuya du dos de la main la sueur qui commençait à ruisseler sur son front et attendit patiemment que l'ascenseur lui descende sa voiture. Dès qu'il eut ouvert la portière et mis le contact, il actionna la climatisation. Le volant de cuir noir resta encore chaud sous ses mains pendant quelques minutes.

Il avait l'habitude des caprices d'An-na. Un jour, elle voulait aller s'acheter des vêtements, un autre essayer un autre coiffeur, un troisième, il fallait lui trouver un vétérinaire ; et, pour tout, elle s'adressait à lui. Sataké savait très bien qu'elle testait l'amour qu'il lui portait. C'était vraiment une enfant. Il ricana.

Dès qu'il appuya sur l'interphone, elle lui ouvrit ; de toute évidence, elle l'attendait impatiemment. Elle portait un grand chapeau jaune muni d'une visière et des lunettes de soleil de la même couleur. Elle fixa les lanières de ses souliers vernis noirs et lui tendit ses lèvres.

– Tu aurais pu venir plus tôt ! lui lança-t-elle.

– Tu m'as pris au dépourvu ; je n'ai pas pu mieux faire.

Il ouvrit la porte en grand. L'odeur caractéristique de chez An-na, mélange de produits de beauté et d'odeurs de chien, se déversa à l'extérieur.

– Où veux-tu aller ? demanda-t-il.

– À la piscine, je te l'ai dit ! s'écria-t-elle en se penchant dangereusement du haut de la galerie pour vérifier que le ciel brûlant n'avait pas changé.

Elle était surexcitée, prête à bondir sur-le-champ. Elle n'avait pas remarqué l'humeur sombre de Sataké.

– Non, je t'ai demandé où. Au Keiô Plaza ? Ou au New Ôtani ?

– Les piscines des hôtels sont chères.

– Alors où veux-tu aller ? répéta-t-il.

De toute façon, c'était lui qui en serait de sa poche, mais l'économe An-na n'autorisait pas le gaspillage.

– Allons à la piscine de l'arrondissement. Quatre cents yens pour deux.

Ce n'était certainement pas cher, mais ce serait bondé et bruyant. Sataké s'en fichait : il était même prêt à endurer le soleil brûlant pour la satisfaire. Il entra dans l'ascenseur avec elle.

La piscine était pleine de groupes d'écoliers et de jeunes, garçons et filles. Les bords de la piscine montaient en escalier en pente douce, des arbres faisant de l'ombre tout en haut. Au moment où Sataké s'asseyait sur un banc, An-na sortit du vestiaire, vêtue d'un maillot tout rouge, et agita la main.

– Grand frère !

Sataké regarda le corps magnifique d'An-na qui courait vers lui. Hormis le fait que sa peau était trop pâle pour la piscine, c'était un corps parfait. Poitrine et fesses galbées, jambes fuselées. Les cuisses étaient pleines et fermes et l'ensemble du corps élancé.

– Tu ne veux pas te baigner ? lui demanda-t-elle en respirant un grand coup comme pour aspirer les relents de chlore.

– Je te regarderai nager d'ici.

– Pourquoi ? insista-t-elle en le tirant par le bras. On y va, on y va !

– Non, je ne veux pas. Vas-y, toi. On ne reste pas plus d'une heure ou deux.

– Pas plus ?

– C'est ce qu'on avait décidé, non ? Il te faut encore le temps d'aller chez le coiffeur.

An-na eut un geste de protestation, mais retrouva aussitôt sa bonne humeur en courant. Elle allait entrer dans l'eau, quand un ballon roula près d'elle. Elle le ramassa et se mit aussitôt à jouer au volley avec un groupe d'écolières. Quelle fille adorable ! se dit Sataké en souriant. Elle était si ingénue ! Il lui suffisait de rester avec elle à la câliner. Il devait reconnaître qu'il fondait dès qu'il était près d'elle. Pourtant, An-na ne parvenait pas à calmer les inquiétantes réminiscences que ce plein été avait soudain ramenées dans son cœur. Il ferma les yeux sous ses lunettes de soleil.

Lorsqu'il les rouvrit un peu plus tard, la silhouette d'An-na jouant au bord de la piscine avait disparu. Mais il aperçut dans l'eau du bassin de cinquante mètres de long et plein de nageurs un bras blanc qui s'agitait vers lui, au milieu des vaguelettes et des enfants qui hurlaient. Après s'être assurée qu'il l'avait reconnue, An-na se mit à crawler gauchement sur toute la longueur du bassin. Il suivit sa nage laborieuse pendant un moment et, quand elle arriva enfin au bout, vit un jeune homme qui lui parlait du plongeoir.

Elle revint enfin près de lui, le corps ruisselant de gouttes. Elle rassembla ses cheveux noirs en arrière et se retourna. Le jeune homme la regardait toujours. Il était coiffé d'un catogan et avait un piercing à l'oreille.

— Il te regarde, fit remarquer Sataké.

— Oui, il m'a parlé tout à l'heure.

— Qu'est-ce qu'il fait ?

— Il est musicien dans un groupe, répondit-elle avec indifférence avant de regarder Sataké pour voir sa réaction.

Il contemplait les perles d'eau qui roulaient sur la peau huileuse de ses bras et descendaient vers ses jambes. Il était entièrement sous l'emprise de sa jeunesse et de sa beauté.

— Tu n'as qu'à aller te baigner avec lui, dit-il. Il te reste du temps.

— Pourquoi ? demanda-t-elle en le dévisageant d'un air déçu.

— Il te draguait, non ?

— Tu n'es pas fâché, grand frère ?

— Non, je ne suis pas fâché. Tant que tu retournes au travail...

— Ah bon.

An-na avait perdu de sa candeur enfantine. Elle rejeta sa serviette de bains et courut vers l'homme qui, assis au bord de la piscine, regardait le ciel d'un air désœuvré. Il manifesta sa joie et se tourna vers Sataké pour s'assurer de ses intentions.

Sur le chemin du retour, An-na garda le silence.

– Dis-moi, An-na, lui proposa enfin Sataké, je t'accompagne chez le coiffeur, d'accord?

– D'accord, mais inutile de venir me chercher.

– Pourquoi?

– Je rentrerai seule en taxi.

– Ah bon? Eh bien, d'accord, tu fais comme ça. Moi, pendant ce temps-là, je vais prendre une douche, puis on se retrouve au Mika.

Après l'avoir déposée au salon de coiffure, il emprunta le boulevard Yamaté. Le soleil étant un peu plus bas dans le ciel, les rayons du couchant lui frappaient directement les yeux. Ce crépuscule d'été ranima en lui des souvenirs qui lui firent peur. Il eut l'impression de retrouver sur sa peau la chaleur qu'il avait combattue dans sa chambre lorsqu'il observait les ombres allongées qui s'étalaient sur les trottoirs de Shinjuku. Il avait de nouveau du mal à réprimer son énervement.

Ce soir-là, quand il fit son apparition au Mika, les entraîneuses, le prenant peut-être pour un client, l'accueillirent toutes avec un sourire de commande. Puis elles le reconnurent et reprirent leur expression de vague ennui.

– Que se passe-t-il? Le grand vide de l'été? demanda-t-il à Chen, le gérant, en ne voyant pas l'ombre d'un client dans l'établissement.

– Il est encore tôt, répondit celui-ci en se hâtant de baisser les manches de sa chemise blanche qu'il avait retroussées.

Il avait son nœud papillon de travers et son pantalon noir tout froissé. Sataké, qui avait en horreur le laisser-aller, tira brutalement sur son nœud papillon.

– Fais attention à ta tenue!

– Désolé.

Alertée par la mauvaise humeur de son patron, Lihua sortit de la cuisine. Ce soir-là, elle portait une robe noire et un collier de perles. Il détourna les yeux de cette vision sinistre : on aurait dit qu'elle se rendait à un enterrement!

– Pardon, monsieur Sataké, dit-elle, mais avec la chaleur qu'il fait, c'est pas idéal…

– Pas idéal ? Est-ce que tu as seulement téléphoné aux gens ? Il n'y a personne qui veuille une escorte, ce soir ? Je n'en crois rien.

Il regarda autour de lui, vit les fleurs fanées dans les vases et explosa.

– Les fleurs ! hurla-t-il.

D'habitude, il était calme et forçait le respect par sa réserve même, mais ce soir-là il en allait autrement. Surpris par la fureur de Sataké, Chen se précipita vers le grand vase de cristal près de lui. Les campanules y laissaient lamentablement retomber leurs têtes violettes. Les entraîneuses regardaient alternativement le vase et Sataké sans rien dire. Lihua chercha à gagner la faveur de son patron.

– Allez, les filles, dit-elle, c'est maintenant que tout commence, hein !

– Ce sont des paroles en l'air tout ça ! Si vous restez à glander comme ça, c'est pas ça qui amènera la clientèle ! Vous feriez mieux d'aller racoler les passants dehors ! cria Sataké.

– On y va, dit Lihua avec un sourire forcé.

Mais avec cette chaleur les filles ne réagissaient pas rapidement. Sataké réprima sa colère et regarda de nouveau autour de lui. Il lui sembla que quelque chose manquait et… où était An-na ?

– Au fait, où est An-na ? demanda-t-il.

– An-na ? Elle a demandé à ne pas venir ce soir.

– Pourquoi ?

– Elle m'a téléphoné tout à l'heure pour me dire qu'elle ne se sentait pas très bien parce qu'elle s'était trop exposée au soleil à la piscine.

– Toujours la même rengaine ! Bon, je repasse vous voir plus tard.

– Entendu, répondit Lihua, visiblement soulagée.

L'atmosphère se détendit alors que, contenant sa fureur, Sataké sortait du Mika.

Il fut aussitôt enveloppé par les bouffées brûlantes de la nuit à Kabukichô. Bien que le soleil se soit couché, toute la ville semblait plongée dans un bain de vapeur : ni la température ni le taux d'humidité n'avaient baissé. Tel un homme vieillissant, dont les pores crasseux auraient retenu toute la sueur, la ville paraissait incapable de transpirer malgré la chaleur accumulée dans ses entrailles. Sataké laissa échapper un lourd soupir et gravit l'escalier avec plus de lenteur que d'habitude. La discipline de son établissement commençait à se relâcher : il fallait faire quelque chose.

Il franchit la porte du Parco et salua à voix basse Kunimatsu qui, dès qu'il le vit, s'était précipité vers lui.

— Merci pour tout, dit-il.

Sataké fut soulagé en voyant jouer quelques employés de bureau.

— Bonjour, monsieur Sataké, dit Kunimatsu. Vous venez tôt aujourd'hui.

Stupéfait, il regarda l'état dans lequel était Sataké. Sa veste gris-argent avait déjà des taches de sueur. Sataké qui avait senti son regard, l'enleva. Sa chemise noire de soie était également moite et collait aux muscles fermes de sa poitrine.

— Vous trouvez qu'il fait chaud ? demanda timidement Kunimatsu en lui prenant sa veste des mains.

— Non, pas du tout. C'est bien comme ça.

Sataké sortit une cigarette et soupira. Un jeune croupier qui s'entraînait à la table du grand baccara en attendant son tour grimaça légèrement en remarquant sa chemise trempée. Son regard déplut à Sataké.

— Comme s'appelle ce nouveau ? demanda-t-il.

— Yanagi.

— Tu lui diras de faire attention à sa façon de regarder les gens ; il faut savoir être avenant avec la clientèle.

— Certainement.

Kunimatsu, pour ne pas alimenter la mauvaise humeur inhabituelle de Sataké, se retira. Ce dernier termina sa cigarette en restant debout. Tout de suite, une serveuse déguisée en lapin vint lui remplacer son cendrier. Il salit le nouveau cendrier avec une autre cigarette. Intimidés, les employés observaient de loin ses gestes plutôt que de s'occuper des clients. Il était dans son propre établissement et ne savait pas où se mettre. Ça ne lui était jamais arrivé.

– Monsieur Sataké, pouvez-vous venir ? demanda Kunimatsu.

– Qu'est-ce qu'il y a ?

– Venez au bureau, s'il vous plaît.

Il suivit Kunimatsu, qui était plus grand que lui et portait un smoking, et entra dans une petite pièce du fond, qui servait de bureau à Kunimatsu et où se trouvaient, entre autres meubles, une table et une penderie.

– On a trouvé ça, dit Kunimatsu. Laissé par un client. Qu'est-ce qu'on doit en faire ?

Il sortit une veste grise de la penderie. Derrière, la veste gris-argent que Sataké venait d'enlever était accrochée au cintre.

– Qu'est-ce que c'est ? demanda celui-ci en prenant la veste.

C'était une veste d'été en coton et dont on voyait tout de suite qu'elle était bon marché.

– Personne n'est venu la réclamer ?

– Justement… Regardez ça.

Kunimatsu lui montra l'étiquette : le mot « Yamamoto » y était brodé en fil jaune.

– Yamamoto ?… Qui est-ce ?

– Vous avez oublié ? C'est le type que vous avez viré au début de la semaine dernière.

– Ah… lui…

Sataké se rappela l'homme qui avait harcelé An-na et qu'il avait expulsé à coups de poing.

– Il n'est pas revenu la prendre. Qu'est-ce qu'on en fait ?

– Jette-la.

– Vraiment ? Est-ce qu'il ne se plaindra pas plus tard ?

– Il ne reviendra pas. Si jamais il se présente, on n'aura qu'à lui dire qu'on ne l'a pas trouvée.

– Bon, d'accord, dit Kunimatsu d'un air dubitatif mais sans protester.

Sataké discuta ensuite avec lui du chiffre d'affaires et quitta le bureau exigu. Kunimatsu le suivit comme pour flatter sa bonne humeur. Dans le casino, il y avait maintenant deux jeunes femmes à l'allure provocante, des prostituées sans doute. En voyant leur bronzage artificiel, obtenu dans un salon de beauté, Sataké pensa à An-na.

– Je vais voir comment va An-na et je reviens, dit-il.

Kunimatsu garda le silence et baissa un peu la tête. Mais l'expression de soulagement qui se lut sur son visage n'échappa pas à Sataké. C'était dans ces moments-là que Sataké se demandait si, en réalité, Lihua, les entraîneuses du Mika et les employés du Parco avaient peur parce qu'ils connaissaient son passé.

Le spectre noir que Sataké avait enfermé avec mille précautions en se contrôlant de toutes ses forces... À en percevoir les contours, tout autre en aurait été transi de peur. Mais seul Sataké et cette femme connaissaient la vérité sur ce drame. Et personne ne savait ce qu'il avait vraiment voulu faire. Depuis l'âge de vingt-six ans où il avait goûté au fruit défendu, il devait se colleter avec sa solitude.

Il y avait quelque chose d'étrange lorsqu'il arriva à l'appartement d'An-na. Il avait beau appuyer sur le bouton de l'interphone, il n'obtenait aucune réponse. Il allait sortir son portable, quand il entendit enfin la voix d'An-na.

– Qui est là?

– C'est moi.

– Grand frère?

– Oui. Tout va bien? Je passais te voir un moment.

– D'accord.

Il fut étonné de l'entendre enlever la chaînette. An-na ne la mettait jamais.

– Je suis désolée de n'être pas venue travailler, dit-elle en apparaissant dans l'entrebâillement.

Vêtue d'un short et d'un tee-shirt, elle avait le visage très pâle. Sataké regarda par terre et vit des chaussures de sport à la mode.

– C'est ton mec de la journée ?

Elle suivit le regard de Sataké et son expression se métamorphosa, mais elle garda le silence.

– Tu as le droit de t'amuser avec des mecs. Mais n'oublie pas le boulot. Il ne faut pas que ça s'éternise.

Elle recula comme sous le choc des paroles qu'il venait de prononcer, puis elle le dévisagea.

– Ça ne te fait rien, grand frère ?

– Non, rien, dit-il.

En voyant les yeux d'An-na se remplir de larmes, il comprit le problème. An-na était adorable, même en dehors du travail, mais elle n'était rien de plus qu'un objet de câlineries. Son rapport avec elle était comme la peau de son corps : rien de plus superficiel.

– Ne t'absente plus sans motif sérieux, reprit-il.

Puis craignant qu'à la suite de cette histoire elle ne veuille changer d'établissement, il referma délicatement la porte.

Sur le chemin du retour, il fut agacé de constater que, décidément, ce jour-là, rien ne marchait comme il voulait. Il avait peur qu'on découvre son secret et se ferma entièrement.

Il ne repassa pas par le Mika, mais retourna directement au Parco, où Kunimatsu lui ouvrit la porte.

– Comment allait An-na ? Elle n'est pas venue travailler, n'est-ce pas ?

– Rien de grave. Elle viendra demain.

– Tant mieux. Depuis tout à l'heure, il y a pas mal de clients en bas.

– Parfait.

La nouvelle le soulageant, il se mit à les compter. Quinze en tout. La moitié se composait d'employés de bureau, l'autre, hommes et femmes, venant de toute évidence du milieu. Des habitués pour la plupart. C'était une bonne moyenne et il en éprouva quelque satisfaction : il ne restait plus qu'à chercher le moyen de rétablir la bonne humeur d'An-na. Il ne fallait surtout pas la laisser filer chez un concurrent.

Sataké avait retrouvé son calme et commençait à réfléchir à son plan d'action lorsque la porte s'ouvrit sur deux nouveaux clients. Des hommes d'âge moyen, chemises à manches courtes et motifs fantaisie. Leurs visages lui disaient quelque chose, mais il n'arrivait pas à mettre un nom dessus. Salariés? Profession libérale? Ils avaient le regard perçant. Chose rare chez Sataké qui savait évaluer un client au premier coup d'œil, il avait du mal à décider de leur nature.

– Bonsoir, messieurs, dit aimablement Kunimatsu en les conduisant vers le fond.

À leur demande, il leur expliqua les règles du jeu. Lorsqu'il en eut terminé avec ses explications, l'un des deux hommes, qui jusque-là était resté silencieux, sortit un porte-cartes noir de sa poche.

– Sécurité de la Police centrale et Commissariat de Shinjuku, dit-il. Qui est le propriétaire de cet établissement? Que personne ne bouge.

Glacé de peur, personne n'osa le moindre geste. Seul Kunimatsu se mordit la lèvre inférieure, comme s'il prenait conscience de s'être fait avoir, et regarda Sataké à la dérobée.

Merde, une descente! se dit ce dernier.

C'était donc cela, son pressentiment depuis la matinée. Ces têtes qui lui disaient quelque chose... c'étaient des flics. Il prit un jeton de baccara dans sa main pour s'empêcher d'éclater de rire.

Chapitre 2

Un nouveau commissaire entrant dans la salle d'interrogatoire, Sataké n'en crut pas ses oreilles.

– Je m'appelle Kinugasa et je suis de la Brigade criminelle de la Police centrale.

– Qu'est-ce que ça signifie, tout ça ?

– Ah, tu veux savoir ce que ça signifie ? répéta Kinugasa en ricanant.

Allure imposante et regard sournois de flic, il donnait une impression désagréable.

– J'aimerais t'interroger sur tes liens avec une autre affaire, reprit-il.

– Quelle autre affaire ?

Sataké croyait avoir été interpellé pour organisation clandestine de jeux de hasard. On l'avait gardé à vue pendant plus d'une semaine et il ne comprenait pas comment maintenant il pouvait avoir affaire à la Criminelle. Et en plus, la Criminelle de la Police centrale !

– Qu'est-ce que la Crime vient faire là-dedans ?

– Une petite affaire de cadavre découpé en morceaux, lui répondit Kinugasa en frottant son briquet jetable contre le tissu chiné de son polo noir usé jusqu'à la corde.

Il alluma une Hilite, dont il aspira la fumée en guettant la réaction de Sataké.

– Comment ça «découpé en morceaux» ?

– Tu es tout pâle…

Sataké était vêtu d'une chemise bleue que Lihua lui avait apportée à la prison. Il n'en aimait pas la couleur, mais comme sa chemise noire en soie était tout imprégnée de sueur, il l'avait enfilée avec reconnaissance. Mais elle lui donnait mauvaise mine.

– Ce n'est pas ça! dit Sataké en riant.

– Comment «ce n'est pas ça»? Et en plus, il rit! Quel culot!

Kinugasa haussa les épaules en direction du commissaire de Shinjuku qui se tenait à côté de lui, d'un air accablé. Privé de toute initiative, celui-ci se contenta d'un rire gêné.

– Il a l'habitude d'être en taule. Ça ne lui fait rien!

– Hé, minute! Qu'est-ce que ça veut dire? demanda Sataké, affolé.

Ça commençait à devenir sérieux. Ce n'avait pas été une simple descente. Jusque-là, Sataké se disait que la police avait visé son casino parce qu'il faisait des envieux, mais là, il lui parut que tout cela était prémédité. Il y avait un malentendu invraisemblable et on voulait sa peau. Il savait qu'il aurait autant de mal à s'en relever que s'il avait été pris dans des sables mouvants.

– Écoute, Sataké. Tu n'as pas l'air de bien piger. Il y a un client qui venait chez toi, un certain Kenji Yamamoto: c'est lui, la victime. Et tu le connais bien.

– Kenji Yamamoto? Connais pas, répondit-il en secouant la tête.

Par la fenêtre, il apercevait les gratte-ciel de la sortie ouest de la gare de Shinjuku et une trouée de ciel. La lumière blanche l'éblouissant, il ferma les yeux. Son appartement se trouvait près du commissariat. Il avait envie de se réfugier vite dans sa chambre plongée dans la pénombre.

– Et ça, tu reconnais?

Kinugasa sortit une veste grise d'un sac tout froissé, qu'il avait à portée de main. En la voyant, Sataké poussa un cri. Le soir de la rafle, Kunimatsu lui avait demandé ce qu'il fallait en faire et il lui avait ordonné de la jeter.

– Oui, je reconnais. C'est un client qui l'a oubliée.

Il reprit sa respiration. La victime de cette affaire de cadavre découpé en morceaux était donc cet imbécile de Yamamoto!

Alors seulement il fit le lien avec ce nom qu'il avait lu dans les journaux et entendu à la télé. Il était dans un sacré pétrin. Il en resta sans voix. Les deux flics observaient ses moindres réactions d'un œil accusateur.

– Dis, tu pourrais nous dire ce qui lui est arrivé, à ton client ? Hein, Sataké ?

– Je n'en sais rien, répondit-il en secouant la tête.

– Ah, tu n'en sais rien ! Vraiment ? fit Kinugasa en prenant une intonation efféminée pour se moquer de lui.

Quel type ignoble ! Sataké sentit le sang lui monter à la tête et fut sur le point de perdre son sang-froid. Mais depuis qu'il était sorti de prison, il avait appris à ne jamais se laisser aller.

– Non, je n'en sais vraiment rien !

Kinugasa sortit son calepin de sa poche revolver et l'ouvrit.

– Le soir du mardi 20 juillet, vers dix heures, des témoins t'ont vu avoir une altercation avec la victime à la sortie de l'Amusement Parco. Tu l'as dérouillé à coups de poing et tu l'as balancé dans l'escalier à coups de pied !

– Eh bien… oui, c'est possible.

– C'est possible ? Et après, que s'est-il passé ?

– Je n'en sais rien.

– Tu parles comme t'en sais rien ! Après, on a plus trace de la victime ! Qu'as-tu fait ? Où es-tu allé ? Que lui as-tu fait ?

Sataké fouilla dans sa mémoire. Il n'avait plus le moindre souvenir de ce qu'il avait fait ce soir-là. Était-il rentré chez lui ou resté au Parco ? Il choisit la solution la plus sûre.

– J'ai continué mon travail au Parco.

– Mensonge ! Tous les employés assurent que tu es rentré tout de suite chez toi.

– Ah bon ? Eh bien, je suis rentré me coucher.

Kinugasa croisa les bras d'un air dubitatif.

– Décide-toi.

– Oui, je suis rentré me coucher.

– En général, pourtant, tu fais la fermeture. Pourquoi es-tu rentré te coucher ce soir-là ? Tu ne trouves pas ça bizarre ?

– Ce soir-là, j'étais crevé et je suis rentré me coucher.

C'était bien ça. Maintenant, il s'en souvenait : il était retourné dans sa chambre sans traîner nulle part. Et il s'était endormi devant la télé. Il aurait mieux fait de rester au Parco, mais il n'était plus temps de revenir là-dessus.

— Tu as dormi seul ?

— Évidemment.

— Tu étais si fatigué que ça ?

— Le matin, j'avais joué au pachinko ; après, j'ai dû tenir compagnie à une entraîneuse et j'ai retrouvé mon gérant, Kunimatsu, à qui je devais parler de choses et d'autres. J'avais travaillé toute la journée.

— De quoi avez-vous discuté, Kunimatsu et toi ? Est-ce que ce n'était pas de la façon de te débarrasser de la victime ? En tout cas, c'est la version de Kunimatsu.

— C'est faux ! Pourquoi aurais-je voulu faire quelque chose d'aussi idiot ? Mon travail concerne seulement une salle de jeux et un bar !

— Ne te fous pas de nous ! hurla soudain Kinugasa d'une voix menaçante. Un voyou comme toi qui se contente d'une salle de jeux et d'un bar ? Avec ton passif ? Un voyou comme toi qui as torturé à mort une femme ! Combien de coups de poignard tu lui as donnés, hein, à cette femme ? Vingt ? Trente ? Tu l'as poignardée en la baisant ! Ça t'a plu hein, Sataké ? Tu l'as massacrée, comme un monstre ! Quand j'ai lu le procès-verbal, j'en ai eu des sueurs froides ! Je ne comprends pas comment on a laissé sortir de taule un salopard comme toi rien qu'au bout de sept ans ! Tu m'expliques ?

Sataké sentit une sueur huileuse suinter par tous les pores de sa peau. Le cauchemar recommençait... On venait de retrouver le passé qu'il avait si soigneusement enfoui. Le visage de la femme agonisante scintilla de nouveau devant lui. Le spectre noir venait de ressusciter et cherchait à s'agripper à son dos avec ses mains glacées.

— Pourquoi transpires-tu, Sataké ?

— Non, ce n'est pas ça.

— Crache-le donc, tu te sentiras mieux !

– C'est complètement faux ! Jamais je n'aurais recommencé à tuer. Je me suis assez repenti.

– Tout le monde dit ça. Quand on tue par plaisir, on récidive.

Tuer par plaisir. L'expression le choqua. Il fixa les petits yeux menaçants de Kinugasa. Ce qu'il avait fait n'avait vraiment rien à voir avec ça. S'il avait éprouvé du plaisir, c'était parce qu'il était parvenu à partager la mort avec elle. À cet instant, il avait même éprouvé de l'amour à son égard. Voilà comment elle était devenue la femme de sa vie et comment elle continuait à l'asservir. Il ne l'aurait jamais tuée par plaisir. Un concept aussi rudimentaire que le plaisir ne pouvait pas expliquer la chose.

– Ça n'a rien à voir, se contenta-t-il de répondre en baissant les yeux.

– C'est ça, obstine-toi ! On ne reculera devant rien pour trouver des preuves contre toi. On te mettra K.-O.

Kinugasa tapota les muscles des épaules de Sataké comme il aurait touché un animal. Sataké se contorsionna pour échapper à ses mains épaisses et calleuses.

– Je vous assure que vous faites fausse route. Je n'ai fait que lui dire de cesser de fréquenter notre établissement. Il s'était entiché de notre entraîneuse vedette et la harcelait. Je lui en ai fait la remarque pour qu'il s'arrête de l'importuner. Je viens seulement d'apprendre ce qui lui est arrivé.

– « Faire la remarque » dans ton vocabulaire, ça a un autre sens, non ?

– Comment ça ?

– Réfléchis donc ! Tu as dû le mettre dans un drôle d'état !

– Vous délirez !

– Je délire ? Tu zigouilles une femme, tu es un maquereau, tu casses la gueule à un client et tu le découpes en morceaux ? ! Qu'est-ce qu'il te faut de plus ? Pour toi, la police, c'est comme si elle n'existait pas. Tu rigoles ou quoi ?

Sataké garda le silence. Kinugasa alluma une autre cigarette.

– À qui as-tu demandé de le découper en morceaux, Sataké ? demanda-t-il en expirant la fumée.

– Pardon ?

– Il y a des Chinois dans ton bar. Leur mafia fait ça pour combien ? C'est selon l'arrivage ? Comme dans un restaurant de sushis ? En cette saison, c'est combien ?

– N'importe quoi ! Jamais l'idée ne m'a traversé l'esprit !

– J'ai lu dans la presse qu'ils demandent cent mille yens pour découper un type en morceaux. Rien qu'avec ton argent de poche, tu peux t'en payer dix.

Ahuri par un tel saut de raisonnement, Sataké eut un rire nerveux.

– Je n'ai pas une telle somme.

– Il paraît que tu roules en Mercedes.

– C'est pour la forme. Je n'aurais jamais sorti une telle somme pour une bêtise pareille.

– Pour ne pas retourner en taule, tu devais être prêt à payer gros une fois ton meurtre commis, non ? La deuxième fois, c'est la peine de mort.

Kinugasa parlait sérieusement. Sataké comprit qu'ils le tenaient. Ils avaient l'intime conviction que c'était lui, l'assassin, et qu'il s'était adressé à d'autres pour se débarrasser du cadavre. Comment aurait-il pu remonter un tel handicap ? Il lui aurait fallu une chance folle. Il revit l'étroite cellule de la prison et cette seule image le fit ruisseler de sueur. Le commissaire, qui avait laissé Kinugasa mener l'interrogatoire, prit alors la parole.

– Sataké, tu n'as jamais pensé à la femme de Yamamoto ? Elle travaille de nuit dans une fabrique de paniers-repas et a des enfants à charge. Tu n'as pas eu pitié d'elle ?

Sataké se rappela avoir vu la femme de la victime par hasard à la télé. Elle était étonnamment belle pour un homme aussi banal.

– Elle a encore deux enfants en bas âge. Toi, tu n'as pas d'enfants, tu ne peux donc pas comprendre. Maintenant ça va être terrible pour elle.

– Je ne vois pas le rapport.

Le commissaire réagit au ton qu'il avait pris.

– Tu ne vois pas le rapport ? Ah bon ?

– Non.

– T'es sûr ?

– Oui, parce que je n'ai aucun lien avec cette histoire. J'en ignore tout.

Kinugasa se passait la langue sur la lèvre inférieure en observant attentivement l'échange laborieux des deux hommes. Sataké, qui trouvait son regard pénible, le fixa à son tour comme pour l'écarter. Une idée commençait à faire son chemin dans sa tête. Et si cette épouse était la criminelle ? Son mari avait soudain disparu et on avait découvert son corps découpé en morceaux. Comment avait-elle pu garder un tel sang-froid ? Sataké fit des efforts pour retrouver la sensation d'étrangeté qu'il avait eue en regardant la télévision ; c'était comme lorsque les dents crissent sur le sable quand on mange des coquillages. Sur le visage de cette femme une expression était gravée, que seul peut comprendre quelqu'un qui est passé par une expérience semblable. C'était probablement le sentiment d'avoir accompli quelque chose.

Yamamoto s'était pris d'une telle passion pour An-na qu'il venait tous les jours au Mika en payant de sa poche. Mais vu les conditions apparentes dans lesquelles vivait son épouse, il ne devait pas rouler sur l'or. Donc, quoi d'étonnant à ce qu'elle lui en ait voulu ? Ç'aurait même été plutôt naturel.

– À quoi penses-tu, Sataké ?

Cédant à la provocation de Kinugasa qui avait adopté un ton railleur, Sataké lui répondit :

– Que diriez-vous de sa femme ? Vous la croyez innocente ?

Kinugasa explosa.

– C'est pas à un voyou comme toi de s'en inquiéter ! L'épouse de la victime a un alibi et ne peut pas avoir de complice. Tu es un suspect mille fois plus sérieux.

Sataké comprit à son ton que Kinugasa avait totalement exclu l'épouse de son enquête. Il avait l'intime conviction que c'était lui le coupable et fonçait droit sur lui. La méprise était totale, mais les circonstances jouaient absolument en sa défaveur. Il grinça les dents de rage.

– Pardonnez ma remarque déplacée, dit-il, mais je n'ai rien à voir avec cette histoire. Je vous le jure.

– Tu déconnes !

– C'est toi qui déconnes !

Sataké s'était penché en avant pour cracher sous la table de la salle d'interrogatoire, mais ses mots n'avaient pas échappé à Kinugasa, qui lui flanqua un coup dans la tempe.

– Te fous pas de moi, Sataké !

Sauf que celui-ci ne se foutait pas des flics. Ils étaient bien capables d'inventer n'importe quel crime s'ils le voulaient. Ils avaient trouvé en lui leur proie idéale. Il était à la fois tremblant de peur et brûlant de colère. Qu'il s'en sorte et il ne pourrait se satisfaire qu'en se vengeant de ses mains sur le véritable assassin. Et pour l'instant, il avait l'œil sur l'épouse.

C'était probablement râpé pour le Mika et le Parco, se dit-il avec le plus profond regret. Il connaissait trop bien les mécanismes de la société. Il avait mis dix ans pour construire tout ça après sa sortie de prison, mais voilà qu'il était mêlé à cette sale affaire. C'était l'été qui sans doute avait eu raison de lui. Il y vit la marque du destin et soupira.

La pièce s'assombrissant soudain, il regarda par la fenêtre : des nuages noirs s'accumulaient dans le ciel, un grand orme abandonnant son feuillage vert à la bourrasque en s'y balançant. Une averse s'annonçait.

Cette nuit-là, à la maison d'arrêt, Sataké avait rêvé de cette femme.

Elle était allongée devant lui et l'implorait avec un visage douloureux. Hôpital… hôpital… disait-elle. Sataké mettait son doigt dans la plaie de son ventre. Il y disparaissait entièrement. Mais la femme semblait ne rien sentir et continuait de remuer les lèvres comme un poisson. Hôpital… hôpital… Il avait du sang jusqu'au poignet. Il essuyait sa main sur la joue de la femme. Ainsi rougi par son sang, son visage prenait une beauté surnaturelle.

– Hôpital… conduis-moi…

– Tu ne t'en sortiras pas… résigne-toi…

Entendant sa réponse, la femme saisissait avec une force terrible la main sanglante de Sataké et l'approchait de son cou, lui signifiant de l'achever au plus vite. Sataké lui caressait les cheveux de sa main ruisselante de sang.

– Pas encore…

Lisant dans les yeux de la femme un profond désespoir, il en avait le cœur serré de pitié et de plaisir. Pas encore. Ne meurs pas encore. On va jouir ensemble. Il l'étreignait entre ses bras et son corps tout entier se couvrait d'un sang poisseux.

Il se réveilla. Il avait le corps en sang, mais… non, ce qu'il avait pris pour du sang, n'était que de la sueur. Il regarda son compagnon de cellule – un spécialiste des chèques en bois. Tout crispé, celui-ci faisait semblant de dormir. Sans se soucier de lui, Sataké se redressa dans le noir. Il était excité d'avoir rêvé de la femme pour la première fois depuis dix ans. Son âme flottait-elle encore dans les parages ? Il fixa un point dans les ténèbres. Il avait envie de la revoir.

CHAPITRE 3

C'était l'hiver, quatre ans auparavant, le jour où An-na avait pris pour la première fois un train japonais.

On était en fin de journée, à l'heure de pointe, et le train était bondé. Par manque d'habitude, An-na avait l'impression de s'y être glissée comme dans un corps étranger. Bousculée sans arrêt par les bagages et les épaules des voyageurs, elle avait fini par être repoussée au milieu du wagon. Elle se fraya un chemin pour attraper une poignée. Elle s'y agrippa et contempla le paysage : prêt à sombrer, un soleil crépusculaire d'hiver se consumait en feux orange. Par contraste, dans l'ombre, gares et immeubles ne se distinguaient plus, se contentant de défiler à toute vitesse devant elle. Reconnaîtrait-elle sa gare de destination ? Pourrait-elle descendre ? Inquiète, elle se retourna plus d'une fois pour regarder la porte.

Elle s'aperçut alors que, tel un brouillard montant du sol un matin d'été après la pluie, les tonalités de Shanghai résonnaient autour d'elle. Il y avait des compatriotes près d'elle. Soulagée, elle regarda les visages qui l'entouraient, puis à force de prêter l'oreille, elle comprit que ce n'était que du japonais.

Le japonais et le dialecte de Shanghai : phonétiquement, les deux langues se ressemblent. Elle en prit conscience et fut aussitôt en proie à la tristesse de se retrouver seule à l'étranger. Que les visages et les sons de la langue soient semblables aux siens ne changeait rien au fait qu'elle était absolument isolée dans un monde où personne ne la connaissait.

Quand elle regarda de nouveau dehors, le soleil était déjà couché et il faisait sombre. La vitre reflétait le visage d'une fille au regard farouche et vêtue d'un manteau démodé. Cette image inattendue d'elle-même suscitant en elle un sentiment de solitude absolue, des larmes jaillirent de ses yeux. Elle avait dix-neuf ans.

Bien sûr, à plusieurs reprises, il lui était déjà arrivé de se sentir tour à tour intimidée par l'opulence de la société japonaise et seule dans la frénésie d'une métropole. Elle avait donc connu des moments d'inquiétude, mais jamais elle n'avait éprouvé un tel sentiment de désolation.

Elle aurait mieux supporté l'épreuve si elle était venue au Japon pour y étudier ou y faire des recherches. Mais An-na n'avait pour but que de gagner sa vie. Et les seules armes dont elle disposait étaient sa jeunesse et sa beauté. Elle s'était laissé convaincre par les arguments de l'intermédiaire; venu recruter des jeunes filles, il leur avait affirmé que les Chinoises pourraient gagner l'argent qui coulait à flot au Japon. Elle était arrivée d'un cœur léger, mais c'était cette légèreté même qui la déprimait car elle était en réalité sérieuse et intelligente. Elle qui, dès son enfance, avait été bonne élève et qui comptait bien aller à l'université cherchait maintenant à soutirer de l'argent facile aux Japonais. N'était-ce pas la déchéance?

Son père était chauffeur de taxi, sa mère marchande de légumes au marché. Chaque soir, avec fierté, ils s'annonçaient leurs gains de leur journée. Astuce et présence d'esprit: telle était la devise d'un marchand de Shanghai. Pouvait-elle donc annoncer à ses parents le «résultat de ses affaires»?

Elle avait l'orgueil secret de sa ville d'origine, Shanghai, la plus grande métropole chinoise, et celui de sa propre beauté, mais elle ne pouvait pas rivaliser avec les jeunes filles de Tôkyô, auxquelles l'opulence de la société japonaise donnait une grande confiance en elles-mêmes. Cette confiance-là, An-na ne l'avait pas encore. C'était injuste. L'énervement, le manque d'assurance et la solitude avaient fait d'elle une provinciale maladroite.

Elle était allée à l'école de langue recommandée par l'intermédiaire qui lui servait de garant. Le soir, elle travaillait dans un club de Yotsuya.

An-na ne ménageait pas ses efforts pour apprendre le japonais. Comme elle avait une excellente oreille ou une bonne intuition, elle avait vite été en mesure de se faire comprendre. Dans le train, il lui suffisait de se concentrer pour distinguer ce dont parlaient les voyageurs. Dans les grands magasins, elle avait vite su choisir le genre de vêtements chics que portaient les Japonaises. Mais cette sensation de solitude qu'elle avait éprouvée dans le train ne la quittait jamais; c'était comme un chat de gouttière qu'on essaye en vain de chasser et qui revient toujours à la maison.

Elle devrait gagner le plus d'argent possible pour rentrer vite à Shanghai. Elle pourrait alors y ouvrir une élégante boutique de mode. Elle deviendrait riche. An-na allait tous les jours à l'école de langue et, le soir, elle se rendait au club. Mais ses efforts n'étaient pas payés de retour et paraissaient même dérisoires. Vivre au Japon était hors de prix et donnait lieu à toutes sortes de dépenses inattendues. An-na en était irritée. Elle n'avait même pas réuni un quart de la somme nécessaire pour ouvrir sa boutique, il était donc hors de question de rentrer dans ces conditions. Mais elle n'avait pas non plus envie de s'éterniser au Japon. Le sentiment d'être dans une impasse menaçait son existence quotidienne, comme une fine fissure sur une tasse. Elle était angoissée à l'idée de la voir se briser.

C'est à cette époque-là qu'elle avait fait la connaissance de Sataké.

Bien qu'il ne bût pas d'alcool, Sataké était généreux et faisait partie de la catégorie des bons clients. An-na l'avait déjà aperçu et avait remarqué que le personnel le traitait avec des égards particuliers, mais comme une entraîneuse aguerrie se chargeait de lui, elle estimait que ce client ne lui était pas destiné. Jusqu'au jour où Sataké l'avait fait appeler.

– Mon nom est An-na. Enchantée, lui avait-elle lancé.

À la différence des autres clients, Sataké n'était ni timide, ni prétentieux. Il avait fermé les yeux comme s'il savourait la voix d'An-na, puis il avait observé ses lèvres, avec lesquelles elle prononçait le japonais, comme un professeur de langue. Elle s'était sentie aussi nerveuse qu'une élève soudain interrogée.

– Vous voulez du whisky à l'eau?

Tout en noyant un Scotch, elle avait regardé son visage à la dérobée. Il devait approcher la quarantaine. Il avait la peau mate et les cheveux courts, de petits yeux plutôt relevés et des lèvres pleines. Sans être bel homme, il avait dans les traits une douceur qui lui donnait un certain charme. Mais sa façon de s'habiller était trop voyante. Il portait un complet veston noir, probablement de marque mais qui n'allait pas à son corps trapu. Cravate bigarrée, Rolex en or et briquet Cartier, en or également. Contrastant avec cette tenue qui manquait de classe, son regard était grave.

Ses yeux étaient comme un marais, s'était-elle dit. Elle s'était rappelé la photo d'une montagne qu'elle avait vue dans un magazine. À son sommet se cachait un marais noir aux eaux troubles et glacées; dans ses profondeurs, où proliféraient des herbes, grouillaient des bestioles indescriptibles. Personne n'osait s'y baigner ni naviguer en barque. La nuit, les eaux, noires comme un trou béant dans la terre, aspiraient la lumière des étoiles. Sataké s'habillait-il avec éclat pour détourner les regards de son propre marais?

An-na avait regardé ses mains. Il ne portait aucun bijou et n'avait pas l'air d'un travailleur manuel. C'étaient de belles mains, bien proportionnées pour un homme. An-na n'avait aucune idée du métier qu'il pouvait exercer. Ce ne pouvait être une profession respectable. Était-ce un de ces yakuzas dont elle avait entendu parler? Elle avait éprouvé un mélange de peur et de curiosité.

– Tu t'appelles donc An-na? lui avait-il dit.

Puis, la cigarette aux lèvres, il avait longtemps scruté son visage. Le vent ne semblait pas souffler sur son marais. À la contempler, ni admiration ni déception ne s'étaient lues dans ses yeux. Mais sa voix, basse et douce, était agréable aux oreilles. Elle avait voulu la réentendre.

Elle avait remarqué sa cigarette et, comme on le lui avait

enseigné au club, elle avait pris son briquet pour l'allumer. Il avait dû se dire qu'elle n'était pas assez attentive. Elle s'était tellement empressée que le briquet avait failli lui tomber de la main. Sataké s'était radouci.

– Pas besoin de te presser, lui avait-il dit.

– Excusez-moi.

– Tu as vingt ans, non ?

– Oui.

Elle venait de fêter son vingtième anniversaire au Japon, juste un mois auparavant.

– Tu as choisi toi-même la robe que tu portes ?

– Non, avait-elle répondu en agitant la tête.

Elle portait une robe rouge, bon marché, qu'une collègue, qui habitait dans son immeuble, lui avait donnée.

– On me l'a donnée.

– Ça se voit. Elle n'est pas à ta taille.

An-na ne pouvait pas encore lui dire : «Eh bien, achète-m'en une autre», et s'était contentée d'esquisser un sourire gêné. Elle était loin d'imaginer que dans sa tête Sataké s'amusait déjà à l'habiller de diverses robes comme une poupée avec des vêtements de papier.

– Je ne sais pas ce que je dois porter.

– N'importe quel vêtement t'irait.

Il y avait bien des clients infantiles qui parlaient aussi vite qu'ils pensaient, mais, toute jeune qu'elle était, An-na avait compris que Sataké n'était pas de ceux-là. Après un moment de silence, il avait écrasé sa cigarette et lui avait demandé :

– Tu me regardais tout à l'heure. À ton avis, qu'est-ce que je fais ?

– Employé de bureau ?

– Non, avait-il protesté gravement.

– Yakuza ?

Sataké avait commencé par sourire en découvrant ses grandes dents.

– Je suis du milieu, mais je ne suis pas un yakuza. Je suis maquereau.

– Maquereau ? Qu'est-ce que c'est « maquereau » ?

Sataké avait sorti de sa poche intérieure un stylo à bille cher et écrit sur sa serviette en papier le mot « maquereau » en petites lettres. An-na avait froncé les sourcils en lisant.

– C'est un marchand qui vend des femmes.

– À qui vous les vendez ?

– Aux hommes qui en veulent.

S'agissait-il de faciliter la prostitution ? La réponse de Sataké était si directe qu'An-na en était restée muette de stupéfaction. En regardant les doigts d'An-na qui tenait la serviette, il lui avait alors demandé :

– Tu aimes les hommes, An-na ?

Elle avait penché la tête d'un air perplexe.

– Je n'aime que les hommes chics.

– Qui sont les hommes chics pour toi ?

– Tony Leung. C'est un acteur de Hongkong.

– Si ce type veut de toi, je peux te vendre ?

Elle avait réfléchi.

– Oui. Mais ça n'arrivera jamais. Je ne suis pas si belle que ça.

– Oh que si ! avait-il protesté aussitôt. De toutes les femmes que j'ai rencontrées, tu es la plus belle !

– C'est un mensonge ! avait-elle répondu en riant.

Elle ne pouvait absolument pas y croire. Car même dans un aussi petit établissement, elle n'était pas parmi les dix meilleures entraîneuses.

– C'est un mensonge ! avait-elle répété.

– Moi, je ne mens jamais !

– Mais…

– Tu n'es pas assez sûre de toi. Viens travailler chez moi et tu te trouveras très belle et très chic.

– Mais vous faites de la prostitution, non ? lui avait-elle dit en crispant les lèvres.

– Non, je plaisantais. J'ai un club.

Encore un club, s'était-elle dit. À quoi bon ? Elle avait baissé la tête. Tout en guettant la réaction d'An-na, Sataké avait frôlé plusieurs fois de ses doigts aux proportions élégantes les gouttes de condensation qui s'étaient formées sur le verre de whisky, dont les glaçons commençaient à fondre. Des endroits qu'il avait touchés, les gouttes tombèrent en tachant le dessous de verre. Le niveau de whisky ne baissant pas dans le verre, An-na s'était demandé s'il n'était pas posé là uniquement pour permettre à Sataké de faire ce geste.

– Tu n'aimes pas ce métier?

– Ce n'est pas ça, avait-elle répondu avec réticence.

Puis elle avait regardé d'un air craintif la patronne qui régnait sur le club. Sataké avait suivi son regard.

– Tu ne sais pas ce que tu veux faire. Mais tu es venue gagner de l'argent, non? Alors il faut en gagner. Tu laisses en sommeil un grand talent.

– Talent?

– Oui. La beauté est un talent. C'est la même chose que pour les écrivains et les peintres. C'est un don du ciel qui n'est pas donné à tout le monde. Les écrivains et les peintres redoublent d'efforts. Alors, toi aussi, tu dois exploiter ton talent. C'est en cela que consiste ton travail, An-na. Tu es une artiste de la féminité. C'est comme ça que je vois les choses. Mais ici tu ne peux que glander, An-na.

En entendant ces propos, elle s'était laissée enivrer par sa voix douce, mais elle avait relevé la tête avec détermination. C'était avec ce genre de paroles mielleuses qu'il avait l'intention de la détourner dans son établissement. On l'avait fermement mise en garde contre ce genre de tentatives. Voyant l'inquiétude d'An-na, il lui avait dit avec un grand soupir :

– C'est du gâchis.

– Mais je n'ai pas de talent!

– Si. Seulement, tu ne veux pas prendre ta vie en main.

– J'aimerais bien.

– Quand on prend sa vie en main, il y a quelque chose qui devient visible.

– Quoi?

– Son propre destin.

278

– Pourquoi?

– Il y a quelque chose qui vous résiste. C'est ça, le destin, avait-il répondu avec sérieux.

Puis il lui avait tendu un billet de dix mille yens plié proprement en guise de pourboire. Elle avait alors cru apercevoir une ombre dans le «marais» de ses yeux. Elle avait saisi le billet et s'était empressée de fermer les siens. Elle avait le sentiment d'avoir vu quelque chose qu'elle ne devait pas y voir.

– Merci.

– Salut.

Dès cet instant, Sataké avait paru avoir perdu tout intérêt à son égard. Il avait regardé autour de lui et fait signe au manager d'appeler une autre entraîneuse. Ainsi abandonnée, An-na avait été, à sa grande déception, chargée d'un autre client. Sataké avait dû être agacé qu'elle ne lui donne pas une réponse positive.

An-na avait été profondément bouleversée en l'entendant dire qu'elle serait plus belle en venant travailler chez lui. S'il disait la vérité, elle aurait bien aimé voir son destin. Avait-elle laissé passer sa chance de changer de vie?

Prise de remords, elle était rentrée chez elle, avait ressorti le billet qu'il lui avait donné et y avait découvert le nom Mika et un numéro de téléphone.

Dès qu'elle s'était mise à travailler dans son établissement, Sataké lui avait beaucoup appris.

Elle avait ainsi intérêt à faire semblant de ne pas maîtriser le japonais devant les clients: au Japon, les hommes préféraient les femmes timides et taciturnes. En revanche, elle devrait communiquer avec eux en écrivant des caractères chinois. Ils loueraient ainsi son talent de calligraphe et apprécieraient en elle une femme intelligente, mais réservée. Elle devrait aussi leur raconter qu'elle suivait des cours et que ce travail d'entraîneuse n'était qu'un moyen de subsistance. Elle devrait affirmer en toutes circonstances qu'elle poursuivait ses études. Peu importe si on flairait le mensonge: se croyant financièrement supérieur, on serait plus généreux et ne l'en chérirait que plus. Il ne fallait surtout pas oublier de laisser entendre qu'elle était d'une bonne famille de Shanghai. Cela les rassurerait davantage encore. Sataké ne lâchait plus An-na, désireux de tout lui apprendre, du maquillage qui plairait aux hommes au choix de ses vêtements.

Car elle était au Japon. Il n'y avait aucun point commun avec Shanghai où les hommes acceptent de voir les femmes s'affirmer et revendiquer le mariage sur un pied d'égalité. An-na le savait, mais ne se sentait pas sûre d'elle. À partir du moment où elle avait compris que tout ce que Sataké lui apprenait n'était que techniques du métier, elle avait été prompte à se l'approprier. Elle n'avait pas à devenir ce genre de femme, mais devait jouer ce rôle en tant que professionnelle et s'atteler au travail. Il n'y avait là rien dont ses parents auraient pu rougir. D'ailleurs, elle possédait réellement le talent dont lui parlait Sataké. Plus elle assumait sa tâche, plus elle prenait l'aspect d'une belle femme énigmatique. Sataké avait parfaitement vu les choses.

En peu de temps, elle était devenue l'hôtesse vedette du Mika. Plus elle avait de succès, plus elle gagnait en confiance. Maintenant sûre d'elle, elle était bien décidée à vivre dans ce milieu. Elle avait réussi à se débarrasser du chat de gouttière à jamais.

Elle avait alors commencé à appeler Sataké «grand frère». Sataké, en retour, ne lui cachait pas qu'elle était sa préférée. Elle avait fini par croire que, s'il ne lui présentait pas de client, comme il le faisait avec les autres hôtesses, c'était qu'il était amoureux d'elle. Il avait dû le deviner, car il avait fini par l'appeler au téléphone pour lui en présenter un.

– J'ai trouvé un homme idéal pour toi, lui avait-il dit un jour.
– Comment il est?
– Riche et gentil, c'est ce qu'il te faut, non?

Bien entendu, ce n'était pas Tony Leung. Il n'était ni beau ni jeune. Mais il roulait sur l'or. À chaque rencontre, il lui donnait un million de yens. Dix fois un million, ça faisait dix millions. C'était suffisant pour un an. En entretenant cette relation, elle pourrait même espérer devenir milliardaire. Quand le montant de ses économies avait dépassé ses objectifs, elle avait oublié Tony Leung.

Mais l'homme qui avait remplacé le bel acteur dans son cœur était Sataké lui-même. Elle voulait plonger dans le marécage pour voir la créature qui se tapissait dans ses profondeurs. Ou plutôt, elle voulait l'attraper de ses propres mains. Comme une vraie chasseuse, cette idée l'excitait. Quand elle avait vu Sataké pour la première fois, il lui avait dit : « Il y a quelque chose qui vous résiste ; c'est ça, le destin », et elle avait entrevu précisément quelque chose dans le marais de Sataké. Qu'est-ce que cela pouvait bien être ? Peut-être pourrait-elle le saisir, car, pour lui, elle était un être spécial.

Mais quand elle avait voulu le connaître mieux, elle s'était aperçue qu'elle ne savait rien de lui. Sataké lui-même dissimulait jalousement sa vie.

Il ne montrait son appartement à personne. Une fois Chen, le manager, avait cru apercevoir Sataké devant une vieille résidence à deux étages de Shinjuku-Ouest. Loin de porter des vêtements de marque, il était habillé le plus banalement du monde. En pantalon qui godait aux genoux et pull aux coudes troués, il était en train de sortir la poubelle. Difficile d'imaginer en le voyant quelqu'un d'autre qu'un employé de bureau épuisé par son travail. Il grimaçait devant les déchets dispersés et s'était mis à les regrouper. Ses gestes étaient alors exactement ceux du propriétaire du Mika. Chen en avait été à la fois surpris et terrifié.

– Au club, le patron s'habille de façon voyante et il a du charme. Il inspire confiance, même quand il ne dit rien. Mais si l'homme que j'ai aperçu m'a présenté le vrai visage du patron, il y a un trop grand décalage. Je me suis demandé s'il ne jouait pas intégralement son personnage. Mais quel besoin peut-il avoir de jouer ? Pourquoi ne peut-il pas se montrer sous son vrai jour ? Pourquoi ne nous fait-il pas confiance ? On ne peut pas vivre en se méfiant de tout le monde : autant dire qu'on ne se fait pas confiance à soi-même.

Sataké était insaisissable et énigmatique. Les employés du

Mika trouvaient le récit de Chen inquiétant, mais en même temps étaient fascinés par l'obsession avec laquelle Sataké se dissimulait. Pourquoi? Qui était-il? Chacun avait son opinion.

An-na ne pouvait pas suivre Chen lorsqu'il prétendait que Sataké ne se faisait pas confiance à lui-même. En bonne amoureuse, elle était jalouse. Il devait en aimer une autre. Et, avec celle-là, il n'avait pas à se dissimuler.

– Grand frère, tu vis avec une femme? se résolut-elle à lui demander un jour.

Il la regarda avec stupeur et resta hébété un instant. S'imaginant qu'elle avait vu juste, elle insista:

– Qui est-ce?

– Tu n'y es pas du tout, dit-il en esquissant un sourire.

Toute lumière avait alors disparu du marécage de son regard, comme s'il avait éteint les lumières de son club.

– Je n'ai jamais vécu avec une femme, reprit-il.

– Tu n'aimes pas les femmes?

An-na avait été rassurée qu'il n'y eût pas d'autres femmes dans la vie de Sataké, mais elle craignait maintenant qu'il ne soit homosexuel.

– Bien sûr que je les aime. Surtout les belles filles comme toi. Pour moi, c'est un cadeau vraiment inestimable.

Il avait pris les doigts effilés d'An-na, les avait posés sur la paume de sa main gauche et caressés de la main droite. Elle avait eu l'impression qu'il réglait un instrument. Elle sentait que, pour lui, «aimer» ne signifiait rien d'autre que faire d'une femme un objet d'adoration.

– Un cadeau de qui?

– Un cadeau de Dieu aux hommes.

– Et aux femmes, il n'a pas fait de cadeau?

Elle lui tendait la perche, mais il n'avait pas compris l'allusion.

– Je ne sais pas. Peut-être quelqu'un comme Tony Leung, non?

– Je ne pense pas, avait-elle répondu, perplexe.

Les femmes veulent toujours atteindre à l'âme des hommes.

Elles ne peuvent se satisfaire d'une apparence physique et il n'y a qu'une seule âme qui les intéresse : celle qui est en correspondance avec la leur. Mais pour Sataké une «jolie fille» n'était pas l'enveloppe d'une âme : tout au plus un objet à chérir. Il n'avait pas besoin de l'âme d'une femme. N'importe quelle jolie fille pouvait faire l'affaire. Pour An-na, au contraire, Sataké était irremplaçable. Et c'était ce qui la faisait enrager.

– Alors, pour toi, grand frère, il suffit qu'une fille soit jolie et mignonne ?

– Oui. Un homme ne cherche pas plus loin.

Elle s'était tue. Elle avait deviné que quelque chose était brisé en lui. Peut-être, par le passé, une femme l'avait-elle fait souffrir. Une compassion puérile avait jailli en elle : non sans plaisir, elle s'était dit qu'elle pourrait le guérir.

Mais le jour où ils allèrent à la piscine, ces illusions s'effondrèrent.

Au début, elle avait été contente que, comme toujours, Sataké cède à ses caprices en l'accompagnant. Mais elle avait été déçue par sa réaction quand le jeune homme lui avait fait des avances. Il avait presque paru s'en réjouir, comme un oncle compréhensif. Elle avait dû constater avec rage qu'il n'avait aucune idée des sentiments amoureux qu'elle éprouvait pour lui. C'était donc comme pour se venger qu'elle avait invité chez elle ce jeune homme qu'elle venait de rencontrer. Un sentiment de révolte était en train de naître en elle. Mais Sataké ne la voyait toujours pas comme une amoureuse.

«Tu as le droit de t'amuser avec des mecs, lui avait-il dit. Mais n'oublie pas ton boulot. Il ne faut pas que ça s'éternise.»

Elle ne pourrait jamais oublier ces propos. Il ne voyait en elle qu'un jouet en vente au Mika, qu'un bibelot pour les hommes. S'il la chérissait particulièrement, c'est qu'elle était une poupée mécanique parfaitement agencée pour jouer à son gré.

Ce soir-là, An-na ne pouvait pas dormir. Elle savait que la fissure qui avait disparu de la tasse y était revenue. Mais le lendemain un plus grand choc l'attendait.

– Écoute An-na, lui dit Chen au téléphone, le patron a été embarqué à cause du baccara. Tu ne le sais sans doute pas puisque tu étais absente hier.

– Qu'est-ce que ça veut dire « embarqué » ?

– Il a été arrêté par la police. Avec Kunimatsu et les autres employés. Aujourd'hui, exceptionnellement, on ferme. Si jamais la police vient t'interroger, tu fais semblant de ne rien savoir.

Là-dessus il avait raccroché.

An-na avait eu l'intention d'interroger Sataké, dès qu'elle le reverrait, sur ses sentiments à son égard et était prête à démissionner si jamais la réponse n'était pas celle qu'elle espérait. Mais maintenant elle se retrouvait désemparée. Elle se rendit, dès le matin, à la piscine municipale pour bronzer à fond.

Le soir venu, en examinant sa peau rougie comme si elle avait brûlé, elle se rappela la journée de la veille, où elle était allée à la piscine avec lui. N'était-elle pas un peu dure en décidant qu'il la considérait réellement comme une marchandise ? Peut-être la différence d'âge le faisait-elle hésiter ? Pour preuve, il ne ménageait jamais son temps pour se montrer affectueux avec elle. Ne bénéficiait-elle pas d'un véritable traitement de faveur ? Comment pouvait-elle être assez ingrate pour ne pas lui faire confiance ? Sa bonne nature refaisant surface, elle se sentit vraiment désolée pour lui. Soudain, il lui manquait.

Le lendemain, les employés du Parco furent relâchés. On croyait que Sataké serait lui aussi libéré rapidement, mais lui seul ne revint pas. Les établissements restèrent fermés plus d'une semaine. Quand Lihua, la patronne, lui rendit visite en prison, Sataké lui demanda d'avancer tout de suite la fermeture d'été.

An-na allait tous les jours à la piscine. Sa peau, sous le soleil, devint dorée comme les blés, ce qui augmenta encore sa beauté. Les hommes se retournaient sur son passage. À la piscine, beaucoup de nageurs lui adressaient la parole. Elle affichait maintenant un autre type de beauté et regrettait l'absence de Sataké, certaine qu'il en aurait été ravi.

Un soir, Lihua vint chez elle.

– An-na, j'ai quelque chose à te dire, lança-t-elle.

– Qu'est-ce qu'il y a?

– C'est à propos de M. Sataké. Il va sans doute rester long-temps à l'ombre.

Lihua s'adressait à elle en mandarin. Taïwanaise, elle ne parlait pas le dialecte de Shanghai.

– Pourquoi?

– Eh bien, il n'a pas été arrêté seulement pour les jeux. On m'a interrogée moi aussi, mais il est impliqué dans une affaire de cadavre découpé en morceaux.

– Quoi?!

An-na repoussa le caniche qui s'était agrippé à elle. Lihua alluma une cigarette et scruta le visage d'An-na.

– Tu ne savais pas? On a découvert un cadavre découpé en morceaux, il y a trois semaines. La victime était ce client qui s'appelait Yamamoto.

– Yamamoto? répéta An-na, stupéfaite. Le type qui se collait à moi?

– Ça paraît incroyable.

Yamamoto faisait toujours appeler An-na et ne la lâchait plus. S'il était assis devant elle, il lui prenait la main. Quand il s'était enivré, il lui arrivait de la plaquer contre le sofa. Ce qui faisait peur à An-na, c'était moins son insistance qu'une solitude qui ne trompait pas. Quand les hommes voulaient s'amuser avec elle, elle pouvait être de la partie, mais jamais elle ne se serait occupée d'un homme rongé par la solitude. Quand il avait disparu du circuit, elle s'était simplement sentie soulagée et avait oublié jusqu'à son existence.

– La police ne va pas tarder à venir t'interroger, reprit Lihua. Tu ferais bien de déménager avant.

Elle regardait l'appartement luxueux d'An-na comme pour en évaluer le prix.

– Pourquoi?

– Elle croit que M. Sataké a tué Yamamoto parce qu'il ne te lâchait pas. Et qu'il a chargé la mafia chinoise de le découper en morceaux.

– Grand frère n'aurait jamais fait ça !

– Mais il l'a roué de coups au Parco.

– Ça, je le savais… mais rien de plus.

– Mais, tu sais, reprit Lihua à voix basse, M. Sataké a déjà tué une femme.

An-na retint son souffle. Elle avait la gorge si sèche qu'elle ne pouvait plus déglutir.

– Et avec ça, continua Lihua, il ne l'a pas tuée normalement. J'ai été stupéfaite de l'apprendre, moi aussi. Si les filles du club le savaient, elles auraient toutes la trouille et démissionneraient.

– Comment il l'a tuée ?

An-na avait l'impression que du fond de son marécage, Sataké émettait des lueurs étranges.

– C'était il y a longtemps, quand il servait de garde du corps à un yakuza. C'était, paraît-il, un yakuza connu dans ce quartier, mais il est mort. Il se faisait de l'argent avec les stupéfiants et la prostitution. Et M. Sataké était chargé de recouvrer les dettes et de ramener les filles qui cherchaient à s'enfuir. Un jour, des filles de l'établissement sont parties en masse. Une femme rusée les avait présentées en cachette à un concurrent. Alors, M. Sataké a mis la main sur cette femme, l'a séquestrée et torturée à mort.

– Torturée à mort ?

An-na ne pouvait empêcher sa voix de trembler. Elle se souvint du voyage qu'elle avait fait dans son enfance, en famille, de Shanghai à Nankin. Elle avait vu des figurines horribles au Musée de la Guerre. Le marais de Sataké. C'était donc ce passé atroce qui grouillait dans ses bas-fonds.

– Ç'a été horrible, dit Lihua en fronçant ses sourcils qui formaient des arcs parfaits. Bestial. Il l'a déshabillée, lui a asséné des coups et l'a violée. Puis, pour la réveiller quand elle s'est évanouie, il l'a transpercée de coups de couteau et l'a violée de nouveau, alors qu'elle baignait dans le sang. Il paraît que le cadavre de la femme était dans un état horrible, couvert de bleus, et que sa bouche n'avait plus de dents. Même que le yakuza en a été horrifié et a pris des distances avec M. Sataké.

An-na poussa un cri déchirant. Lihua avait disparu et seul le caniche continuait à remuer la queue à côté d'elle d'un air perplexe.

– Mon petit Jewel, dit-elle.

Le caniche aboya joyeusement en répondant à la voix suppliante d'An-na. Elle se souvint du moment où elle l'avait acheté. Elle voulait avoir quelque chose qu'elle chérirait du fond de son cœur. Elle avait choisi le plus joli animal. C'était la même chose, au fond. Elle se rendit compte que les hommes pouvaient désirer une femme, comme elle désirait un chien. Pour Sataké, elle n'avait pas plus d'importance que ce caniche pour elle. Il l'avait adorée exactement comme elle adorait Jewel. Elle ne pourrait jamais pénétrer dans le marais de Sataké. Elle se mit à pleurer.

CHAPITRE 4

Quatre jours après que les journaux eurent abondamment parlé de l'affaire, la police se présenta chez Masako. Celle-ci avait été déjà interrogée succinctement à la fabrique et savait que les inspecteurs passeraient chez elle. Après tout, elle était l'amie la plus proche de Yayoi à la fabrique. Mais elle avait la conviction que personne ne devinerait que le corps de Kenji avait été découpé dans sa salle de bains. Elle-même ignorait pourquoi elle avait aidé Yayoi. À plus forte raison, les autres auraient-ils le plus grand mal à lui trouver un quelconque mobile.

– Je suis désolé de vous importuner, dit le jeune Imai, l'un des deux inspecteurs venus à la fabrique. Ce ne sera pas long.

Sans doute au courant de l'emploi du temps de Masako, il s'excusa d'abord de la déranger dans la matinée. Elle regarda sa montre. Il était neuf heures.

– Ne vous inquiétez pas, répondit-elle. Je me couche plus tard.

– Merci. Mais vous menez une vie bien irrégulière. Ça n'a pas de conséquences sur votre famille ?

Pour répondre à la franchise de Masako, Imai en était venu directement au cœur de l'affaire. Elle se dit qu'il ne fallait pas le prendre à la légère malgré sa jeunesse.

– Ils y sont déjà habitués, répondit-elle.

– Peut-être, mais la mère est le pilier de la famille. Votre mari et votre fils ne sont pas inquiets la nuit sans vous ?

– Je n'en sais rien.

Était-elle le pilier de cette famille ? Masako afficha un sourire amer en laissant entrer Imai dans la salle de séjour.

– Ils le sont certainement, dit Imai avec sérieux. Les hommes sont comme ça. Dès qu'une femme passe la nuit dehors, ils sont inquiets.

Masako se mit à la table et, sans même lui servir de thé, s'installa en face de lui. Pour son âge, l'inspecteur avait des idées conservatrices, se dit-elle. Vêtu d'un polo blanc, il portait sa veste beige à la main ; indifférent à la réaction de Masako, il la posa lentement sur la chaise.

– Madame Katori, aviez-vous discuté avec votre mari avant de commencer ce travail de nuit ?

– Non, pas spécialement, mais il s'inquiétait que le travail soit dur.

C'était un mensonge. Yoshiki n'avait rien objecté au choix de Masako et Nobuki était déjà entré dans sa phase de mutisme.

– Ah bon, dit Imai peu convaincu en ouvrant son carnet d'un air dubitatif. Vous avez la même situation familiale que Mme Yamamoto ; mais pour tout dire, je trouve curieux qu'un mari qui a un emploi respectable ne s'oppose pas à ce que sa femme travaille la nuit.

Masako leva sa tête tant sa remarque l'étonnait.

– Pourquoi ?

– Parce que, d'abord, vous avez des emplois du temps opposés. Les membres de la famille se croisent et il n'y a plus de communication possible. Puis, les maris peuvent se demander ce que leurs femmes font en réalité pendant la nuit. De ce point de vue, le travail de jour me paraît bien préférable.

Masako retint son souffle. Elle comprit qu'Imai soupçonnait Yayoi d'avoir une liaison extra-conjugale. L'imagination d'un inspecteur devait toujours s'orienter de ce côté-là.

– Laissons mon cas de côté. Yayoi avait été licenciée de son travail de jour sous le prétexte qu'elle avait des enfants. Elle disait ne pas avoir d'autre alternative que ce travail de nuit.

– Je sais. Mais le travail de nuit présente-t-il de tels avantages pour qu'on le préfère ?

– Non je ne crois pas, répondit-elle fermement.

Elle commençait à trouver son insistance déplacée, mais essayait de n'en rien laisser paraître.

– S'il y en a un, continua-t-elle, c'est simplement que le salaire est supérieur de vingt-cinq pour cent.

– C'est tout?

– Vous dites ça, mais si pour un même travail monotone, on a trois heures en moins de travail et le même salaire, il est certain que c'est préférable. Si le temps vous le permet, bien sûr.

– Bon, dit-il sans plus de conviction.

– Vous ne comprenez pas parce que vous n'avez jamais travaillé à temps partiel.

– Un homme n'a guère de chance de le faire, répliqua-t-il avec le plus grand sérieux.

– Si vous y aviez été forcé, vous trouveriez naturel qu'on préfère un meilleur salaire pour moins de travail.

– Même si le jour et la nuit sont intervertis?

– Oui.

– Vous trouvez? Mais pourquoi Mme Yamamoto travaillait-elle avec tant d'ardeur?

– Pour gagner sa vie, je suppose.

– Le salaire de son mari ne suffisait-il pas?

– Je ne sais pas très bien, mais il me semble que non.

– N'était-ce pas parce que son mari filait un mauvais coton? Elle aurait alors travaillé non pas pour l'argent, mais pour déplaire à son mari… ou pour ne pas voir sa tête?

– Je n'en sais rien, répondit-elle sèchement. Elle ne m'a rien dit de tel et, de toute façon, elle ne pouvait pas se permettre un tel luxe.

– Luxe?

– Oui, le simple plaisir de déplaire à quelqu'un. Elle mettait toute son énergie à élever ses enfants et à travailler.

Imai acquiesça.

– Je crois que je suis allé trop loin, dit-il. Excusez-moi. Mais simplement il semble que M. Yamamoto ait dépensé toutes leurs économies.

Masako fit semblant d'être surprise, comme si elle l'apprenait.

– C'est vrai? Mais pourquoi?

290

– L'enquête a révélé qu'il fréquentait un club et jouait au baccara. Puisque vous êtes la plus proche de Mme Yamamoto à la fabrique, je vous pose la question directement : est-ce que M. et Mme Yamamoto s'entendaient bien ?

– Je ne sais pas. C'est-à-dire… elle ne m'en a jamais parlé.

– Mais les femmes ne se confient-elles pas souvent entre elles ? demanda-t-il en la regardant dans les yeux d'un air soupçonneux.

– Ça dépend des femmes. Elle n'est pas de ce genre-là.

– D'accord. Vous dites que c'est une épouse irréprochable. Mais ses voisins témoignent qu'ils entendaient souvent des disputes entre le mari et la femme.

– Je l'ignorais.

Peut-être cet inspecteur savait-il que ce soir-là Masako était allée chez Yayoi en voiture ? Prise d'une soudaine inquiétude, elle regarda Imai dans les yeux. Il la scruta à son tour.

– On raconte que M. Yamamoto se laissait aller ces derniers temps et qu'il ne s'entendait pas bien avec sa femme. Ça m'a été raconté par ses collègues. Il s'était confié à eux. Comme il se disputait tout de suite avec elle, il ne pouvait plus rentrer avant qu'elle parte travailler. Mme Yamamoto prétend, elle, qu'il n'y avait rien de tel et qu'il n'avait traîné que ce jour-là. C'est étrange. Pourquoi a-t-elle besoin de mentir ainsi ? Elle ne vous en a pas parlé ?

– Non, absolument jamais, dit Masako en secouant la tête avant de contre-attaquer. Et donc, vous soupçonnez Yayoi ?

Imai nia aussitôt.

– Pas du tout. Moi, à sa place, je pense que je serais fou furieux. S'épuiser au travail toutes les nuits pendant que son mari dépense toutes leurs économies dans les bras d'une entraîneuse, perd tous les soirs au baccara et rentre ivre mort ! C'est comme de peiner à tirer l'eau d'un puits que l'autre gaspille sans scrupule ! Elle devait avoir un sacré sentiment d'impuissance, comme si elle s'échinait à faire des gestes totalement inutiles. Ce doit être quelque chose de vraiment dur. N'importe quel autre mari aurait préféré savoir sa femme au foyer plutôt que de la voir travailler la nuit, mais M. Yamamoto, lui, semblait apprécier cette situation. C'est pour ça qu'ils s'entendaient aussi mal.

– Ah bon ? Je ne savais pas du tout.

Elle avait beau faire l'innocente, elle trouvait ironique de découvrir qu'Imai avait percé la vérité.

– Au fond, reprit-il, Mme Yamamoto est quelqu'un de résistant.

– C'est bien mon avis.

Il leva les yeux de son carnet.

– Madame Katori, dans un tel cas, est-ce qu'une femme ne cherche pas à avoir un amant ?

– Ça dépend des personnes. Ce n'est pas du tout le genre de Yayoi !

– À la fabrique, il n'y avait aucun homme dont elle était plus proche ?

– Non, aucun, dit-elle sèchement. Pas à ma connaissance.

C'était donc là qu'il voulait en venir.

– Et ailleurs ?

– Je ne sais pas.

Imai hésita avant de lui montrer son carnet.

– Ce soir-là, il y avait cinq employés absents. Et parmi eux, y en a-t-il qui soient un peu liés à Mme Yamamoto ?

Elle lut sur la dernière ligne le nom de Kazuo Miyamori et son cœur battit plus fort. Mais elle nia tout net.

– Non. C'est une femme sérieuse.

– Ah oui ?

– Mais au fond... Vous pensez que Yayoi avait un amant et que c'est lui qui a assassiné son mari ?

– Non, pas du tout, protesta Imai avec un sourire gêné. Ce serait aller trop loin.

Mais de toute évidence, c'était dans ce sens-là que s'orientait son imagination. Yayoi avait un complice et ce complice était un homme. Il l'avait aidée à commettre le meurtre et à faire disparaître le corps.

– Yayoi est une bonne épouse et une bonne mère. Il m'est impossible de la qualifier autrement.

Masako pensait dire l'exacte vérité. Pour elle, Yayoi était la femme mariée modèle. C'est pour ça qu'en apprenant la trahison de Kenji elle avait pu le tuer comme un démon. Si un amant l'avait rendue heureuse, elle n'en serait pas venue à cette extrémité. Le raisonnement d'Imai suivait un cours absolument contraire.

– C'est bien possible.

Il continuait à regarder son carnet, comme à regret, ne parvenant pas à renoncer à ses soupçons. Masako se leva pour prendre dans le réfrigérateur une infusion glacée et se servit. Elle en proposa à Imai qui accepta et la but d'une traite. Sa pomme d'Adam remua tandis qu'il déglutit. Elle pensa à celle de Nobuki et à celle du cadavre. Elle l'observa un moment, puis détourna lentement le regard.

– Je vous demande ça par acquit de conscience, dit Imai en posant son verre et en toussotant, les yeux tournés vers elle. Que faisiez-vous dans la nuit de mardi dernier et plus exactement, entre l'aube et le milieu de la journée de mercredi?

– Comme toujours, je suis allée à la fabrique. J'ai vu Yayoi et j'ai fait mon travail habituel, je suis rentrée à la même heure que les autres fois.

– Mais vous êtes arrivée au travail plus tard que d'habitude? demanda-t-il d'un air naturel, en sortant son carnet.

En effet, ce soir-là, elle était arrivée de justesse à la fabrique. Elle n'imaginait pas qu'il ait poussé son enquête jusque-là. Prise au dépourvu, elle se sentit déstabilisée, mais acquiesça sans se trahir.

– Cela se peut. La circulation m'a retardée.

– Vous vous rendez à Musashi-Murayama en voiture, n'est-ce pas? Vous prenez la Corolla qui est garée là-bas? demanda-t-il en pointant l'entrée avec son stylo.

– Oui, c'est ça.

– Vous êtes la seule à vous en servir?

– Oui.

Elle avait pris soin de nettoyer le coffre, mais la police scientifique risquait bien de trouver des indices. Elle alluma une cigarette pour dissimuler son inquiétude. Heureusement ses mains ne tremblaient pas.

– Après le travail, qu'avez-vous fait ce jour-là ?

– Eh bien, je suis rentrée avant six heures, j'ai préparé le petit déjeuner et j'ai mangé avec mon mari et mon fils. Après leur départ, j'ai fait la lessive et le ménage. Je me suis couchée à neuf heures passées. Rien de particulier.

– Pendant tout ce temps, vous n'avez pas parlé avec Mme Yamamoto ?

– Non, à part à la fabrique.

Soudain, une voix inattendue se fit entendre dans le séjour.

– Ce soir-là, tu as bien reçu un coup de téléphone de Mme Yamamoto, non ?

Elle se retourna surprise : Nobuki se trouvait à l'entrée du séjour. Elle fut stupéfaite de l'entendre parler. Ce matin-là, il ne s'était pas levé et elle avait complètement oublié qu'il était resté à la maison.

– Qui est-ce ? demanda Imai d'un ton posé.

– Mon fils.

Imai salua discrètement Nobuki et regarda tour à tour la mère et le fils.

– À quelle heure avez-vous reçu ce coup de téléphone ?

Sans répondre à la question, Masako regarda distraitement le visage de Nobuki. Fallait-il que les premiers mots qu'elle lui entendait prononcer depuis un an concernent ce coup de fil ? Qu'était-ce sinon une façon de se venger d'elle ? Et de quoi ?

– Madame Katori, insista Imai, je vous parle d'un coup de téléphone…

Elle se ressaisit.

– Excusez-moi, mais il y a si longtemps qu'il ne parlait plus…

Comme la conversation le concernait désormais, une ombre de mauvaise humeur passa sur le visage de Nobuki qui se renferma et s'apprêta à quitter la pièce.

– Que voulez-vous dire ?

– Rien du tout ! lâcha Nobuki en claquant la porte du séjour et s'en allant en courant.

– Excusez-le. Depuis qu'il a été expulsé de son lycée, il n'ouvre plus la bouche à la maison.

Elle avait pris le ton d'une mère désolée.

– Je vois. C'est toujours difficile à cet âge-là. Je le sais, parce que, avant, je travaillais aux Mineurs.

– J'ai été vraiment surprise de l'entendre parler.

– Cette affaire a dû produire un choc sur lui.

Il acquiesçait d'un air entendu, mais il se passait la langue sur les lèvres, impatient de connaître la suite. Masako reprit le fil de la conversation.

– Non, pour en revenir au téléphone, je pense qu'elle m'a appelée mardi soir.

– Mardi soir, c'est-à-dire le 20. Vers quelle heure ? demanda Imai avec précipitation.

– À onze heures passées, répondit-elle en semblant réfléchir. Elle me disait que son mari n'était pas encore rentré et me demandait conseil. Je crois que je lui ai dit de ne pas s'inquiéter et de venir travailler.

– Mais ce genre de choses avait dû se produire plusieurs fois, non ? Pourquoi vous a-t-elle téléphoné ce soir-là en particulier ?

– À ce que j'en sais, ça ne s'était jamais produit. D'habitude, il rentrait avant onze heures et demie. Mais ce soir-là, elle s'inquiétait parce que son petit était grognon.

– Pourquoi ?

– Elle m'a dit qu'il était de mauvaise humeur parce que le chat avait disparu.

Masako disait tout ce qui lui passait par la tête. Il faudrait absolument qu'elle s'entende plus tard avec Yayoi pour que leurs propos concordent. Elle ne devait pas oublier de le faire. Mais elle se disait que, comme l'histoire du chat était vraie, elle ne craignait rien.

– Ah bon ? dit Imai sans se départir de son air dubitatif.

C'est alors que retentit la sonnerie annonçant la fin du programme du lave-linge.

– Qu'est-ce que c'est ?

– Le lave-linge.

– Ah bon. Puis-je jeter un coup d'œil dans votre salle de bains ? demanda-t-il en articulant lentement.

Elle était glacée en son for intérieur, mais elle esquissa un sourire.

– Je vous en prie.

– Je vais rénover mon appartement et ça m'intéresse de voir les salles de bains.

– C'est par ici.

Elle le devança et l'y conduisit. Il en profita pour regarder un peu partout dans la maison.

– C'est une jolie maison. Elle a été construite récemment ?

– Oui, il y a trois ans.

– Ah ! s'exclama-t-il, la salle de bains est spacieuse ! C'est bien !

Malgré son air admiratif, Masako comprit qu'il évaluait la probabilité que Kenji y ait été coupé en morceaux. Elle devait rester vigilante.

Quand il eut bien examiné la salle de bains, il repassa dans le vestibule, où il chaussa ses souliers déformés et se retourna pour demander :

– Votre fils reste toujours à la maison ?

– Il est là, il n'est pas là, c'est assez capricieux.

Elle s'était permis un petit mensonge, Nobuki se rendant presque toujours à la même heure à son travail.

– Je vois, répondit Imai en se mordant les lèvres d'un air déçu avant de retrouver sa bonne humeur. Je suis désolé de vous avoir dérangée.

Après son départ, Masako monta aussitôt au premier, dans la chambre de Nobuki. De là-haut, elle pouvait voir la rue qui passait devant chez elle. Elle épia à travers les rideaux de dentelle. Comme elle l'avait prévu, Imai n'avait pas encore disparu, mais jetait un dernier regard à la maison, à partir du lotissement qui se dressait de l'autre côté de la rue. Non, ce qu'il regardait, ce n'était pas la maison, mais la vieille Corolla de Masako.

Dès qu'elle se fut assurée qu'il était bien parti, elle appela

Yayoi. C'était la première fois depuis que les articles avaient paru.

– Allô ? répondit Yayoi, elle aussi à voix basse.

Masako fut soulagée.

– Ce n'est que moi. Je peux te parler ?

– Ah, Masako, c'est toi ! s'écria Yayoi manifestement heureuse. Tu peux, il n'y a personne.

– Et ta famille ? Ta maman ?

– Ma belle-mère est au commissariat pour la déposition, mon beau-frère est rentré chez lui et maman est sortie faire des courses.

Elle semblait avoir retrouvé une certaine insouciance sous la protection de ses parents.

– Et tu n'es pas sous surveillance ?

– Eh bien, je ne sais pas pourquoi les inspecteurs ne viennent plus, dit Yayoi avec nonchalance comme si elle n'était pas concernée au premier chef. Ils ont retrouvé la veste de Kenji dans un casino de Kabukichô. Ils enquêtent plutôt de ce côté-là.

Finalement, à quelque chose malheur est bon, se dit Masako rassérénée. Mais elle n'en était pas moins inquiète de ce que pouvait faire l'inspecteur Imai.

– Il faut que tu fasses attention à un inspecteur qui s'appelle Imai.

– Ah, le grand type jeune ? D'accord. Mais il est sympathique.

– Comment ça « sympathique » ? riposta Masako, horrifiée. Il n'y a pas d'inspecteurs sympathiques !

– Ah bon ? Ils compatissent tous avec moi.

Masako éprouva de la colère devant l'inconscience de Yayoi.

– Mais ils ont découvert que tu m'avais appelée ce soir-là. Je leur ai expliqué que ton petit était grognon parce que le chat avait disparu.

– Tu es vraiment douée, dit Yayoi en riant et frappant dans ses mains.

On aurait dit qu'elle avait oublié qu'elle avait commis un assassinat. Le calme de sa voix donna la chair de poule à Masako.

– Il faudra que tu racontes la même chose.

– D'accord. Mais ça ira, j'en ai le sentiment.

– Ne te crois pas tout permis !

– Ne t'inquiète pas. Mais tu sais, après-demain, la télévision va venir.

– Si peu de temps après l'enterrement ?

– Oui. J'ai refusé plusieurs fois, mais ils ont tellement insisté que…

– Tu es folle ! s'écria Masako. Tu ferais mieux d'y renoncer. Ça risque de t'attirer des ennuis.

– J'aimerais bien, mais c'est ma mère qui a répondu au téléphone et elle s'est laissé convaincre. Ils lui ont assuré que ça ne durerait pas plus de trois minutes.

Masako resta sans voix et se sentit déprimée. Elle aurait dû obliger Yayoi à participer au découpage du cadavre. Yayoi était en train d'oublier le fait même qu'elle avait tué. Cette inconscience jouerait-elle en sa faveur ou en sa défaveur aux yeux de ceux qui la soupçonnaient ?

Mais ce qui l'inquiétait vraiment, c'était ce que Nobuki avait dit un peu plus tôt à l'inspecteur. Après plus d'un an de mutisme, il avait enfin ouvert la bouche, mais ç'avait été pour la dénoncer. Elle pensait l'avoir protégé en gardant des distances, mais visiblement il lui en voulait.

Elle n'avait ménagé ses efforts ni pour son travail ni pour sa famille et qu'est-ce qu'il lui reprochait ? Sa trahison l'atteignait d'autant plus durement qu'elle s'était dévouée sans rien lui demander en retour. Pour oublier, elle saisit le dossier du sofa de toutes ses forces. Ses doigts s'enfoncèrent dans la douceur du coton. Une tristesse irrépressible l'avait envahie : si elle avait pu le faire, elle aurait aimé lacérer le tissu. Elle réprima ses sanglots et ferma les yeux.

Elle se rappela la fois où elle avait démarré la machine à laver en oubliant de mettre le linge : le tambour qui tournait à vide était une image de sa vie à l'époque de la Caisse de crédit. Elle faisait la même chose avec sa famille. Qu'était devenue son existence ? Dans quel but avait-elle travaillé ? Dans quel but avait-elle vécu ? En pensant à l'usure des ans et à sa situation présente, sans endroit où se réfugier, elle sentit ses larmes rouler sur son visage.

C'est probablement pour cela qu'elle avait choisi de travailler à la fabrique de nuit. Dormir le jour, travailler la nuit. Mettre son corps constamment en action, s'épuiser à l'extrême pour s'empêcher de penser. Mais mener une vie à l'inverse de sa famille n'avait fait qu'accroître son malaise et sa tristesse. Et ni Yoshiki ni Nobuki ne pouvaient la sauver.

C'était certainement pour cela qu'elle avait franchi le pas. Le désespoir exigeait un autre monde. Jusqu'à cet instant, elle n'avait pas compris elle-même ce qui l'avait poussée à aider Yayoi. Mais une fois les limites franchies, qu'est-ce qui l'attendait ? Rien. Masako regarda le bout de ses doigts blancs, agrippés au dossier. Que la police l'arrête ou que Yayoi comprenne enfin les véritables raisons pour lesquelles elle lui était venue en aide, rien ne touchait plus son cœur. Dans son dos, elle entendait des portes se refermer. Elle sombrait dans un abîme de solitude.

CHAPITRE 5

Imai essuyait la sueur sur son front en marchant sur une route étroite qui avait dû être autrefois un sentier entre les champs.

Ce quartier, délaissé par les rénovations immobilières, ne comptait plus que de vieilles masures. La tôle brune et délavée des toits se relevait pitoyablement par endroits. Le bois des portes ajourées était ébréché et les gouttières rouillées. Tout cela laissait supposer que les maisons avaient été construites plus de trente ans auparavant. Ce n'étaient que des pavillons de bois qui au moindre feu se consumeraient aussitôt.

L'inspecteur Kinugasa de la Police centrale était maintenant constamment fourré au commissariat de Shinjuku, depuis qu'il tenait à l'œil le propriétaire d'un club et d'un casino de Kabukichô, où Kenji Yamamoto se serait rendu le jour de sa disparition. Imai, lui, avait décidé de faire bande à part pour poursuivre son enquête.

En apprenant que le propriétaire du casino avait un casier judiciaire chargé, Kinugasa s'était mis à foncer, mais quelque chose ne satisfaisait pas Imai. C'était comme une intuition impossible à traduire avec des mots: il avait l'impression que Yayoi lui dissimulait par tous les moyens le noyau de l'affaire. Et ça lui restait en travers de la gorge.

Il s'immobilisa au milieu de la rue, sortit son carnet et se mit à réfléchir en le feuilletant dès la première page. Un groupe d'écoliers aux cheveux mouillés qui revenaient probablement de la piscine le regarda d'un air curieux en passant à côté de lui.

Supposons que Yayoi ait tué son mari. Puisqu'on raconte qu'ils ne cessaient pas de se disputer, il tenait un mobile suffisant. Il arrivait à tout le monde de commettre un meurtre sur un coup de tête. Mais, Yayoi était très menue, même pour une femme. Pour qu'elle puisse tuer son mari sans être blessée à son tour, il fallait que ce dernier ait été endormi ou ivre mort. Or il avait traîné dans le quartier Shinjuku jusqu'à dix heures environ et, s'il était rentré tout de suite, il devait être arrivé chez lui vers onze heures. Il avait donc dû avoir le temps de dessaouler. S'ils s'étaient livrés à une dispute assez violente pour aboutir à un meurtre, les voisins l'auraient nécessairement entendue et les enfants se seraient réveillés. Il n'avait été aperçu ni dans le train, ni à la gare. Pourquoi n'avait-on plus eu de trace de lui après Shinjuku ?

Supposons que Yayoi ait réussi à tuer son mari et qu'elle soit allée à la fabrique comme si de rien était. Qui aurait pu se charger de faire disparaître le corps ? Sa salle de bains était trop exiguë et le contrôle avec une réaction au Luminol n'avait rien donné.

Et si quelqu'un de la fabrique l'avait aidée par compassion ? Le démembrement pouvait très bien être l'œuvre d'une femme. Au fond, oui : une femme et un cadavre découpé allaient très bien ensemble. Imai avait épluché les documents sur les cas de cadavres démembrés dans le passé. Ce qu'avaient en commun les femmes qui commettaient ce type de crime était d'une part leur impulsivité et d'autre part la solidarité dont elles bénéficiaient.

Une femme qui tue sans préméditation ne sait plus quoi faire pour se débarrasser du cadavre : toute seule, elle ne peut pas le transporter. Elle est donc contrainte de le découper en morceaux. Un homme le ferait pour dissimuler l'identité de la victime ou par perversion. Mais dans le cas d'une femme, c'est tout simplement parce qu'elle ne sait pas comment transporter le corps. C'était même à cela qu'on savait que le crime n'était pas prémédité. À Fukuoka, un coiffeur avait ainsi été tué et découpé en morceaux, sa meurtrière s'apercevant après l'assassinat qu'elle ne pouvait pas le transporter. Elle l'avait coupé en morceaux pour s'en débarrasser.

Par ailleurs, quand plusieurs femmes vivent dans des conditions analogues, elles manifestent une compassion mutuelle et agissent par complicité. Dans une autre affaire, une fille qui avait tué son mari ivrogne s'était plainte auprès de sa mère qui, admettant cette issue inéluctable avec un tel gendre, l'avait aidée à découper le cadavre en morceaux. Dans une autre affaire encore, deux amies intimes avaient poignardé un maquereau qui ne voulait plus lâcher l'une d'elles, et l'avaient découpé ensemble en morceaux avant de le jeter dans une rivière. Après leur arrestation, elles avaient déclaré, et sans la moindre hésitation, avoir accompli une bonne action.

Comme les femmes préparent le repas tous les jours, elles sont plus habituées que les hommes à la chair et au sang. Elles savent mieux manier le couteau et mieux traiter les déchets. Et en plus une femme qui a accouché, dans la mesure où elle a côtoyé de très près la naissance et la mort, est dotée d'un plus grand courage. Sa femme, de ce point de vue-là, en était un bon exemple, se dit-il non sans humour.

Supposons maintenant que Masako Katori, qu'il venait d'interroger, ait aidé Yayoi à se débarrasser du cadavre.

Imai songea au visage intelligent et calme de Masako et à la vaste superficie de sa salle de bains. Masako savait conduire et avait justement reçu un coup de fil de Yayoi ce soir-là.

Supposons qu'après avoir assassiné son mari, Yayoi l'ait appelée pour solliciter son aide. En allant à la fabrique, Masako était passée chez Yayoi pour mettre le cadavre de la victime dans la voiture. Or, ce soir-là, elles s'étaient présentées sur leur lieu de travail, comme si de rien n'était. Pas seulement Masako, mais deux autres collègues, Yoshié Azuma et Kuniko Jônouchi, étaient venues travailler comme tous les soirs. Elles ne pouvaient quand même pas avoir eu un tel toupet et avoir agi avec un tel sang-froid ! Sauf que, selon son analyse, le découpage de cadavre répondait à une impulsion et cela le laissait perplexe.

Le lendemain du meurtre, Yayoi était rentrée chez elle et,

d'après sa déposition, y avait passé toute la journée. En effet, cela avait été avéré par le témoignage des voisins. Il était donc difficile de conclure que Yayoi avait participé au découpage du cadavre. Dans ces conditions, Masako avait-elle pu emporter le corps chez elle pour l'y découper en morceaux seule ou avec l'aide de complices? Mais quel besoin auraient eu Masako et ses amies de pousser la solidarité jusque-là pendant que Yayoi, la criminelle, se prélassait chez elle? Il était difficile d'imaginer qu'elles aient été animées par une même acrimonie à l'égard du mari de Yayoi. Non, il était inconcevable qu'une femme aussi rationnelle que Masako ait pris un tel risque.

En outre, on ne pouvait pas compter sur une solidarité féminine entre Yayoi et Masako. Elles ne menaient pas des existences semblables. Pour commencer, il y avait entre elles une différence d'âge et d'environnement. Yayoi avait des enfants encore en bas âge, était jeune et ne roulait pas sur l'or. Masako, elle, bien qu'austère, semblait avoir une vie si stable qu'Imai s'était même demandé pourquoi elle travaillait la nuit. Après tout, son mari était employé dans une entreprise qui pouvait passer pour plus que respectable et ils habitaient dans une maison neuve dont Imai, qui avait de nombreux enfants et vivait toujours dans un appartement de fonction exigu, aurait pu être jaloux. Leur fils présentait certes des problèmes, mais on pouvait estimer qu'à dix-sept ans son éducation était terminée. Elle aurait très bien pu arrêter ce travail de nuit pour jouir de sa liberté. Du reste, d'après ce qu'il avait compris, ces femmes ne se fréquentaient qu'à la fabrique.

Alors… ç'aurait été pour de l'argent? Imai se rappela la colère de Masako quand il s'était montré dubitatif sur l'intérêt d'un travail nocturne. Elle semblait intransigeante sur cette question. Il était donc possible que Yayoi lui ait confié la basse besogne moyennant finances. Yayoi lui aurait expliqué qu'elle avait besoin d'un alibi et que, pour cette raison, elle ne pouvait pas bouger. Elle lui aurait ainsi demandé de liquider le cadavre, en proposant de la payer. Elle aurait d'ailleurs pu faire la même proposition à Yoshié Azuma et à Kuniko Jônouchi. Mais, à en juger par son train de vie, Yayoi ne semblait pas en mesure de se permettre de telles dépenses.

Comptait-elle payer avec la prime d'assurance ? C'était là une autre piste. Il avait entendu dire que Yayoi allait gagner un magot. Avait-elle fait sa proposition à Masako et aux autres en leur promettant de s'acquitter avec cette somme ? Sauf que, là, il ne fallait surtout pas découper le cadavre en morceaux. Car le corps devait être identifié. Imai se retrouva de nouveau dans une impasse. Du point de vue du mobile aussi, cette hypothèse était à écarter.

Imai n'avait pas oublié que Yayoi avait réagi très violemment à la photo du cadavre de son mari. Elle n'avait pas pu simuler. Une réelle surprise et une vraie terreur s'étaient lues dans ses yeux. Il était clair que ce n'était pas Yayoi qui avait découpé son mari.

Mais, ce soir-là, autour de sa maison, personne n'avait vu la Corolla rouge de Masako. Il en allait de même pour le quartier du parc de K., où les restes du cadavre avaient été dispersés. À contrecœur, Imai dut abandonner l'hypothèse selon laquelle Yayoi avait tué son mari et Masako – ou d'autres collègues de la fabrique – s'était chargée de se débarrasser du cadavre.

Il se demanda ensuite si Yayoi n'avait pas eu un complice masculin. Elle était belle : cette éventualité n'était pas à exclure. Mais il n'avait recueilli aucune information qui puisse la corroborer.

Imai relut le passage qu'il avait entouré au Stabilo. Dans les témoignages des voisins, plusieurs détails l'avaient intrigué.

Il y avait que les époux Yamamoto ne cessaient de se quereller. Qu'ils faisaient chambres à part. Que leur fils aîné avait spécifié que son père était bel et bien rentré – ce que Yayoi niait en prétendant que l'enfant somnolait. Et que, depuis ce soir-là, le chat ne voulait plus revenir à la maison.

– Le chat…, se dit-il.

Il regarda autour de lui. Dans le jardin d'une misérable maison de plain-pied, envahi d'onagres, un chat marron tigré était tapi, l'air soupçonneux. Imai observa ses yeux jaunes. Peut-être ce soir-là le chat des Yamamoto avait-il vu quelque chose ? Peut-être avait-il été si terrifié qu'il ne voulait plus rentrer. Sauf qu'interroger un chat… Imai eut un sourire amer.

Quelle chaleur ! Il s'essuya le front avec son mouchoir tout froissé et se remit à marcher. Plus loin, il y avait un magasin de confiseries pour enfants, qui suscita en lui une certaine nostalgie : il y entra et demanda un thé Oolong glacé qu'il but sur place. Il interrogea le propriétaire, un homme obèse, entre deux âges et qui, d'un air las, regardait une télévision à écran plat.

— Sauriez-vous où se trouve la maison de Mme Azuma ?

Le confiseur lui montra du doigt la maison au coin de la rue.

— Merci. Il paraît que M. Azuma est décédé.

— Oui. Il y a quelques années. Pour sa veuve, avec une belle-mère grabataire, ce ne doit pas être très drôle. Elle a aussi un petit-fils. Il est venu acheter des bonbons aujourd'hui.

Dans ces conditions, il ne devait plus rester à Yoshié assez d'énergie pour se charger d'un cadavre encombrant. Imai sentit que son hypothèse se dissipait comme la rosée du matin.

Lorsqu'il ouvrit la porte de chez Yoshié, une forte odeur d'excréments le fit reculer. La maison était si exiguë que du vestibule il pouvait voir jusqu'à la pièce du fond. Yoshié était en train de changer la couche d'une vieille femme grabataire.

— Ah, excusez-moi, dit Imai.

— Qui êtes-vous ?

— Je m'appelle Imai. Je suis du commissariat de Musashi-Yamato.

— Inspecteur ? Je suis occupée en ce moment. Vous ne pouvez pas repasser ?

Devant cette protestation, il hésitait à rester. Mais il se ravisa en pensant à tout le chemin qu'il avait parcouru.

— Eh bien, je m'excuse, dit-il, mais ça ne vous ennuierait pas de me parler tout en continuant ce que vous faites ?

— Ça m'est égal, répondit Yoshié en se retournant, de mauvaise humeur.

Elle avait les cheveux en bataille et la sueur perlait à son front.

— L'odeur ne vous gêne pas ? lui demanda-t-elle.

— Non. C'est moi qui m'excuse de vous déranger alors que vous êtes si occupée.

— Qu'est-ce que vous voulez savoir ? Sur Yayoi ?

— Oui. On m'a dit que vous étiez très proches.

— Pas spécialement. Il y a entre nous une grande différence d'âge.

Elle souleva les jambes de la vieille femme et se mit à essuyer ses fesses souillées avec du papier hygiénique. Imai, embarrassé, détourna les yeux et remarqua dans le vestibule de petites chaussures de sport décorées de figurines de dessins animés. Il s'aperçut que dans la cuisine mal éclairée, où l'on n'apercevait que l'évier sur la droite et le réchaud, un enfant était assis par terre, occupé à boire du jus d'orange. C'était donc le petit-fils de Yoshié. Il aurait été impossible de transporter un cadavre dans un espace aussi étroit et de le découper. Il était inutile d'inspecter la salle de bains.

— Il n'y a rien eu de particulier chez Mme Yamamoto ?

— Je vous l'ai déjà dit : je ne sais pas.

Les fesses de la vieille étant propres, Yoshié lui mit une nouvelle couche.

— Bon. Quel genre de personne est Mme Yamamoto ?

— Le genre à se dévouer, répondit-elle sur-le-champ. Elle se dévouait aussi pour son mari. Maintenant qu'il est mort comme ça, elle me fait vraiment de la peine.

À la fin de la phrase, sa voix tremblait, mais Imai attribua ce fait au travail manuel qu'elle était en train de faire.

— J'ai entendu dire que Mme Yamamoto avait trébuché la veille à la fabrique, dit-il.

— Vous êtes bien informé ! dit Yoshié en dévisageant Imai. Oui, c'est vrai. Elle a mis le pied dans un seau de sauce destinée au porc pané.

— Y avait-il une cause à cette inattention ? Par exemple… aurait-elle eu des soucis ?

– Bien sûr que non. Ça arrive à tout le monde de glisser à la fabrique, répliqua-t-elle d'un air exaspéré.

Elle se releva, la couche sale entre les mains. Elle la posa à l'entrée de la cuisine où l'enfant jouait encore, puis se tourna vers Imai en étirant ses jambes ankylosées par un lourd labeur.

– Que voulez-vous savoir d'autre ?

– Eh bien… que faisiez-vous dans la matinée de mercredi ?

– Exactement ce que vous m'avez vue faire.

– Et le reste de la journée ?

– Toujours la même chose.

Imai la remercia et se retira en hâte. Il était ébranlé par le spectacle de cette femme qui, après une nuit de travail, devait s'occuper d'une vieille grabataire. Quand il l'avait interrogée à la fabrique avec Kinugasa, elle lui avait paru hésitante et même suspecte, mais il s'était complètement trompé.

Il devait se rendre chez une autre collègue, Kuniko Jônouchi, mais il commençait à s'en lasser. Il repassa par le même magasin de confiseries et commanda une deuxième bouteille de thé Oolong glacé.

– Vous avez pu voir Mme Azuma ? Lui demanda le confiseur.

– Oui, elle était occupée. À propos… mercredi dernier, n'est-elle pas sortie ?

– Mercredi ?

Imai lut dans le regard du confiseur une certaine méfiance et sortit son calepin.

– Pour tout dire, elle travaille à la fabrique avec la femme de la victime… l'homme dont le cadavre a été découpé en morceaux.

– Ah oui, cette affaire ! Quelle histoire horrible ! dit le confiseur avec un éclat dans le regard. Je m'en souviens. La femme de la victime travaillait à la fabrique de paniers-repas.

– Alors, mercredi dernier, Mme Azuma était là ?

– Elle est bloquée chez elle.

Le confiseur semblait très curieux de savoir pourquoi il avait posé cette question. Mais Imai sortit du magasin sans rien dire. Il commençait à se sentir épuisé.

En chemin, il fit une halte dans un restaurant devant la gare de Higashi-Yamato pour manger une soupe de nouilles froides. Lorsqu'il arriva chez Kuniko, l'après-midi était déjà bien avancé. Il sonna à l'interphone, mais personne ne répondit. Il essaya plusieurs fois encore, mais sans succès. Il s'apprêtait à repartir lorsqu'il entendit une voix disgracieuse lui répondre :

– Qui est-ce ?

Imai s'annonça et la porte s'ouvrit aussitôt. Apparut la mine maussade de Kuniko qui de toute évidence avait été arrachée à son sommeil.

– Je suis désolé d'avoir troublé votre repos, dit-il.

Kuniko baissa les yeux comme si elle était effrayée par cette visite soudaine. Intrigué, Imai regarda l'intérieur de l'appartement.

– Vous vous reposez toujours à cette heure-ci ? demanda-t-il.

– Oui. Je travaille toute la nuit.

– Votre mari est au travail ?

– Eh bien oui, répondit-elle, évasive.

– Où travaille-t-il ?

Imai glissait ses questions subrepticement dans les failles de la conscience de son interlocutrice. Ainsi, lâche-t-on plus vite le morceau...

– À vrai dire, il a démissionné. Depuis, nous vivons séparés.

– Séparés ?

L'instinct professionnel se réveillait en lui. Mais il ne lui semblait pas que ça pouvait avoir un lien avec Yayoi.

– Puis-je vous en demander la raison ?

– Il n'y a pas de raison. Simplement, ça ne marche plus bien entre nous.

Kuniko sortit une cigarette de son sac, et ses seins, qu'aucun soutien-gorge ne retenait, ballottèrent sous son tee-shirt. Imai regarda la chambre du fond. Le lit était défait. Assez déprimant de vivre avec une femme pareille, se dit-il en tentant de se mettre à la place du mari. Kuniko s'était coincé sa cigarette au coin des lèvres.

– Il paraît que vous êtes proche de Mme Yamamoto. Je voulais vous poser quelques questions.

– Pas si proches que ça, répondit Kuniko, la tête toujours tournée de côté.

– Ah bon ? J'ai entendu dire qu'à la fabrique, vous quatre, vous étiez inséparables.

– À la fabrique, oui. Mais comment dire… ? Elle ne se prend pas pour rien. Elle est jolie et ça lui a monté à la tête. Nous ne sommes pas si proches que ça.

Imai sentit en Kuniko une méchanceté latente. N'éprouvait-elle pas de compassion pour Yayoi ? Son mari avait été assassiné et que pouvait-on éprouver sinon de la pitié pour elle ?

Et pourquoi Yoshié et Kuniko insistaient-elles tant pour souligner qu'elles n'étaient pas si proches de Yayoi ? Ça l'intriguait. À la fabrique, on lui avait raconté que les quatre femmes formaient un bloc et qu'après le travail elles bavardaient toujours en buvant du thé. Imai savait, par expérience, que dans un cas pareil les femmes ont des réactions plutôt excessives.

– Donc, vous ne la fréquentez pas en dehors du travail ?

– Pratiquement pas, répondit-elle sèchement.

Puis elle se leva, alla chercher une bouteille d'eau minérale dans le réfrigérateur et s'en versa dans un verre.

– Vous en voulez ? Mais c'est de l'eau du robinet.

– Non merci.

Quand Kuniko avait ouvert le réfrigérateur, Imai avait donné un rapide coup d'œil à l'intérieur. Il était vide : impossible d'imaginer la présence d'une femme au foyer. Il n'y avait ni aliments ni restes, pas même un jus de fruit. Ne faisait-elle jamais la cuisine ? Voilà qui était bien mystérieux. Si les habits et les accessoires de Kuniko paraissaient coûteux, on ne voyait ni livre ni CD dans son appartement et il y avait en elle un je-ne-sais-quoi de miséreux.

– Vous ne faites pas la cuisine ? demanda-t-il en remarquant les emballages vides de plats tout préparés dans un coin.

– J'ai horreur de ça, répondit-elle aussitôt avec une grimace, avant de sembler honteuse de ce qu'elle venait de dire.

Imai se dit qu'elle devait être orgueilleuse.

– Ah bon. Eh bien, revenons à l'affaire du cadavre découpé en morceaux, madame Jônouchi. Mercredi soir, vous n'êtes pas allée au travail. Puis-je vous demander pourquoi ?

– Mercredi ?

Prise au dépourvu, Kuniko posa sa main potelée sur sa poitrine.

– Eh bien ? dit-il. La nuit précédente, c'est-à-dire la nuit de mardi, M. Yamamoto a disparu et a été découvert découpé en morceaux. Or, vous n'êtes pas allée à la fabrique mercredi soir. J'aimerais donc savoir pourquoi.

– Je crois que j'avais mal au ventre et que je n'avais plus envie d'aller travailler à la fabrique, répondit-elle, décontenancée.

Après une pause, Imai reprit :

– Mme Yamamoto avait-elle un petit ami ?

– Euh, répondit Kuniko en haussant les épaules. Je ne crois pas.

– Et Mme Katori ?

– Masako ? demanda Kuniko d'une voix haut perchée tant elle était surprise par ce nom.

– Oui, Mme Masako Katori.

– J'en doute. Elle fait peur.

– Elle vous fait peur ?

– Disons que…

Ne trouvant pas d'autre expression, elle se tut. Imai en déduisit que c'était la pensée réelle de Kuniko et attendit la suite. Qu'est-ce qui pouvait bien lui faire peur chez Masako ? Imai restait perplexe.

– En tout cas, reprit-elle, je vais arrêter de travailler dans cette fabrique. Avec cette affaire de cadavre découpé, je sens que je vais avoir la poisse.

Kuniko avait changé de sujet. Et Imai acquiesça :

– Je vous comprends. Vous allez chercher du travail ?

– Je vais chercher un travail de jour. En plus, il y a un maniaque sexuel qui rôde dans le coin. On n'est pas tranquilles, n'est-ce pas ?

– Un maniaque sexuel ?

C'était nouveau. Imai ouvrit son carnet.

– Il hante la fabrique ? demanda-t-il.

– Je vous en prie ! Vous parlez comme si c'était un fantôme.

Ce sujet lui avait fait retrouver sa vivacité.

– Je ne pense pas que cette histoire ait quelque chose à voir avec celle qui nous préoccupe, mais racontez-moi ça dans le détail, dit-il.

Kuniko lui expliqua comment depuis le mois d'avril un maniaque sexuel faisait régulièrement son apparition. Tout en prenant des notes, Imai pensa à la dureté du travail nocturne de ces femmes.

Lorsqu'il sortit de chez Kuniko, les rayons allongés du soleil de l'après-midi brûlaient le parking en béton. Sous ce ciel torride, Imai soupira en pensant à la fatigue qu'il éprouverait à marcher jusqu'à l'arrêt et au temps qu'il lui faudrait pour attendre le bus. Des voitures de toutes les couleurs étaient garées dans le parking. Il remarqua la plus voyante d'entre elles, une Golf cabriolet vert foncé.

À qui pouvait-elle bien appartenir dans cet immeuble ? Il était loin de penser à Kuniko chez qui flottait un air de misère.

Tout était à recommencer. Maintenant, il fallait aller interroger cinq employés qui n'étaient pas venus à la fabrique ce soir-là. Il le ferait le lendemain. Si son hypothèse s'effondrait complètement, il devrait encore une fois laisser Kinugasa prendre l'initiative.

D'un air morose, il se mit à marcher sous le soleil brûlant. Il lui suffit de faire quelques pas pour que la sueur se mette à dégouliner : le dos de son polo fut vite trempé.

CHAPITRE 6

Kazuo Miyamori, couché à plat ventre sur la couchette supérieure, lisait un manuel de japonais. Le travail à la fabrique était déjà une épreuve, mais maintenant il en avait deux de plus. D'abord, se faire pardonner par Masako. Ensuite, et pour cela, maîtriser la langue japonaise. À la différence de la tâche monotone qui consistait à transporter du riz blanc jusqu'à la chaîne, cette épreuve-ci présentait une certaine douceur à ses yeux.

– Je m'appelle Kazuo Miyamori, dit-il tout haut.

– J'aime le football.

– Aimez-vous le football ?

– Qu'est-ce que vous aimez manger ?

– Je vous aime.

Il murmura chacune de ces phrases plusieurs fois, puis, toujours à plat ventre, il posa son regard ailleurs. À travers la fenêtre, dont il ne distinguait que la partie supérieure, il vit le ciel d'été prendre des teintes crépusculaires. Puis les nuages orange vif cédèrent la place à un ciel bleu sombre. Que tombe enfin la nuit ! se dit-il. Il pourrait alors voir Masako à la fabrique.

Il ne lui avait plus reparlé depuis ce jour-là. Lui aurait-il adressé la parole qu'elle l'aurait ignoré et cela lui aurait été insupportable. Mais, en secret, il avait repêché ce qu'elle avait jeté dans le canal ce soir-là.

Il sortit une clé argentée de sous son oreiller. Elle était froide et se réchauffa lentement dans sa main. À l'idée que c'était à l'image de ses sentiments pour Masako, il fut heureux.

S'il s'était confié à ses collègues, ceux-ci se seraient moqués de leur différence d'âge. Ils lui auraient aussi conseillé de choisir une Brésilienne. Mais peu importait que personne ne le comprenne. Chez cette femme plus mûre, il devait y avoir quelque chose que lui seul pouvait comprendre. Et il devait posséder des qualités auxquelles Masako pourrait être sensible. S'ils faisaient mieux connaissance, ils se rendraient bien compte qu'ils se ressemblaient.

Il fixa la clé à une chaîne, qu'il se passa autour du cou. L'objet était si banal que même Masako ne reconnaîtrait pas la clé qu'elle avait jetée. Il s'amusa de se voir se comporter, à vingt-cinq ans, comme un lycéen à son premier amour.

L'idée ne lui serait jamais venue que, par ce geste, il trompait sa mélancolie dans la patrie inhospitalière de son père. Rationnel, Kazuo se disait que même au Brésil des femmes comme Masako étaient rares.

La veille, à l'aube, il s'était rendu au canal.

À la différence des employées à mi-temps, les salariés brésiliens étaient obligés de travailler jusqu'à six heures du matin. Entre ce moment et neuf heures du matin, où arrivait l'équipe de jour, la fabrique était totalement vide. Kazuo avait profité de ce créneau pour aller au canal devant l'usine désaffectée.

Il se rappelait à peu près l'endroit où Masako s'était débarrassée de l'objet. Il était curieux de savoir ce qu'elle avait jeté. D'après le bruit métallique au moment de la chute, il pensait que l'objet n'aurait pas été emporté par le cours d'eau.

Il attendit que quelques salariés et étudiants pressés d'atteindre la gare soient hors de vue et, dès que la rue fut déserte, il déplaça de toutes ses forces une des dalles de béton qui recouvraient le canal. La surface des eaux usées, jusque-là privées de lumière, resplendit soudain sous le soleil matinal. Kazuo regarda dedans. L'eau était moins profonde qu'il ne l'avait imaginé. Il se résolut à sauter avec ses chaussures de sport dans l'eau qui coulait un mètre plus bas.

Il fut aussitôt éclaboussé et son jean couvert de taches noires. Il avait de l'eau puante jusqu'aux chevilles : ses chaussures Nike devaient en prendre un coup, mais il s'en moquait. Il aperçut, coincé sous une bouteille d'eau minérale écrasée, un porte-clés en cuir noir.

Il plongea une main dans l'eau tiède et le ramassa. L'objet avait dû servir longtemps car le bord élimé en était tout blanc. Une clé argentée y était attachée. Kazuo la mit en pleine lumière pour constater que c'était une clé de porte d'entrée. Pourquoi Masako l'avait-elle jetée ? Mais chez Kazuo la joie d'avoir pris un objet appartenant à Masako l'emportait. Il détacha la clé du porte-clés trop longtemps resté dans la boue et la mit dans sa poche.

Ce soir-là, Kazuo se rendit plus tôt à la fabrique et traîna devant la porte du premier étage en attendant l'arrivée de Masako.

À vrai dire, il aurait aimé la voir emprunter le chemin devant l'usine désaffectée, mais c'était exclu. Il ne fallait pas l'effrayer. De fait, c'était lui qui avait peur. Il partit tout seul d'un petit rire gêné. Il craignait par-dessus tout de se faire détester par Masako.

Pour pouvoir guetter son entrée, il se plaça à côté de la surveillante sanitaire, Komada, comme s'il était en train de pointer. À l'heure habituelle, il vit apparaître la haute silhouette de Masako. Elle posa son sac noir sur le tapis en caoutchouc rouge et, d'un geste expérimenté, elle ôta ses chaussures de sport. Et lui jeta un coup d'œil. Comme toujours, son regard parut le traverser. Mais Kazuo goûtait un plaisir presque primitif comme s'il assistait au lever du soleil.

Masako salua Komada et lui présenta son dos en silence pour que la surveillante lui passe le rouleau destiné à enlever la poussière. Elle portait un ample polo vert et un jean. Kazuo tenta de contenir les palpitations qui lui venaient chaque fois qu'il la voyait. Elle était habillée avec autant de négligence qu'un homme, mais il était ému par son visage et son corps aux proportions parfaites. Masako passant devant lui, il se décida à la saluer.

– Bonjour, dit-il.

– Bonjour, répondit-elle d'un air étonné.

Elle se dirigea vers le salon. Kazuo serra la clé qu'il portait sur sa poitrine comme pour rendre grâce à cet objet. Il était ravi que Masako lui ait rendu le salut. Mais, mettant un terme à cette cérémonie, la porte du bureau s'ouvrit.

— M. Miyamori, vous tombez bien. Venez.

Le directeur de la fabrique lui faisait signe. D'habitude, la nuit, il n'y avait qu'un vieux gardien au bureau : c'était une surprise de voir le directeur à cette heure tardive. Kazuo entra dans la pièce, où une autre surprise attendait. Il y avait aussi un interprète.

— Qu'est-ce qu'il y a ? demanda-t-il.

— La police aimerait vous interroger. Pouvez-vous vous présenter ici à minuit ?

Dès qu'il eut chargé l'interprète de traduire cette demande, le directeur se retourna. Dans la salle du fond réservée aux visiteurs, dans un fauteuil couvert de plastique, un employé japonais répondait aux questions d'un inspecteur malingre.

— La police ? répéta-t-il.

— Oui. C'est lui.

— C'est moi qu'il veut ?

— Oui, vous.

Kazuo eut un pincement au cœur. Masako avait dû le dénoncer comme maniaque. Il se sentait trahi et tout lui sembla noir. Il avait été trop naïf de demander à Masako de ne pas en parler à la police. Mais il n'avait pas eu l'impression que Masako lui mentait simplement pour lui échapper. Il avait voulu se faire pardonner et se l'était même imposé comme épreuve. Avait-il été trop candide de penser ainsi ?

— D'accord, répondit-il en portugais.

Il regagna le salon, tout découragé. Masako était seule et fumait une cigarette devant le distributeur de boissons, près de l'entrée. Elle ne s'était pas encore changée. Elle n'avait personne à qui parler, ni l'ouvrière experte surnommée la « Patronne », ni la grosse appelée Kuniko. Depuis que la jolie fille, Yayoi, avait cessé de venir, une impression différente se dégageait de Masako. Le refus. Elle semblait tout refuser. Pourtant Kazuo s'adressa à elle d'une voix tremblante de colère.

– Madame Masako! lança-t-il.

Elle se retourna. Il la regarda dans les yeux et se mit à lui parler dans un japonais maladroit et précipité.

– Vous avez parlé?

– Quoi? demanda-t-elle étonnée en croisant ses bras maigres, les yeux grands ouverts.

– La police est là.

– Pourquoi?

– Vous m'aviez promis…

Il scruta le visage de Masako. Mais elle ne disait rien et, les lèvres crispées, le dévisageait à son tour. Découragé, il entra dans le vestiaire, la tête basse. Il craignait moins de se faire arrêter par la police et de se faire chasser de la fabrique que d'être trahi par cette femme qu'il adorait.

L'interrogatoire débutant à minuit, au moment où il aurait dû commencer à travailler, il valait mieux se changer dès maintenant. Il retrouva le cintre auquel son uniforme était accroché et se déshabilla. Le port de tout accessoire étant interdit à l'atelier, il enleva la chaîne où la clé était attachée et la glissa soigneusement dans une poche de son pantalon. Il prit son bonnet bleu – couleur distinctive pour les Brésiliens – pour regagner le salon et s'aperçut que Masako se trouvait toujours au même endroit et le regardait approcher. Elle s'était déjà changée mais avait dû se presser, car quelques mèches rebelles sortaient de son bonnet.

Il cherchait à la dépasser lorsqu'elle posa sa main sur son bras épais.

– Écoute, dit-elle.

Il détourna les yeux et se dirigea tout droit vers le bureau. Maintenant qu'elle l'avait trahi, son épreuve était terminée. Il en avait décidé ainsi, avec la plus ferme volonté. Mais dès qu'il sentit sa main sur son bras, il revint à lui. Non, tout cela faisait partie de l'enjeu. Il devait relever le défi qu'elle lui lançait. La clé était froide sur sa cuisse.

Il frappa à la porte du bureau, on la lui ouvrit aussitôt de l'intérieur. Un interprète brésilien et un inspecteur l'attendaient.

Pour calmer ses palpitations, Kazuo mit inconsciemment la main dans la poche et se saisit de la clé.

– Je suis l'inspecteur Imai, lui dit le policier en lui montrant sa carte.

– Kazuo Roberto Miyamori, répondit-il.

L'inspecteur Imai était grand et avait le menton fuyant. Il paraissait sympathique, mais son regard était perçant.

– Excusez-moi mais… vous êtes de nationalité japonaise ?

– Oui, mon père est japonais et ma mère brésilienne.

– Ah, voilà pourquoi vous êtes beau garçon, dit Imai en riant.

Kazuo ne rit pas : il avait l'impression qu'on s'était moqué de son ascendance.

– Veuillez m'excuser, mais j'ai quelques questions à vous poser. J'ai demandé à la direction que cet entretien soit compté comme temps de travail.

– D'accord.

Les choses sérieuses allaient commencer : Kazuo se tendit et se tint prêt pour l'interrogatoire. Mais l'inspecteur lui posa une question totalement inattendue.

– Connaissez-vous Mme Yayoi Yamamoto ?

Surpris, Kazuo regarda l'interprète. Celui-ci le pressa de répondre.

– Oui, je la connais, répondit-il en acquiesçant, sans comprendre l'intention d'Imai.

– Alors, vous savez ce qui est arrivé à son mari ?

– Oui. Tout le monde en parle.

Mais sur quoi voulait-on l'interroger ? se demanda Kazuo. L'inspecteur multiplia ses questions.

– Avez-vous rencontré M. Yamamoto ?

– Jamais.

– Avez-vous parlé avec Mme Yamamoto ?

– Je l'ai saluée quelques fois. Mais sur quoi voulez-vous m'interroger ?

L'interprète ne traduisit pas la seconde phrase de Kazuo. L'inspecteur continua.

– Dans la nuit de mardi de la semaine dernière, vous n'étiez pas au travail. Pouvez-vous me donner votre emploi du temps ?

– Je suis donc soupçonné ?

Kazuo s'y attendait si peu qu'il était décontenancé, mais en même temps la colère montait en lui car il n'avait rien à voir avec cette affaire.

– Mais non, protesta l'inspecteur avec un sourire. Nous interrogeons toutes les personnes qui sont liées à Mme Yamamoto. Et accessoirement, nous interrogeons tous ceux qui ne sont pas venus travailler ce soir-là.

Kazuo, sans être convaincu, lui donna son emploi du temps.

– J'ai dormi jusqu'à midi, puis je suis allé à Ôizumi. J'ai passé une demi-journée au Brazilian Plaza, puis je suis rentré chez moi vers neuf heures.

– Votre colocataire affirme que vous n'êtes pas rentré ce soir-là, dit Imai d'un air étonné en regardant son calepin.

– Alberto est rentré avec sa petite amie et ne s'est pas aperçu de ma présence, protesta-t-il. J'étais couché dans mon lit. C'est un malentendu.

– Mais comment se fait-il qu'il ne vous ait pas remarqué ?

– J'ai la couchette du haut. J'étais couché et ils ne m'ont pas vu, dit Kazuo en rougissant.

– Je vois. Donc votre ami était avec sa maîtresse, c'est ça ?

L'inspecteur sourit d'un air entendu. Embarrassé, Kazuo promena distraitement son regard dans le bureau désert. Il y avait trois rangées de tables et sur chacune était posé un ordinateur protégé par un étui en plastique. Avant d'arriver au Japon, Kazuo avait rêvé d'étudier l'informatique, mais maintenant il transportait du riz blanc dans une fabrique de paniers-repas. Sa situation lui parut soudain incroyablement absurde.

– Alors qu'avez-vous fait cette nuit-là ? insista l'inspecteur. Vous êtes resté dans votre chambre ?

Kazuo ne sut que répondre. Cette nuit-là, il s'était jeté sur Masako puis, pris de remords et de honte, il s'était promené toute la nuit. Vers l'aube, il s'était mis à pleuvoir et il était allé chercher son parapluie dans sa chambre. Il était ressorti pour attendre Masako. Alberto, son colocataire, était à la fabrique et ne savait rien de tout cela.

– Je me suis promené.

– Toute la nuit ? Où ça ?

– Autour de la fabrique.

– Pourquoi ?

– Je n'avais aucune raison particulière de le faire. Simplement, je m'ennuyais dans ma chambre.

L'inspecteur regarda Kazuo avec une ombre de compassion.

– Quel âge avez-vous ?

– Vingt-cinq ans.

Une idée avait dû traverser l'esprit de l'inspecteur Imai, car il opina de la tête et demeura silencieux et pensif en regardant son carnet.

– Puis-je me retirer ? demanda Kazuo qui ne supportait plus le silence.

Imai lui fit signe de rester.

– Quelqu'un m'a raconté qu'un maniaque sexuel rôdait dans le coin. En avez-vous entendu parler ?

Enfin la question tant redoutée. Kazuo serra la clé dans sa poche.

– Oui, j'en ai entendu parler. Mais qui est-ce qui vous l'a raconté ?

– Je crois que je peux vous le dire, dit Imai avec un petit sourire. C'est une employée à temps partiel… Mme Jônouchi.

Kazuo lâcha la clé dans la poche. Sa main était moite, mais il remercia le ciel que ce ne soit pas Masako. Il faudrait lui présenter ses excuses.

– Ça n'a rien à voir avec l'affaire de Mme Yamamoto. Mais vous ne parlez pas entre vous, les Brésiliens, de ce maniaque ? Pour savoir qui c'est ou qui en a été la victime ?

– Non, répondit Kazuo sèchement.

Il regarda l'horloge accrochée au mur et s'enfonça son bonnet bleu sur la tête. Imai renonça à l'interroger davantage.

– Je vous remercie, dit-il.

La chaîne s'était mise en mouvement depuis longtemps. Les

paniers-repas déjà fabriqués s'empilaient en bout de chaîne. Kuniko et la Patronne étant absentes, seule Masako se chargeait du riz. Depuis le meurtre du mari de Yayoi, les quatre femmes ne s'étaient plus retrouvées. Cela lui paraissait étrange, mais il fut heureux de voir Masako sans ses collègues. S'il se changeait assez vite pour repartir, il pourrait lui parler sur le chemin du retour.

Comme brésilien, Kazuo ne fut libéré que bien après six heures. Il avait eu droit à un quart d'heure supplémentaire. Dire que ç'aurait pu être sa chance ! Masako avait dû rentrer. Kazuo sortit de l'usine, déçu. La lumière limpide du matin éclairait de ses rayons obliques le mur gris de l'usine automobile. C'était un beau matin d'été, mais Kazuo devait regagner sa chambre obscure pour y dormir comme un animal. Déprimé, il sortit de sa poche revolver une casquette noire et s'en coiffa ; puis il leva les yeux et s'arrêta, surpris. Masako se tenait à l'endroit même où il l'avait attendue sous la pluie.

– Monsieur Miyamori ! dit-elle.

Elle était livide à cause du manque de sommeil. Kazuo sortit inconsciemment sa clé par-dessus son tee-shirt. Masako jeta un coup d'œil sur l'objet qui se détachait sur le tee-shirt blanc de Kazuo. Mais sans se rendre compte que c'était celle dont elle s'était débarrassée, elle reposa son regard sur le visage de Kazuo.

– Qu'est-ce que vous vouliez me dire tout à l'heure ? lui demanda-t-elle.

Elle ne s'embarrassait guère du fait que Kazuo ne parlât pas parfaitement le japonais, mais il avait saisi le sens du message.

– Excusez-moi. C'était une erreur, dit-il.

Et il baissa la tête en imitant les Japonais. Masako ne comprenait toujours pas et fixa les yeux noirs de Kazuo.

– Je n'ai parlé de vous à personne.

– C'est vrai, admit-il en acquiesçant plusieurs fois.

– La police est venue pour Yayoi, non ?

Masako se mit à marcher vers le parking. Kazuo la suivit, comme attiré. Plusieurs employés brésiliens, hommes et femmes, sortirent de la fabrique en bavardant joyeusement. Craignant leurs regards, Kazuo laissa quelques mètres entre Masako et lui, mais elle ne semblait absolument pas gênée qu'il la suive de près. Elle marchait d'un pas pressé, le buste redressé, et regardait droit devant elle.

Au moment où ses collègues brésiliens disparaissaient en tournant à l'angle pour regagner le foyer, Kazuo et Masako longeaient l'usine désaffectée. Le parfum frais de l'herbe d'été couvrait un peu la puanteur des eaux sales, mais la chaleur de l'été se faisait déjà sentir. Dans quelques heures, la route serait sèche et poussiéreuse et l'herbe flétrie par la canicule dégagerait une odeur plus entêtante.

Masako jeta un coup d'œil vers le canal et Kazuo sentit qu'elle se crispait. Elle vit que l'une des dalles en béton avait été déplacée. C'est dans cet état que Kazuo l'avait laissée, la veille. Il vit avec embarras que la terreur se dessinait sur le visage de Masako. Devait-il lui avouer ce qu'il avait fait? Il n'osait pas: il lui semblait maintenant trop mesquin d'avoir repêché ce qu'elle avait jeté. Il garda la tête baissée et les mains enfoncées dans les poches revolver de son jean.

Masako pâlit encore plus et s'approcha du canal pour en observer le fond à travers l'ouverture. Kazuo se contenta de la regarder par-derrière. Finalement des mots sortirent de sa bouche, mais ce fut la réplique du responsable de l'équipe de nuit, Nakayama, qu'il ne cessait d'entendre.

– Qu'est-ce que tu fous?

Il savait l'expression grossière, mais avec son pauvre vocabulaire, c'était la seule qui lui était venue à l'esprit. Masako se retourna, le regarda et découvrit la clé pendue à son cou.

– C'est ta clé?

Kazuo acquiesça lentement, puis il fit signe que non. Mentir était au-dessus de ses forces. Agacée par sa réponse ambiguë, Masako plissa les yeux.

– Ne me dis pas que tu l'as ramassée ici!

Kazuo écarta les bras et haussa les épaules. Il ne lui restait plus qu'à dire la vérité.

– Si.

– Pourquoi ?

Masako s'approcha et se tint devant lui. Elle était grande et lui arrivait à la bouche. Intimidé par son énergie, il saisit la clé à deux mains. Il ne voulait pas qu'elle la prenne.

– Quand est-ce que tu m'as vue ? Tu étais caché là ? lui demanda-t-elle en lui montrant du doigt les herbes hautes devant l'usine désaffectée.

Comme si son doigt dégageait de la chaleur, des insectes s'envolèrent des herbes hautes. Kazuo hocha la tête.

– Pourquoi ? demanda-t-elle.

– Je vous attendais.

– Mais pourquoi as-tu fait ça ?

– Vous m'avez promis, non ?

– Je n'avais rien promis. Rends-moi ça !

Masako tendit la main droite et Kazuo en sentit la chaleur. Il serra fort la clé pour qu'elle ne la prenne pas.

– Je ne veux pas !

Masako posa les mains sur les hanches et pencha la tête de côté.

– Mais pourquoi tiens-tu à ce truc ?

Pourquoi ne comprenait-elle pas une chose aussi simple ? Voulait-elle qu'il le lui dise lui-même ? Quelle femme cruelle, se dit-il en posant sur elle un regard effrayé.

– Rends-la-moi, reprit-elle. C'est important pour moi. J'en ai besoin.

Il comprenait à peu près ce qu'elle disait, mais ne pouvait pas accepter. Si cet objet avait été vraiment important, elle n'aurait pas dû le jeter. Si elle voulait le récupérer, c'est parce qu'il le tenait près de son cœur.

– Je ne veux pas.

D'un air résigné, Masako se mordit les lèvres qu'elle avait fines. Elle garda le silence pour réfléchir à la suite des événements. Quand il la vit laisser retomber ses épaules, il lui prit une main ; elle était si menue et décharnée que les deux auraient pu tenir dans une seule des siennes.

– Je vous aime, dit-il.

Stupéfaite, Masako se tourna vers lui.

– Quoi ? Après ce que tu m'as fait l'autre soir ?

Kazuo voulut lui dire qu'il était capable de la comprendre, mais les mots lui manquaient. À bout de patience, il répéta la même phrase comme si c'était une leçon de japonais.

– Je vous aime.

Masako dégagea sa main.

– Je ne peux pas répondre à ce que tu attends de moi.

Kazuo devina que c'était un refus et sombra dans la tristesse. Masako le laissa là, immobile, et se dirigea vers le parking dans l'air frais du matin. Voulant la suivre, il fit un premier pas, mais sentit une forte résistance en lui. Il comprit qu'il s'était encore enlisé dans la fange, tout au fond du puits.

CHAPITRE 7

Le parking de la fabrique paraissait plat, mais était en pente douce. Le soir, on ne le remarquait guère, mais le matin, après une nuit de travail épuisant, on pouvait même lui trouver des airs accidentés.

Prise d'un léger vertige, Masako s'appuya des deux mains sur le toit de la Corolla, qui s'était couvert d'innombrables gouttes de rosée. Ses mains furent aussitôt mouillées comme si elle les avait plongées dans l'eau. Elle les essuya à son jean.

Comment ce jeune Brésilien avait-il pu lui dire une chose pareille ? Elle le savait sincère. Elle se rappela le matin où il l'avait suivie comme un chiot perdu. Elle se retourna exactement comme ce matin-là, mais elle ne le voyait plus sur la route. Il avait dû être terriblement blessé.

Ce n'était pas qu'il ait repêché la clé qui l'avait choquée ; de fait, c'était la violence de ses sentiments, l'intensité de leur éclat et de leurs ombres. C'était là un genre d'émotions qui lui était totalement étranger en ce moment, et dont elle n'avait absolument pas besoin. Avait-elle abandonné toute sensibilité ? Pourrait-elle continuer à vivre ainsi ? Elle retrouva la sensation de solitude qu'elle avait connue l'autre jour.

C'est que ce jour-là elle avait franchi une limite. Elle avait découpé un cadavre pour s'en débarrasser et, ce souvenir-là, elle cherchait à l'effacer. Mais elle ne pouvait plus revenir en arrière. Elle eut la nausée, vomit à côté de la voiture, mais sans parvenir à se soulager. Elle s'agenouilla et régurgita de la bile jaunâtre en pleurant.

Elle essuya ses larmes et sa salive avec un mouchoir en papier et démarra. Au lieu de rentrer chez elle, elle prit la route de Shin-Ômé, au trafic inexistant, puis, bifurquant à gauche, se dirigea vers le lac de Sayama. Au bout d'un moment, la route se mit à monter en lacet. Masako prit en seconde les virages déserts à cette heure matinale. Elle ne croisa personne, hormis un vieil homme sur un cyclomoteur.

Le lac de Sayama, créé artificiellement en amont d'un barrage, apparut de part et d'autre d'un pont qui enjambait la vallée. Bordé de rives à la terre pâle, il donnait au paysage environnant l'air aussi plat et factice que Disneyland. Petit, Nobuki avait été si terrifié par ce lac qu'il avait éclaté en sanglots. À l'entendre, un monstre allait surgir à la surface et, de crainte de le voir apparaître, il avait collé son visage sur le ventre de Masako. Ce souvenir la fit sourire en silence.

La surface de l'eau brillait au soleil du matin. Masako n'avait pas dormi et la lumière l'éblouit. Elle plissa les yeux, puis s'engagea sur la route qui conduisait au Village de l'Unesco et roula encore un moment sur un chemin de montagne. Enfin, elle vit apparaître un lieu familier. Elle se gara sur le bas-côté, où foisonnait l'herbe d'été. C'était à cinq minutes de là, en pleine forêt, qu'elle avait enterré la tête de Kenji.

Elle verrouilla la portière de la voiture et s'enfonça dans le bois. Elle était parfaitement consciente du risque qu'elle prenait, mais ne savait pas elle-même ce qu'elle était en train de faire. Ses jambes la guidaient.

Elle aperçut le grand orme qui lui avait servi de repère, quelques dizaines de mètres plus loin. À un certain endroit, au milieu des herbes du sous-bois, la terre était nue. Autour, rien n'avait changé. Mais maintenant les montagnes d'été étaient au sommet de leur vitalité : plus encore que dix jours auparavant, tout paraissait animé. En ce moment même, la tête de Kenji devait fondre en se décomposant, dévorée par les vers. L'image était cruelle, mais assez amusante tout de même. Une tête avait été offerte à la vie de la montagne.

Les rayons du soleil qui tombaient en oblique à travers le

feuillage lui piquaient les yeux. Elle décroisa les bras pour former une visière avec ses mains et fixa le même endroit pendant plusieurs minutes. Comme l'eau qui coule d'un robinet laissé ouvert, les idées filaient si vite dans son esprit qu'elle en oublia le temps qui passait.

Ce jour-là, elle avait cherché un endroit où enterrer la tête qu'elle transportait dans un sac de papier. Celle-ci était si lourde que, bien que doublé, le sac du grand magasin risquait de se déchirer par le fond. De plus, Masako s'était chargée d'une bêche. Avec ses gants, elle n'arrêtait pas d'essuyer son front dégoulinant de sueur et changeait sans cesse de bras pour porter le sac. Une fois, en le faisant, elle avait senti le menton de Kenji sur son bras et tous ses poils s'étaient redressés. Elle trembla encore en se rappelant cette sensation.

Elle pensait au film *Apportez-moi la tête d'Alfredo García*. Le héros fonçait en voiture à travers le Mexique sous un ciel torride, en couvrant sans cesse de glaçons une tête en décomposition. L'homme avait l'air pathétique et furibond. Masako se dit que, dix jours auparavant, en errant dans ce lieu, elle avait dû avoir la même expression. Oui, elle était furieuse. Elle ne savait pas contre quoi, mais oui, elle était en fureur. Et toute seule. Elle ne demandait plus l'aide de personne. Était-elle en colère contre la part d'elle-même qui l'avait précipitée dans une telle situation ? Mais la fureur libère. Ce matin-là, c'était d'une manière certaine qu'elle avait changé.

En ressortant de la forêt, Masako fuma lentement une cigarette dans la voiture. Elle ne reviendrait plus jamais dans cet endroit. Elle éteignit sa cigarette, enclencha la vitesse et agita le bras en direction de la tête, en signe d'adieu.

Quand elle rentra à la maison, Yoshiki et Nobuki étaient déjà sortis. Les restes de leur petit déjeuner traînaient aux deux bouts de la table. Une fois qu'elle eut déposé les assiettes sales dans l'évier, tout lui parut vain. Immobile au milieu de la salle de séjour, elle resta dans un état d'hébétude.

Elle n'avait plus rien à faire, plus rien à quoi penser. Elle était épuisée par une nuit de travail et son corps réclamait le repos. Soudain elle se demanda ce que Kazuo pouvait faire en ce moment. Peut-être qu'incapable de dormir dans sa chambre sans lumière il tournait et virait dans sa couchette. Ou alors, il errait à l'ombre, le long du mur gris et interminable de l'usine automobile. Pour la première fois, à travers ces images de la solitude, elle éprouva un sentiment proche de la solidarité à son endroit. Elle n'avait qu'à la lui offrir, cette clé!

Le téléphone sonna. Il n'était que huit heures à peine passées. Il lui pesait de répondre. Décidée à ignorer l'appel, elle alluma une cigarette, mais le téléphone continua de sonner.

– Masako?

C'était Yayoi.

– Bonjour. Ça va?

– Je t'ai déjà appelée tout à l'heure. Mais tu n'étais pas encore rentrée. Tu es rentrée bien tard aujourd'hui.

– Excuse-moi. J'ai dû me rendre quelque part.

Yayoi ne lui demanda pas où. En revanche, elle s'empressa de lui demander ceci :

– Mais tu as lu le journal?

– Non, pas encore.

Masako regarda le journal du matin posé sur la table. Yoshiki avait l'habitude de le replier avec soin quand il en avait terminé la lecture.

– Tu peux le lire vite? Tu vas être surprise.

– Que s'est-il passé?

– Lis-le vite. Je t'attends, dit Yayoi, surexcitée.

Masako posa le combiné, ouvrit le journal et vit ceci au milieu de la page des faits divers :

«Affaire du cadavre découpé du parc de K.
La police met la main sur un suspect important.»

En survolant l'article, Masako comprit qu'on soupçonnait le propriétaire du casino où Kenji était allé cette nuit-là. La police l'avait arrêté pour des infractions de toute évidence secondaires afin de le maintenir en détention. Masako prit même peur en voyant les choses aller si bien pour elle.

– Je l'ai lu, dit Masako en reprenant le combiné, le journal à la main.

– On a de la chance, non ?

– Il est trop tôt pour le dire, lui répondit Masako prudemment.

– Ça m'a sidérée. Tu as lu qu'ils se sont bagarrés ? Je le savais, moi.

– Comment ça ?

Il ne devait y avoir personne autour d'elle, car Yayoi se montrait volubile.

– Quand il est rentré, j'ai vu qu'il avait une plaie à la lèvre et que sa chemise était un peu sale, alors je me suis dit qu'il avait dû se bagarrer.

– Je ne l'ai pas remarqué, moi.

Yayoi évoquait un Kenji encore vivant, alors que Masako se référait à son cadavre. Mais Yayoi, qui l'écoutait à peine, continua sur un ton presque rêveur :

– Pourvu que cet homme soit condamné à mort.

– Il ne le sera pas. Il sera probablement relâché pour insuffisance de preuves.

– Dommage.

– Comment peux-tu être aussi cruelle ! s'indigna Masako.

– Kenji avait perdu la tête pour une fille qui travaillait chez lui ! protesta Yayoi.

– Ça le rend coupable ?

– Non, mais il n'est pas innocent.

– Sais-tu pourquoi ton mari a perdu la tête pour une fille ? demanda Masako en écrasant la cigarette et sans vraiment espérer de réponse.

Si cette question lui était venue à l'esprit, c'était peut-être à cause de Kazuo.

– Sans doute parce qu'il s'ennuyait en vivant avec moi, lui répondit Yayoi dont la colère ne s'était pas encore apaisée. En somme, je n'avais plus de charme à ses yeux.

– Tu crois?

Masako aurait bien aimé poser la question à Kenji s'il avait été vivant. S'il existait vraiment des raisons de tomber amoureux de quelqu'un, elle voulait les connaître.

– Sinon, c'était une vengeance contre moi.

– Qu'est-ce qu'il pouvait te reprocher? Tu étais une épouse et mère modèle.

Au bout d'un moment de réflexion qui se traduisit par un silence, Yayoi lui répondit enfin:

– C'est justement ça qu'il n'aimait pas, je pense.

– C'est-à-dire?

– Il se sentait en sécurité avec une épouse de ce genre, mais il s'ennuyait.

– Pourquoi?

– J'en sais rien. Je ne suis pas Kenji, répondit Yayoi avec une violence inattendue.

– Ça, c'est sûr, dit Masako en revenant à elle-même.

– T'es un peu bizarre aujourd'hui, Masako. Tu as l'air hébétée.

– J'ai sommeil.

– Ah oui. Maintenant que je dors la nuit, j'avais oublié, dit Yayoi pour s'excuser. La Patronne va bien?

– Elle n'est pas venue au boulot. Et Kuniko non plus. Tout le monde est crevé.

– Pourquoi?

Masako garda le silence.

– Excuse-moi, répondit Yayoi. Tout ça, c'est à cause de moi. Tu sais, j'ai eu la confirmation pour la prime de l'assurance. Je vais pouvoir payer tout le monde.

– Combien? s'empressa de lui demander Masako.

– Un million chacune. C'est pas assez?

– C'est trop, dit Masako net. Cinq cent mille suffiront pour la Patronne et pour Kuniko. Kuniko ne les mérite absolument pas.

329

– Mais elles vont se fâcher. Moi, je vais recevoir cinquante millions.

– Tu ne leur dis pas un mot de l'assurance. Tu leur donnes leur fric sans rien préciser. Par contre… tu ne pourrais pas me donner deux millions ?

Yayoi parut étonnée que Masako, qui avait affirmé ne pas vouloir d'argent, ait soudain changé d'avis.

– Pas de problème, mais… il s'est passé quelque chose ?

– J'aimerais disposer d'un petit capital pour faire quelque chose en temps voulu. Tu me les donneras ? S'il te plaît ?

– D'accord. Tu m'as beaucoup aidée, Masako. Je te payerai sans faute.

– Merci.

En raccrochant, Masako se sentit libérée de l'état de torpeur dans lequel elle avait été plongée. Elle avait retrouvé son esprit combatif et n'en revenait pas de savoir que le propriétaire du casino était le suspect principal. On ne pouvait certes pas savoir dans quelle mesure la police prenait cette piste au sérieux, mais pour le moment Masako et ses collègues pouvaient s'estimer sorties de la mauvaise passe. Mais peut-être se montrait-elle trop optimiste. Néanmoins, soulagée, elle se laissa aller au sommeil.

CHAPITRE 8

Le mois d'août touchait à sa fin. La saison des typhons terminée, le vent d'automne commençait à se faire sentir lorsque Sataké fut relâché, le délai légal de détention préventive étant dépassé.

Il monta lentement l'escalier extérieur de l'immeuble qui abritait ses établissements. Sur le palier, des prospectus pour un salon de massage s'étaient accumulés. Il s'accroupit pour les ramasser, les mit en boule et les fourra dans une poche de sa veste noire. Ce genre de publicité était impensable au temps où le Mika et l'Amusement Parco prospéraient. Il avait suffi que deux établissements dans le vent soient fermés pour que tout l'immeuble paraisse à l'abandon.

Sentant un regard sur lui, Sataké leva les yeux. Le barman du premier étage le fixait d'un air apeuré. Sataké savait que l'homme avait témoigné contre lui en racontant qu'il s'était bagarré avec Yamamoto. Les mains dans les poches de son pantalon, Sataké le dévisagea.

Le barman s'empressa de fermer la porte vitrée de couleur pourpre. Il ne pensait pas que Sataké sortirait aussi tôt. Sentant le regard du barman posé sur lui à travers la vitre dépolie, Sataké constata avec tristesse que l'enseigne Mika avait été rangée dans un coin et que le cordon qui la soutenait avait été arraché. Sur la porte on pouvait lire :

Fermé pour rénovation.

Sataké avait été inculpé pour organisation illégale de jeux de hasard et pour proxénétisme. Toutefois seul le premier chef d'accusation s'appuyait sur des preuves. Mais dans l'affaire du cadavre découpé en morceaux, qui était le véritable but de l'arrestation, on n'avait trouvé aucune preuve et Sataké avait dû être libéré. Sachant combien la police pouvait être redoutable, celui-ci s'estimait heureux, mais ce qu'il avait perdu était considérable. Le royaume qu'il s'était construit en une décennie à coups d'emprunts était en ruine. Mais ce qui le chagrinait le plus était le fait que son passé avait été révélé à tous et qu'il y avait perdu tout son crédit. Il ne faisait aucun doute que ça l'empêcherait de reprendre ses activités.

Il se ressaisit et se dirigea vers le deuxième. Il avait rendez-vous avec Kunimatsu. Le Parco qui était son trésor avait déjà disparu. La porte en bois massif, qui à elle seule lui avait coûté une fortune, était restée telle quelle, mais l'enseigne était devenue celle du Vent d'Est, un salon de jeu de mah-jong. Sataké entrouvrit discrètement la porte du local qui était maintenant la propriété d'un autre. Kunimatsu l'y attendait, seul.

– Salut !

– Bonjour, monsieur Sataké.

Il faisait sombre à l'intérieur. Seule une table de jeu était éclairée. Kunimatsu leva son visage éclairé par le spot et sourit. Il était assez maigre et, sans doute à cause de l'éclairage, ses cernes étaient marqués.

– Ça fait longtemps.

– Je suis désolé pour ce qui vous est arrivé, répondit Kunimatsu en se levant légèrement de son siège.

– Encore à tripoter des tuiles de mah-jong ? grommela Sataké entre ses dents.

Il avait rencontré Kunimatsu pour la première fois dans une salle de mah-jong de Ginza. Kunimatsu, qui n'avait pas trente ans à cette époque, était encore videur et coursier et y passait toutes ses journées. Il semblait avoir un visage poupin, mais dès qu'il s'asseyait à une table il se métamorphosait en joueur professionnel. Sataké avait été amusé et admiratif de voir que, malgré son jeune âge, cet homme avait une telle expérience des jeux de hasard. Quand il avait décidé d'ouvrir un casino, c'est à lui qu'il avait fait appel.

– De nos jours, les salles de mah-jong ne servent plus à rien, reprit Kunimatsu. Maintenant les jeunes sont collés à l'ordinateur.

D'une main experte, il saupoudrait de talc les tuiles alignées devant lui. Il y avait six tables de mah-jong, de toute évidence de location. À part celle qu'occupait Kunimatsu, les autres étaient couvertes d'un drap blanc, comme pour un enterrement.

– C'est sans doute vrai.

Sataké regarda autour de lui. C'est ici que se trouvait la grande table de baccara, là-bas que les clients faisaient la queue. Il se rappela avec nostalgie cette période prospère qui ne remontait qu'à un mois à peine.

– On dirait que je vais bientôt être au chômage, dit Kunimatsu en refermant la boîte de talc.

Un sourire lui creusa soudain des rides au coin des yeux.

– Pourquoi ?

– Il paraît qu'on va fermer le salon de mah-jong pour en faire un bar à karaoké.

– Un bar à karaoké ? C'est donc la seule chose qui marche ?

Il y avait quelques appareils à karaoké au Mika, mais Sataké avait en horreur l'idée de s'égosiller en public.

– C'est partout la crise.

– Le baccara rapportait pourtant bien !

Kunimatsu acquiesça mélancoliquement.

– Vous avez un peu maigri, monsieur Sataké, dit-il en regardant pour la première fois le visage de son interlocuteur.

La peur se lisait dans ses yeux. Le personnel avait appris comment Sataké avait assassiné une femme et ce précédent avait fait de lui un suspect. Toutes les portes s'étaient fermées. L'un avait exigé de se faire rembourser, l'autre refusait de lui louer un local et Kunimatsu ne devait pas faire exception. C'est ce que Sataké, qui ne se fiait à personne, devait penser, mais ses paroles se firent plutôt douces.

– Cela se peut. Je ne dormais pas bien là-bas.

L'existence qu'il avait menée à la maison d'arrêt s'était réduite à une lutte continue contre l'insomnie.

– Je m'en doute, dit Kunimatsu. Ç'a dû être dur.

Kunimatsu avait été relâché après avoir été entendu comme témoin à propos de l'organisation illégale de jeux de hasard, mais depuis il avait été convoqué à plusieurs reprises pour l'affaire du cadavre découpé en morceaux. Il n'avait aucun mal à imaginer l'épreuve par laquelle Sataké était passé.

– Je suis désolé de t'avoir causé des ennuis, reprit Sataké.

– Ce n'est pas grave. C'était un bon apprentissage. Mais je n'ai plus l'âge d'être apprenti, dit Kunimatsu qui avait trente-huit ans.

Il manipula les tuiles pour les reconnaître au toucher. Il les retourna l'une après l'autre et avec un doux cliquetis elles se révélèrent. Sataké alluma une cigarette et l'observa. Comme il avait été contraint de cesser de fumer pendant sa détention, la fumée qui envahissait ses poumons lui sembla délicieuse. C'était ça, le goût de la liberté ! se dit Sataké qui n'avait que le tabac comme idée de luxe. Il aspira à pleins poumons cette fumée qui lui irritait la gorge.

– Quelle surprise, quand même, d'apprendre que ce Yamamoto avait été découpé en morceaux ! reprit Kunimatsu en regardant Sataké à la dérobée.

– C'est ce qui arrive quand on fourre son nez où il faut pas !

– Vous avez toujours dit qu'à la fin le requin se fait bouffer ! dit Kunimatsu en riant.

– Et j'avais raison !

– Vous parlez de Yamamoto ?

– Non, idiot ! De moi !

Kunimatsu acquiesça, mais il était difficile de savoir dans quelle mesure il faisait confiance à Sataké. Il était sans doute en partie convaincu que Sataké avait commis un assassinat ! Si Kunimatsu ne l'avait pas abandonné, c'est qu'à la différence des hôtesses il n'avait pas d'endroit où aller.

– C'est dommage pour le Mika, dit Kunimatsu. C'était le plus prospère des établissements de Kabukichô.

– De toute façon, maintenant on ne peut plus rien faire.

De sa prison, il avait ordonné la fermeture du Mika en prétextant les congés d'été. Mais la plupart des employées étant des Chinoises qui n'avaient que des visas d'étudiantes et craignaient la police, elles avaient préféré disparaître du jour au lendemain.

Soupçonnée d'avoir des accointances dans la mafia taïwanaise, Lihua était rentrée au pays. Le gérant Chen semblait s'être replié sur un autre établissement sans laisser de nouvelles. An-na avait été engagée par un autre club qui la convoitait depuis longtemps. Quant aux autres hôtesses, celles qui avaient des problèmes de visa étaient rentrées et le reste avait trouvé des emplois dans d'autres établissements comme An-na.

C'était monnaie courante à Kabukichô. Tant qu'une affaire prospérait, on s'y agglutinait comme un essaim d'abeilles autour d'une fleur resplendissante, mais dès qu'elle périclitait, on la fuyait avant d'en subir les conséquences. Sataké savait que la révélation de son passé avait accéléré le processus.

– Mais, monsieur Sataké, vous allez relancer une affaire, non ?

Sataké leva les yeux au plafond. Le lustre qu'il avait acheté lui-même y était toujours accroché, mais on n'avait pas allumé la lumière.

– Vous allez en rester là ? insista Kunimatsu en regardant ses paumes saupoudrées de talc. Vous n'allez pas ouvrir un New Mika ?

– Non, j'arrête, lui répondit Sataké. Je liquide tout.

– Quel dommage ! Mais pourquoi ?

– Il y a quelque chose que j'ai envie de faire.

– Quoi ? Je suis prêt à vous donner un coup de main pour n'importe quoi.

Il se débarrassa du talc en frottant ses longs doigts. Sataké garda le silence et se massa lentement la nuque. Depuis qu'il avait passé des nuits blanches en prison, il avait une douleur tenace aux cervicales. S'il n'intervenait pas, elle risquait de tourner à la migraine.

– Qu'allez-vous faire ? reprit Kunimatsu.

– Trouver le vrai criminel dans l'affaire du cadavre découpé en morceaux.

Kunimatsu crut à une plaisanterie et y alla d'un sourire.

– Pas mal ! On joue au détective ?

– Je suis sérieux, Kunimatsu ! répondit Sataké, sans cesser de se masser la nuque.

– Et que ferez-vous une fois que vous l'aurez démasqué ? demanda Kunimatsu, perplexe.

– Je ne sais pas, mais j'y penserai en temps voulu.

En fait, il tenait déjà sa réponse, mais ne la dit pas, naturellement.

– Voilà, en temps voulu… répéta-t-il.

– Est-ce que ça marchera ? Vous avez une idée en tête ?

En proie à une soudaine angoisse, Kunimatsu regarda Sataké de la tête aux pieds.

– Le suspect numéro un est la femme de la victime.

– Ah bon ?

Kunimatsu se passa la langue sur les lèvres : il ne s'y attendait pas du tout.

– Tu n'en parles à personne, n'est-ce pas, Kunimatsu ?

– Évidemment.

Il détourna rapidement les yeux, comme s'il avait perçu pour la première fois les ténèbres de l'âme de Sataké.

Après s'être séparé de lui, Sataké passa dans l'avenue de la Mairie. Si la chaleur du jour était pénible, le vent du soir donnait de la fraîcheur. Il entra dans un immeuble neuf, assez pauvre, construit en verre et en acier inoxydable. Les enseignes bigarrées indiquaient que c'était un regroupement de petits clubs. Sataké vérifia à quel étage se trouvait un établissement appelé Mato. Il y monta en ascenseur, en poussa la porte et y fut accueilli par le gérant vêtu de noir.

– Bonsoir, monsieur.

En reconnaissant Sataké, l'homme manifesta sa surprise : c'était Chen.

– Tu travailles ici ?

Chen répondit par un sourire affecté, mais moins obséquieux qu'autrefois.

– Ah, monsieur Sataké, après tout ce temps... vous venez
comme client?

– Qu'en penses-tu? fit-il avec un sourire gêné.

– Vous souhaitez une hôtesse en particulier?

– On m'a dit qu'An-na travaillait ici.

Chen jeta un coup d'œil au fond de la salle. Sataké suivit son
regard. La salle était plus petite que celle du Mika, mais les
meubles chinois en bois de santal rouge y créaient une ambiance
assez élégante.

– C'est elle que vous voulez? Mais elle a changé de nom.

– Comment s'appelle-t-elle maintenant?

– Elle se fait appeler Meiran.

Le nom était banal.

– Va pour Meiran.

Sataké suivit Chen au fond du club. Sur son passage, une
entraîneuse en kimono, qu'il connaissait, le regarda, surprise.

– Non mais... c'est monsieur Sataké. Après tout ce temps!
Alors, c'est fini, les petits tracas?

– Qui parle de petits tracas?

C'était une Japonaise.

– Il paraît que Lihua n'est pas encore revenue de Taïwan.

– Apparemment non. Je n'ai pas eu de nouvelles.

– Ça créerait des ennuis si elle rentrait?

Sataké sentit que c'était une pique contre lui – on le soupçonnait d'avoir partie liée avec la mafia chinoise –, mais ne
réagit pas.

– Je ne sais pas.

– Ç'a dû être pénible, tout ça, dit-elle.

Elle avait dû percevoir la tension de Sataké, car elle s'empressa de changer de ton. Il lui répondit par un sourire ambigu,
mais son regard soupçonneux l'agaçait. Puis il aperçut dans un
coin le profil d'une jolie femme qui semblait être An-na. Mais
elle ne se tourna pas vers lui.

Sataké s'assit à la place que lui indiquait Chen. Tout le fond de la salle était désert, mais il lui réserva cet endroit étroit et inconfortable, au milieu. Les clients s'égosillaient au karaoké et, dès qu'ils avaient fini, les entraîneuses applaudissaient comme par réflexe pavlovien. Sataké fut vite accablé par le bruit environnant. Une femme, dont la seule qualité était la jeunesse et qui ne parlait presque pas japonais, vint s'asseoir près de lui et le gratifia d'un sourire artificiel. Le vacarme était tel qu'on ne pouvait même pas engager la conversation. Sataké but en silence plusieurs tasses de thé Oolong glacé.

– An-na, enfin… Meiran, n'est toujours pas libre ? demanda-t-il.

À cette question, la fille s'offensa et s'éloigna. Il resta seul pendant près d'une demi-heure, puis il s'endormit, sans doute à cause du soulagement qu'il éprouvait à goûter à la liberté. Cela ne dura que quelques minutes, mais il eut l'impression que son sommeil s'était prolongé pendant des heures. S'il n'en tirait aucune sérénité, le simple sentiment de l'avoir échappé belle le détendait.

Il ouvrit les yeux en sentant un parfum dans l'air. Depuis quand An-na était-elle assise devant lui ? Elle portait un ensemble entièrement blanc qui mettait en valeur son bronzage.

– Bonsoir, monsieur Sataké, dit-elle.

Elle ne l'appelait donc plus « grand frère » ?

– Ça va ?

– Oui, ça va.

Elle était souriante, mais Sataké savait que son cœur lui était fermé.

– Tu es bien bronzée, dis-moi.

– En effet. Je vais à la piscine tous les jours.

Peut-être se rappelait-elle les événements qui avaient suivi le jour où elle était allée à la piscine avec lui. Elle servit d'un geste expert deux whiskies à l'eau avec la bouteille qu'on avait mise d'office à la disposition de Sataké. Elle posa le verre devant lui, comme pour le tenter alors qu'il ne buvait pas. Il la dévisagea.

– Comment ça se passe ici ?

– Bien. Cette semaine, c'est moi qui ai eu le plus de succès. Tous les clients du Mika m'ont suivie.

– Ah bon ? Je suis content.

– Au fait, j'ai déménagé.

– Où ?

– À Ikebukuro.

Elle ne lui précisa pas dans quel coin. Il y eut un silence gêné entre eux, puis elle lui demanda soudain :

– Comment as-tu pu tuer cette femme ?

Pris au dépourvu, Sataké remarqua une lueur dans les yeux d'An-na.

– Je ne sais pas pourquoi moi-même.

– Tu la haïssais ?

– Non, ce n'était pas pour ça.

À vrai dire, il l'admirait et la trouvait intelligente. Il se dit qu'An-na était trop jeune pour comprendre que la haine vient très précisément du désir d'être accepté par autrui.

– Quel âge avait-elle ?

– Je ne sais pas. Dans les trente-cinq ans.

– Comment s'appelait-elle ?

– Je ne m'en souviens pas.

Il l'avait entendu plusieurs fois au cours du procès, mais le nom était si banal qu'il l'avait oublié. Ce qui le hantait, ce n'était pas son nom, qui n'était qu'un signe, mais sa voix et son visage.

– Tu ne l'aimais pas ? Ce n'était pas ton amie ?

– Pas du tout. Je venais juste de la rencontrer.

– Mais alors, pourquoi l'as-tu tuée de cette façon ?

Elle s'acharnait.

– Lihua m'a raconté que tu l'as torturée à mort. Tu ne l'aimais pas, tu ne la haïssais pas : comment as-tu pu la tuer d'une façon aussi cruelle ?

En entendant les éclats de voix d'An-na, les clients à la table voisine tournèrent leurs regards vers lui, puis, effrayés par la teneur de la conversation, ils baissèrent la tête.

– Je ne comprends pas, répondit-il calmement. Je ne sais vraiment pas pourquoi j'ai fait ça.

– Tu étais gentil avec moi pour que je la remplace ?

– Non, ce n'est pas ça.

– Alors pourquoi il y a deux « grands frères » dans le « grand frère » ? Il y en a un qui a tué une femme et l'autre qui aime bien An-na. Pourquoi ?

Son excitation était telle qu'elle lui avait redonné son surnom. Il garda le silence.

– Tu me prends pour un chiot. C'est pour ça que tu as été gentil avec moi. Je me trompe ? Tu m'as rendue aussi mignonne qu'un caniche qu'on achète dans des magasins d'animaux et tu m'as vendue à des hommes. Ça t'amusait. J'étais ta marchandise. Si je m'étais révoltée, tu m'aurais tuée comme cette femme ?

– Mais non ! s'écria-t-il en s'allumant une cigarette tout seul, sans qu'An-na s'en occupe. Toi, tu es mignonne… alors qu'elle…

Il chercha ses mots en silence. An-na attendit en l'observant. Mais la suite ne vint pas.

– Grand frère, tu dis que je suis mignonne, mais tu penses que je ne suis rien de plus. J'ai tout de suite eu de la peine pour elle quand j'ai appris l'histoire. Après, j'en ai eu pour moi, et tu sais pourquoi ? Grand frère, parfois tu m'en as voulu pour le travail, mais jamais tu ne serais allé jusqu'à me tuer, comme elle. Elle, elle avait tellement envahi ton cœur que tu as pu la tuer par haine. Moi, non ; je n'y suis pas parvenue. Parfois j'aurais aimé que tu me tues. Mais comme c'est elle que tu as tuée, tu as été gentil avec moi, à sa place. Mais rien que gentil. Ce qui n'est pas grand-chose. Je suis triste, grand frère, maintenant que je m'en suis rendu compte. C'est pour ça que je me fais de la peine. Tu comprends ça, grand frère ?

Elle s'était mise à pleurer. Les larmes coulaient sur les ailes de son nez. Les clients des tables voisines et les hôtesses avaient l'air de se demander ce qui se passait et les regardèrent de plus près. Inquiète, la patronne les surveillait.

– J'ai compris. Je ne reviendrai plus. Travaille tranquillement.

An-na ne répondit pas. Sataké se leva, paya, se fit raccompagner par Chen qui arborait un sourire artificiel et sortit. Il comprenait trop bien pourquoi ni An-na ni les autres n'avaient voulu le raccompagner. À Kabukichô, il n'y avait plus de place pour lui.

Depuis que Kinugasa l'avait interrogé, Sataké sentait que cette femme s'était collée à son dos depuis dix-sept ans. Il était maintenant prêt à l'affronter. Un souvenir longtemps enfoui avait brisé l'écorce et lui offrait ses fruits et ses graines.

Il retrouva son appartement.

Quatre semaines s'étaient écoulées depuis son arrestation soudaine et son incarcération. En ouvrant la porte, il sentit une odeur humide, typique d'une pièce restée trop longtemps fermée en plein été. Il entendit des voix et s'empressa de se déchausser pour entrer dans la pièce. Dans la pénombre, une lueur bleuâtre scintillait.

La télévision. Le jour où le plein été s'était installé, il était si nerveux qu'il était parti en laissant l'appareil allumé. La police avait effectué une perquisition, mais ne s'était pas donné la peine de l'éteindre. Il sourit tristement en s'asseyant devant le téléviseur. Les actualités se terminaient.

Sa nervosité intérieure s'était calmée avec la fin de l'été. L'été s'enfuyait. Sataké se leva pour ouvrir la fenêtre. De la rue Yamaté monta un air nocturne chargé de rumeurs et de puanteurs de gaz d'échappement qui se mêla vite à l'odeur de renfermé de l'appartement. Les gratte-ciel illuminés se détachaient dans le ciel. Tout allait bien. Sataké se retrouvait. Il inspira à fond l'air souillé de la ville. Maintenant, il ne lui restait plus qu'à accomplir son devoir.

Il ouvrit un placard où étaient accumulés de vieux journaux. Il en feuilleta les pages moites et jaunies en cherchant les numéros où était mentionnée l'affaire du cadavre découpé en morceaux. Il posa plusieurs numéros par terre et prit des notes dans un calepin. Puis il alluma une cigarette et relut ses notes en réfléchissant.

Il éteignit la télévision et se leva. Il comptait errer au hasard dans les petites rues. Il n'avait plus rien à préserver, plus rien à perdre non plus. Il avait franchi une rivière profonde et le pont s'était écroulé derrière lui. Il ne pouvait plus faire demi-tour. Mais il ne s'agissait pas pour lui de renouer avec un rêve englouti : sa vie maintenant ne faisait rien d'autre que de s'égarer dans un grand rêve. Il y éprouvait même une réelle excitation, comme s'il retrouvait ses vingt ans, l'époque où il servait d'homme de main à un yakuza. Il y avait quelque chose de commun entre la sensation de vagabonder sans but dans les rues et la conscience de ne plus pouvoir faire marche arrière. Il se sentait délivré. Un sourire se dessina sur ses lèvres.

CINQUIÈME PARTIE

LA RÉCOMPENSE

Chapitre 1

Elle n'avait plus d'argent. Son portefeuille ne contenait plus que de la petite monnaie et quelques billets de mille yens. Elle avait fouillé partout chez elle, mais n'y avait pas trouvé un sou.

Depuis un moment elle fixait le calendrier format carte de visite qu'on lui avait offert à la cordonnerie express. Elle avait beau l'examiner, elle n'y échapperait pas : l'échéance du remboursement approchait.

L'autre jour, Masako avait juré que Kuniko paierait, quitte à emprunter chez un autre prêteur, mais c'était oublier les ennuis auxquels elle devait faire face. Yayoi, elle, avait promis de lui donner de l'argent, mais elle n'avait toujours pas payé un sou. Ces deux femmes l'avaient contrainte à la basse besogne, la transformant ainsi en une criminelle. Et maintenant elles agissaient comme si tout cela n'avait été que paroles en l'air.

Dans un brusque accès de colère, Kuniko vira de la table un gros magazine féminin qui s'y trouvait. Il tomba sur la moquette, en s'ouvrant sur les photos d'un dossier spécial sur Nice. Kuniko le feuilleta du bout des orteils. Les publicités de grandes marques la firent rêver, l'incitant à la dépense : Chanel, Gucci, Prada… Sacs à main, chaussures, vêtements pour le début d'automne, accessoires…

Elle avait ramassé ce magazine dans le local à poubelles. Il y avait une tache de boisson dessus, mais elle ne pouvait pas se plaindre. Elle l'avait eu gratuitement.

Elle avait arrêté son abonnement au journal quotidien et s'abstenait de prendre la voiture afin d'économiser l'essence.

Elle n'avait plus d'autre plaisir que celui de regarder les émissions people ou les feuilletons à la télé ; et tomber sur un magazine qu'on avait jeté était déjà une belle aubaine. Elle avait cherché à connaître la nouvelle adresse de Tetsuya, mais personne n'avait pu la renseigner. Comme elle s'était souvent absentée de la fabrique au mois d'août, elle avait moins de rentrées. Et elle n'avait aucune économie devant elle. Elle n'avait absolument plus rien. Elle se sentit atrocement misérable et poussa un cri.

Elle avait pensé travailler pendant la journée mais, à la lecture des offres d'emploi, elle avait vite compris qu'aucun travail ne lui procurerait un revenu suffisant pour éponger ses dettes. Elle n'avait plus qu'à s'adonner à la prostitution, ce qui lui assurerait des subsides plus conséquents, mais un insurmontable complexe de laideur la retenait. Autant rester à la fabrique où le temps de travail était limité. Il y avait en elle comme l'avers et le revers d'une médaille : elle était déchirée entre le désir ardent d'être riche et de s'habiller avec éclat afin d'être remarquée et un complexe d'infériorité qui la poussait à se tapir dans un coin obscur à l'abri des regards.

Et si elle se déclarait en faillite ? L'idée lui avait effleuré l'esprit, mais elle risquait d'être interdite de carte de crédit pour le restant de ses jours. Kuniko pouvait tout supporter sauf l'idée de devoir vivre modestement tout en ayant de l'argent. Elle était incapable de différer son désir. Au fond, rechercher une solution était inutile maintenant qu'elle espérait une grosse somme de la part de Yayoi.

Kuniko se résolut à l'appeler. Jusque-là l'envie ne lui avait pas manqué, mais elle craignait la surveillance de la police. Là, elle ne pouvait plus attendre.

– Allô ? dit-elle. C'est Kuniko à l'appareil.

– Ah oui ! s'écria Yayoi, embarrassée.

L'appel avait dû l'agacer, car elle ne l'avait même pas saluée. Kuniko était tellement exaspérée qu'elle alla droit au but.

– J'ai lu le journal : j'ai l'impression que tu t'en es plutôt bien tirée.

– De quoi tu parles? riposta Yayoi en feignant de ne pas comprendre.

Kuniko entendait en bruit de fond le brouhaha d'un dessin animé à la télévision et des cris d'enfants. Dire que leur père avait connu une mort atroce! Comment pouvaient-ils s'amuser aussi joyeusement? La colère de Kuniko se porta même sur ces petits innocents.

– Ne fais pas la maligne! lança-t-elle. J'ai bien lu qu'un patron de casino avait été coffré à ta place.

– Oui, apparemment.

– Comment ça «apparemment»? Tu es vraiment vernie!

– On pourrait te retourner le compliment. Je suis désolée de te le rappeler puisque tu m'as aidée, mais c'est parce que tu as jeté les sacs dans le parc que ça a fait tant de bruit. Masako était furieuse.

Yayoi, qu'elle avait toujours crue docile, faisait preuve d'un aplomb inattendu. Malgré son panache, Kuniko fut prise de court et ne put que lâcher:

– Quel culot de dire ça! Toi qui es une meurtrière!

– Mais qu'est-ce que tu as? Il s'est passé quelque chose? demanda Yayoi qui semblait avoir recouvert le combiné de sa main.

– Assez parlé! Je veux mon argent, celui que tu m'as promis. Quand vas-tu me le donner? Tu ne peux pas me donner une date, au moins ça?

– Ah, c'est de ça qu'il s'agit?! Excuse-moi. Je ne peux pas encore m'avancer, mais je pense que ce sera possible en septembre.

– En septembre! Non mais je rêve! s'écria Kuniko. Tu devais le demander à tes parents! Tu n'as qu'à le leur demander maintenant. À dix jours près.

– C'est vrai, mais…

Yayoi restait vague.

– Dis-moi, tu vas vraiment me donner cinq cent mille yens?

– Oui, c'est ce que je pensais.

– Ouf! dit Kuniko, soulagée. Mais tu sais, je suis vraiment

dans un sale pétrin. Tu ne pourrais pas m'en avancer au moins cinquante mille ?

– Eh bien oui, si tu peux attendre un petit peu. Alors…

– Alors quoi ? Ne me dis pas que tu vas avoir l'argent de l'assurance.

– Mais non ! protesta aussitôt Yayoi. Il n'était pas assuré.

– Mais comment vas-tu vivre ? Au fond, tu es exactement comme moi. Tu n'as plus de mari et tu as un emploi à temps partiel.

– Oui, mais… à vrai dire je n'ai pas encore pensé à l'avenir. J'ai mes enfants avec moi et je crois qu'il faut tenir le coup ici quelque temps. C'est aussi le conseil de ma mère.

Yayoi était sérieuse dans ses explications : Kuniko, que l'avenir de Yayoi n'intéressait guère, n'en fut que plus irritée.

– Tes parents te donnent de l'argent ?

– Si je les supplie, ils m'en donneront un peu, oui. Mais mon père est un simple employé et je ne peux pas trop lui demander.

– Ce n'est pas exactement ce qu'avait annoncé Masako.

– Je suis désolée.

– Ce n'est pas si mal s'il est employé. Ça signifie au moins qu'il a un salaire régulier.

Kuniko, qui désirait lui soutirer de l'argent de toutes ses forces, n'était pas prête à lâcher prise, mais Yayoi s'obstinait à répéter d'un air gêné :

– Tu peux patienter un peu ?

Kuniko, qui commençait à trouver la communication trop onéreuse, raccrocha.

C'était maintenant au tour de Masako. Kuniko ne bavardait plus avec elle alors qu'elle la croisait tous les jours à la fabrique. Depuis qu'elle savait que Masako connaissait Jûmonji, Kuniko avait vaguement peur d'elle. Malgré le désastre de sa situation financière, elle était en effet convaincue de mener une vie huppée, comme dans une revue féminine : l'idée que Masako soit liée à un représentant de la pègre l'épouvantait.

L'échéance n'en approchait pas moins. Il fallait faire quelque chose, quitte à frôler l'illégalité. Kuniko l'oubliait totalement, mais c'était ainsi acculée qu'elle avait été entraînée dans l'histoire de Yayoi. Elle composa le numéro de Masako.

– Mme Katori à l'appareil.

Masako était chez elle. Contrairement au foyer de Yayoi, on n'entendait rien à l'autre bout du fil. Kuniko se demanda ce qu'elle pouvait bien faire seule dans ce pavillon impeccablement rangé. Elle se rappela la scène horrible de la salle de bains et en eut le dos parcouru d'un frisson. Quels nerfs pouvait-elle bien avoir pour être capable de se laver sur les carreaux même où avaient été dispersés des lambeaux de chair et avait coulé du sang? Comment pouvait-elle se prélasser dans la baignoire sur le couvercle de laquelle avaient été posés des morceaux du cadavre découpé? À cette seule idée, elle eut de nouveau peur de Masako et murmura:

– C'est moi, Kuniko.

– Ton échéance arrive bientôt, non? lui demanda Masako d'entrée de jeu.

Elle ne l'avait donc pas oubliée.

– C'est pour ça que je t'appelle. Qu'est-ce que je dois faire?

– Ce n'est pas à moi qu'il faut poser la question. C'est ton problème.

– Mais l'autre jour tu t'es engagée à rembourser, quitte à me faire emprunter ailleurs! cria Kuniko avec le sentiment d'avoir été trahie.

– Ben justement. Tu n'as qu'à emprunter, répliqua sèchement Masako. Va voir un autre prêteur. Il te donnera sûrement de l'argent. Tu rembourseras «le Million» avec ça et tu iras emprunter chez un autre.

– Ce sera un engrenage terrible.

– Tu es déjà dedans. Tu n'as qu'à continuer comme avant.

– Ne parle pas comme ça. Sois gentille: dis-moi ce que je dois faire.

– Tu le sais bien toi-même: tout ce que tu veux, c'est de l'argent.

Les sarcasmes de Masako la faisaient grincer des dents.

– Prête-moi de l'argent, dit-elle. Yayoi ne m'en a toujours pas donné.

– Je n'ai pas d'argent à te prêter. Yayoi a promis de te payer sans faute. Débrouille-toi en attendant.

– Comment?

– Tu es jeune. Réfléchis.

Masako était glaciale. Kuniko raccrocha violemment et cherch a un moyen de se venger : il fallait que Masako la supplie de lui pardonner. Mais pour l'instant elle n'avait aucune arme contre elle. Quelle garce! Comment pourrais-je la coincer? se dit-elle en rangeant.

Soudain l'interphone sonna. Kuniko se recroquevilla de peur. Ce jour-là, elle aurait voulu rester cachée du reste du monde. Voilà, s'enfoncer dans la fange comme une tortue. Elle mit la tête dans ses bras.

L'interphone retentit de nouveau. Un inspecteur, sans doute. Si c'était encore cet Imai au regard perçant qui était venu trois semaines auparavant, pas question! Elle ne pensait pas avoir parlé à la légère, mais le regard inquisitorial du policier était vraiment pénible. Comment pourrait-elle réagir s'il lui disait, mettons... qu'un témoin avait aperçu une Golf verte au parc de K.? Elle ne voulait plus le revoir.

Elle décida de faire le mort et baissa progressivement le volume de la télévision. Cette fois-ci on frappa directement à la porte.

– Madame Jônouchi? C'est Jûmonji du «Centre de consommateurs - le Million».

Étonnée, elle répondit à l'interphone.

– Mais... dit-elle apeurée, ce n'est pas encore l'échéance.

– Non, c'est pour autre chose, lui répondit Jûmonji, visiblement rassuré par sa présence.

– Quoi?

– Vous m'accordez un moment? Vous ne le regretterez pas.

De quoi voulait-il parler? Elle ouvrit la porte, intriguée. Jûmonji avait une boîte de gâteaux à la main. Habillé de façon bien plus décontractée que d'habitude, il portait des lunettes

noires, une chemise hawaïenne avec des motifs bigarrés d'oi-
seaux de paradis sur fond noir et un pantalon de coton.

– Qu'est-ce qu'il y a? dit-elle en reculant et se rendant brusquement compte qu'elle était en short, avec les cuisses nues.

– Excusez-moi de vous déranger à l'improviste, reprit-il, mais
je voulais vous entretenir de quelque chose.

Jûmonji lui fourra les gâteaux dans les mains. Quoique
méfiante, elle se laissa attendrir par son sourire.

– Entrez, dit-elle.

Jûmonji, qui venait pour la première fois, promena son regard
sur l'appartement de Kuniko et prit place, sans y être invité, à la
table de la cuisine. Kuniko s'empressa de ramasser le magazine
qui était tombé par terre.

– Vous ne voulez pas que nous mangions les gâteaux?

– Si vous voulez… oui.

Elle mit des assiettes et des fourchettes et posa sur la table la
bouteille d'eau minérale qui contenait du thé Oolong. Puis elle
proféra aussitôt un mensonge :

– De quoi vouliez-vous me parler? S'il s'agit de l'échéance
d'après-demain, je vais l'honorer sans faute.

– Il ne s'agit pas de ça. Vous savez, il y a une chose qui m'intrigue beaucoup.

Il sortit un paquet de cigarettes de sa poche et lui en proposa
une. Elle ne pouvait plus se permettre cette dépense et sauta
sur l'occasion. Jûmonji la regarda lui prendre son briquet, allumer sa cigarette et en savourer la fumée d'un air satisfait.

– Vous pouvez garder le paquet, si vous voulez.

– Merci, dit-elle en posant le paquet près d'elle.

– Vous allez l'air d'être dans le pétrin.

– Oui, enfin… tant que je ne retrouverai pas mon mari,
répondit-elle avec un soupir et sans se dérober.

– Vous allez bien travailler à la fabrique ce soir, n'est-ce pas?
Je me suis donc dépêché pour vous voir avant. Eh bien… ce qui
m'amène ici, c'est Mme Yamamoto, qui s'était portée garante.

Frappée de stupeur, Kuniko le dévisagea. Il la regarda et haussa
les sourcils avec une bonne volonté impuissante.

– Mme Yamamoto est bien la femme de la victime, n'est-ce pas ? reprit Jûmonji en parlant vite. Quand j'ai découvert ça dans le journal, j'ai été très surpris. Et depuis je n'ai cessé de me demander pourquoi vous avez sollicité la signature de Mme Yamamoto.

– Parce que nous sommes amies à la fabrique.

– Dans ce cas, vous auriez pu faire appel à Mme Katori. Elle s'y connaît puisqu'elle a passé vingt ans dans une caisse de crédit.

– Ah, une caisse de crédit... murmura-t-elle en hochant la tête.

L'énigme concernant le passé de Masako venait d'être résolue avec une déconcertante facilité. Il est vrai qu'on imaginait très bien Masako au fond d'une banque devant un ordinateur...

– Bien, mais ce que j'aimerais savoir, c'est la raison pour laquelle vous avez choisi Mme Yamamoto comme garante.

– Mais pourquoi voulez-vous le savoir ?

Jûmonji sourit et se passa les deux mains dans ses cheveux fins, teints en châtain.

– Simple curiosité.

– Parce que Mme Yamamoto est quelqu'un de bien. Ce n'est pas le cas de Mme Katori. Voilà tout.

– Vous le lui avez demandé alors que son mari était déjà porté disparu ?

– Je l'ignorais.

– Il est étonnant que Mme Yamamoto ait accepté de signer.

– C'est quelqu'un de bien, répéta-t-elle.

– Mais alors pourquoi Mme Katori est-elle venue récupérer le papier ?

– Je ne sais pas, dit-elle en faisant l'innocente.

Jûmonji ne devait pas poser ces questions par simple curiosité. Kuniko, qui sentait qu'elle allait au-devant de gros ennuis, commença à prendre peur.

– Mme Katori savait bien que Mme Yamamoto risquait d'avoir des ennuis précisément parce que son mari était porté disparu, n'est-ce pas ?

– Mais non ! Mme Katori est intervenue parce qu'elle me prend pour une gourde.

– Ah bon ? Je ne comprends pas très bien.

Comme s'il s'amusait à jouer les détectives, Jûmonji croisa les mains derrière la tête et regarda le plafond. Kuniko, elle, ne trouvait pas désagréable d'être en sa compagnie.

– Je vais manger mon gâteau, dit-elle.

– Oui, je vous en prie. C'est une excellente pâtisserie. Il n'y a pas de contestation possible : je le tiens d'une lycéenne.

– Vous fréquentez des lycéennes ?

La fourchette dans la main, Kuniko regarda, non sans coquetterie, les yeux clairs de Jûmonji.

– Ce n'est pas vraiment ça, répondit-il en se frottant les joues d'un air embarrassé.

– Vous devez avoir du succès auprès des jeunes filles et j'imagine que vous en profitez bien.

– Non, non, pas du tout.

Kuniko ne cherchait plus à percer ce que Jûmonji voulait savoir et se concentra sur le gâteau. Il vérifia la date sur sa montre.

– Combien de termes vous reste-t-il encore ? demanda-t-il.

– Huit.

– Huit. Huit remboursements, ça fait un peu plus de quatre cent quarante-quatre mille yens. Je vous propose d'effacer tout ça et, en échange, vous me dites ce qui s'est passé.

– Vous effacez tout ?

– Oui. Plus besoin de me payer.

Kuniko se demanda ce que Jûmonji pouvait avoir en tête. Elle s'aperçut qu'elle avait un peu de chantilly sur les lèvres et se les lécha.

– Que voulez-vous que je vous raconte ?

– Ce que vous avez fait avec les autres.

– Nous n'avons rien fait.

Kuniko tenait fermement la fourchette dans sa main. Dans sa tête la proposition inattendue de Jûmonji avait déréglé la balance sur laquelle elle avait pris l'habitude de peser toute chose pour juger des pertes et profits.

– Non, je ne crois pas que vous n'ayez rien fait. J'ai bien enquêté de mon côté. Mme Yamamoto, Mme Katori, vous-même et une quatrième personne êtes très proches à la fabrique. Pour moi, vous avez toutes donné un coup de main à Mme Yamamoto par compassion pour ses affres.

– Pour ses quoi?

– Ses difficultés.

– Non, nous n'avons rien fait. Rien. Pourquoi parlez-vous de «coup de main»? demanda-t-elle en cessant de manger son gâteau.

– Mme Jônouchi, vous aviez bien dit que vous attendiez bientôt des rentrées d'argent, non? J'ai l'impression que ce n'est pas sans rapport.

– Sans rapport avec quoi?

– Ne faites pas l'innocente!

Il avait employé la même formule que Kuniko avec Yayoi.

– Allons, reprit-il, je parle de l'affaire du cadavre découpé en morceaux!

– J'ai appris qu'un type du casino avait été arrêté.

– Oui, c'est ce qu'on lit dans les journaux. Mais je flaire quelque chose de bizarre.

– Bizarre?

– Une histoire de femmes qui s'entraident.

– Mais nous ne nous sommes pas du tout entraidées!

– Alors pourquoi Mme Yamamoto a-t-elle accepté de se porter garante à un moment pareil? Même si ça ne va pas jusqu'à la caution solidaire, d'habitude les gens rechignent à se porter garants. Allons, racontez-moi tout et j'efface votre ardoise.

– Que ferez-vous de mes confidences?

La question lui avait échappé. Dans les yeux de Jûmonji passa l'éclair de satisfaction de celui qui a gain de cause.

– Rien de particulier. Simplement, ça satisferait ma curiosité.

– Et si je ne vous raconte rien?

– Rien de particulier non plus. Mais vous continuerez à payer. Le terme est donc bien après-demain, n'est-ce pas? Encore huit fois cinquante-cinq mille deux cents. Ça vous dit?

Kuniko se rappela qu'elle n'avait plus d'argent et se passa de nouveau la langue sur les lèvres. Elle n'y trouva plus de chantilly.

– Quelle preuve pouvez-vous me donner que les dettes seront effacées ? lui demanda-t-elle.

– En voici une.

Il sortit de sa serviette posée sur ses genoux un document plié en quatre – sa reconnaissance de dettes.

– Je la déchire devant vous, dit-il.

Aussitôt la balance pencha spectaculairement en faveur des dettes à effacer. Si elle n'avait plus à rembourser Jûmonji, les cinq cent mille yens que Yayoi finirait bien par lui donner lui appartiendraient en entier. Cette idée la fit vite céder.

– Très bien. Je vais parler.

– Vous m'en voyez ravi ! dit-il avec un sourire que démentait le sérieux de sa voix.

La suite fut très simple. Kuniko raconta d'un trait comment elle s'était fait manipuler par Masako et Yayoi et en éprouva toute la satisfaction de la vengeance accomplie. Ce qui se passerait plus tard n'avait aucune importance. Si Kuniko était incapable de différer le plaisir, elle pouvait retarder la souffrance.

CHAPITRE 2

Jûmonji s'assit sur un banc dans le petit square, devant l'immeuble où habitait Kuniko.

Il mit une cigarette entre ses lèvres, sortit son briquet de la poche de son pantalon et s'aperçut que sa main tremblait légèrement. Avec un sourire triste, il immobilisa le briquet, alluma sa cigarette et, après en avoir tiré une bouffée, leva ses yeux sur l'immeuble et vit le balcon de Kuniko. En plus du moteur extérieur de la climatisation, il s'y trouvait des sacs-poubelle noirs posés en désordre.

Ordures ménagères...

Dans le square, une dizaine d'enfants, garçons et filles, jouaient à cache-cache dans la lumière du crépuscule. Âgés de sept à huit ans, ils étaient surexcités et couraient comme des fous, peut-être parce qu'ils allaient devoir rentrer dans peu de temps. Peut-être aussi regrettaient-ils le peu de vacances qu'il leur restait et savaient qu'ils seraient bientôt obligés de reprendre les cours et les leçons particulières. Ils soulevaient des nuées de sable et leurs cris perçaient les oreilles. Comme assommé par leur vitalité, Jûmonji s'affaissa sur le banc et y demeura immobile.

Il était bouleversé par le récit que venait de lui faire Kuniko. Il n'en revenait pas de devoir constater que quelque chose qu'il avait jusque-là estimé difficilement concevable pût être la vérité. Mais ce qui l'avait le plus choqué était bien le fait que Masako Katori se trouvait au centre de tout cela. Lui-même, qui jouait pourtant les malfrats, aurait flanché s'il s'était agi de faire disparaître un cadavre, sans même parler de le découper en morceaux. Il en éprouvait même une sorte de crainte admirative à l'égard de cette femme qui avait réussi à mener à bien cette tâche. Comment une vieille peau comme elle avait-elle pu avoir ce cran ? L'idée ne l'effleura même pas qu'elle avait peut-être cédé à un accès de folie.

– Bravo, c'est vraiment du grand style ! marmonna-t-il.

La cigarette s'était presque consumée et allait lui brûler les doigts. Il eut le sentiment que c'était le feu de son destin qui le rattrapait. Lui aussi, il voulait accomplir une action audacieuse et stylée. Et gagner de l'argent. Il détestait travailler avec un complice, mais avec Masako... Elle lui inspirait confiance.

Quelques années auparavant, il l'avait aperçue dans un café près de la Caisse de crédit où il était entré à midi. Il y avait du monde et toutes les chaises étaient occupées. Comme la plupart des clients étaient des employés de la Caisse, ils partageaient les tables entre collègues, même s'ils ne se connaissaient pas vraiment. Masako, elle, occupait seule une table pour quatre près de la fenêtre. Pourquoi personne ne voulait-il de sa compagnie ? s'était-il demandé, intrigué. Plus tard, il avait appris qu'elle était l'objet d'un véritable ostracisme.

À ce moment-là, elle n'avait pas l'air de se soucier de cette hostilité. Elle sirotait tranquillement son café, plongée, tout comme un homme, dans la lecture d'un journal économique étalé devant elle. Les hommes qui se serraient aux tables voisines en paraissaient ridicules.

Il rit et frappa dans ses mains. Les enfants qui couraient dans le square s'arrêtèrent et le regardèrent d'un air soupçonneux, mais il n'en fut pas gêné. Il n'éprouvait pas le moindre désir pour les femmes mûres, mais curieusement, au travail, il leur faisait plus confiance qu'aux hommes. Peut-être était-ce parce qu'il avait connu Masako dans sa jeunesse.

Il sortit son carnet d'adresses et son portable de sa serviette et composa un numéro. Une idée lui était venue. On décrocha tout de suite.

– Groupe Toyosumi, bonjour.

– Akira Jûmonji à l'appareil. Puis-je parler à M. Soga ?

– Pouvez-vous patienter un instant ?

Le jeune homme ne semblait pas habitué à prononcer ce genre de phrase. Musique plutôt inattendue chez les mafieux, une version sirupeuse d'un menuet de Bach au synthétiseur se fit entendre.

– Akira, c'est toi ? Je me suis demandé qui ça pouvait être, ce Jûmonji. Pourquoi tu ne dis pas Yamada, idiot ?

La voix de Soga était plate, mais on sentait qu'il s'amusait.

– Je t'ai donné ma carte de visite, non ?

– Lire un nom est une chose, l'entendre en est une autre, répondit Soga sur un ton étrangement intellectuel qui ne lui ressemblait pas.

– Je voudrais te demander conseil. Tu n'aurais pas un moment à m'accorder un de ces jours ?

– Ne dis pas « un de ces jours ». On n'a qu'à se voir tout de suite. On prendra un pot. Que dirais-tu du quartier d'Ueno ?

Soga lui avait donné rendez-vous dans un bar passablement démodé. Lorsque Jûmonji arriva devant l'établissement – une maison en bois de plain-pied et couverte de vigne vierge –, les deux jeunes gens qu'il avait aperçus devant le restaurant de Musashi-Murayama l'attendaient immobiles à l'entrée, à côté de la petite enseigne.

– Soyez le bienvenu, lui dit l'un d'eux.

Il avait les cheveux teints en blond et l'intelligence ne semblait pas être sa qualité première.

Ils servaient probablement de gardes du corps. Jûmonji se rappela que, déjà à l'époque du gang des *bikers*, Soga aimait jouer au grand chef. Cela dit, ce n'était pas un crâneur. Jûmonji ouvrit la porte et se ressaisit.

– Par ici !

Au fond de la salle, dans un coin obscur, Soga lui fit signe de sa main qui tenait une cigarette. Le bar était faiblement éclairé et le parquet sentait le vernis. Derrière le comptoir, un vieillard à nœud papillon secouait un shaker d'un air imperturbable. Il n'y avait pas d'autre client à part Soga. Assis les jambes écartées, il se tenait à la table du fond entourée de fauteuils en velours vert.

– Je suis content de t'avoir revu l'autre jour, Soga. C'est gentil d'être venu.

– De rien. De toute façon, je comptais prendre un verre avec toi. Qu'est-ce que tu veux boire ?

– Une bière ?

– Tu sais, c'est un bar réputé pour ses cocktails. Le barman t'attend, commande-lui un cocktail.

– Alors, un gin tonic.

C'était la seule boisson qui lui était venue à l'esprit. Jûmonji regarda Soga dans les yeux. Sous une veste d'été vert pâle, celui-ci portait une chemise noire à col ouvert.

– Quel chic !

– Tu parles de ça ? lui demanda Soga en retournant sa veste pour lui montrer l'étiquette avec un sourire satisfait. C'est une marque italienne pas très connue, mais la veste est bien, non ? Les bonshommes ne jurent que par Hermès ou je ne sais quoi, mais les vrais dandies choisissent ce genre de marque.

– Elle te va très bien.

Soga était aux anges.

– Ta chemise hawaïenne n'est pas mal non plus. Elle est signée ?

– Non, je l'ai achetée dans une boutique ordinaire.

– Tu fais très minet, comme à la télé. Mais bon, avec n'importe quelles fringues, tu fais des ravages chez les filles, non ? lui lança Soga, railleur.

– Mais non !

Soga avait pris le commandement des opérations et Jûmonji n'arrivait pas à évoquer ce pour quoi il était venu. Soga changea soudain de sujet.

– T'as lu *Love & Pop* de Ryû Murakami ?

– Non, répondit Jûmonji interloqué. Qu'est-ce que c'est ? En tout cas, je ne l'ai pas lu.

– Ah bon. Tu devrais le lire. Ça, on peut dire que ce type aime vraiment les femmes, dit Soga en écrasant sa cigarette avant de prendre une gorgée de son cocktail d'un rose fané.

– C'est vrai ? Ce genre de choses se voit donc ?

– Oui, ça se voit. On sent qu'il aime vraiment les lycéennes.

– C'est de ça que parle le roman ?

– Oui, c'est le thème, dit Soga en se tapotant les lèvres d'un doigt effilé.

– Je vais peut-être le lire. Moi aussi, j'aime bien les lycéennes.

– Imbécile. Ce n'est pas comme ça qu'il les aime. Disons qu'il se met sur la même longueur d'onde qu'elles. Il cherche à ne pas créer de distances entre elles et lui.

Les propos de Soga commençant à devenir incompréhensibles, Jûmonji baissa la tête d'un air embarrassé. Il avait oublié que Soga était un grand lecteur.

– Oui, c'est bien ça…

Le gin tonic arriva comme le sauveur. Jûmonji mit de côté sa tranche de citron vert en demi-lune sur le dessous de verre et sirota la boisson glacée en penchant la tête en avant.

– Moi, quand je lis un livre, j'ai mes critères à moi.

– Ah oui ?

– Pour moi, il s'agit de savoir si le roman ressemble à mon travail : c'est comme ça que je décide de sa valeur.

– À savoir ?

Jûmonji, qui avait très soif, avala cul sec le gin tonic. Soga le regarda étonné.

– Mention très bien ! Tout comme mes affaires !

– Tu parles de qui ?

– De Ryû Murakami et des lycéennes. Ils détestent les beaufs. Et nous, au fond, notre travail a pour origine la haine des beaufs. On est des marginaux, tu trouves pas ?

– C'est possible.

– C'est sûr qu'on est des marginaux, reprit Soga en parlant fort. Faire partie du gang des *bikers* en sortant du collège d'Adachi, c'est déjà être un marginal. Toi, tu es prêteur et moi je suis yakuza. On s'est encore plus marginalisés. Disons plutôt que c'est les beaufs qui nous ont abandonnés. Les exclus sont comme Ryû Murakami et les lycéennes. Ils sont super ! Tu comprends ?

Jûmonji regarda le visage blême et jaunâtre de Soga. Il paraissait encore plus terne dans la pénombre du bar. Sa bonne humeur lui faisait plaisir, mais Jûmonji commençait à se dire qu'il n'arriverait jamais à lui parler de son projet. Il hésitait même à s'en ouvrir. De fait, son projet commençait à lui faire peur.

— Au fait, Akira, qu'es-tu venu me raconter ? lui demanda soudain Soga.

Il avait perçu la gêne de Jûmonji, qui eut alors le sentiment d'avoir été rattrapé dans sa fuite.

— Eh bien mais… c'est une drôle d'histoire, commença-t-il.

— Une histoire de fric ?

— Peut-être. Disons plutôt que c'est ce que j'espère. Je ne sais pas ce que ça donnera.

— Dis-le clairement. Je serai muet comme une tombe.

Il glissa une main sous sa chemise, sur son cœur. Il avait la manie de faire ce geste quand il devenait sérieux. Jûmonji décida de parler.

— Eh bien… Soga, j'aimerais m'occuper de faire disparaître des cadavres.

— Quoi ?!! Mais de quoi tu parles ?! s'écria Soga d'une voix étranglée.

Le barman feignit de ne rien entendre et se concentra pour découper un citron en fines rondelles. Dans le silence qui s'ensuivit, Jûmonji se rendit enfin compte qu'on diffusait un vieux rhythm-and-blues en arrière-fond. Il s'aperçut de sa nervosité en essuyant la sueur sur son front.

— Enfin, je veux dire que j'aimerais m'occuper de faire disparaître des cadavres encombrants.

— Toi ?

— Oui…

— Mais comment ? demanda Soga, un éclair passant soudain dans ses yeux jaunâtres. Tu peux faire ça sans laisser de traces ?

— J'ai pensé à quelque chose. Enterrer un cadavre est risqué. On peut le plonger dans la mer, mais ça finit par remonter. Il vaut mieux le découper en morceaux et le jeter aux ordures.

— C'est simple à dire, mais tu n'as pas entendu parler de l'affaire du parc de K. ? lui demanda Soga à voix basse.

La jeunesse qu'il manifestait en parlant mode ou littérature avait disparu de ses traits émaciés, laissant place à une certaine dureté.

– Bien sûr que je suis au courant.

– On peut très bien le découper en petits morceaux comme ça, mais c'est après que ça devient compliqué. D'ailleurs, tu dis «découper en morceaux», mais ce n'est pas une tâche aisée. Le sais-tu seulement? Rien que pour couper un doigt, il faut beaucoup de force.

– Je sais. En tout cas, moi, j'ai trouvé un moyen qui permet, pourvu que le cadavre ait été découpé en morceaux, de s'en débarrasser sans se faire remarquer. Mieux encore, c'est absolument sûr.

– Comment veux-tu t'y prendre? demanda Soga en se penchant en avant et oubliant de boire son cocktail.

– Ma famille est de Fukuoka. Là-bas, il y a un grand centre d'incinération. Mais il n'est pas comme celui de Tôkyô. Il y a un énorme four, où le feu est constamment allumé. Ceux qui ont oublié de sortir leurs poubelles peuvent y venir en voiture pour les jeter. C'est là qu'on pourrait effacer complètement les preuves.

– Mais comment veux-tu apporter les morceaux à Fukuoka?

– Justement… Il suffit de faire de petits paquets et de les envoyer par la poste. Mon père est mort et il n'y a plus que ma vieille mère à la maison. Je vais à Fukuoka pour réceptionner les paquets et je les jette.

– Je vois, mais c'est un peu compliqué, dit Soga après un moment de réflexion.

– Non, ce qui est compliqué, c'est le découpage du cadavre. Mais pour ça, il n'y a pas de problème.

– Comment ça?

– J'ai un partenaire digne de confiance.

– Digne de confiance? Un complice?

– Oui, une femme.

– La tienne?

– Non, mais elle est fiable.

Jûmonji s'engageait à la légère. Soga paraissant de plus en

plus séduit au fur et à mesure de la conversation, il s'était mis à croire en la faisabilité du projet.

– Pour tout avouer, c'est vrai qu'on nous propose ce genre de boulot de temps en temps, dit Soga en écartant la main de sa poitrine et en prenant sa coupe de cocktail. Il y a des «nettoyeurs» professionnels, mais il paraît qu'ils demandent des fortunes. En même temps, quand la chose se présente, on ne peut pas confier la tâche à ces idiots...

Il indiqua du menton ses acolytes à l'extérieur.

– Et ces «nettoyeurs», combien prennent-ils?

– Ça dépend de la marchandise et des circonstances. Mais, de toute façon, c'est un travail risqué. Ils réclament au moins dix briques. Et toi, tu demanderais combien pour le faire?

– Eh bien, moi aussi, dix briques, ça me conviendrait.

– Ne te montre pas aussi gourmand tout de suite, protesta Soga avec condescendance.

– Disons neuf, proposa Jûmonji avec un sourire gêné.

– À ce prix-là, il y a encore de la concurrence. Contente-toi de huit.

– Bon... s'il le faut...

– J'espère que tu me refileras la moitié si je t'apporte une affaire.

– C'est pas un peu salé? fit-il en fronçant les sourcils.

– Possible, répondit Soga avec un fin sourire. Que dirais-tu de me laisser trois briques?

– D'accord.

Soga acquiesça d'un air satisfait. Jûmonji fit un rapide calcul mental. Sur les cinq millions restants, il en prendrait trois et Masako deux. Il ne faudrait surtout pas mettre dans le coup une femme aussi risquée que Kuniko. Il valait mieux confier toute la tâche à Masako et à Yoshié. À Masako de se débrouiller pour partager les deux millions qui lui reviendraient.

– Très bien, dit Soga. Il se présente parfois des affaires de ce genre. Je serai ton commercial s'il y en a une qui se présente. En échange, promets-moi de ne pas faire de gaffe. Ça me bousillerait.

– On ne peut pas en être sûr tant qu'on n'a pas commencé, mais ne crains rien.

– Dis-moi, Akira, tu ne vas quand même pas me dire que l'affaire du parc de K., c'est toi, si?

– Non, non!

Jûmonji secoua la tête, interdit par la clairvoyance de Soga. Mais maintenant, les jalons étaient posés. Il ne restait plus qu'à convaincre Masako.

CHAPITRE 3

Jambon rose. Paleron de bœuf persillé. Jambonneau de porc rose pâle. Hachis de bœuf et de porc rouge, rose et blanc. Abats de poulets violacés à la graisse jaune.

Masako avançait dans le rayon boucherie en poussant son chariot. Elle ne savait pas quoi choisir et semblait incapable de réfléchir. Elle ne savait même pas pourquoi elle se trouvait dans ce rayon. Elle s'arrêta pour regarder son chariot en acier inoxydable. Un panier en plastique bleu y était posé. Il était désespérément vide. Elle pensait acheter de la nourriture pour le dîner, mais depuis quelque temps elle n'avait plus la force d'imaginer un menu ni de le préparer.

L'existence d'un foyer se vérifiait à la préparation du dîner. Même s'il n'y avait rien de cuisiné, Yoshiki ne s'en plaindrait pas tellement il était habitué au fait qu'elle aussi travaillait. Mais il demanderait pourquoi. Si elle n'avançait pas une bonne raison, il la prendrait pour une paresseuse. Depuis qu'il avait tenu des propos déplacés devant l'inspecteur, Nobuki, lui, s'était de nouveau refermé comme une coquille, mais il continuait à manger à la maison.

Les hommes employaient leur temps à leur guise, puis ils rentraient au bercail, persuadés que le dîner les attendait. Masako trouvait cette confiance ingénue plutôt curieuse. Toute seule, elle aurait mangé n'importe quoi, mais elle avait pris l'habitude de s'inquiéter constamment des goûts de chacun. Elle devait faire la cuisine pour leur plaire et eux trouvaient ça naturel. Leurs rapports s'étaient tellement dégradés qu'il ne lui restait plus que cette tâche à accomplir. Elle se sentait aussi épuisée que si elle avait dû puiser de l'eau avec une cruche percée. Combien d'eau s'en était déjà échappé ? Tout ce qui lui avait paru naturel jusqu'alors ne l'était plus.

De l'étal de la boucherie montait une vapeur blanche et glacée comme un gaz toxique. Il faisait si froid dans les parages qu'elle en eut la chair de poule. Elle se frotta les bras et prit un paquet de bas morceaux de bœuf. L'idée l'effleurant qu'ils étaient de la même couleur que les muscles de Kenji, elle remit le paquet discrètement à sa place. Puis elle pensa à la couleur des nerfs de Kenji, à celle de ses os, de sa graisse et eut la nausée. C'était la première fois que ça lui arrivait. Peut-être que son esprit jusque-là tendu commençait à se relâcher. Elle se décevait et renonça à préparer le repas. Elle irait au boulot à jeun. C'était sa punition. Même si elle en ignorait le motif.

L'air tiède qui précédait le typhon était lourd, sans un souffle. La tempête s'annonçait destructrice. Après, l'été serait fini. Masako regarda la nuée et prêta l'oreille aux grondements du vent dans les hauteurs du ciel.

En regagnant sa Corolla rouge, elle remarqua quelqu'un qui venait vers elle en traversant le gigantesque parking asphalté sur un vieux vélo qu'elle connaissait.

– La Patronne ! cria-t-elle en agitant la main vers Yoshié.

Celle-ci s'arrêta à côté de la Corolla et posa un regard étonné sur Masako qui avait les mains vides.

– Tu n'as pas fait tes courses ?

– J'y ai renoncé.

– Pourquoi ?

– Je n'en avais pas envie.

Yoshié hocha la tête, où des cheveux blancs furent soudain visibles.

– Tu n'as pas ton dîner à préparer ? Pourquoi ?

– Aucune raison particulière. C'est comme ça. Je crois que, moi aussi, je suis fatiguée.

– Mais toi, tu peux te le permettre. Moi, si je t'imitais, la vieille et Issey en mourraient.

– Ton petit-fils est toujours là ?

– Sa mère a disparu dans la nature. La vieille ne se décide pas à crever et le petit n'arrête pas de chialer. Qu'est-ce que j'ai fait pour mériter ça ?

Sans répondre, Masako s'adossa à la Corolla et regarda le ciel menaçant. À force d'entendre les jérémiades de Yoshié, elle avait l'impression d'être enfermée dans un tunnel dont elle ne voyait pas la sortie. Mais peu importait. Elle voulait être libre ! Elle voulait s'affranchir de tout. Ceux qui n'en sont pas capables ne peuvent que s'enterrer dans un quotidien fait de plaintes. Et c'était bien ce qu'elle faisait, elle aussi.

– L'été va bientôt finir.

– Qu'est-ce que tu racontes ? On est déjà en septembre. Ça fait longtemps qu'il est fini !

– Je sais.

– Tu viens à la fabrique aujourd'hui ? demanda Yoshié, inquiète.

Masako la regarda. Brusquement, cette question lui donnait l'idée de quitter son travail.

– J'avais l'intention d'y aller, oui.

– Ah, tu me rassures ! Tu as l'air tellement distraite… Je me demandais si tu n'allais pas nous abandonner.

– Vous abandonner ? Que veux-tu dire ?

Masako prit une cigarette dans son sac et dévisagea Yoshié. Le vent se mettant à souffler fort, Yoshié posa les mains sur ses cheveux ternes.

– Il paraît que tu travaillais dans une caisse de crédit ? C'est Kuniko qui m'a raconté. Tu n'es pas faite pour le travail manuel.

– Kuniko te l'a raconté ?

Elle se rappela soudain que l'échéance pour le remboursement de ses dettes était passée depuis longtemps. Elle se demanda comment, privée de ressources, elle avait pu rembourser. Si Kuniko avait eu connaissance de son passé, c'était de Jûmonji qu'elle le tenait. Elle avait trop longtemps négligé une Kuniko qui, acculée, était capable de n'importe quoi. Remords et doutes se bousculèrent en elle.

– Je viendrai, sans faute, dit-elle. Et je ne démissionnerai pas.

– Parfait, dit Yoshié ravie.

– Dis-moi, la Patronne, reprit Masako en observant le visage flétri de Yoshié. Y a-t-il du changement depuis que tu as fait ce que tu as fait?

– Du changement? répéta Yoshié en regardant discrètement autour d'elle.

– Je ne te parle pas de ça. J'ai l'impression qu'on a semé la police. Je te parle de changement psychologique.

Yoshié réfléchit un peu et prit l'air désolé.

– Non. Moi, j'estime n'avoir fait que donner un coup de main, rien de plus.

– Comme quand tu t'occupes de ta belle-mère ou de ton petit-fils?

– Non, c'est pas la même chose, protesta-t-elle. Je t'en prie, ne mets pas tout dans le même sac.

– Ah bon?

– Ça va de soi. Le seul point commun, c'est que je l'ai fait parce que personne d'autre ne voulait le faire.

Yoshié fronça ses sourcils courbes et effilés. Sa peau pâle se rida, la vieillissant prématurément.

– D'accord, je comprends, dit Masako en coupant court à la conversation et en écrasant par terre sa cigarette à peine entamée. On se retrouve ce soir à la fabrique.

– Et toi? Y a du changement? Lui demanda Yoshié à son tour avec un regard franc.

– Pas particulièrement, non. Rien n'a changé.

Elle mentait. Elle ouvrit la portière de sa voiture, Yoshié recula en tirant son vélo.

– Alors, à ce soir, dit-elle.

Installée au volant, Masako agita la main derrière le pare-brise vers Yoshié qui lui sourit, enfourcha son vélo avec une agilité surprenante et se mit à pédaler vers le supermarché. Masako la regarda s'éloigner et pensa que, même s'il n'y avait pas encore de changement dans sa vie, Yoshié se transformerait vite dès qu'elle aurait reçu l'argent de Yayoi; ce serait comme dans une réaction chimique. Elle s'en fit la réflexion sans une once de méchanceté et avec le plus grand détachement.

Le téléphone sonnait lorsqu'elle arriva chez elle. Abandonnant son sac sur le placard à chaussures de l'entrée, elle se précipita à l'intérieur. Il aurait été logique que ce soit Yayoi qui prenne contact avec elle : elle n'avait plus de nouvelles d'elle depuis une semaine.

– Madame Katori, dit-elle en décrochant.

– Ah, madame Katori ! Jûmonji à l'appareil. J'ai eu jadis l'occasion de travailler avec vous sous le nom de Yamada.

– Ah, c'est vous ?

C'était inattendu. Masako tira une chaise et s'assit. Comme elle avait couru pour répondre, elle ruisselait de sueur.

– Ça remonte à loin !

– Mais nous venons de nous voir !

– En effet, mais c'était une rencontre fortuite, dit-il sur un ton léger.

– Que voulez-vous ?

Masako voulut allumer une cigarette et s'aperçut qu'elle avait laissé son sac dans l'entrée.

– Si vous en avez pour un moment, continua-t-elle, je vous demande une seconde.

– J'attendrai, répondit-il, du tac au tac.

Masako alla mettre la chaîne à la porte. Ainsi pourrait-elle gagner du temps si sa famille rentrait. Elle avait un mauvais pressentiment. Elle revint au living avec son sac.

– Désolée de vous avoir fait attendre. De quoi s'agit-il ?

– C'est difficile à dire au téléphone. Ne pourrions-nous pas nous voir ?

– Pourquoi est-ce difficile au téléphone ?

Masako pensa qu'il voulait lui parler de la dette de Kuniko. Mais ce n'était qu'un usurier de quartier et il ne risquait pas de faire trop de mal.

– C'est une histoire assez complexe, répondit-il. En deux mots, c'est une proposition de travail.

– Attendez, j'ai d'abord une question : qu'en est-il des dettes de Kuniko ?

– Eh bien… elle s'en est acquittée.

– Mais comment ?

– Sous la forme de renseignements, lui répondit Jûmonji avec naturel.

Masako comprit alors que son pressentiment était fondé.

– Quels renseignements ?

– Justement, c'était pour ça que je voulais vous voir.

– Très bien. Où ?

– Je crois que vous travaillez ce soir. Que diriez-vous de dîner dans un petit restaurant juste avant ?

Elle lui proposa le Royal Host non loin de la fabrique.

Quelque chose commençait à se fissurer. Elle s'en était douté en parlant avec Yoshié, mais elle s'en attribuait la faute et se sentait déprimée.

La porte d'entrée s'entrouvrit, mais fut bruyamment bloquée par la chaînette. Quelqu'un revenait. On appuyait sur l'interphone avec insistance. Masako se dirigea vers l'entrée, détacha la chaîne et ouvrit : Nobuki était là, boudeur. Malgré la chaleur, il portait un bonnet de laine noire qui lui descendait jusqu'aux yeux, un tee-shirt noir délavé, un pantalon trop ample qui lui tombait sous la taille et des Nike.

– Bonjour, lui dit Masako.

Son fils se faufila à l'intérieur sans mot dire. Elle remarqua avec étonnement que son jeune corps un peu pataud avait une souplesse inattendue. S'il n'avait pas été muet, il lui aurait tout de suite reproché d'avoir mis la chaîne. Il monta en courant dans sa chambre sans même la regarder.

– Ce soir, tu te débrouilleras seul pour dîner, cria-t-elle vers le premier étage.

Sa voix résonna dans toutes les pièces vides. Elle eut l'impression de s'adresser à toute la maison.

Lorsqu'elle arriva au Royal Host à l'heure prévue, Jûmonji était déjà à une table du fond et se leva. Il tenait dans sa main un journal du soir tout fripé.

— Merci d'être venue, dit-il.

Masako se contenta de le regarder dans les yeux et s'assit en face de lui. Veste sur polo blanc, Jûmonji s'était habillé dans un style décontracté. Masako, comme toujours, avait une tenue négligée : un vieux tee-shirt de Nobuki et un jean.

— Bonjour, dit le maître d'hôtel habillé en noir en leur tendant les cartes.

Il s'éloigna en semblant s'interroger sur la nature de leur rapport.

— Avez-vous déjà mangé ? demanda Jûmonji en buvant le café glacé qu'il avait devant lui.

Après un moment de réflexion, Masako secoua la tête.

— Non, pas encore, dit-elle.

— Commandez. Je vous accompagnerai.

Elle choisit un plat de spaghetti. Jûmonji fit de même et commanda déjà les cafés.

— Oui, il y a vraiment longtemps, dit-il en dévisageant Masako d'un air timoré et sur un ton flatteur. L'autre jour, nos retrouvailles ont été un peu rapides. À l'époque de la Caisse de crédit de T., vous avez été si aimable !

Masako se demanda pourquoi il était si timoré.

— De quoi voulez-vous me parler ?

— Vous êtes venue tout de suite, dit-il en rentrant la tête dans les épaules.

— Vous ne m'avez pas dit que c'était difficile d'en parler au téléphone ?

— Vous étiez déjà comme ça à la Caisse de crédit.

— Comment « comme ça » ? demanda-t-elle en avalant une gorgée d'eau qui lui parut glacée.

— Disons… rationnelle.

— Eh bien, à votre tour de montrer votre vraie nature. Je vous connais.

Masako se souvenait bien de lui du temps où il était chargé de recouvrer les dettes. Depuis, il avait modifié habilement son apparence et sa façon de parler, toutes deux étant maintenant fort avenantes. À l'époque il avait tout l'air d'un petit voyou imitant les yakuzas, avec ses sourcils rasés et ses cheveux courts et frisés. Elle avait entendu dire que c'était un ancien *biker* d'Adachi.

– Ma vraie nature ? répéta Jûmonji en se grattant la tête. On ne peut rien vous cacher, madame Katori.

On leur apporta leurs plats de spaghetti. Masako prit sa fourchette et commença à manger. Ce dîner était bien imprévu. Cela la fit sourire.

– Qu'est-ce qui vous fait sourire ? voulut-il savoir.

– Rien.

Elle s'était imposé de jeûner en guise de punition, mais à présent elle mangeait. Elle se rendit compte que ce châtiment avait eu pour but de réfréner sa volonté de se libérer. Une fois repue, elle s'essuya la bouche. Jûmonji, qui avait déjà vidé son assiette, avait allumé une cigarette sans lui en demander la permission.

– Bon alors, qu'est-ce que c'est, cette proposition de travail ?

– Eh bien… permettez-moi d'abord de vous féliciter.

– De quoi ?

– Je reconnais que c'est du grand style, dit-il en souriant mais sans donner l'impression de se moquer d'elle.

– De quoi me félicitez-vous ? Et qu'est-ce que c'est, ce «grand style » ?

– De l'avoir découpé en morceaux, murmura-t-il.

Complètement glacée, elle le dévisagea.

– Vous êtes au courant ?

– Oui.

– De tout ?

– Probablement.

– Kuniko a parlé ? Pour cinq cent mille malheureux yens de dettes ?

– Ne l'accablez pas.

– Je ne l'accable pas. C'est vous qui êtes plus futé.

– Vous me flattez !

Elle écrasa brutalement sa cigarette dans le cendrier déjà plein des mégots de Jûmonji. Elle avait l'impression que les jeux étaient faits.

– C'est quoi, cette proposition de travail ?

– Vous ne voudriez pas vous occuper de faire disparaître des cadavres ? murmura-t-il en se penchant vers elle. Il y a pas mal de corps dont on doit se débarrasser en secret. Il s'agit de leur évacuation.

Masako en resta interdite. Elle avait craint qu'il ne la fasse chanter mais, là, son offre était vraiment inattendue. À bien y réfléchir, il n'était évidemment pas très facile d'exercer un chantage sur des ménagères sans ressources… à condition bien sûr de ne rien savoir de leurs assurances.

– Qu'en dites-vous ? demanda-t-il en guettant sa réponse d'un air presque obséquieux.

– Comment comptez-vous procéder ?

– C'est moi qui m'occuperai des commandes. Vu que c'est tout ce qu'il y a de plus clandestin, il n'y a aucun risque que vous soyez éclaboussée. Le macchabée arrive, vous le découpez et je me charge de le jeter… dans un énorme four d'incinération. On ne se fera jamais choper.

– Pourquoi ne pas le jeter tout de suite au four ?

– Non, ce serait trop risqué. Un corps entier, même si le four est sûr, ça se remarque. En revanche, en morceaux, sous forme d'ordures ménagères, personne ne s'en apercevra. Le four se trouve du côté de Fukuoka.

– Et vous pensez envoyer les paquets par la poste ? lui demanda-t-elle, interloquée.

– C'est exactement cela, répondit-il avec le plus grand sérieux. À raison de cinq kilos par paquets, ça en fera une dizaine. Et moi, je les réceptionne sur place et je les jette. Ce sera parfait.

– Et moi, je n'ai qu'à les mettre en morceaux ?

– Absolument. Vous ne voulez pas ?

Jûmonji sirota le café qu'on lui avait apporté en continuant de dévisager Masako afin de déchiffrer à tout prix son expression. Un éclair d'intelligence passa dans son regard.

– Qu'est-ce qui vous a donné cette idée ?

– J'avais envie de faire équipe avec vous.

– Avec moi ?

– Oui. Vous avez du style.

– Je ne comprends pas ce que vous voulez dire.

– Aucune importance. C'est un critère qui n'appartient qu'à moi seul.

Il recoiffa à deux mains ses cheveux fins séparés par une raie centrale. Masako se retourna pour regarder la salle du restaurant. Elle n'y reconnut aucun client. À la caisse, le maître d'hôtel avait retrouvé un visage d'enfant et bavardait joyeusement avec une jeune employée. Jûmonji maugréa comme s'il avait perdu confiance en voyant que Masako continuait à se taire.

– Le métier de prêteur n'en a plus pour longtemps. L'année prochaine, je serai en faillite. C'est maintenant que je dois faire quelque chose qui a du style. Vous me trouvez frivole?

– Ça peut rapporter de l'argent? demanda-t-elle en l'interrompant.

– Bien sûr, répondit-il en acquiesçant énergiquement. C'est mieux que d'être un usurier mesquin.

– Combien comptez-vous demander par bonhomme? demanda-t-elle comme si elle était déjà dans l'affaire.

Jûmonji hésita à le lui révéler et se passa furtivement la langue sur ses lèvres fines et bien dessinées.

– Dites-le-moi, insista-t-elle. Vous avez été franc jusque-là. Sinon, je ne le ferai pas.

– D'accord. Je vais vous parler franchement. Supposons qu'on me passe une commande, en tout, cela rapportera huit millions. Mais je devrai en laisser trois à l'intermédiaire. Sur les cinq millions restants, j'en prends deux et vous trois. Qu'en dites-vous?

Masako alluma une cigarette et répliqua:

– Je ne marche qu'à cinq.

– Quoi! s'écria-t-il. Cinq millions!

– Oui. Vous pensez peut-être que c'est rien, mais que je vous dise: c'est une tâche extrêmement difficile. On se salit, c'est répugnant, on fait des cauchemars. Faites-le vous-même et vous comprendrez. Et vous vous dites peut-être qu'on n'a qu'à faire ça à la salle de bains. Mais il n'est pas question que je le fasse chez moi! J'habite une maison ordinaire et il y a trop de risques. Où comptiez-vous le faire?

– Dans mon plan, dit-il timidement, Mme Jônouchi m'ayant raconté que vous l'aviez fait chez vous, je pensais que ce serait possible.

– Pourquoi pas chez vous? Vous vivez seul, non?

– Mais j'habite dans un appartement qui n'a qu'une toute petite salle de bains.

– Il faut que vous sachiez que c'est tout un travail! Et d'un, il faut attendre qu'il n'y ait personne. Et de deux, il faut éviter les regards des voisins pendant le transport. Sans compter que le macchabée est souvent chargé de toutes sortes de choses dont il faut pouvoir se débarrasser.

Masako s'interrompit et se rappela soudain que Kazuo Miyamori avait repris la clé. Jûmonji attendit la suite en retenant sa respiration.

– Et il est impossible de faire ça tout seul, reprit-elle enfin. Et il faut nettoyer la salle de bains et ça demande beaucoup de travail. Cinq millions, sinon je refuse de faire ça chez moi.

Contrarié, Jûmonji posa les lèvres sur sa tasse déjà vide. S'apercevant qu'il n'y avait plus rien dedans, il fit signe à la serveuse qui bavardait avec le maître d'hôtel et vint lui resservir de mauvaise grâce du café allongé.

– D'accord. J'apporte moi-même le macchabée débarrassé de ses vêtements et du reste et j'en jette les morceaux. Ça vous va?

– Pourquoi pas? Mais trois millions pour l'intermédiaire, ça me paraît vraiment excessif. Il prétend que la commande se fait sur la base de huit millions, mais qui dit qu'il n'exige pas dix millions? Ce qui lui ferait… deux plus trois, cinq millions de yens en tout. Et tel que je vous connais, je suis certaine que ce sont des yakuzas qui vous sont familiers.

– C'est possible, oui.

Jûmonji réfléchit en se posant un doigt sur les lèvres. Masako se garda de lui reprocher d'être trop crédule.

– Donc, ou bien on diminue votre commission, ou bien on demande dix millions en tout.

– Bon, je propose de garder un million et demi pour moi et je vous en laisse trois et demi. Ça vous va ?

– Non.

Masako jeta un coup d'œil à sa montre. Il était presque onze heures du soir. C'était bientôt l'heure d'aller à la fabrique.

– Vous m'accordez encore un instant ? demanda Jûmonji.

Il sortit son portable, probablement dans l'intention de négocier avec l'intermédiaire. Masako en profita pour aller aux toilettes. Elle se regarda dans le miroir. Il y avait sur son visage des traces grasses de sueur. Elle prit une feuille d'essuie-main pour l'appliquer sur sa figure. Dans quel engrenage mettait-elle le doigt ? L'angoisse la saisit. Mais plus que cela, l'excitation s'empara d'elle. Elle chercha son rouge à lèvres au fond de son sac et s'en mit. Quand elle regagna la table, Jûmonji manifesta une certaine surprise en la voyant.

– Qu'y a-t-il ? lui demanda-t-elle.

– Rien. Je viens de négocier.

– Vous allez vite.

– Oh, j'ai tiré sur la corde sensible. C'est un vieux camarade, dit-il en riant.

Elle se souvint qu'il suffisait de lui donner des consignes précises pour qu'il trouve des solutions.

– Résultat ?

– J'ai insisté, mais on ne peut pas aller au-delà de huit millions parce que nous n'avons pas encore fait nos preuves. Mais ils ont accepté de revoir leur part à la baisse. Deux millions pour leur commission. Deux millions pour moi. Et quatre pour vous. Simplement, quoi qu'il advienne, ils ne bougeront pas.

– Je m'en doute. C'est bien pour cela qu'il fallait me donner davantage !

Elle fit un calcul mental. Elle demanderait son aide à Yoshié, et à elle il suffirait de lui refiler un million. Et il faudrait absolument exclure Kuniko. Mais que faire de Yayoi ? Elle verrait plus tard.

– Qu'en dites-vous ? redemanda Jûmonji, l'air confiant.

Elle hocha la tête.

– D'accord, je suis partante.

– Eh bien, on y va ! dit-il d'un air déterminé.

Et il déglutit.

– Simplement, je pose mes conditions, reprit-elle.

– Lesquelles ?

– On utilise votre voiture pour le transport du macchabée. Et on va chez un grossiste d'articles médicaux pour acheter un jeu de scalpels. Sinon, c'est trop difficile à découper.

En l'entendant, Jûmonji se gratta les joues.

– C'est vraiment de la barbaque.

– Oui. Ce n'est que de la viande, des os et des saletés encore fumantes.

Devant ses formulations si crues, Jûmonji se tut.

– J'ai encore une question à vous poser, dit-elle.

– Oui ?

– Comment vous y êtes-vous pris pour soutirer tout ça à Kuniko ?

– Je lui ai proposé d'effacer toutes ses dettes, répondit-il enfin joyeusement. Vous vous rendez compte ? Ce renseignement m'a coûté quatre cent quarante mille yens ! Une bonne raison pour que nous travaillions d'arrache-pied.

– Vous êtes bien d'accord pour vous en tenir à deux millions ? insista Masako.

– Oui, mais il faudra en faire beaucoup.

– Vous pensez qu'il y a de la demande ?

– Commençons par y aller.

L'optimisme de Jûmonji faisait plaisir à voir. Masako acquiesça, paya sa part et s'en alla. Elle n'était pas encore sûre que l'affaire marcherait.

CHAPITRE 4

Le vent qui grondait dans les hauteurs du ciel comme une menace s'était calmé.

Mais Masako avançait dans une telle moiteur que ses cheveux lui collaient aux joues. On aurait dit que la terre s'évaporait en dégageant de la chaleur. Le typhon étant imminent, elle s'inquiétait du temps qu'il ferait le lendemain matin. Elle alluma l'autoradio et chercha une station qui donnerait la météo. Mais avant même d'en trouver une, elle arriva au parking de la fabrique.

Dans un coin, on était en train de construire une sorte de petite guérite préfabriquée. Masako remarqua le chantier, mais son esprit était occupé par autre chose : l'affaire que lui proposait Jûmonji. Elle allait se jeter dans un autre monde plus tôt qu'elle ne l'avait vaguement imaginé. Peu lui importait que ce fût bien ou mal, voire possible ou impossible. Elle prenait plaisir à ce que sa propre excitation exclue ainsi de sa conscience tout paysage.

Elle enleva ses chaussures de sport dans l'entrée de la fabrique et sentit une présence inconnue.

– Bonjour, Masako.

À cette voix familière, elle leva les yeux et reconnut Yayoi. Celle-ci s'était coupé les cheveux qui jusque-là lui tombaient jusqu'aux épaules. Sa nuque gracieuse était nue, ses sourcils bien dessinés et elle s'était mis un rouge foncé sur ses lèvres, ce qui avait considérablement modifié son aspect. Son espèce de douceur égarée et assoupie d'autrefois avait disparu et cédé la place à une certaine fraîcheur de jeune garçon.

– Tu m'as surprise. Je ne t'avais pas reconnue. Tu as vraiment changé !

– Tout le monde me le dit, répondit Yayoi timidement.

Elle avait conservé les mêmes gestes, mais une certaine assurance l'avait métamorphosée.

– Et toi aussi, dis donc, reprit-elle. Tu es maquillée aujourd'hui, Masako.

– Ah bon ?

– Tu as du rouge à lèvres.

Masako avait complètement oublié qu'elle s'en était mis dans les toilettes du restaurant. Elle se passa un doigt sur les lèvres et quelque chose de visqueux, de huileux et de rougeâtre s'y colla.

– Mais non, ne l'enlève pas ! protesta Yayoi en arrêtant le doigt de Masako. Tu es jolie, il faut rester comme ça.

– Tu vas travailler ?

– Non, je suis seulement venue dire bonjour. Pour m'excuser, j'ai apporté des gâteaux au chef du personnel et à Mme Komada.

– Tu retournes chez toi ?

– Oui. En plus, on annonce un typhon. Il doit déferler sur la région de Tôkyô à l'aube. Je vais rentrer tout de suite. Les enfants m'attendent.

– Oui, il vaut mieux.

– Et puis, j'ai déjà donné aux deux autres, lui murmura-t-elle vite à l'oreille.

Et elle lui remit une épaisse enveloppe de papier Kraft.

– Qu'est-ce que c'est ? lui demanda Masako.

Yayoi ne répondit pas et se contenta de baisser la tête.

– Bon, on se voit demain.

Et elle s'en alla rapidement en partant dans la direction opposée à celle que devait prendre Masako. Ses manières, plus vives et plus assurées, étaient différentes d'avant. Masako voulut la rattraper. Yayoi descendait quatre à quatre l'escalier extérieur aux marches recouvertes de faux gazon.

– Attends ! cria-t-elle.

Yayoi se retourna avec une expression radieuse.

– Qu'est-ce qu'il y a là-dedans? lui demanda Masako en agitant l'enveloppe.

Yayoi leva deux doigts en l'air. Les deux millions promis?

– Tu as déjà obtenu la prime d'assurance? lui demanda Masako en chuchotant.

– Non, pas encore, répondit Yayoi en secouant la tête. J'ai tout emprunté à mes parents, en prétextant que je devais rembourser des dettes. Je voulais me sentir tranquille en payant tout le monde dès maintenant.

– Ce n'est pas trop tôt?

– Ça ne fait rien. Kuniko m'a pressée et je me sentais désolée pour elle. Je pensais payer après la fin de la période de deuil.

– Je te comprends, mais c'est trop tôt.

– Ah bon? Mais j'ai vraiment le sentiment d'être délivrée.

En disant «trop tôt», Masako pensait à l'effet que la métamorphose physique de Yayoi pouvait avoir sur les regards extérieurs, mais elle se rendit compte que ses remarques étaient vaines. Masako avait changé elle aussi et Yayoi voulait en faire autant.

– J'ai compris, dit-elle. Je te remercie beaucoup.

Yayoi agita les mains en disant: «Salut!», puis elle descendit rapidement les marches pour disparaître dans la nuit humide.

Masako passa le contrôle de la surveillante sanitaire, évita le salon et se rendit directement aux toilettes. Dans une cabine, elle vérifia le contenu de l'enveloppe. Comme promis, il y avait deux liasses d'un million de yens chacune attachées par une bande. Elle les mit au fond de son sac. Les toilettes étaient le seul endroit où l'intimité était préservée.

Elle entra dans le salon comme si de rien n'était. Assises sur les tatamis, Yoshié et Kuniko buvaient du thé ensemble d'un air amical. Elles s'étaient changées pour le travail et ne cachaient pas une certaine excitation, où se mêlaient joie et perplexité.

– As-tu vu Yayoi? demanda Yoshié à Masako.

– Oui, à l'instant même.

– Elle t'a donné? murmura Yoshié.

Masako fit semblant de ne pas comprendre.

– Quoi? L'argent?

– Oui, on a reçu chacune cinq cent mille yens.

Kuniko acquiesça à ce qui venait d'être dit et baissa les yeux. Mais ses joues étaient rouges de plaisir. Masako se dit que son argent fondrait en un rien de temps. Alors, il faudrait veiller à ce que deviendrait la Kuniko qui aurait ainsi goûté au gain facile.

– J'ai peur que Yayoi n'ait agi au-dessus de ses moyens.

– N'est-ce pas? renchérit Yoshié d'une voix surexcitée par le bénéfice inattendu qu'elle venait de faire. J'ai dit que je pouvais attendre, mais elle a insisté.

– Mais tu as bien fait d'accepter.

– Tu n'en as pas besoin, toi? lui demanda Yoshié, d'un air inquiet.

Masako agita la main en riant. Ça ne la gênait pas d'avoir eu plus que les deux autres et de le cacher: cette somme lui servirait à s'enfuir ou à commencer un autre travail. Peut-être même à dépanner une de ses amies. Elle n'avait aucun scrupule à mentir à Yoshié.

– Peu importe, dit-elle.

– Je suis désolée pour toi, Masako, dit Kuniko en serrant contre elle son sac qui contenait l'argent, sans doute dans la crainte qu'on le lui vole.

Masako jeta un coup d'œil à Kuniko et réprima un élan de colère.

– Cet argent devrait suffire à rembourser tes dettes, non? dit-elle ironiquement.

Mais Kuniko, qui continuait à rire avec gêne, fut peu sensible à cette pique.

– Où allez-vous mettre cet argent? reprit Masako en retenant d'une main experte ses cheveux sous une barrette.

– Justement! On était un peu inquiètes… on pensait demander à quelqu'un qui a un casier.

Yoshié regarda autour d'elle, comme si elle cherchait ce quelqu'un. Dans cette entreprise n'avaient droit à un placard personnel que ceux qui avaient déjà trois ans d'expérience et bénéficiaient d'un traitement égal à celui des salariés, ou les Brésiliens qui avaient une conscience aiguë de l'individualisme. Or il y en avait très peu de la première catégorie.

– Si on demandait à M. Miyamori? proposa Yoshié en se retournant.

Kazuo se trouvait au milieu d'un groupe de Brésiliens, dans un coin du salon. Il fumait, l'air détendu et le regard toujours noir. Il évitait le regard de Masako.

– Pourquoi pas Mme Komada? suggéra Masako.

La surveillante sanitaire avait pratiquement le statut d'une employée, mais Masako se demanda soudain s'il était bien sage de lui faire savoir qu'elles disposaient de telles sommes.

– Non, n'y pensons pas, reprit-elle.

– Il ne vaut mieux pas, enchaîna Yoshié. M. Miyamori, lui, tiendra sa langue. On peut lui faire confiance. Je vais lui parler.

– Il comprend le japonais? demanda Kuniko, inquiète.

Yoshié se releva en prenant appui sur la table oblongue en Formica. En voyant Yoshié s'approcher de lui, Kazuo tourna instinctivement les yeux vers Masako comme pour lui demander ce qui se passait. Il avait dû croire que Yoshié lui apportait un message de sa part et Masako lut dans son regard la persistance d'une blessure. Elle aurait préféré ne pas traiter avec lui, mais elle se moquait de savoir ce que les deux femmes voulaient faire de leur argent.

Oubliant ces préoccupations, elle entra dans le vestiaire, enfila vite sa blouse blanche et enfonça profondément l'enveloppe dans la poche de pantalon de son uniforme. Il faudrait simplement faire attention à ne pas la laisser tomber pendant le travail. À travers les cintres, elle vit Yoshié se relever après avoir parlé avec Kazuo. Yoshié et Kuniko quittèrent le salon derrière ce dernier. Les placards des Brésiliens se trouvaient à côté des toilettes.

Masako se lavait les mains et les bras au savon antiseptique lorsque Yoshié et Kuniko la rejoignirent au lavabo.

– Ça a marché. Cet homme est très sympathique, dit lentement Yoshié.

Elle se nettoya les mains avec la petite brosse que Masako venait d'utiliser, tandis que Kuniko choisissait un robinet un peu à l'écart.

– Il parle japonais? demanda Masako.

– Oui, à peu près. Je lui ai dit : « Nous avons des objets précieux. Pouvons-nous utiliser votre placard? » Il m'a tout de suite répondu : « D'accord, mais je serai en retard. Vous pourrez m'attendre? » Il est vraiment poli !

Kazuo passa devant elles. Il avait le cou épais et la poitrine carrée. Il tourna vers elles son visage osseux bien différent de celui d'un Japonais. Son corps, fait pour être exposé au soleil de l'Amérique du Sud, était totalement inadapté à son uniforme de travail de nuit et au bonnet bleu qu'il portait. Masako se demanda s'il avait toujours sa clé. Elle trouva soudain étonnant d'avoir pu séduire un jeune étranger tel que lui.

Cette nuit-là, le travail s'acheva plus tôt que prévu à cause du typhon qui arrivait.

Les employées soupirèrent tristement en voyant la bourrasque par la fenêtre au-dessus des casiers à chaussures de l'entrée. Le jour allait se lever et le temps était déjà extrêmement agité. De grosses gouttes de pluie tombaient en oblique, tandis que les sophoras plantés le long du mur de l'usine d'automobiles semblaient prêts à perdre leurs branches à tout moment. De part et d'autre de la route goudronnée des torrents s'étaient déjà formés.

– Quelle barbe ! protesta Yoshié en fronçant les sourcils. Je ne pourrai jamais rentrer à vélo.

– Je peux te raccompagner en voiture, lui dit Masako.

– C'est vrai ? Volontiers, dit Yoshié soulagée.

Pendant ce temps-là, Kuniko pointait comme si de rien n'était.

– Ça ne te fera rien d'attendre que M. Miyamori ait terminé ?

– Non, pas du tout.

– Je te rejoindrai au parking.

– Non, je vais aller chercher la voiture et je t'attendrai en bas.

– Merci, dit Yoshié en regardant le dos épais de Kuniko qui s'éloignait d'un air indifférent dans le couloir.

Masako se rhabilla rapidement et fut la première à quitter la fabrique. Elle trouvait plutôt agréable le déchaînement du vent et de la pluie. C'était comme si le ciel lourd de la veille explosait enfin. Elle décida de refermer son parapluie qui ne servait à rien et courut vers le parking en s'arc-boutant contre le vent. De grosses gouttes de pluie la fouettant, elle fut trempée jusqu'aux os en un éclair. Échevelée, elle courait en serrant contre elle le sac qui contenait son argent et passa devant l'usine désaffectée. La dalle de béton qui enjambait le canal et que Kazuo avait déplacée était restée en l'état. Elle entendit le grondement de l'eau en dessous. À part la clé, tout le reste avait dû être emporté. En luttant contre la tourmente, elle songea à tous ces objets happés par le torrent et ne put s'empêcher de sourire : elle allait être libre ! À cette pensée, elle se sentit encore plus affranchie.

Arrivée à la voiture, elle se cala sur le siège. Elle ruisselait de pluie, mais se contenta de s'essuyer les bras avec un chiffon qui se trouvait dans la boîte à gants. Son jean mouillé était lourd et lui serrait les cuisses. Elle mit l'essuie-glace à la vitesse maximale et brancha le dégivrage. Le souffle d'air frais lui donna la chair de poule.

Elle démarra lentement, prit en sens inverse le chemin qu'elle venait de parcourir à pied et gara la voiture près de l'entrée. Vêtue comme d'habitude de manière voyante – elle portait un pantalon fuseau à fleurs et un tee-shirt noir – Kuniko sortit de la fabrique, jeta un coup d'œil à la voiture de Masako et, sans rien dire, ouvrit son parapluie bleu et affronta la bourrasque. Aussitôt son parapluie faillit être emporté. Masako l'observait dans le rétroviseur.

Elle pourrait peut-être encore travailler avec elle à la fabrique, mais décida qu'elle n'avait plus aucune envie d'avoir affaire à elle en dehors. Comme si Kuniko avait lu dans ses pensées, elle disparut de son champ visuel en luttant contre le vent.

C'est alors que Masako vit Yoshié descendre l'escalier extérieur. Chose étonnante, Kazuo tenait ouvert un parapluie en plastique transparent pour la protéger. Il portait un bonnet noir qui lui descendait jusqu'aux yeux. Yoshié reconnut la voiture de Masako et, plissant les yeux sous la pluie battante, cogna à la vitre du conducteur.

– Ça ne t'ennuierait pas d'ouvrir le coffre ? demanda Yoshié.

– Pourquoi ?

– Il propose d'y mettre mon vélo, dit Yoshié en lui montrant Kazuo.

Les regards de Masako et de Kazuo se croisèrent. La pureté des yeux d'un chiot... Sans rien dire, Masako actionna l'ouverture du coffre. Le capot se releva d'un coup sec obstruant la vue de la vitre arrière. Secoué par une bourrasque, le coffre oscilla. Masako ouvrit la portière et sortit sous la pluie battante.

– Reste dans la voiture ! lui cria Yoshié. Tu vas te tremper.

Le vent et la pluie étaient tels qu'il fallait hurler pour se faire comprendre.

– Aucune importance. Je le suis déjà.

– Rentrez ! dit alors Kazuo.

Il s'approcha de Masako et la repoussa d'un grand coup d'épaule. Devant cette attitude qui lui interdisait toute résistance, Masako regagna la voiture. Puis Yoshié se glissa sur le siège du passager.

– Quel sale temps ! dit-elle.

Entre-temps, Kazuo était allé chercher le vélo de Yoshié dans le local de derrière. Il le souleva comme si c'était une plume et le rentra dans le coffre. Dieu sait comment, il parvint à caser cette vieille bécane que Yoshié utilisait pour ses courses, en n'en laissant dépasser qu'un bout de roue avant. Masako ressortit pour voir comment cela se présentait. Le capot tressauterait légèrement, mais cela n'empêcherait pas de rouler.

– Rentrez ! lui dit Kazuo en levant vers elle son visage aussi trempé que s'il avait nagé.

Son tee-shirt blanc lui collait à la poitrine et laissait transparaître sa peau. Masako constata qu'il portait la clé en pendentif. Kazuo la couvrit de sa main pour qu'elle ne la voie pas.

– Merci, dit-elle.

– Je vous en prie, répondit Kazuo sans même sourire.

Le vent hurla et une brindille arrachée d'on ne sait où tomba entre eux deux.

– Je vous raccompagne aussi. Allez, montez.

Il hocha la tête, ramassa son parapluie en plastique qu'il avait laissé par terre et repartit vers l'usine désaffectée.

– Qu'est-ce qui lui prend ? demanda Yoshié en se retournant pour le voir.

– J'en sais rien, répondit Masako sans chercher à le voir dans le rétroviseur.

– Il m'a sauvée, murmura Yoshié en s'essuyant avec une serviette qui puait le crésol. Ce qu'il est gentil ! Sans mon vélo, je ne peux rien faire, moi.

Sans lui répondre, Masako démarra et se concentra sur sa conduite. Les essuie-glaces allaient et venaient à toute allure. Elle alluma ses codes en arrivant sur la route de Shin-Ômé. Toutes les voitures qu'elle croisait étaient en code et roulaient lentement, des gerbes d'eau jaillissant de leurs roues. Yoshié se tourna vers Masako en bâillant.

– Excuse-moi de t'imposer ce détour, dit-elle. Et ton coffre va être tout trempé.

Masako regarda dans le rétroviseur. Le capot du coffre se balançait à chaque secousse de la voiture. La pluie devait y entrer. Elle se dit que l'eau nettoierait l'endroit qui avait reçu le cadavre de Kenji.

– Ce n'est pas grave, décida-t-elle. Il faut bien que le coffre soit lavé une bonne fois pour toutes.

Yoshié se tut.

– Dis-moi, la Patronne, reprit Masako sans regarder Yoshié. Tu ne veux pas recommencer ce travail ?

– Qu'est-ce que tu veux dire ? demanda Yoshié, surprise, en se tournant vers elle.

– Je vais peut-être avoir une commande.

– Une commande ? Tu veux dire... recommencer... la même chose ? Et d'où viendrait ce travail ?

Bouche ouverte, Yoshié était incapable de cacher sa stupeur.

– Kuniko a parlé. Mais ça pourrait se transformer en une bonne affaire.

– Elle a parlé? Elle a été victime d'un chantage?

Toujours interloquée, elle s'agrippa au tableau de bord à deux mains. On aurait dit qu'elle voulait retenir la voiture.

– Non. Ce sera vraiment du travail. Tu n'as pas à connaître les détails. Fais-moi confiance. Simplement, je voulais savoir si tu accepterais de m'aider, au cas où on me le proposerait. Je te payerais.

– Combien?

Sa voix tremblait, mais trahissait sa curiosité.

– Un million.

Yoshié soupira. Puis après un moment de silence, elle demanda:

– Il faudrait faire la même chose?

– On n'aurait plus à le jeter. Le tout serait de découper le corps chez moi.

Yoshié hésita et Masako l'entendit avaler sa salive. Elle alluma une autre cigarette en silence. La fumée emplit la voiture mal aérée et se déposa sur le pare-brise humide avant de disparaître. Finalement Yoshié, incommodée, répondit en toussant.

– Tu peux compter sur moi.

– Vraiment?

Masako s'assura de sa sincérité. Yoshié était pâle et ses lèvres tremblaient légèrement.

– J'ai besoin d'argent, je suis prise à la gorge, tu sais? Avec toi, j'irais jusqu'en enfer.

La destination était bien l'enfer. Masako regarda le pare-brise embué. Au-delà du rideau de pluie, elle n'apercevait que les vagues lueurs rouges des véhicules devant elle. La Corolla semblait ne plus adhérer au macadam, mais flotter en l'air. Masako perdait tellement le sens de la réalité que sa conversation avec Yoshié lui paraissait appartenir à un rêve.

Chapitre 5

Après le passage du typhon, l'été avait déserté le ciel, comme balayé par une brosse, et cédé la place à une lumière d'automne tamisée.

À mesure que la température baissait, rancœur, regrets, peur, espérances, tout ce qui était fièvres en Yayoi se calma aussi. Elle vivait avec ses enfants et son quotidien redevenait normal. Mais ses voisins, qui s'étaient rapprochés d'elle par compassion et curiosité, tenaient à distance la Yayoi qui s'était ainsi métamorphosée en une maîtresse de maison énergique. Yayoi se gardait de sortir, sauf pour se rendre à la fabrique et accompagner les enfants à la garderie. Elle éprouvait une étrange sensation d'isolement.

Avait-elle changé à ce point ? Elle s'était pourtant contentée de se couper les cheveux et, maintenant que Kenji n'était plus là, tentait simplement de remplacer le père absent. Elle ne comprenait pas encore que, le boulet extérieur qu'il était ayant été détruit, elle vivait désormais avec un autre boulet ; intérieur celui-là, il avait pour nom « meurtre conjugal ». Et elle se métamorphosait lentement dans son intimité.

Ce matin-là, c'était son tour de nettoyer le local à poubelles.

Elle sortit de chez elle, armée d'une balayette. Dans son quartier, les poubelles devaient être déposées au pied d'un poteau électrique, au coin de la ruelle. C'est là que, le lendemain matin de l'assassinat de Kenji, Milk, son chat, s'était réfugié. Ce matin-là, elle tomba sur un chat blanc au pelage souillé, qui avait tout l'air d'être Milk, et un gros matou brun tigré. Mais dès qu'ils la virent, ils s'enfuirent. Milk était devenu un chat de gouttière et rôdait dans tout le quartier. Yayoi, qui l'avait oublié depuis longtemps, se mit au travail sans y prêter attention.

Elle balaya les ordures et les papiers gras dispersés après le passage de la benne. Elle les ramassa avec sa petite pelle pour les jeter dans un sac en plastique. Elle avait l'impression d'être épiée par des regards malveillants et en devenait nerveuse, malgré elle. C'est alors qu'elle entendit une voix limpide de jeune femme qui paraissait vouloir venir à son secours.

– Excusez-moi…

Elle leva la tête et découvrit le visage de l'inconnue. Dans son regard, il y avait comme une admiration candide. Sans doute, cette femme ne la connaissait-elle pas. Yayoi chercha à se rappeler si elle l'avait déjà aperçue. La trentaine, cheveux longs et raides, maquillage discret, sans doute employée de bureau, elle manifestait une certaine timidité. Yayoi éprouva pour elle une sympathie immédiate.

– Vous êtes nouvelle dans le quartier ? lui demanda-t-elle.

– Oui, je viens d'emménager dans l'immeuble là-bas, répondit la jeune femme en se tournant pour lui montrer une vieille construction. C'est ici qu'on doit déposer les poubelles ?

– Oui. Les jours de passage sont indiqués là, lui expliqua Yayoi en indiquant une pancarte métallique attachée au poteau.

– Ah, merci.

L'inconnue nota les jours avec application. Chemisier blanc à manches longues et jupe bleu foncé, elle était habillée sobrement, comme si elle devait se rendre au travail. Une fois le nettoyage terminé, Yayoi s'apprêtait à repartir avec son sac en plastique, quand la jeune femme la retint et lui demanda :

– Vous êtes régulièrement chargée de ce nettoyage ?

– C'est à tour de rôle. Ce sera le vôtre un jour, mais vous le saurez par une circulaire.

– Ah oui. Merci de me le dire.

– Si vous êtes empêchée par votre travail, je pourrai vous remplacer.

– C'est très gentil, dit la jeune femme, surprise. Enfin... je vous remercie, mais je ne travaille pas.

– Ah, vous êtes mariée ? Excusez-moi.

– Non, je suis célibataire. Bien que je sois déjà âgée, dit-elle en riant.

Son rire lui creusant des rides sympathiques au coin des yeux, Yayoi se demanda si elles n'avaient pas le même âge.

– Je viens de démissionner, reprit-elle. Je suis sans travail.

– Ah, c'est ennuyeux...

– En fait, je m'offre le luxe de poursuivre mes études.

– La maîtrise, peut-être ?

La question était sans doute déplacée, mais Yayoi l'avait posée naturellement. Elle n'avait personne dans le quartier avec qui parler. Les collègues à la fabrique étaient vraiment trop tendues depuis l'affaire. Elle avait donc grand plaisir à engager ainsi la conversation avec une totale étrangère.

– Non, ce n'est pas aussi sérieux. Je me suis mise à étudier la teinture, chose que je voulais faire depuis longtemps. J'aimerais pouvoir en vivre.

– Vous avez un petit job ?

– Non, j'espère pouvoir tenir deux ans avec mes économies. Mais je vis modestement.

Et elle lui montra en riant l'immeuble en bois derrière elle. Il était connu pour ses loyers modérés en raison de sa vétusté.

– Ah bon... Moi, je m'appelle Mme Yamamoto et j'habite au fond de cette ruelle. Si vous avez des questions, n'hésitez pas à venir me voir.

– Merci beaucoup. Je m'appelle Mlle Morisaki. Je suis vraiment touchée.

Elle s'était exprimée sur un ton posé. Yayoi s'inquiéta soudain de sa réaction si elle apprenait le meurtre de Kenji.

Le lendemain, à la fin de l'après-midi, en se réveillant de sa sieste, Yayoi s'apprêtait à préparer le dîner dans la cuisine quand l'interphone sonna.

– C'est Mlle Morisaki, dit une voix claire.

Yayoi se précipita vers l'entrée et vit la jeune femme avec un paquet de raisins de Kôshû. Elle était toujours habillée sobrement et maquillée discrètement et conservait le même air avenant.

– Oh, bonjour.

– Je voulais vous faire un petit cadeau.

– Il ne fallait pas ! protesta Yayoi en prenant les fruits et en l'invitant à entrer.

Depuis le crime, elle avait reçu chez elle ses beaux-parents, ses propres parents, sa famille, les collègues de Kenji, Kuniko et la police. Pour la première fois, elle accueillait une visite. Elle était heureuse d'avoir enfin chez elle quelqu'un avec qui elle pouvait tromper sa nervosité.

– Vous avez donc des enfants ?

En entrant, Mlle Morisaki avait regardé les dessins des enfants accrochés aux murs et vu les voitures miniatures qui traînaient par terre.

– Oui, deux garçons. Ils sont à la garderie.

– C'est bien ! J'adore les enfants. J'aimerais bien jouer avec eux une fois.

– Si vous voulez, mais ce sont des garçons et ils sont très turbulents. Je ne vous le conseillerais pas : ils sont très fatigants ! ajouta-t-elle en riant.

Elle lui présenta une chaise, où Mlle Morisaki s'assit sans façon en regardant Yayoi dans les yeux.

– Vous êtes jolie, madame Yamamoto. Je n'aurais jamais pensé que vous aviez deux enfants. Vous êtes jeune et très élégante.

– Vous êtes gentille.

Yayoi était franchement ravie de recevoir de tels compliments de la part d'une femme qu'elle estimait plus jeune. De bonne humeur, elle servit du thé avec les raisins qui lui avaient été offerts. Mlle Morisaki sucra abondamment sa tasse, puis lui demanda négligemment :

– Votre mari est au travail ?

– Il est mort il y a deux mois, répondit Yayoi en indiquant la chambre, où était installé un petit autel des morts tout neuf, avec un portrait de Kenji.

Sur la photo, prise deux ans auparavant, il était jeune et souriant, ignorant le destin qui lui était réservé. Mlle Morisaki blêmit et s'excusa.

– Excusez-moi, je ne savais pas.

– Ce n'est rien, dit Yayoi qui se sentit même désolée pour elle. Il est naturel que vous ne soyez pas au courant.

– Il est mort de maladie? demanda timidement Mlle Morisaki, sur un ton qui laissait entendre qu'elle n'avait aucune expérience de la mort.

– Non, pas du tout. Bien sûr, vous ne savez pas...

Yayoi la dévisagea d'un air scrutateur.

– Non, je ne sais rien, répondit Mlle Morisaki en secouant la tête.

– Mon mari, vous savez, a été la victime d'un meurtre. Vous n'avez pas entendu parler de l'affaire du corps retrouvé découpé en morceaux au parc de K.?

– Si... vous ne voulez pas dire que...?

Mlle Morisaki perdait ses couleurs à vue d'œil. Elle était loin d'imaginer que Yayoi puisse être impliquée dans cette affaire! Elle baissa légèrement les yeux, Yayoi voyant alors avec stupeur des larmes en couler.

– Que se passe-t-il? Pourquoi pleurez-vous?

– C'est simplement que ça me fait mal au cœur pour vous.

– Je vous remercie.

Yayoi était émue d'avoir pour la première fois affaire à une authentique gentillesse. En général, quand les gens apprenaient le meurtre, ils lui présentaient leurs condoléances, mais on comprenait vite que demeurait dans leur cœur un soupçon à son égard. La famille de Kenji l'accablait ouvertement de reproches et ses propres parents étaient repartis. Elle pouvait compter sur Masako, mais elle avait quelques craintes à son endroit, comme devant un rasoir trop coupant dès qu'on l'effleure. Yoshié, elle, jugeait tout avec des critères surannés. Et il n'était plus question de revoir Kuniko. Yayoi éprouva d'autant plus de sympathie pour Mlle Morisaki qu'elle se sentait privée d'amitié.

– Merci vraiment, dit-elle. Je me sens terriblement seule parce que j'ai l'impression que, dans le quartier, on me tient à distance.

– Non, ne me remerciez pas. Je suis vraiment inexpérimentée et il m'arrive de dire des choses déplacées. J'ai toujours peur de blesser quelqu'un et ça me rend totalement muette. C'est en partie pour ça que j'ai démissionné de mon entreprise et je me dis qu'avec la teinture je pourrai me taire et m'enfermer dans mon petit monde.

– Ah, je vois.

Et peu à peu Yayoi se mit à lui raconter les événements. Mlle Morisaki commença par l'écouter dans un silence horrifié, puis osa lui poser quelques questions.

– Vous n'avez donc plus revu votre mari depuis ce matin-là?

– En effet.

Yayoi avait fini par croire que c'était la vérité.

– Ça doit être douloureux.

– Oui, et c'est rageant aussi. Je n'imaginais pas que je serais séparée de lui aussi vite.

– L'assassin n'a pas été arrêté?

– Non seulement il n'a pas été arrêté, mais on ne sait pas qui c'est, répondit Yayoi en soupirant.

À force d'accumuler les mensonges, le fait qu'elle l'ait tué de ses propres mains commençait même à s'estomper dans sa conscience. Mlle Morisaki s'indigna.

– Découper un corps en morceaux! Pour commettre une telle atrocité, il faut être vraiment pervers.

– C'est atroce, n'est-ce pas? Ça dépasse l'imagination!

Yayoi se rappela la photo de la main de Kenji que les inspecteurs lui avaient montrée et ressassa l'instant où elle avait éprouvé une haine tenace envers Masako. Son animosité à l'égard de Masako et de Yoshié qui avaient découpé le cadavre de son mari en d'aussi petits morceaux resurgit en elle. Elle savait que ça n'avait pas grand sens. À force de parler et de réfléchir en modifiant les faits, Yayoi se rendait bien compte que c'était sa mémoire même qui s'altérait.

Le téléphone sonna. Justement, c'était peut-être Masako. Pour la première fois, maintenant qu'elle avait une nouvelle amie, Yayoi trouva embarrassant de devoir répondre à cette femme qui savait tout et qui lui donnait des consignes. Elle hésita un moment à décrocher.

– Allez-y, ne vous gênez pas pour moi, dit Mlle Morisaki en l'engageant à répondre.

Yayoi ne put faire autrement que de décrocher.

– Allô, Mme Yamamoto à l'appareil.

– Ici l'inspecteur Kinugasa.

La voix lui était familière. Comme l'inspecteur Imai, il prenait des nouvelles toutes les semaines.

– C'est aimable à vous.

– Rien de neuf, madame ?

– Non, rien de particulier.

– Vous avez repris le travail à la fabrique ?

– Oui, j'y ai des amies, je m'y suis habituée et je n'ai pas envie de démissionner.

– Je vous comprends, répondit Kinugasa d'une voix douceâtre. Et donc vous abandonnez vos enfants à eux mêmes ?

– Abandonner mes enfants ? répéta Yayoi, déconcertée par la méchanceté inconsciente de l'inspecteur.

– Oh, je vous demande pardon. Mais... comment vous débrouillez-vous ?

– Je ne pars qu'une fois qu'ils sont couchés, tout se passe bien.

– C'est risqué, s'il y avait un incendie ou un tremblement de terre. Si vous avez le moindre souci, n'hésitez pas à appeler le commissariat.

– Merci bien.

– À propos, j'ai appris que vous alliez toucher la prime d'assurance, dit-il.

Kinugasa avait l'air de s'en réjouir, mais elle entendit comme un soupçon dans sa voix. En se retournant, elle vit que Mlle Morisaki s'était levée et regardait un pot d'ipomées fanées dans le petit jardin – par discrétion, sans doute. Les enfants l'avaient rapporté de la garderie après l'y avoir cultivé.

– Oui, mais je ne savais pas que mon mari s'était assuré au bureau. Ça m'a surprise, mais je dois avouer que ça m'a sauvée. Maintenant nous allons devoir vivre à trois et je suis seule avec mes deux fils.

– Je vois. Mais j'ai une mauvaise nouvelle aussi. Le propriétaire du casino a disparu. S'il vous arrive quelque chose, vous m'avertissez tout de suite.

– Qu'est-ce que ça veut dire ? demanda Yayoi dans un cri qui fit sursauter Mlle Morisaki.

– Que voulez-vous... il a disparu. C'est certainement une négligence de notre part, mais nous ferons tout pour le rattraper.

– S'il a disparu... est-ce que cela signifie que c'est lui, le meurtrier ?

Kinugasa ne répondit pas à la question. Derrière lui, elle entendit parler des agents et des appels téléphoniques. Elle grimaça en ayant l'impression que la puanteur masculine et la fumée de leurs cigarettes parvenaient jusqu'à elle.

– Nous allons le rattraper, ne vous inquiétez pas. S'il y avait quoi que ce soit, appelez-nous.

Là-dessus, il raccrocha. C'était une bonne nouvelle pour Yayoi, Masako et les autres. Sur le moment, elle avait été déçue d'apprendre que le directeur du casino avait été relâché en absence de preuves, mais maintenant qu'il avait disparu, c'était comme s'il clamait sa culpabilité. Elle en fut rassurée et son visage se décrispa. Elle raccrocha, regagna la table et, son regard croisant celui de Mlle Morisaki, elle lui sourit.

– Vous avez appris une bonne nouvelle ? lui demanda celle-ci en lui renvoyant son sourire.

– Non, rien de particulier.

Le visage de Yayoi redevint soudain sérieux. Mlle Morisaki lui demanda avec discrétion :

– Je vais peut-être vous laisser ?

– Non, restez encore un peu.

– Il s'est passé quelque chose ?

– Le suspect a disparu.

– C'est la police qui vous appelait ? lui demanda Mlle Morisaki, tout excitée.

– Oui, un inspecteur.

– Mais c'est formidable… oh, excusez-moi.

– Ce n'est pas grave. Ne vous sentez pas gênée, dit Yayoi avec un sourire. Mais ils sont un peu envahissants. Ils m'appellent à tout bout de champ pour me demander s'il s'est passé quelque chose.

– Mais il vaut mieux qu'on retrouve l'assassin.

– Bien sûr. Comme ça, c'est insupportable, dit Yayoi, l'air soudain inconsolable.

– C'est vrai, mais si cet homme a fui… est-ce que cela veut dire que c'est lui, le coupable ?

Yayoi faillit laisser échapper : « Ce serait trop beau », mais se retint à temps.

Heureusement, Mlle Morisaki ne le remarqua pas et continua de hocher la tête en répétant : « C'est vrai. »

Ce n'était désormais qu'une question de temps pour que l'intimité s'installe entre elles.

Mlle Morisaki passait souvent au moment où, se réveillant de sa sieste, Yayoi songeait à aller chercher les enfants à la garderie et à faire le repas. Elle arrivait avec des gâteaux ou des plats préparés peu coûteux, qu'elle disait avoir achetés en sortant de l'école. Elle se fit très vite aimer des enfants. Lorsque Yukihiro lui raconta l'histoire de Milk, elle en fut apitoyée et proposa d'aller le chercher avec eux.

– Je pourrais passer la nuit ici pendant que vous travaillez, lui proposa-t-elle un jour.

Yayoi avait du mal à comprendre qu'une personne qu'elle connaissait à peine se montrât aussi gentille.

– Non, ce serait trop, dit-elle.

– Mais non. De toute façon, je m'endormirai, moi aussi. Yukihiro serait angoissé s'il se réveillait la nuit, avec son papa qui n'est plus là et sa maman au travail.

Elle avait un faible pour le plus petit. Yukihiro, de son côté, s'était attaché à elle et ne la quittait plus d'une semelle. Yayoi, qui était assoiffée de gentillesse, décida d'accepter sa proposition.

– Eh bien, vous dînerez à la maison, dit-elle. Comme je ne peux pas vous payer, vous accepterez, n'est-ce pas?

– Merci beaucoup.

Soudain, Mlle Morisaki éclata en sanglots.

– Qu'avez-vous? lui demanda Yayoi.

Mlle Morisaki essuya ses larmes en souriant.

– C'est comme une nouvelle famille que j'aurais trouvée. Ce que je peux être heureuse! J'ai été longtemps seule ici et ça me manquait. Quand je retourne chez moi, je suis horriblement triste.

– Moi aussi, je suis triste. Depuis que mon mari a disparu, j'essaie de faire front. Mais à l'idée qu'on parle derrière mon dos, je suis accablée. Personne ne me comprend.

– Je suis vraiment désolée.

– Ce n'est rien.

Elles s'étreignirent en pleurant. Takashi et Yukihiro les regardèrent stupéfaits; ils avaient l'air si ahuris que Yayoi finit par s'essuyer les yeux et pouffa.

– Mademoiselle va passer la nuit avec vous. C'est bien, non?

Yayoi était loin d'imaginer qu'elle allait se disputer avec Masako à propos de Mlle Morisaki.

– Qui est-ce qui répond au téléphone chaque fois que je t'appelle? lui demanda Masako d'un ton inquisiteur.

– Elle s'appelle Yôko Morisaki. C'est une voisine très gentille, qui s'occupe des enfants.

– Elle dort chez vous?

– Oui, elle garde les enfants.

– Vous vivez ensemble? demanda Masako avec un air de défiance.

– Nous ne sommes pas proches à ce point, répliqua Yayoi, offensée. Elle suit des cours, et le soir elle vient dîner chez nous. Puis elle revient dormir.

– Elle les garde la nuit gratuitement ?

– Oui, on lui offre à dîner.

– C'est quelqu'un de très dévoué. Elle n'aurait pas une idée derrière la tête ?

– Mais non ! protesta Yayoi.

Même venant de Masako, elle ne pouvait laisser passer un propos aussi malveillant.

– Elle fait tout ça par pure gentillesse. Tu as vraiment l'esprit mal tourné, tu sais ?

– Mal tourné ou pas, c'est toi qui vas avoir des ennuis si elle découvre quelque chose.

– C'est vrai, mais… commença Yayoi en baissant la tête et crispant les lèvres.

– Mais quoi ?

Yayoi se lassait des questions de Masako qui la harcelait toujours jusqu'à ce qu'elle obtienne une réponse claire.

– Pourquoi es-tu aussi agressive ? demanda Yayoi.

– Je ne suis pas agressive. Pourquoi te mets-tu en colère comme ça ?

Aux yeux de Masako, l'attitude de Yayoi était totalement incompréhensible.

– Je ne suis pas en colère, mais j'ai aussi quelque chose à te dire. Pourquoi la Patronne et toi, depuis quelque temps, vous faites des cachotteries ? Pourquoi Kuniko rentre-t-elle seule chez elle maintenant ? Il s'est passé quelque chose ?

Masako plissa les yeux, laissant apparaître des ridules entre ses sourcils. Elle ne lui avait pas dit que Kuniko avait vendu la mèche à Jûmonji et qu'elle-même avait repris un nouveau « travail ». Yayoi était à mille lieues d'imaginer que la raison en était qu'elle avait perdu tout crédit auprès de Masako qui la trouvait imprudente, et donc dangereuse.

– Non, rien, répondit Masako. Mais cette femme… elle ne s'intéresserait pas à ta prime d'assurance ?

Yayoi laissa enfin exploser sa colère.

– Mlle Morisaki n'est pas de ces gens-là ! Elle n'est pas du genre de Kuniko.

– D'accord. Laisse tomber ce que j'ai dit sur la prime d'assurance.

Face à la colère de Yayoi, Masako se tut comme la marée qui se retire. Yayoi s'excusa aussitôt en se rappelant que c'était elle qui l'avait sauvée.

– Je te demande pardon de m'être mise en colère. Mais ne t'inquiète pas : il n'y a vraiment aucun souci à se faire sur Mlle Morisaki.

Masako n'était pas convaincue.

– Mais si elle reste toujours avec eux, est-ce que les enfants ne vont pas parler ?

Yayoi était lasse de tant d'obstination.

– Mes enfants ont complètement oublié ce qui s'est passé ce soir-là, dit-elle. Ils n'en parlent jamais.

Masako pinça les lèvres un moment, puis elle regarda dans le vide.

– S'ils n'en parlent plus, dit-elle, c'est qu'ils savent que ça te mettrait en difficulté.

Ces mots la piquèrent au vif, mais elle préféra nier.

– Ce n'est pas possible. Qui mieux que moi connaît mes enfants, hein ?

– Dans ce cas, tout est pour le mieux ! dit Masako en la dévisageant avant de se détourner. Ce serait trop bête de se relâcher dans la dernière ligne droite.

– La dernière ligne droite ? De quelle étape parles-tu ? demanda Yayoi pour qui tout paraissait conclu. Le type du casino s'est enfui : on est sauvées.

– Qu'est-ce que tu crois ? répliqua Masako, sarcastique. Dans ton cas, la dernière ligne droite ne s'achèvera qu'à la mort.

– Ce que tu peux être méchante !

Yayoi s'aperçut alors que, Dieu sait depuis quand, Yoshié se trouvait derrière Masako. Elle se taisait et la regardait d'un œil accusateur. La solidarité évidente des deux femmes était insupportable à Yayoi qui s'en sentait exclue. Elles l'accusaient alors même qu'elle les avait payées et remerciées ! Cette pensée s'imposa à elle.

Après le travail, elle revint sans parler à personne. Que l'aube soit plus tardive et qu'il fasse encore sombre la rendait plus maussade.

Quand Yayoi rentra chez elle, les enfants et Mlle Morisaki dormaient toujours dans la chambre. Sentant peut-être sa présence, Mlle Morisaki se leva et parut en pyjama.

– Bonjour !

– Je vous ai réveillée ?

– Ce n'est pas grave. Aujourd'hui, je dois partir tôt et il fallait que je me lève de toute façon.

Elle s'étira, mais s'aperçut que Yayoi avait changé d'humeur.

– Il s'est passé quelque chose ? demanda-t-elle. Vous avez mauvaise mine.

– Rien, j'ai eu une petite dispute à la fabrique.

Yayoi ne précisa évidemment pas que ç'avait été pour la défendre.

– Avec qui ?

– Elle m'appelle souvent à la maison : Masako.

– Ah… celle qui est un peu sèche ? Pourquoi ? Que vous a-t-elle dit ?

Elle s'excitait comme si elle s'était disputée elle-même.

– Rien, une vétille.

Yayoi préféra esquiver la réponse et enfila son tablier pour préparer le petit déjeuner.

– Dites-moi, chuchota Mlle Morisaki, pourquoi êtes-vous toujours aussi obséquieuse quand cette Masako vous appelle ?

– Quoi ? fit Yayoi en se retournant avec surprise. Mais ce n'est pas vrai !

– Elle ne vous tiendrait pas par quelque chose ?

Il y avait dans son regard comme une insistance soupçonneuse. Yayoi eut l'impression que c'était ce même éclat qui brillait dans les yeux de ses voisins, mais elle écarta immédiatement cette idée : venant de Mlle Morisaki, c'était inenvisageable.

CHAPITRE 6

Sur les deux liasses de billets laissées sur la table se posaient les doux rayons de soleil d'un après-midi d'automne.

Si neufs qu'ils auraient pu couper le doigt, les billets ne procuraient pas une sensation de réalité plus forte que des fac-similés. Un an de salaire à la fabrique ne lui aurait jamais permis d'atteindre une telle somme et ce qu'elle avait gagné à la Caisse de crédit représentait à peine le double. Devant les deux millions de yens qu'elle venait de recevoir de Yayoi, Masako pensa au travail qu'elle avait accompli jusque-là et à l'affaire qu'elle allait mettre en route.

Puis elle se mit à réfléchir à l'endroit où elle pourrait les déposer. Les mettre sur un compte en banque ? Elle aurait du mal à retirer de l'argent en cas d'urgence et cela laisserait des traces. Mais les garder dans une armoire était risqué : sa famille pourrait les découvrir.

Elle y réfléchissait encore lorsque l'interphone sonna. Elle s'empressa de fourrer l'argent dans le tiroir sous l'évier.

– Excusez-moi de vous déranger, lui lança une voix de femme, hésitante.

– De quoi s'agit-il ? demanda Masako.

– Je suis intéressée par l'achat du terrain d'en face.

Masako fut bien obligée de se diriger vers l'entrée, où se tenait timidement une femme entre deux âges qui portait un tailleur mauve clair sans élégance. À en juger par son visage, elle pouvait avoir le même âge qu'elle, mais sa silhouette s'empâtait. Elle avait une voix aiguë et on voyait qu'elle ne s'était jamais astreinte à la moindre discipline dans sa vie.

– Excusez-moi de vous importuner à l'improviste, reprit-elle.

– Ce n'est rien.

– J'ai l'intention d'acheter le terrain d'en face, répéta-t-elle.

Situé de l'autre côté de la voie privée, qui devait faire cinq mètres de large, ledit terrain était encore en cours de terrassement, avec de la terre retournée partout. La vente avait failli aboutir à plusieurs reprises, mais maintenant il était laissé à l'abandon.

– Et que voulez-vous ?

Le ton sec de Masako surprit la femme qui resta sans voix.

– C'est-à-dire que... je suis curieuse de savoir pourquoi seul ce terrain n'a pas trouvé preneur, reprit-elle. Et je me demandais s'il n'y avait pas une histoire derrière.

– Pas que je sache, non.

– Il n'y a jamais eu d'ennuis ? Nous n'aimerions pas les découvrir après coup.

– Je vois, mais je n'en ai aucune idée. Il vaudrait mieux interroger l'agence immobilière.

– Je l'ai déjà fait, mais ils ne veulent rien me dire.

– Alors, il n'y a certainement rien.

Devant Masako qui ne se laissait pas infléchir, la femme se confondit en excuses.

– Mon mari dit que c'est à cause de l'argile rouge qu'il y a des problèmes.

Masako, qui n'avait jamais entendu parler de ça, eut l'air perplexe, et l'inconnue s'empressa d'ajouter :

– Il a peur que le terrain soit meuble. C'est mauvais pour les fondations.

– C'est la même chose chez nous.

– Oh, excusez-moi, dit la femme avec un désarroi qui faisait peine à voir.

Masako fit un geste pour couper court à la conversation.

– Je ne pense pas qu'il y ait de problèmes, dit-elle.

– L'évacuation des eaux se fait bien ?

– On est un peu dans les hauteurs. Ici, la pluie ne stagne jamais.

– C'est vrai.

La femme se décida enfin à prendre congé après avoir jeté un dernier coup d'œil à la maison.

– Je comprends, dit-elle, merci beaucoup.

Ce n'était rien, mais Masako en éprouva un certain désagrément. D'autant plus quand elle se rappela brusquement ce qu'une voisine lui avait dit quelques jours auparavant en l'arrêtant dans la rue.

– Madame Katori !

C'était une vieille ménagère qui habitait juste derrière chez elle. Les murs arrière des deux maisons se faisaient face. Elle donnait des leçons d'arrangement floral chez elle et, comme elle avait de la conversation, c'était une des femmes du quartier avec lesquelles Masako s'entendait bien.

– Vous savez, il s'est passé quelque chose de bizarre l'autre jour, lui avait-elle murmuré en la tirant par la manche.

– Quoi ?

– Quelqu'un de votre compagnie est venu et m'a posé des questions.

– De ma compagnie ?

Pur réflexe, Masako ne pensa pas à sa propre compagnie, mais à celle de son mari, voire à la banque. Cela dit, il n'y avait aucune raison pour qu'on mène une enquête sur la solvabilité de Yoshiki. Quant à Nobuki, cela ne pouvait le concerner. Il s'agissait donc nécessairement d'elle.

– Il me semble qu'il a dit être de la fabrique de paniers-repas, reprit-elle en fronçant les sourcils d'un air incrédule. Mais je me suis dit que ce pouvait être un détective et je suis restée sur mes gardes. Il m'a posé beaucoup de questions sur votre famille.

– Quoi par exemple ?

– Sa composition, vos habitudes, votre réputation auprès des voisins. Bien entendu, je n'ai rien répondu de précis. Mais les autres voisins ont pu lui dire des choses, ajouta-t-elle en lui montrant la maison adjacente à celle de Masako.

Elle était habitée par un vieux couple, qui s'était plaint à plusieurs reprises du bruit de la chaîne hi-fi de Nobuki du temps où il était collégien. Comme ils avaient dû en garder un mauvais souvenir, ils étaient capables de profiter de l'occasion pour dégoiser sur elle.

– Il a interrogé tant de monde que ça ? demanda Masako, inquiète.

– Apparemment, oui. Je l'ai observé : il a sonné chez le voisin en regardant votre maison. C'est déplaisant, n'est-ce pas ?

– Vous a-t-il dit pourquoi il posait toutes ces questions ?

– Justement, c'est ça qui est curieux : il affirmait que c'était une enquête pour vous titulariser.

– Jamais de la vie !

Pour promouvoir une employée à temps partiel, on commençait par la nommer «auxiliaire». Mais pour cela, il fallait trois ans d'ancienneté. C'était de toute évidence un mensonge éhonté.

– Je m'en doutais. Je n'ai jamais entendu parler de ce genre de pratiques.

– Comment était-il ?

– Assez jeune. Il portait un costume.

L'espace d'un instant, Masako se demanda si ce n'était pas Jûmonji, mais il la connaissait depuis longtemps. Ce ne pouvait pas être lui. Elle pensa aussi à la police, mais un inspecteur ne travaille pas comme un détective privé.

Quelqu'un enquêtait sur elle.

Pour la première fois depuis le meurtre, elle sentit qu'il y avait quelqu'un d'autre. Il ne s'agissait pas de la police, mais d'un «autre» aussi mystérieux qu'invisible. Elle se demanda même si cette Mlle Morisaki, soudain apparue chez Yayoi, ne faisait pas partie de ce groupe. Son histoire était si incohérente qu'il était surprenant que Yayoi y ait adhéré sans réserve. Et ce n'était pas le genre de la police d'avoir recours à de tels subterfuges.

Le jeune homme, Mlle Morisaki et la femme entre deux âges qu'elle venait de voir... s'ils étaient tous du même acabit, cela signifiait que cet « autre » s'était constitué une équipe. Mais qui donc – et pour quelle raison ? – pouvait bien vouloir enquêter sur elle ? Masako éprouva soudain une peur indescriptible et fut parcourue de frissons. Fallait-il en parler à Yoshié et à Yayoi ? Non, elle n'avait encore aucune certitude : mieux valait attendre.

En arrivant au parking de la fabrique, elle constata que la guérite de gardien en préfabriqué était entièrement montée. Il n'y avait encore personne dedans et l'intérieur exigu était plongé dans le noir.

Elle descendit de sa Corolla et contempla un moment la guérite en laissant sa portière ouverte. C'est alors que la Golf cabriolet de Kuniko entra dans le parking en projetant des graviers. Il n'y avait aucune raison pour que Masako soit renversée, mais elle recula instinctivement devant cette conduite agressive.

Kuniko se gara maladroitement à la place qui lui était réservée, tira le frein à main avec une brusquerie qui le fit grincer et salua Masako sans quitter son siège.

– Quelle bonne surprise ! lança-t-elle comme à son habitude d'un ton affecté.

Elle portait un blouson de cuir rouge flambant neuf. Elle avait dû se le payer avec l'argent qu'elle venait de recevoir.

– Bonjour.

Cela faisait longtemps que Masako n'était pas tombée sur elle dans ces parages. Depuis qu'elles avaient cessé de se donner rendez-vous, elles ne se croisaient même plus. Masako pensait que Kuniko l'évitait et en eut la preuve en voyant son air dépité.

– Tu arrives bien tôt, dit-elle.

– C'est vrai, reconnut Masako en orientant sa montre vers la lumière pour voir l'heure.

Effectivement, elle avait dix minutes d'avance. Kuniko descendit de voiture et rabattit la capote.

– Tu as une idée de ce que ça peut être ? demanda-t-elle en lui montrant du menton la guérite.

– Il y aura sûrement un gardien.

– Mais ce ne sera pas un simple gardien. Comme la police a appris que des obsédés sexuels rôdaient dans le coin, la société a décidé de mettre un surveillant.

Masako trouva que c'était du gaspillage. Cela dit, tout le monde pouvait utiliser le parking abusivement. Le gardien aurait peut-être pour fonction d'empêcher cela.

– Mais alors, dit Masako, tu ne vas plus pouvoir retrouver l'obsédé...

– Ce qui veut dire? interrogea Kuniko en pinçant ses lèvres rouges d'un air crispé.

Elle s'était soigneusement maquillée, comme si elle s'apprêtait à faire des achats au centre de Tôkyô.

Masako la regarda d'un air glacial: pour elle, qu'elle se peinturlure ainsi ne faisait qu'accentuer ses défauts.

– Au fait, reprit-elle en regardant la Golf impeccablement propre, pourquoi roules-tu toujours en voiture? Ça te coûterait moins de te déplacer à vélo.

– Bon, je te laisse.

Kuniko s'éloigna d'un air excédé. Masako se dit que ça ne valait pas la peine d'insister. Elle lui tourna le dos et se frotta les bras. Il faisait un peu frais pour une nuit de début octobre. Maintenant que l'air était glacé et sec, fritures, gaz d'échappements, oliviers et herbes hautes, les odeurs étaient plus reconnaissables. Çà et là, les derniers grillons de l'été stridulaient timidement.

Masako prit son sweat sur la banquette arrière et l'enfila par-dessus son tee-shirt. Puis, comme toujours, elle alluma une cigarette et attendit que le blouson rouge de Kuniko disparaisse au loin dans les ténèbres.

Elle vit alors apparaître une grosse moto au vrombissement caverneux. La roue arrière dérapa dans la poussière, les bosses du parking faisant osciller le phare. Qui cela pouvait-il bien être? Aucun employé à temps partiel ne venait à moto. Masako regarda le motocycliste.

– Madame Katori! lui lança celui-ci en relevant la visière de son casque.

C'était Jûmonji.

– Ah, c'est vous ! Vous m'avez fait peur.

– Je vous ai rattrapée à temps.

Il coupa le moteur. Aussitôt le parking fut replongé dans le silence : les grillons, peut-être effrayés par le vacarme de la moto, s'étaient tus. Jûmonji abattit la béquille d'un coup de talon expert, puis descendit de son engin.

– Que se passe-t-il ?

– On a du travail.

Enfin ! Dès l'arrivée de la moto, elle avait pressenti un événement hors du commun, mais n'avait pas osé imaginer que ce serait ça. Pour réfréner ses palpitations qui s'accéléraient, elle comprima sa poitrine entre ses bras.

Le sweat-shirt qu'elle avait remis pour la première fois depuis le printemps sentait la lessive et la commode. Sentant que la paix qui allait avec cette odeur risquait de la quitter pour toujours, elle se serra très fort la poitrine.

– C'est le travail dont nous avons parlé ?

– Oui. Je viens de recevoir un coup de téléphone. On me dit qu'il y a un cadavre à faire disparaître sans laisser de traces. J'ai eu un moment de panique. J'avais peur de ne pas pouvoir vous contacter. Je pensais vous rejoindre en voiture, mais Mme Jônou-chi aurait reconnu la mienne. Ç'aurait tout foutu en l'air.

Sa voix vibrait légèrement à cause de l'excitation.

– C'est pour ça que vous êtes venu à moto ?

– Oui, mais ça faisait un moment que je ne l'avais pas utilisée. J'ai eu du mal à la faire démarrer.

Il enleva son casque comme un acteur ôte sa perruque et recoiffa ses cheveux en bataille.

– Que dois-je faire de mon côté ? demanda Masako.

– Eh bien… je vais aller chercher le macchabée en voiture et je vous le livrerai. À quelle heure se termine le travail à la fabrique ?

– Ici à cinq heures et demie, dit-elle en tapant du pied par terre.

– Et chez vous ?

– Six heures passées. Mais ma famille est encore là à cette

heure. Il faudrait que vous l'apportiez après neuf heures. En attendant, vous pourrez lui enlever ses vêtements?

– Je ne sais pas si je pourrai, mais il faudra bien, répondit-il, déprimé.

– Vous pouvez le transporter seul?

– J'essaierai. À propos, je vous ai acheté le jeu de scalpels. Je vous l'apporterai.

– Ah, merci.

En se rongeant les ongles, elle s'efforça de réfléchir à mille choses, pour savoir s'il y avait des consignes à donner. Mais la nouvelle était si soudaine qu'elle n'arrivait pas à faire travailler son cerveau. Elle trouva enfin une question:

– Pourriez-vous préparer des cartons pour la poste?

– Des grands?

– Oui, mais qui passent inaperçus, comme ceux des marchands de légumes. Il faut qu'ils soient solides.

– Je m'en procurerai avant demain matin.

– Merci.

– Vous avez des sacs?

– J'en ai acheté, répondit-elle avant de se rappeler un détail important. S'il se passait quelque chose d'imprévu demain matin, qu'est-ce que je devrais faire?

Et si Yoshiki n'allait pas au bureau? Et si Nobuki décidait de sécher? Les sujets d'inquiétude ne manquaient pas.

– Qu'entendez-vous par «imprévu»? demanda-t-il aussitôt.

– Disons... que des gens de ma famille restent à la maison. Ce genre de choses.

– Je vois... Eh bien... appelez-moi sur mon portable.

Il sortit une carte de visite de la poche de son jean et la lui tendit. Le numéro de son portable y était imprimé.

– Très bien, si quoi que ce soit se produisait, je vous appelle avant huit heures et demie.

– D'accord. Bon courage.

Jûmonji lui tendit la main, qu'elle serra. C'était une main froide et rêche dans ce petit vent.

– Bien, j'y vais, dit-il, en mettant le contact.

Puissant comme les graves d'une basse, le bruit du moteur se perdit en échos dans le parking aux extrémités plongées dans les ténèbres.

– Attendez un instant! s'écria soudain Masako, en le retenant.

– Qu'y a-t-il? demanda-t-il en relevant sa visière.

– J'ai reçu la visite d'une espèce de détective chez moi.

– Quoi?! fit-il, d'un air étonné. Pour quelle raison?

– Je n'en ai pas la moindre idée.

– J'espère que ce n'est pas la police. Ce serait catastrophique.

La réaction de Jûmonji la déstabilisant, elle faillit lui dire qu'elle préférait s'abstenir pour cette fois. Mais c'était trop tard.

– De toute façon, on va le faire, dit-elle en déglutissant.

– Maintenant, il n'est plus question de faire machine arrière. Ça ferait perdre la face à trop de monde.

Il tourna habilement le guidon de sa moto et quitta le parking dans un nuage de poussière.

Laissée seule, Masako réfléchit à l'ordre des opérations en marchant sur le chemin plongé dans l'obscurité. Un, couper la tête; deux, découper les membres; trois, ouvrir le thorax; quatre… elle récapitula ce travail infernal. Elle imagina dans quel état le cadavre serait à l'arrivée et prit peur. Ses genoux se mirent à flageoler comme si tout son corps était pris d'une réaction allergique. Son tremblement ne s'arrêtait plus; elle ne pouvait plus avancer. Elle se figea dans le noir.

C'était au fond de son cœur que naissaient ses tremblements. C'était à cause de l'«autre», à cause de cet être insaisissable dont elle n'avait qu'une vague idée.

Masako entrait dans le salon de la fabrique quand elle vit Kuniko en sortir et détourner ostensiblement la tête sur son passage. Elle ne prêta aucune attention à ce comportement infantile et se mit à chercher Yoshié. Celle-ci était en train de se changer dans le vestiaire avec Yayoi.

– Écoute-moi, la Patronne, murmura Masako en tapant sur l'épaule de Yoshié déjà engoncée dans son uniforme.

Mais c'est Yayoi qui, se trouvant juste à côté, se retourna, le regard franc et sans malice. Masako, qui avait l'intention de se passer de son aide pour cette fois, fut soudain prise de l'envie irrésistible de la faire trembler aussi fort qu'elle venait de le faire. Mais mieux valait n'y pas céder. Elle serra les dents.

– Qu'est-ce qu'il y a ? lui demanda Yoshié, son air effaré montrant qu'elle avait immédiatement évalué la gravité de la situation.

– On a une commande.

C'est tout ce que Masako put lui répondre. Yoshié serra les lèvres et garda le silence. Masako était bien décidée à ne rien lui dire sur l'« autre ». Sinon, son moral risquait de flancher et elle ne se sentait pas de découper le cadavre toute seule.

– De quoi parlez-vous, vous deux ? demanda Yayoi.

– Tu veux vraiment le savoir ? répliqua Masako en lui saisissant le poignet et la dévisageant.

– Quoi, qu'est-ce qu'il y a ? répéta Yayoi, l'air terrorisé.

Masako lui lâcha le poignet, mais lui prit aussitôt le coude.

– C'est là qu'on va trancher ! Voilà notre travail.

Yayoi, le coude toujours prisonnier de Masako, tenta d'éloigner le buste. Craignant les regards étrangers, Yoshié lança à Masako un coup d'œil pour lui signifier de rester prudente. Mais les autres employés ne prêtaient aucune attention, trop occupés à se changer et à penser à la corvée qui les attendait.

– Tu plaisantes ! murmura Yayoi comme un enfant.

– C'est vrai, répondit Masako en lui lâchant le coude. Tu as envie de te joindre à nous ? Tu n'as qu'à passer chez moi demain.

Stupéfaite, Yayoi laissa retomber ses bras. Son bonnet tomba par terre.

– J'ai simplement quelque chose à te demander avant, dit Masako. Tu ne pourras venir que quand tu auras mis cette Mlle Morisaki à la porte.

Furieuse, Yayoi fixa Masako sans rien dire, puis elle détourna délibérément le regard et se dirigea vers le vestiaire.

Chapitre 7

Le mort était un homme petit et maigre d'une soixantaine d'années.

Il était chauve, mais avait toutes ses dents et deux cicatrices, dues à des opérations, au milieu de la poitrine et sur le côté droit de l'abdomen. Plus petite, celle du ventre était très clairement la trace d'une appendicite. Il avait dû être étranglé à deux mains : comme engorgé, son visage avait pris une teinte violacée et l'on distinguait nettement la marque des doigts de l'assassin sur son cou. Ses joues et ses bras avaient quelques égratignures, ce qui laissait supposer qu'il s'était débattu.

On ne savait ni son métier, ni où, ni pourquoi, ni par qui il avait été tué. Nu et réduit à l'état de cadavre comme il était, on ne pouvait absolument pas deviner qui il avait été ni quelle vie il avait menée. Du reste, ce n'était pas nécessaire. Tout ce que Masako et Yoshié devaient faire, c'était le découper en morceaux et les emballer dans des cartons. Une fois la peur du sang conjurée, ce n'était finalement pas si différent du travail qu'elles faisaient à la fabrique.

Yoshié retroussa les pans de son pantalon de jersey jusqu'aux cuisses, tandis que Masako se mettait en short et tee-shirt : elles avaient toutes les deux enfilé un tablier et des gants en plastique qu'elles avaient subtilisés à la fabrique. Comme elles risquaient de marcher sur des fragments d'os, elles chaussèrent des bottes de caoutchouc, Masako celles de Yoshiki, Yoshié celles de Masako. Cet accoutrement lui aussi rappelait l'uniforme de la fabrique.

– Il coupe très bien, ce scalpel, dit Yoshié d'un air ému.

Le jeu de scalpels que Jûmonji avait acheté était effectivement d'une efficacité redoutable. Contrairement à la première fois, où elles avaient dû tailler dans les chairs de Kenji avec un couteau à sashimis, tout leur semblait facile, comme lorsqu'on coupe un tissu neuf avec des ciseaux aux lames très affûtées. Le travail avançait beaucoup plus vite que prévu.

Masako et Yoshié se partagèrent la tâche pour couper les os à la scie électrique. Mais celle que Jûmonji leur avait procurée se révéla inutilisable. Les particules d'os, de chair et de sang giclèrent sous la forme d'un fin brouillard qui leur entrait dans les yeux. Pour pouvoir utiliser efficacement la scie électrique, elles auraient dû mettre des lunettes de soudeur. À mesure que l'opération avançait, tout se couvrait de sang, les viscères du cadavre se dispersant en dégageant une odeur fétide, comme le jour où elles avaient démembré Kenji ; cela étant, le travail leur semblait plus facile, l'horreur de la tâche se faisant moins aiguë.

– Ce ne serait pas les traces d'une opération au cœur ? demanda Yoshié, les yeux rougis par le manque de sommeil, en suivant du bout d'un doigt ganté le dessin de la cicatrice violacée sur la poitrine du mort. Le pauvre ! Dire qu'il a survécu à une opération du cœur pour finir par se faire tuer comme ça...

Pendant ce temps, tout en écoutant le bavardage de Yoshié, Masako découpait en morceaux plus menus les membres du cadavre. À la différence de celle de Kenji qui était dans la fleur de l'âge, la peau de l'inconnu était terne et flétrie, pratiquement dépourvue de graisse. Peut-être était-ce dû à une illusion, mais en maniant la scie Masako eut l'impression que sa chair était sèche et filandreuse.

– C'est plus facile parce que la graisse n'adhère pas à la lame, dit Yoshié comme pour elle-même. Les sacs seront plus légers que pour le premier.

– Il ne pèse même pas cinquante kilos.

– Oui, mais ça devait être quelqu'un de riche.

– Comment le sais-tu ?

– Tu vois le creux à cette phalange ? Il devait porter une grosse bague. Une bague en or grosse comme un doughnut. Avec d'énormes diamants sertis. Ils ont dû la lui chiper.

– Tu te racontes encore des histoires! protesta Masako en riant.

Tout cela n'était-il qu'un rêve? C'est ce que se répétait Masako depuis le matin.

Comme prévu, à neuf heures passées, Jûmonji était arrivé, le visage livide, et avait apporté à la salle de bains le cadavre enveloppé dans une couverture. Yoshié n'était pas encore là.

– Quelle peur j'ai eue! avait dit Jûmonji en se frictionnant ses joues aussi glacées que s'il avait traversé l'Antarctique.

La journée était pourtant chaude pour un mois d'octobre.

– Peur de quoi? lui avait demandé Masako en étalant sur les carrelages les bâches bleues en plastique qu'elle avait déjà utilisées pour Kenji.

– Mais enfin, madame Katori, c'est la première fois que je vois un cadavre. C'est que j'ai eu tout le temps d'attendre avant de venir ici. J'ai dû le laisser dans le coffre. J'ai traîné dans un Denny's ouvert toute la nuit, et après j'ai pris la voiture et je suis allé me balader à Roppongi.

– Vous couriez un gros risque… S'il y avait eu des contrôles de police…

– Je le savais dans ma tête, mais je ne voulais pas rester avec lui. Je transportais une espèce de masse sombre qu'il ne fallait pas regarder. Je savais que je deviendrais comme lui en mourant, mais je n'avais pas envie de le voir. C'était comme si j'avais été aspiré par la force de gravité et mon dos me faisait mal. Je savais que je devais lui enlever ses vêtements, mais je ne pouvais pas m'en sortir tout seul. J'étais incapable de le regarder tant que le jour ne se serait pas levé. Je me sentais lâche.

Masako pouvait le comprendre. Elle avait observé le visage de Jûmonji, qui paraissait plus pâle que d'habitude. Ce n'était pas seulement à cause de son insomnie. Les cadavres ont quelque chose qui oblige les vivants à détourner le regard. Combien de temps lui faudrait-il pour cesser d'en être impressionnée?

– Où êtes-vous allé le chercher? lui avait-elle demandé.

Elle avait touché les doigts recourbés de l'homme qui était devenu un cadavre. Ils étaient très raides et très froids.

– Il vaut mieux que vous ne le sachiez pas, lui avait-il répondu. S'il devait se produire quoi que ce soit, ce serait trop risqué.

– Comment ça « quoi que ce soit ? » avait-elle dit en se relevant.

– Je ne sais pas… quelque chose qui présenterait un danger.

Jûmonji avait fixé avec effroi le visage du cadavre dans les plis de la couverture.

– Vous voulez dire… la police ?

– Il n'y a pas que ça.

– Quoi d'autre ?

– La vengeance.

Masako avait tout de suite pensé à son « autre » insaisissable, alors que Jûmonji songeait à des conflits d'intérêts plus terre à terre que l'homme aurait entraînés en mourant.

– Pour quelle raison a-t-il été tué ?

– Sa disparition a dû beaucoup enrichir quelqu'un. C'est pour ça qu'ils veulent être sûrs qu'on ne le retrouve jamais.

Si c'était le cas, peut-être ce cadavre valait-il des centaines de milliers de yens. Elle avait regardé la peau terne qui recouvrait le crâne chauve du mort.

En l'absence de tout conflit d'intérêts, accepter de faire disparaître ce corps revenait presque à jeter des trucs à la poubelle. Dans la vie quotidienne, on produit nécessairement des déchets. On peut très bien jeter tout et n'importe quoi. Bien sûr, il faut accepter d'être jeté à son tour comme un tas d'immondices.

– Vous m'aiderez à lui enlever ses vêtements ? lui avait demandé calmement Masako.

– Oui.

Elle s'était mise à couper le costume du cadavre avec des ciseaux et l'avait dévêtu. Jûmonji avait rangé craintivement les vêtements dans un sac.

– Il n'avait pas de portefeuille ?

– Certainement pas. Ils ont dû prendre tout ce qu'il y avait à prendre. Nous n'avons que ce qui reste.

– Autrement dit, des ordures, avait-elle murmuré comme pour elle-même.

Jûmonji avait paru choqué en entendant ces mots.

– Si l'on veut.

– Oui. Il suffit de n'y voir que l'élimination de déchets.

– Certes.

– Et le fric qu'on nous doit?

– Je l'ai apporté.

Il avait sorti de la poche arrière de son pantalon un petit sachet marron qui aurait pu contenir une pâtisserie.

– Il y a exactement six millions. J'ai insisté pour être payé en espèces et d'avance.

– Vous avez bien fait. Mais que se passera-t-il si on vient à découvrir ce cadavre?

– Il faudra rendre l'argent. Mais des gens y perdront la face et on me le fera payer.

La voix de Jûmonji tremblait comme s'il venait de prendre seulement conscience de la gravité des conséquences de ses actes.

– Nous devons donc prendre des précautions, ajouta-t-il.

– D'accord.

Après avoir dévêtu le corps, ils l'avaient fait rouler sur le carrelage de la salle de bains. Jûmonji avait sorti du sachet quatre liasses de billets, d'un million de yens chacune, et les avait posées devant elle.

– Je vous les donne tout de suite.

Ce n'étaient pas des billets tout neufs comme ceux que lui avait donnés Yayoi. Sales et fripés, ils étaient réunis sous un élastique. C'était exactement le type de billets qu'elle voyait arriver à la Caisse de crédit. De l'argent sale. Ces mots lui avaient trotté dans la tête.

Masako regarda le réveille-matin posé sur le lave-linge, dans la partie vestiaire de la salle de bains. Il allait être midi. Jûmonji ne tarderait pas à revenir avec des cartons. Le travail était presque terminé. Pour Kenji, elles étaient si tendues qu'elles ne se rendaient même pas compte de leur fatigue : travailler long-temps avec le buste penché en avant ankylosait les épaules et les hanches. Sans compter qu'elles n'avaient pas dormi après leur nuit à la fabrique. Elles ne voulaient plus qu'une chose : en finir au plus vite et s'allonger. Yoshié cambra les reins, mais se retint de les masser.

– J'aimerais bien me frotter le dos, dit-elle, mais j'ai du sang sur les mains.

– Change de gants.

– Ce serait du gaspillage.

– Qu'est-ce que tu racontes ? dit Masako en désignant du menton le paquet de gants qu'elle avait subtilisés à la fabrique. Tu n'as qu'à en prendre, là. On en a plus qu'il n'en faut.

– Dis-moi, finalement, Yayoi n'est pas venue.

Yoshié ôta ses gants maculés de sang.

– Non, répondit Masako. J'aurais bien aimé lui montrer une fois la réalité du travail.

– Elle semble penser que nous sommes plus coupables qu'elle, alors qu'elle l'a quand même tué, son mari, dit-elle en pronon-çant ces mots d'un ton haineux.

– Elle nous méprise parce qu'on fait ça pour de l'argent, reprit Yoshié, mais ce n'est rien comparé à ce qu'elle a fait.

L'interphone sonna. Yoshié sursauta.

– Quelqu'un a dû rentrer. C'est pas ton fils ?

Masako fit signe que non. Il était pratiquement impossible que Nobuki rentre à pareille heure.

– Ça doit être Jûmonji.

– Ah bon, dit Yoshié, soulagée.

Par acquit de conscience, Masako contrôla par le judas et vit Jûmonji encombré de cartons pliés. Masako l'aida à les trans-porter.

– Juste à temps, commenta Yoshié comme pour féliciter un jeune employé de la fabrique.

– Combien en faut-il ?

Masako fit huit avec les mains. L'homme étant de petite taille, les sacs étaient moins volumineux que prévu. La tête et les vêtements, qui risquaient de permettre l'identification, il fallait absolument que Jûmonji s'en occupe lui-même, au lieu de les expédier.

– Huit? répondit-il, étonné. Si peu?

– J'espère que personne ne vous a vu, dit Yoshié, inquiète.

– Aucune crainte.

– Personne ne vous surveillait? demanda Masako.

Elle regarda Jûmonji dans les yeux. Il ne fallait pas que l'«autre» soit au courant de ce travail.

– Je ne crois pas. Seulement...

– Seulement quoi?

– Il y avait une femme dans le terrain vague en face, mais elle est repartie tout de suite.

– Comment était-elle?

– Un peu ronde, entre deux âges.

C'était sûrement celle qui s'était présentée chez elle en prétendant vouloir acheter le terrain.

– Est-ce qu'elle regardait la maison?

– Non, on dirait qu'elle observait le terrain. Sinon, il y avait une voisine qui faisait ses courses. Mais je crois que personne n'a rien remarqué.

C'était peut-être une erreur d'avoir insisté pour que Jûmonji utilise sa voiture. La prochaine fois, il faudrait prendre la Corolla, qui n'attirerait pas l'attention.

Lorsque Jûmonji fut parti avec les cartons, Yoshié lâcha:

– On dirait Nakayama quand il repart avec le chargement de paniers-repas qui viennent d'être préparés.

Elles éclatèrent de rire. Puis elles se douchèrent et nettoyèrent la salle de bains. Nerveuse, Yoshié s'inquiétait de l'heure. Masako lui tendit sa part.

– Tiens, voici ton salaire.

Yoshié le prit du bout des doigts, comme une saleté, et le glissa au fond d'un sac en plastique, soulagée.

– Quelle chance! dit-elle.

417

– Que vas-tu faire de tout cet argent ?

– J'aimerais envoyer Miki à l'université, répondit-elle en se recoiffant. Et toi ?

– Je ne sais pas.

Masako prit un air perplexe. Que comptait-elle vraiment en faire ?

– Dis-moi un truc, reprit Yoshié en hésitant. J'espère que tu ne prendras pas mal ma question, mais…

– Mais quoi ?

– Toi aussi, tu as eu un million ?

– Oui.

Masako dévisagea Yoshié, qui ressortit alors la liasse d'un air désolé.

– Dans ce cas-là, il faut que je te rende les quatre-vingt mille yens que tu m'as prêtés.

Elle se référait aux frais du voyage scolaire de Miki. Yoshié prit huit billets fripés de dix mille yens et les tendit à Masako en baissant la tête.

– Il manque encore trois mille yens. Ça ne te fait rien si je te les donne à la fabrique ?

– Non.

Chaque sou comptait. Masako n'acceptait pas d'arrondir. Yoshié l'avait peut-être espéré, mais elle regarda le visage de Masako, et se releva, résignée.

– Alors, à ce soir ! dit-elle.

– C'est ça, à ce soir.

Les travailleurs de nuit ne devaient se retrouver que la nuit. Travailler de jour semblait, d'une certaine manière, suspect.

SIXIÈME PARTIE

APPARTEMENT 412

CHAPITRE 1

Se réveiller à la nuit tombée, c'est se sentir désemparé. Particulièrement au début de l'hiver, quand le soleil se couche tôt ; la tristesse est encore plus profonde. Allongée dans son lit, Masako regardait sa chambre s'assombrir au crépuscule.

C'était dans de tels moments que la mélancolie gagnait les travailleurs de nuit. Quelques collègues avaient déjà sombré dans la dépression et c'était compréhensible. Leur accablement n'était pas dû à l'obscurité qui s'installait vite, mais à la culpabilité : ils vivaient en dehors des activités normales.

Combien de nuits harassantes avait-elle passées ainsi ? Il avait toujours fallu se lever la première pour préparer le petit déjeuner, confectionner les paniers-repas pour sa famille, sécher le linge, se changer et accompagner à la garderie l'enfant grognon en le câlinant. Cette vie était épuisante, qu'elle passait à courir en tous sens, l'œil toujours fixé sur l'horloge accrochée au mur ou sur sa montre. Elle n'avait ni le temps de lire le journal ni la disponibilité d'esprit pour choisir ses lectures. Dès qu'elle se couchait, elle entamait le compte à rebours jusqu'à son réveil. Dans ses rares jours de repos, elle devait faire face au ménage et à une montagne de linge à laver. Non, disciplinée et tyrannique, son existence était sans rapport avec la mélancolie et la culpabilité.

Elle ne désirait pas revenir en arrière, elle n'avait pas le désir de changer les choses. Quand on retourne une pierre chauffée au soleil, apparaît une terre humide et froide. Masako s'y était enfouie. La terre était sans chaleur, mais tranquille et familière. Masako avait l'impression d'y être un insecte, un coléoptère. Elle ferma les yeux. À force de sommes trop brefs, superficiels et irréguliers, elle n'arrivait jamais à récupérer et se sentait lourde. Puis le sommeil la regagna comme si elle était prise par la force de gravité. Elle rêva.

Elle se trouvait dans le vieil ascenseur de la Caisse de crédit de T., qui descendait lentement. Les parois vert pâle comportaient çà et là des traces de collisions avec le chariot de l'argent liquide. Bien des fois, elle avait dû y traîner de lourds sacs de petite monnaie. L'ascenseur s'arrêtait au premier étage. Au bureau de prêts où elle avait travaillé. Elle connaissait ce lieu comme sa poche. Mais elle n'aurait plus dû y être. La porte s'ouvrait, elle découvrait un bureau désert et obscur et appuyait sur le bouton de fermeture de la porte. Juste avant que les pans ne se referment, un homme se glissait dans la cabine.

C'était Kenji, alors qu'il était mort. Elle avait l'impression que son souffle s'arrêtait. Kenji portait une chemise blanche, une cravate sobre et un pantalon gris. Il la saluait discrètement, puis il fixait la porte de l'ascenseur en lui tournant le dos. Elle observait sa nuque où les cheveux commençaient à être trop longs et reculait : elle y cherchait instinctivement la trace de l'entaille.

Avec une lenteur exagérée, l'ascenseur arrivait au rez-de-chaussée. La porte s'ouvrait et Kenji disparaissait dans le noir, là où aurait dû se trouver l'accueil. À présent seule dans la cabine, elle sentait une sueur froide ruisseler sur sa peau et hésitait à sortir à son tour.

Quand finalement elle se décidait à quitter l'ascenseur, elle voyait quelqu'un surgir des ténèbres. Sans lui laisser le temps de s'enfuir, on l'étreignait par-derrière. Des bras immenses se serraient sur son corps et l'immobilisaient. Elle voulait crier au secours, mais les mots ne sortaient pas. L'inconnu voulait l'étrangler. Elle se contorsionnait pour lui échapper, mais ses membres étaient prisonniers. L'irritation augmentait encore son angoisse et la faisait transpirer abondamment. Les doigts de l'homme s'agrippaient à son cou. Elle se raidissait de terreur. Mais, soudain, la chaleur des doigts qui l'étranglaient et le souffle haletant de l'homme sur sa nuque suscitaient en elle une obscure pulsion : céder à cette force et se laisser étrangler. À cet instant-là, sa peur se dissipait, comme si elle entrait dans un état d'apesanteur. En même temps, une extase indescriptible l'envahissant, elle laissait échapper un râle d'effarement et de volupté.

Elle se réveilla, se mit sur le dos et posa une main sur son cœur. Il battait encore fort. Elle avait déjà fait des rêves érotiques, mais c'était la première fois que l'extase y côtoyait la terreur. Dans l'obscurité, elle se le remémora et demeura un moment incapable de bouger à l'idée que tel était bien le paysage qui se déployait au fond de son cœur.

Qui était l'homme qui l'agressait dans son rêve ? Elle réfléchit en se rappelant le contact des bras qui l'enserraient. Ce n'était pas Kenji. Il lui faisait l'impression d'un fantôme qui l'invitait à la terreur. Ce n'était pas Yoshiki non plus, qui n'avait jamais esquissé le moindre geste violent envers elle. Et ce n'était pas non plus les bras de Kazuo. Était-ce cet « autre » invisible – dont elle subissait la présence angoissante – qui lui apparaissait sous cette forme ? Mais comment tant de terreurs pouvaient-elles s'allier au plaisir sexuel ? Cette sensation qu'elle avait depuis si longtemps oubliée était si intense qu'elle en fut déprimée.

Elle se leva, alluma la lampe de la chambre, tira les rideaux et s'assit devant le miroir. Son reflet, dont le néon rendait l'expression lugubre, la dévisageait. Depuis qu'elle avait découpé le cadavre de Kenji en morceaux, ses traits avaient changé. C'était très net. Les ridules entre ses sourcils s'étaient creusées et son regard était devenu encore plus perçant. En un mot, elle avait vieilli.

Ses lèvres s'étaient entrouvertes et cherchaient à prononcer un nom. Que se passait-il ? Elle cacha sa bouche sous une main, mais elle ne pouvait dissimuler l'éclat de ses yeux.

C'est alors qu'elle entendit un bruit. Yoshiki ou Nobuki avait dû rentrer. Elle jeta un coup d'œil à sa montre : il était presque huit heures du soir. Elle se contenta de se recoiffer et, enfilant un cardigan, sortit de la chambre. Elle entendit le lave-linge qui tournait dans la salle de bains. C'était probablement Yoshiki qui faisait sa lessive. Depuis quelques années, il lavait lui-même ses sous-vêtements.

Elle frappa à la porte de la chambre de Yoshiki. N'obtenant pas de réponse, elle ouvrit. Il était en chemise et, assis sur le lit, écoutait un CD au casque. Un des deux lits jumeaux ayant été transporté dans cette chambre de quatre tatamis et demi, l'espace paraissait extrêmement exigu. Yoshiki y avait installé des rayonnages et un bureau et y vivait comme un étudiant. Masako lui tapota l'épaule par-derrière. Surpris, il se retourna et enleva son casque. Puis, voyant Masako encore en pyjama, il lui demanda :

– Tu es malade ?

– Non, j'ai simplement fait la sieste.

À peine réveillée, elle eut soudain froid et boutonna son cardigan.

– Tu fais la sieste à huit heures du soir ! dit-il comme pour lui-même. C'est curieux.

Yoshiki s'exprimait à partir du monde diurne. Masako s'appuya contre la fenêtre nord.

– Je sais, ça paraît étrange.

Le casque posé sur le lit laissait échapper des éclats de musique classique. C'était un morceau qu'elle ne connaissait pas.

– Depuis quelque temps, tu ne fais plus la cuisine, reprit-il sans la regarder dans les yeux.

– En effet.

– Pourquoi ?

– J'en ai décidé ainsi.

Il ne lui demanda pas de raisons plus précises.

– Ça n'a pas d'importance, mais toi, qu'est-ce que tu manges ?

– Ce qui se présente.

– Tu te fiches donc de ta famille ? demanda-t-il avec un rire gêné.

– Non, répondit-elle franchement. Je suis désolée, mais je voudrais que chacun se débrouille tout seul.

– Pourquoi ?

– Je suis devenue un insecte. Je reste sous la terre sans rien faire.

– Quelle chance de pouvoir être un insecte !

– Tu veux dire que tu envies les femmes ?

– Ben oui, peut-être.

– Tu n'as qu'à faire pareil.

– C'est impossible, répondit-il en la dévisageant d'un air effaré. Je ne m'attendais pas à ce que tu dises ça.

– Toi aussi, tu t'es barricadé dans ton monde, dit-elle en lui montrant la chambre du doigt. Tu vas au bureau, tu reviens ici, tu fais ce qui te plaît. Tu te comportes comme un locataire.

Chaque fois qu'elle abordait ce sujet, Yoshiki cherchait à couper court à la conversation.

– Oui, bon, peu importe, dit-il en remettant son casque.

Masako l'observa. Depuis l'époque où elle avait fait sa connaissance, ses cheveux s'étaient clairsemés et avaient blanchi. Il avait aussi maigri et son corps dégageait toujours des odeurs de résidus d'alcool après distillation. C'était moins son évolution physique que la mutation de son âme – elle avait gagné en pureté – qui l'intriguait.

À l'époque de leur mariage, Yoshiki désirait rester plus libre que quiconque et garder son esprit en pleine effervescence. Son travail lui prenait beaucoup de temps, mais, quand il avait fini, il avait un tempérament chaleureux et ouvert. Il aimait alors Masako qui était encore immature. Elle, de son côté, l'aimait aussi et lui faisait confiance.

Mais, à présent qu'il pouvait échapper au travail, il semblait vouloir aussi s'affranchir de sa famille. Le monde autour de lui était des plus glauques. Sa société, encore plus. Masako même n'avait pas réussi à lui donner la liberté dont il avait besoin et Nobuki, lui, avait pris une orientation inattendue. Mais il s'était arrêté en chemin. Yoshiki manifestait une certaine noblesse d'esprit, mais on avait du mal à le suivre. Il devait s'en faire une raison. S'il fallait tout fuir, la seule solution aurait été de couper tout lien et de se faire ermite, et Masako n'avait aucune envie de vivre avec un ermite. L'extase qu'elle avait connue dans le rêve qu'elle venait de faire le disait. Était-ce là son échappatoire ?

Elle se résolut à le lui demander, alors qu'il avait remis son casque sur ses oreilles.

— Pourquoi tu ne couches plus avec moi ?

— Quoi ? demanda-t-il en ôtant son casque.

— Pourquoi es-tu seul ici ?

— Je ne sais pas. Peut-être parce que je veux être seul, répondit-il en regardant les dos des romans impeccablement rangés sur ses rayons.

— Mais tout le monde veut être seul.

— Peut-être, oui.

— Pourquoi tu ne couches plus avec moi ?

— Ce sont des choses qui arrivent naturellement, dit-il sans pouvoir cacher son désarroi et en détournant le regard. Toi aussi, tu t'en es lassée.

— C'est vrai.

Elle tenta de se rappeler ce qui s'était passé quatre ou cinq ans auparavant, au moment où ils avaient décidé de faire chambre à part. Mais ce n'étaient que des vétilles et elle avait oublié les détails. Elle se dit que c'était une accumulation de détails qui avait miné leur couple.

— Le sexe n'est pas le seul lien entre les époux, reprit-il.

— Je sais, mais je crois que tu refuses tous les autres. Tu ne supportes pas que Nobuki ou moi nous mêlions de ta vie, murmura-t-elle.

— Mais enfin, protesta-t-il, surpris, c'est toi qui as voulu faire ce travail de nuit !

— Bien obligée, je n'ai rien trouvé d'autre !

— C'est faux, riposta-t-il en soutenant son regard. Tu aurais retrouvé un boulot de comptable dans n'importe quelle petite entreprise. Tu t'es sentie blessée et tu n'as plus voulu faire la même chose.

Il était trop sensible pour ne pas s'en être aperçu à l'époque. Masako savait même qu'il avait partagé sa blessure.

– Tu prétends que tout s'est écroulé parce que j'ai choisi ce travail de nuit ?

– Je ne vais pas jusque-là, mais il est certain que chacun a voulu être indépendant.

Elle se rendit compte que, tout comme elle, Yoshiki s'était ménagé une sortie. Elle n'était pas vraiment triste, mais elle éprouva un sentiment de solitude. Tous deux gardèrent le silence un instant.

– Tu serais surpris que je te quitte ? reprit-elle enfin.

– Probablement, si c'était soudain. Ça me désolerait.

– Mais tu ne me chercherais pas ?

Il réfléchit un moment.

– Sans doute pas, non.

Il devait croire qu'on n'irait pas plus loin car il remit son casque. Elle observa un instant son profil et décida que tôt ou tard elle le quitterait. Ce qui suscitait cette décision se trouvait sous le lit où elle était restée allongée – là, dans un tiroir où elle rangeait les draps propres : cinq millions de yens en liquide.

En ouvrant calmement la porte pour sortir de la chambre, elle tomba sur Nobuki dans le couloir sombre. Il eut l'air surpris de la voir et resta figé sur place, comme paralysé. Masako referma la porte derrière elle.

– Tu as entendu notre conversation ?

Il ne répondit pas. Perplexe, il gardait les yeux baissés.

– Chaque fois que quelque chose te déplaît, reprit-elle, tu crois t'en tirer en gardant le silence, mais ça ne marche pas comme ça.

Nobuki persistait dans son mutisme. Elle leva les yeux pour regarder son fils, qui était plus grand qu'elle. Il avait maintenant une stature qui rendait difficilement imaginable qu'il soit jamais sorti de ses entrailles. Cet enfant, dont elle avait pris soin, se préparait à la quitter.

– Je vais peut-être m'en aller, reprit-elle. Je t'estime adulte, tu feras ce que tu voudras. Si tu veux reprendre tes études et t'en aller d'ici, c'est aussi bien. La décision t'appartient, mais il faudra que tu la dises.

Elle observa un moment les joues émaciées de son fils, mais Nobuki garda le silence, les lèvres tremblantes. Elle lui tournait le dos pour s'éloigner lorsqu'elle entendit la voix de son fils, qui avait mué, lui lâcher une insulte :

– Pour qui tu te prends, la vieille ?

C'était la deuxième fois cette année qu'elle entendait la voix de Nobuki. Elle ressemblait encore un peu plus à celle d'un adulte. Masako se retourna pour voir le visage de son fils. Il avait les larmes aux yeux. Elle chercha à lui parler, mais ses épaules étant prises d'un tremblement de fureur, il se précipita au premier. Masako sentit son cœur se serrer douloureusement, mais il n'était plus question de faire machine arrière.

Pour la première fois depuis longtemps, Masako décida de passer chez Yayoi en allant à son travail.

Les feuilles mortes qui s'envolaient se heurtaient à son pare-brise dans un bruissement plaisant. Un vent un peu trop frais s'était levé. Lorsque, sentant le froid, elle voulut refermer la vitre, un insecte chancelant s'engouffra dans l'obscurité de la voiture. Cela lui rappela le soir où elle s'était demandé si elle devait aider Yayoi qui venait de lui avouer son meurtre. L'odeur des gardénias s'était engouffrée par les vitres ouvertes. Ce n'était que l'été précédent, mais elle avait l'impression que des années s'étaient écoulées depuis lors.

Elle entendit un bruit sur la banquette arrière plongée dans le noir complet. C'était probablement la carte routière qu'elle y avait laissée qui était tombée par terre. Mais elle ne put s'empêcher d'imaginer que Kenji s'était installé au fond de la voiture parce que lui aussi voulait voir Yayoi.

– Vous voulez qu'on y aille ensemble ? demanda-t-elle en s'adressant aux ténèbres.

Elle l'avait vu si souvent en rêve qu'il lui était devenu familier. C'est ensemble qu'ils iraient enquêter sur cette Yôko Morisaki, à laquelle Yayoi confiait ses enfants à garder quand elle partait travailler.

Comme le jour où elle avait transporté le cadavre, elle se

gara dans la ruelle, devant la maison de Yayoi. Et appuya sur l'interphone. Dans la salle de séjour, aux rideaux tirés, une paisible lumière jaune était allumée. Yayoi répondit d'une voix qui trahissait sa peur.

– C'est moi, Masako ! Excuse-moi de te déranger à une heure aussi tardive.

Yayoi semblait prise au dépourvu. Masako entendit ses pas se rapprocher dans le couloir.

– Qu'y a-t-il ? demanda Yayoi en ouvrant la porte.

Ses cheveux mouillés lui retombaient sur le front, comme si elle sortait du bain.

– Je peux entrer ?

Elle referma la porte derrière elle et s'avança dans le vestibule exigu. Instinctivement son regard se porta sur la marche. C'est là que Kenji avait trouvé la mort. Yayoi elle aussi connaissait le sens de ce regard. Elle s'empressa de baisser les yeux.

– Il est encore trop tôt pour aller travailler.

– Je sais. Il n'est que dix heures. Mais j'ai quelque chose à te dire.

Yayoi se rappela leur dispute à la fabrique et prit l'air méfiant.

– De quoi veux-tu parler ?

– À quelle heure arrive Mlle Morisaki ?

Masako tendit l'oreille du côté de la salle de séjour. Les enfants devaient être couchés car, à part les actualités, on n'entendait rien.

– Eh bien justement, répondit Yayoi en fronçant les sourcils. Elle ne vient plus.

– Pourquoi ? demanda Masako en sentant une angoisse indescriptible monter en elle.

– Il y a environ une semaine elle m'a brusquement annoncé qu'elle allait rentrer dans sa province natale. J'en ai été très surprise, j'ai tenté de la retenir, mais elle m'a dit que c'était absolument impossible. Les enfants étaient eux aussi très déçus et elle-même paraissait au bord des larmes.

– D'où est-elle ?

– Elle ne me l'a pas clairement dit, répondit Yayoi sans cacher sa tristesse. Nous étions devenues très proches. Mais elle m'a assuré qu'elle reviendrait.

– Sous quel prétexte est-elle venue pour la première fois?

Yayoi lui expliqua confusément ce qui s'était passé. Masako n'y vit que la confirmation que Mlle Morisaki s'était introduite chez elle pour enquêter. Elle réfléchissait en silence lorsque Yayoi l'interrogea.

– Masako, pourquoi est-ce que ça te préoccupe? Tu te laisses entraîner par ton imagination.

– Je ne sais pas encore, mais je pense que quelqu'un est en train d'enquêter sur nous.

– Que veux-tu dire? Qui pourrait enquêter sur nous? Pour quelle raison? s'écria Yayoi, stupéfaite. (Des gouttes tombaient de ses cheveux, mouillant son visage, mais elle ne semblait pas s'en soucier.) Tu crois que c'est la police?

– Non, je ne pense pas.

– Qui alors?

– Je ne sais pas, dit Masako en secouant la tête. C'est justement parce que je ne sais pas que c'est inquiétant.

– Tu veux dire que Mlle Morisaki fait partie d'une équipe?

– Ça se pourrait bien.

Cette femme ayant rendu les clés de son appartement, il était inutile de faire des recherches sur son logement. Mais qu'on soit allé jusqu'à louer un appartement près de chez Yayoi pour enquêter sur elles ne fit qu'augmenter les mauvais pressentiments de Masako.

– C'est peut-être l'assureur, dit Yayoi.

– Mais la décision a bien été prise que tu toucherais de l'argent, non?

– Oui, j'aurai la prime la semaine prochaine.

– Elle ne pourrait pas être au courant? demanda Masako d'un air inquisiteur.

– Je suis dans le collimateur, dit Yayoi en se frictionnant les bras. Que dois-je faire?

– Tu es célèbre maintenant que tu es passée à la télé. Pour

moi, tu devrais t'abstenir de revenir à la fabrique. Tu devrais adopter un profil bas.

– Tu crois vraiment ? demanda Yayoi en lui lançant un regard à la dérobée. Sauf que, si je cesse d'aller au travail, les deux autres sauront que j'ai touché de l'argent.

C'était donc parce qu'elle craignait que Kuniko et Yoshié s'en aperçoivent qu'elle continuait de faire comme avant. Masako la regarda d'un air stupéfait. Depuis qu'elle avait assassiné Kenji, le côté calculateur de Yayoi était apparu.

– Laisse-les tranquilles, tu n'as rien à craindre d'elles.

– Tu as raison, répondit-elle en acquiesçant, mais en lui jetant un regard méfiant.

Elle avait l'air de lui dire : « Mais toi-même, es-tu digne de confiance ? » Masako prit les devants :

– Je garderai le secret.

– Bien sûr, je t'ai donné deux millions pour ça, répondit sèchement Yayoi.

Masako sentit que Yayoi lui avait gardé rancune après leur dispute à la fabrique.

– Oui, c'était un salaire suffisant pour découper ton mari en tranches, dit Masako avec un geste qui concluait leur conversation. Bon, maintenant, j'y vais.

– Merci d'être passée.

Masako ressortit et monta dans sa voiture, mais, au moment où elle fermait la portière, Yayoi la rejoignit. Masako rouvrit sa portière.

– J'ai oublié de te demander quelque chose, dit Yayoi en montant.

Elle massait des deux mains ses cheveux encore mouillés que l'air frais avait refroidis. Le parfum d'un baume démêlant envahit la voiture, comme s'il y avait là une jeune fille.

– Quoi ?

– C'est quoi, le travail dont tu parlais l'autre jour à la fabrique ? Tu parlais d'une commande…

– Je préfère ne pas t'en parler, répondit Masako en faisant vrombir le moteur.

– Pourquoi?

Enrageant d'avoir été ainsi humiliée, Yayoi se mordit les lèvres. Sans regarder Masako, elle fixa le pare-brise, où quelques feuilles mortes s'étaient coincées sous les essuie-glaces.

– Parce que je n'ai pas envie d'en parler.

– Pourquoi? Qu'est-ce que ça veut dire?

– Tu n'as pas besoin de le savoir. Pas une innocente comme toi.

Yayoi ne répondit pas, rouvrit la portière et ressortit. Sans même la regarder, Masako fit marche arrière pour quitter la ruelle, Yayoi rentrant chez elle en claquant violemment la porte derrière elle.

CHAPITRE 2

Kuniko se leva tard dans l'après-midi et commença par allumer la télévision. Puis elle mangea le contenu du panier-repas qu'elle avait acheté à la supérette du coin.

De l'entrecôte grillée à la coréenne, confectionnée à la fabrique, certainement sur la chaîne voisine de la sienne. Ce ne pouvait être qu'une novice qui avait été chargée d'égaliser la viande, se dit-elle non sans satisfaction. Incapable de suivre le rythme de la chaîne, une débutante n'avait pas le temps de démêler les tranches fines. Les lamelles de bœuf formant un écheveau, il y avait plus de viande que d'habitude dans le panier.

Elle pouvait s'estimer heureuse d'être tombée sur ce panier-repas. Toute réjouie, elle compta les tranches. Il y en avait onze. Étonnant que Nakayama n'y soit pas allé d'un commentaire acerbe, se dit-elle en ricanant. Si la Patronne était chargée de la même tâche, elle pouvait couvrir toute la surface du riz blanc avec à peine six tranches de bœuf aplaties au maximum.

Kuniko ne pouvait s'empêcher de penser à Yoshié. Elle était intriguée de constater que, depuis quelque temps, celle-ci n'avait plus l'air d'être dans le besoin. Voilà qu'elle parlait d'envoyer sa fille à l'université et de chercher un appartement. Les cinq cent mille yens qu'elle avait reçus de Yayoi ne pouvaient pas expliquer cette aisance soudaine. Cette somme aurait à peine couvert les frais d'un déménagement.

Aurait-elle eu des économies? Non, c'était absolument impossible, se dit-elle en secouant la tête. Elle savait très bien que Yoshié avait des difficultés financières. Plutôt mourir que de vivre comme elle, s'était-elle toujours dit avec le plus grand mépris.

C'était bizarre. Kuniko, dont l'intuition s'exacerbait dès qu'il s'agissait d'argent, pencha la tête en avant.

Ses spéculations se transformèrent en soupçons. Yayoi ne lui aurait-elle pas donné en sous-main plus que les cinq cent mille yens prévus au contrat ? Une fois qu'elle lui eut traversé l'esprit, cette idée ne la quitta plus. Kuniko, qui fondamentalement ne supportait pas le bonheur d'autrui, eut brusquement l'impression d'être la seule perdante et cela ne fit qu'accroître ses soupçons. Elle décida de soumettre Yoshié à un interrogatoire, ou plutôt non : Yayoi, si jamais elle tombait sur elle ce soir-là à la fabrique. Elle brisa les baguettes usagées et les jeta dans le panier.

Il lui restait cent quatre-vingt mille yens sur la somme qu'elle avait reçue. Cette idée la fit sourire. Elle avait déjà remboursé les intérêts des divers crédits qu'elle avait contractés et s'était acheté un blouson de cuir rouge, une jupe noire et un pull violet. Elle aurait voulu une paire de bottines, mais avait fini par y renoncer pour acquérir des produits cosmétiques. Malgré tous ces achats, elle disposait encore de cent quatre-vingt mille yens. Difficile d'imaginer un bonheur plus grand. Qu'elle n'eût plus à rembourser Jûmonji était aussi une excellente affaire.

Elle n'avait pas la moindre curiosité ni le moindre intérêt à savoir pourquoi Jûmonji avait voulu percer leur secret ni ce qu'il avait fait de l'information. La seule chose qui lui importait était de ne pas être elle-même éclaboussée par le scandale. Au départ, elle avait craint que, le secret étant dévoilé, elle soit arrêtée, mais maintenant que les inspecteurs ne venaient plus l'inquiéter, elle s'en moquait éperdument.

Au fond d'elle-même, elle avait relégué dans un passé lointain sa participation au crime. Cela dit, si cela pouvait lui servir, elle était prête à aller jusqu'au bout. Menace, chantage, peu lui importait.

Elle jeta le panier à la poubelle, se débarbouilla et commença à se maquiller devant le miroir avant d'aller à la fabrique. Elle sortit de sa boîte le rouge qu'elle venait d'acheter et l'appliqua sur ses lèvres. Il avait des nuances brunes d'automne. Elle avait suivi les conseils de la vendeuse, mais cette nuance ne convenait ni à son teint pâle ni à ses rondeurs. Elle assombrissait ses traits et ses lèvres paraissaient trop épaisses. Quand elle l'avait essayé dans la boutique, l'employée l'avait flattée en lui disant : « Il vous va à merveille ! » et elle s'était laissé convaincre. C'était une erreur et cela lui avait coûté quatre mille cinq cents yens.

Elle s'en voulait d'avoir fait cet achat. Pour cette teinte, un rouge à huit cents yens, comme on en trouve au supermarché, aurait très bien fait l'affaire. Elle était excédée, mais se dit que si elle changeait de fond de teint, le contraste serait moins choquant. Cette idée l'accaparant aussitôt, elle s'empressa d'ouvrir le supplément « Maquillage » d'un magazine féminin et décida de s'acheter un nouveau fond de teint et une nouvelle paire de bottes.

Elle achetait pour satisfaire ses désirs, ces achats faisant naître de nouveaux besoins en elle. Le processus s'accélérant, elle poursuivait un but qui se dérobait : tel était devenu le sens de sa vie. Au fond, c'était même ce qui la définissait.

Le maquillage terminé, elle passa son nouveau pull violet et regarda si sa jupe noire était bien assortie. Puis elle enfila des bas noirs et constata qu'ils la faisaient paraître plus mince que d'habitude. Devant le miroir, elle prit alors mille mines séductrices et en éprouva comme une vacillation tout au fond d'elle-même.

Un homme. C'était un homme qu'elle voulait. Quand avait-elle fait l'amour pour la dernière fois ? Elle s'empara du petit calendrier de la cordonnerie express. C'était à la fin juillet que Tetsuya avait fait sa fugue. Depuis, rien. Cela faisait plus de trois mois qu'elle était en manque. Tout idiot qu'il était, il avait le mérite d'exister. En proie à un désespoir soudain, elle se jeta sur le lit encombré de vêtements.

Maintenant qu'elle s'était faite toute belle, elle aurait bien aimé avoir quelqu'un qui lui dise qu'elle était belle. Et qui la caresse. Bien sûr, pas un ringard comme Tetsuya, non : un homme, un vrai. Bref, n'importe qui, même un maniaque sexuel. Une aventure passagère lui aurait suffi. Son désir devenait pressant.

Dès qu'une envie matérielle est assouvie, il s'en présente une autre. Tout comme l'imagination sans frein donne lieu à des soupçons et tout comme un achat compulsif en suscite un autre, son désir sexuel ne cessait de croître.

L'image de Kazuo Miyamori lui traversa l'esprit. Il était plus jeune qu'elle, mais ce beau métis lui plaisait depuis longtemps. Et puis il était bien bâti. Et d'ailleurs, ne s'était-il pas montré sympathique quand, l'autre jour, Yoshié et elle lui avaient confié les enveloppes contenant l'argent ? Il partageait une chambre avec un collègue au foyer et donc... il souffrait de l'absence de femmes. Se convainquant ainsi toute seule, elle décida de lui adresser la parole quand elle serait à la fabrique. Voilà, c'était ça qu'il fallait faire. Forte de l'argent qui était maintenant en sa possession, elle se releva avec énergie.

Elle ouvrit la portière. Elle gardait à la main son blouson rouge afin de mettre en valeur son pull violet. Pour que ses cheveux, qu'elle venait de coiffer avec tant de peine, ne soient pas ébouriffés, elle n'abaissa pas la capote du cabriolet.

Son seul souci était de ne pas croiser Masako dans le parking. Ces derniers temps, voir son visage la dégoûtait même tellement qu'elle évitait de se retrouver sur la même chaîne de fabrication. Pour ça, elle devait arriver le plus tôt possible. Elle démarra et quitta en trombe le parking de son immeuble.

À son arrivée, elle trouva le gardien près de la guérite.

Vêtu d'un uniforme bleu marine, il était armé d'une matraque et portait une grande torche électrique en travers de la poitrine. En sa présence, elle ne risquait guère de tomber sur un maniaque sexuel, comme l'avait prédit Masako, et elle en éprouva un certain dépit. Elle descendit de sa voiture, en referma la portière et se tourna vers le gardien.

– Bonsoir, madame, dit celui-ci en s'inclinant respectueusement.

Flattée par ces égards, elle l'observa. Les agents de la sécurité étaient en général des hommes plutôt âgés, mais celui-ci était nettement plus jeune. Solidement bâti, il portait particulièrement bien l'uniforme. Elle ne distinguait pas nettement ses traits dans la pénombre, mais quelque chose lui disait qu'il lui plairait. Elle répondit à son salut d'une voix charmeuse.

– Bonjour, répondit-elle.

Manifestement peu habitué à cette façon de saluer, il la regarda avec perplexité.

– Vous vous rendez à la fabrique ?

– En effet.

– Je vais vous y accompagner, lui proposa-t-il avec naturel.

Il s'approcha d'elle. Il avait une voix grave et douce. Elle minauda.

– Je ne voudrais pas vous déranger…

– Pas du tout, je suis là pour ça.

– Vous nous accompagnez l'une après l'autre ?

– Rien qu'à mi-chemin, j'en suis désolé. Après l'usine désaffectée, le sentier est suffisamment éclairé.

La lumière de la guérite enveloppait son profil d'un halo. Il avait une apparence assez ordinaire, mais ses lèvres charnues et bien dessinées inspiraient une forme de confiance. C'était la première fois qu'elle tombait sur ce type d'homme. Elle eut du mal à le classer dans une catégorie quelconque.

– Je vous remercie, dit-elle.

Elle se félicita d'avoir mis ses vêtements neufs. En plus, elle devait paraître plus belle que d'habitude parce qu'elle s'était maquillée avec soin. En espérant que ça donne quelque chose, elle attendit que le gardien détache la torche de son cou pour lui éclairer le chemin. Le faisceau de sa lampe courut sur le sol recouvert de gravillons. Tandis qu'ils avançaient ainsi ensemble dans les ténèbres – on aurait dit des explorateurs –, elle sentit que son cœur battait fort.

– C'est votre voiture ?

Comme gagné par la bonne humeur de Kuniko, l'agent s'exprimait sur un ton plus gai.

– Oui.

– Elle est très chic ! s'exclama-t-il, admiratif.

– Merci, répondit-elle en souriant avec orgueil.

Elle avait oublié qu'il lui restait encore trois ans de traites à payer.

– Vous la conduisez depuis longtemps?

Elle était heureuse de cette conversation qui semblait être celle d'un tout jeune homme.

– Trois ans. Mais son entretien est coûteux. Surtout, comment dire, en...

– En consommation d'essence?

– Voilà, c'est ça! En consommation d'essence, répéta-t-elle en le prenant par le bras comme si elle ne s'en rendait pas compte.

Elle sentit ses muscles sous ses doigts et son cœur s'emballa.

– Combien aux cent?

– Je ne sais pas trop. Mais les pompistes me disent toujours qu'elle consomme.

– Ah bon. Et ce genre de modèle a une direction un peu lourde, non?

– En effet. Vous vous y connaissez!

C'était la première fois depuis longtemps qu'elle pouvait manifester sa satisfaction matérielle et cela la rendit encore plus heureuse. Elle lui demanda gaiement:

– Vous avez déjà conduit un cabriolet comme ça?

– Jamais. Non, jamais de voiture étrangère, répondit-il avec un sourire gêné.

Il s'arrêta devant l'usine désaffectée. D'ordinaire, les ruines paraissaient effrayantes à Kuniko, mais ce soir-là, comme dans un parc d'attractions, elles l'invitaient à l'aventure.

– Nous voilà arrivés, dit-il.

Elle était déçue que ce soit déjà terminé. Il la salua de nouveau avec respect.

– Faites attention et bon courage pour votre travail.

– Merci, répondit-elle d'une voix la plus suave possible, ravie de cette rencontre prometteuse.

Sous l'effet de son désir, de nouvelles rêveries émergèrent. Elle s'offrirait des bottes et un nouvel ensemble assorti. Elle opterait pour le noir qui la faisait paraître mince. Elle resta dans cet état d'excitation jusqu'à l'entrée de la fabrique, à tel point que voir Kazuo Miyamori ne fit pas battre son cœur davantage.

Tout en fredonnant, elle revêtit son uniforme qui avait maintenant bien besoin d'une lessive. Yoshié arriva à son tour. Elle portait comme toujours son pantalon de jersey fripé et un pull noir, mais elle avait épinglé sur sa poitrine une broche d'argent toute neuve. Ce bijou n'échappa pas à l'œil observateur de Kuniko qui l'évalua aussitôt : au bas mot cinq mille yens. Bien trop luxueux pour Yoshié.

— Tu arrives tôt, dit celle-ci en faisant la moue dès qu'elle l'aperçut.

Kuniko se sentit offensée mais, du moins extérieurement, n'oublia pas de se montrer respectueuse envers son aînée.

— Bonjour !

Elle la salua poliment et y ajouta une flatterie.

— Tu as une bien jolie broche, la Patronne !

— Ah, ça ? fit Yoshié, tout sourire. J'ai fini par me décider à l'acheter. J'en ai toujours eu envie. Mais je ne pouvais pas me le permettre. J'ai hésité entre ça et une permanente. Mais finalement, c'est ça que j'ai choisi. Je me suis dit : moi aussi, je suis une femme !

— Avec l'argent que t'as eu ? demanda Kuniko en baissant la voix.

— Oui, répondit Yoshié en rougissant. Je devrais avoir honte.

— Non, pas du tout.

Kuniko avait fini de se changer. Masako devait arriver d'un moment à l'autre. C'était le moment de la sonder.

— La Patronne, dit-elle, j'aimerais te poser une question à propos de Yayoi…

— Quoi ? chuchota Yoshié en craignant d'être entendue et s'approchant du visage rond de Kuniko.

— Eh bien… as-tu vraiment reçu la même somme que moi ?

— Qu'est-ce que ça veut dire ? demanda Yoshié irritée.

Kuniko se justifia sans paniquer.

— Tu ne comprends pas ce que je veux dire. Je me suis demandé si je méritais le même salaire alors que j'ai fait si peu de choses.

Je serais désolée que tu n'aies eu que la même somme que moi. Comme au départ Masako parlait de cent mille yens…

– Ça n'a pas d'importance, répondit Yoshié en tapotant les épaules un peu lourdes de Kuniko. Nous avons toutes accompli notre tâche.

– Et donc, tu n'as vraiment eu que cinq cent mille yens?

– Oui, vraiment, répondit Yoshié.

Sauf qu'elle ne l'avait pas regardée dans les yeux. Elle devait mentir. Kuniko passa aux accusations.

– La même somme que moi, donc. Mais alors, comment tu peux te permettre un tel luxe?

– Mais je ne vis pas dans le luxe! protesta Yoshié, effarée. Qu'est-ce que tu racontes?

– Ah bon? On dirait quand même que t'en as eu plus que tu dis.

– Même si c'était vrai, ça ne te regarderait pas.

– Tu crois vraiment que ça ne me regarderait pas? répliqua méchamment Kuniko en fixant sa broche avec insistance.

Yoshié lança des regards désespérés vers le salon, comme pour réclamer de l'aide. Le soulagement se lut soudain sur son visage lorsqu'elle vit entrer Masako. Elle arrivait à point nommé. Fait inhabituel, elle portait un pull et un pantalon noirs moulants.

– Ah bon! Elle aussi, elle se met à porter des vêtements de femme! dit Kuniko en faisant exprès de parler fort pour être entendue, mais sa voix ne parvint pas jusqu'aux oreilles de Masako.

Cette dernière n'avait pas remarqué leur présence et allumait une cigarette devant le cendrier du distributeur. Elle grimaça d'un air mélancolique et regarda le mur couvert de slogans en savourant sa cigarette. Kuniko la dévisagea. Elle ne lui avait jamais vu de tels vêtements. Que Masako n'ait pas reçu d'argent… n'était-ce pas encore un mensonge? Yoshié et Masako n'étaient-elles pas de mèche pour la tromper? Mais Kuniko était trop horripilée par Masako.

– Je te laisse, dit-elle en s'échappant rapidement du vestiaire, son bonnet à la main.

Alors que Masako était tournée vers le mur, Kuniko se faufila derrière elle pour passer dans le couloir. C'était maintenant le tour de Yayoi. Il fallait la mettre à la question pour la contraindre à avouer.

Mais elle avait beau attendre, Yayoi ne faisait toujours pas son apparition. Kuniko continuait de guetter près de l'appareil à pointer quand elle sentit soudain une présence dans son dos.

– Yayoi ne vient plus.

C'était Masako qui avait enfilé son uniforme.

– Ah, merci.

– Allons, pas de simagrées !

Masako écarta Kuniko et sortit sa carte pour pointer.

– Qu'est-ce que ça veut dire, « Yayoi ne vient plus » ? Elle ne reviendra vraiment plus jamais ? demanda Kuniko en cherchant à juguler son complexe d'infériorité par rapport à Masako.

– Eh bien, qu'elle ne vient plus.

– Et pourquoi ?

– Je ne sais pas. Elle ne doit pas avoir envie que tu la fasses chanter, lui répondit Masako en sortant de son casier ses chaussures de sport fripées et souillées de taches brunâtres.

– Quelle mauvaise langue tu fais ! Je voulais simplement dire…

– Ne te fatigue pas, Kuniko ! lui cria Masako en se retournant.

Il y avait dans ses yeux un éclat de plus en plus vif et acéré. Kuniko resta clouée de peur.

– Qu'est-ce que tu veux dire ?

– Tu as reçu cinq cent mille yens de Yayoi et Jûmonji a effacé tes dettes. Qu'est-ce que tu veux de plus ?

Masako savait donc qu'elle avait tout raconté à Jûmonji. Elle en resta bouche bée.

– Comment le sais-tu ?

– Jûmonji me l'a raconté. Tu es idiote et fainéante, une vraie nullité !

Kuniko eut l'impression d'avoir été déjà insultée dans les mêmes termes.

– Tu es incroyable ! dit-elle, scandalisée.

– Non, c'est toi.

Et elle lui flanqua un coup de coude près de l'épaule. Frappée à la clavicule, Kuniko chancela.

– Qu'est-ce que tu fais ?

– Nous irons toutes en enfer parce que tu as parlé. Tu es vraiment idiote. Tu t'es étranglée toi-même !

Sur quoi, elle s'avança vers l'escalier qui descendait à l'atelier. Restée seule, Kuniko se demanda pour la première fois avec effroi si elle n'avait pas commis l'irréparable.

Mais, comme à son habitude, ce repentir ne dura pas. Si elle ne pouvait pas continuer à travailler ici, elle irait chercher ailleurs. C'était dommage, juste au moment où elle commençait à sympathiser avec ce joli gardien, mais, si la situation était critique, mieux valait s'éloigner de Masako et consorts le plus tôt possible.

Elle regarda le tableau de bois, où étaient rangées les fiches de pointage. Elle avait travaillé près de deux ans dans cet établissement. Elle s'y était habituée, mais elle allait devoir le quitter. Il lui faudrait un emploi plus rémunérateur et un milieu professionnel sympathique où elle ne rencontrerait plus ce genre de collègues détestables. Un milieu où elle pourrait croiser des hommes séduisants. Ça devait bien exister quelque part ! Peut-être même pourrait-elle accepter de travailler dans le monde du plaisir. Oui, il allait falloir chercher. C'est ainsi que, comme toujours, un désir en appela un autre. Telle était la façon qu'elle avait d'échapper aux problèmes.

Le lendemain, en revenant du travail à la première heure, elle tomba sur quelque chose d'inespéré.

Elle gara sa voiture au parking et pénétra dans l'entrée misérable où s'alignaient les boîtes à lettres. Un homme se tourna vers elle en entendant ses pas. Il était tout sourire.

– Mais quelle coïncidence ! dit-il.

Pendant quelques secondes, elle ne le reconnut pas.

– Mais enfin, reprit-il, nous nous sommes rencontrés hier soir au parking !

– Ah, je ne vous avais pas reconnu, s'écria-t-elle, soudain sur-excitée. Je suis vraiment sotte !

C'était le gardien du parking. Il n'avait plus son uniforme, mais un blouson bleu foncé et un pantalon gris de manœuvre. La veille, il faisait si sombre qu'elle avait tout juste entrevu son visage.

Il referma avec un bruit sec la boîte à lettres en bois couverte d'autocollants appliqués par les enfants des locataires précédents, puis il se tourna vers Kuniko. Vu de face, son visage était assez avenant. Il avait le teint basané et possédait une insaisissable qualité qui le rendait mystérieux. Kuniko sentit son cœur s'emballer. La chance qui l'avait visitée avec le panier-repas à l'entrecôte ne l'avait donc pas quittée !

– Vous rentrez toujours à cette heure-ci ? lui demanda-t-il. (Il était loin de lire dans les pensées de Kuniko et regarda sa montre bon marché qui affichait l'heure sur un petit écran.) Vous faites un travail dur !

– Oui, mais le vôtre l'est aussi.

– Peut-être, mais je ne fais que commencer. Je ne sais pas s'il est vraiment dur, dit-il, perplexe.

Il sortit une cigarette de la poche de son blouson, puis regarda la rue l'air ensommeillé. Le soleil, qui se levait tard en novembre, venait à peine de poindre à l'horizon.

– En hiver, il fait sombre longtemps le matin et ce doit être dur pour les femmes.

Kuniko n'osa pas lui dire qu'elle allait bientôt démissionner.

– Je m'y suis habituée.

– Au fait… j'ai trop tardé à me présenter. Je m'appelle Satô.

Il abaissa la main avec laquelle il tenait sa cigarette et s'inclina poliment. Kuniko s'empressa d'en faire autant.

– Moi, c'est Kuniko Jônouchi. J'habite au quatrième.

– Ah bon ? Enchanté !

Satô ne cachait pas sa joie. Il découvrit ses dents blanches et solides en souriant.

– Pareillement. Vous vivez avec vos parents ?

– Eh bien, non, marmonna-t-il. À dire vrai, je suis divorcé et j'habite seul.

443

Divorcé ! Un éclair d'avidité traversa le regard de Kuniko. Mais Satô détourna les yeux d'un air honteux, probablement parce qu'il avait évoqué sa vie privée.

– Je vois, dit-elle. Mais je suis ravie. Parce que, moi aussi, je suis dans la même situation.

Satô la regarda, stupéfait. Avec comme de la joie dans les yeux ? Du désir ? Son cœur s'emballa encore plus, Kuniko décida d'aller s'acheter le jour même des bottes, un ensemble et un collier en or et regarda le numéro de la boîte à lettres qu'il venait de refermer.

C'était l'appartement 412.

CHAPITRE 3

Il y avait quelque chose de bizarre. Voilà ce qu'elle n'arrêtait pas de se dire en nettoyant la salle de bains. Mais la question restait sans réponse.

Elle frotta la baignoire avec une éponge et la rinça avec la douche, pour évacuer toute l'écume. Comme elle ne parvenait pas à se concentrer, elle laissa échapper le pommeau de la douche. L'eau giclant en l'air, le pommeau rebondit sur le rebord et retomba sur le carrelage. Masako eut le corps et le visage éclaboussés d'eau glacée. Elle essaya de rattraper la douche qui, à cause de la pression, semblait se débattre comme un serpent. Trempée, Masako frissonna.

Il s'était mis à pleuvoir dans l'après-midi. La température ayant brusquement chuté, il régnait un froid de fin décembre. Elle s'essuya le visage du revers de la manche de son sweat-shirt et referma la fenêtre entrouverte. C'est par là que rentraient un air glacial et le bruit de la pluie. Elle regarda ses vêtements totalement mouillés et demeura pensive en sentant sous elle le carrelage glacé de la salle de bains.

L'eau qui débordait s'engouffrait en ruisselets dans la bonde. Le sang et les sécrétions de Kenji, puis du vieillard de l'autre jour, s'étaient-ils déjà déversés dans l'océan après avoir filé dans les égouts sous la maison ? Le corps du vieil homme dont Jûmonji avait emporté les morceaux n'était sans doute plus que cendres qui s'étaient évanouies elles aussi. En entendant le bruit de la pluie, maintenant plus ténu, Masako se rappela le grondement du canal souterrain au moment du typhon. Comme les déchets s'agitant dans le flot, quelque chose se mouvait dans sa

445

conscience, mais elle n'arrivait pas à savoir de quoi il s'agissait. Elle se remémora les événements de la veille.

Elle s'était arrêtée chez Yayoi en allant à la fabrique et était donc arrivée un peu en retard. Elle n'en avait aucunement l'intention, mais elle était obsédée par la disparition de cette Yôko Morisaki. Était-elle appâtée par la prime d'assurance ou visait-elle autre chose ? Fallait-il s'en remettre à Jûmonji ? À moins que lui-même n'ait été dans le coup ? Masako ne pouvait se fier à personne. Elle se sentait perdue et craintive, comme à la dérive en pleine mer.

Elle avait vu de la lumière dans la guérite du gardien. Il n'était pas là, mais dans le parking où n'arrivait pas l'éclairage urbain cette lumière était comme un phare illuminant les ténèbres de la mer. Avec un certain soulagement, elle s'était garée en marche arrière à l'emplacement qui lui était réservé. La Golf de Kuniko était déjà là.

Puis l'agent en uniforme avait reparu sur le chemin plongé dans l'obscurité. Il avait éteint sa grande torche en arrivant devant sa guérite, mais l'avait rallumée en apercevant sa voiture et en avait éclairé la plaque minéralogique. Les immatriculations des employés avaient été toutes enregistrées à la fabrique. Sa tâche consistant à vérifier la légalité des stationnements, c'était inévitable. Mais elle avait trouvé qu'il s'attardait inutilement.

Elle avait coupé le moteur et attendu que le gardien se rapproche, le gravier crissant sous ses pieds. C'était un homme entre deux âges, bien bâti, aux épaules carrées.

– Bonsoir, madame. Vous allez à la fabrique ?

Il avait des inflexions graves et douces qui sonnaient agréablement à l'oreille. Elle s'était demandé comment un type avec une aussi belle voix pouvait avoir choisi un travail aussi solitaire que le gardiennage.

– Oui, lui avait-elle répondu.

Le faisceau de la torche s'était attardé sur son visage. Il lui avait alors semblé que, là encore, il s'éternisait. C'était d'autant plus déplaisant qu'elle ne distinguait pas ses traits. Elle était tellement éblouie qu'elle s'était protégé les yeux avec un bras. L'agent s'était excusé.

– Je suis vraiment désolé.

Elle avait fermé sa portière à clé et s'était dirigée vers la fabrique. Le gardien la suivait à quelques mètres. Elle avait trouvé ça étrange et s'était retournée.

– Je vous accompagne, lui avait-il expliqué.

– Pourquoi?

– À cause de la recrudescence des attaques.

– Ce ne sera pas nécessaire, lui avait-elle renvoyé sèchement. Je peux y aller seule.

– Mais s'il se passe quelque chose, j'en serai tenu responsable.

– Je suis en retard, je vais courir.

Malgré son refus, le gardien ne la lâchait pas. Il continuait à la suivre en éclairant le chemin quelques mètres devant elle. Agacée, elle s'était encore arrêtée et retournée vers lui. Ils s'étaient regardés dans le noir. Elle l'avait fixé droit dans les yeux. Elle avait l'impression de l'avoir déjà rencontré quelque part. Lui aussi l'avait dévisagée.

– Est-ce qu'on ne s'est pas déjà…

Mais comprenant que c'était un parfait inconnu, elle s'était interrompue.

– Non, ce n'est rien.

Les yeux du gardien, plutôt petits, étaient sans expression sous sa visière enfoncée sur son front. Il avait une bouche assez grande, aux lèvres charnues, presque voraces. Un visage très étrange, s'était-elle dit en détournant le regard.

– C'est encore sombre, je préfère vous accompagner.

– Non, laissez-moi continuer seule, je vous prie.

– Parfait.

Avec un sourire gêné, il avait dû céder à son obstination. Elle avait alors perçu dans son regard jusqu'alors si paisible un éclair de rage primitive et bestiale. Les gens étaient souvent choqués par ses manières brutales. Elle s'était dit que ce devait être pareil pour lui.

À l'aube, en revenant au parking après sa nuit de travail, elle ne l'avait pas retrouvé. Les choses n'étaient donc pas allées plus loin.

Ces derniers temps, trop de personnages bizarres apparaissaient autour d'elle. Cela lui déplaisait. Elle regagna sa chambre et commençait à enlever ses vêtements humides quand le téléphone sonna. Elle décrocha, en sous-vêtements.

– Allô?

– C'est moi, Yoshié.

– Qu'est-ce qu'il y a, la Patronne?

– Dis-moi, qu'est-ce que je dois faire? lui demanda Yoshié, prête à éclater en sanglots.

– Que se passe-t-il?

– Tu ne pourrais pas venir, s'il te plaît? J'ai des ennuis.

Masako, qui avait froid, sentit la chair de poule sur ses bras nus. Sa maison n'était pas encore chauffée. Mais le froid n'était pas la seule cause de ses frissons. Impatience de connaître les raisons de cet appel et mauvais pressentiment se mêlaient en elle.

– Je te demande ce qui s'est passé.

– Je ne peux pas te le dire ici et je ne peux pas sortir de chez moi, murmura Yoshié qui craignait d'être entendue par sa belle-mère.

– D'accord, j'arrive tout de suite.

Elle enfila son jean et un pull noir qu'elle avait acheté récemment. Elle collectionnait des vêtements qui lui plaisaient, comme au temps où elle travaillait à la banque. Et elle en connaissait la raison : elle ramassait les morceaux d'elle-même qu'elle avait dispersés. Mais pourrait-elle jamais finir de tout rassembler? Comme une poupée de son lacérée, puis recousue, elle ne reconstituerait jamais celle qu'elle avait été.

Elle démarra en trombe et vingt minutes plus tard se gara dans la ruelle près de chez Yoshié. Elle ouvrit son parapluie noir et marcha précautionneusement sur la chaussée criblée de nids-de-poule remplis d'eau pour gagner la maison misérable de Yoshié. Cette dernière l'attendait en trépignant. Elle avait enfilé un cardigan moutarde tout râpé par-dessus un survêtement gris en jersey. Elle était blême et avait l'air d'avoir pris dix ans. Elle ouvrit elle aussi un parapluie posé dans l'entrée et s'avança dans la rue.

– Ça ne t'ennuie pas qu'on parle ici ? demanda-t-elle en soupirant et laissant échapper un nuage de buée.

– Non, d'accord, répondit Masako sous son parapluie noir.

– Merci d'être venue.

– Qu'est-ce qui se passe ?

– L'argent a disparu, dit Yoshié en sanglotant. Je l'avais caché dans la trappe de la cuisine et je ne le retrouve plus.

– Le million et demi en totalité ? demanda Masako, stupéfaite.

– Non, j'en avais donné un peu et je t'avais remboursée. Il me restait un million quatre cent mille yens. C'est tout ça qui a disparu.

– Tu as une idée de qui peut l'avoir volé ?

– Oui, dit-elle en hochant la tête, avant d'ajouter avec une hésitation. Probablement Kazué.

– Ta fille aînée ?

– Oui. Quand je suis revenue des courses, mon petit-fils n'était plus là. J'ai d'abord cru qu'il était sorti jouer, mais sous cette pluie, c'était peu probable. Comme je trouvais ça bizarre, j'ai cherché partout et je me suis rendu compte que toutes ses affaires avaient disparu. J'ai interrogé ma belle-mère et elle a fini par m'avouer que Kazué était passée et avait emmené son fils. Je suis allée tout de suite vérifier dans la cuisine et j'ai vu que le magot s'était évaporé.

Yoshié était dans tous ses états.

– Ce genre de choses s'est-il déjà produit ?

– Oui, il lui est arrivé d'agir comme ça, répondit Yoshié, honteuse. J'aurais mieux fait de tout déposer à la banque, mais ç'aurait été ennuyeux qu'on l'apprenne à la mairie.

– Tu as dit à quelqu'un que tu avais cet argent, la Patronne ?

– C'est-à-dire… je n'en ai pas parlé ouvertement, mais j'ai quand même dit à Miki que j'avais eu une rentrée.

– Pour ses études?

– Oui, elle était si heureuse de pouvoir les continuer! expliqua Yoshié en pleurant. Voler l'argent d'inscription de sa sœur, quel manque de cœur! Quelle enfant sans cœur!

– Et Miki elle-même ne pourrait pas l'avoir volé?

– Non. De toute façon, l'argent était pour elle… et Issey a disparu. Pour moi, Kazué a dû téléphoner et Miki a dû lui parler d'aller à la fac. Et en plus, je m'étais attachée à Issey… Quel gâchis!

– Tu es sûre de ne pas te tromper sur Kazué? Quelqu'un d'autre n'aurait-il pas pu entrer chez toi?

En se rappelant son petit-fils, Yoshié redoubla de sanglots, mais Masako l'interrompit: elle ne lui avait pas encore dit son idée.

– Il n'y a pas d'erreur possible. Kazué connaît cette cachette depuis son enfance.

On n'y pouvait donc plus rien. Il n'y avait plus d'espoir. À court d'arguments, Masako regarda le tissu terni de sa parka trempé de pluie. Au fond d'elle-même, elle était soulagée de savoir que le vol n'avait pas été commis par cet «autre» insaisissable.

– Dis-moi… qu'est-ce que je dois faire? hein? qu'est-ce que je fais? répéta Yoshié sur son ton geignard comme toujours.

– Ça sert à rien de le demander. Il n'y a rien à faire.

– Puis-je te demander une faveur, Masako? reprit Yoshié avec une soudaine obséquiosité.

– Quoi?

– Tu pourrais pas me prêter de l'argent?

Masako la dévisagea. Sous son parapluie, Yoshié lui adressait un regard implorant et désespéré.

– Combien?

– Un million. Non, sept cent mille.

– Je ne peux pas, répondit Masako en secouant la tête.

– Je t'en prie, dit Yoshié en joignant les mains et en coinçant son parapluie, j'ai un déménagement à faire.

– Mais tu n'es pas solvable, la Patronne. Comment veux-tu qu'on te prête de l'argent?

– Oh, tu parles comme un banquier! Toi, tu as un mari et ton argent est intact.

– Ça ne te regarde pas! riposta sèchement Masako.

Yoshié se tut, comme si cette réplique l'avait assommée.

– Tu ferais ça? Toi?

– J'ai toujours agi comme ça.

– Pourtant, tu m'avais bien avancé les frais du voyage scolaire.

– C'est une autre histoire! En tout cas, tu n'es pas très fine, la Patronne. Te faire voler par ta propre fille!

– Tu l'as dit.

Yoshié fut soudain accablée. Sans rien dire, Masako remua ses doigts glacés serrés autour du manche de son parapluie. Un silence gênant s'installa entre les deux femmes.

– Je ne vais pas te les prêter, je vais te les donner.

À ces mots, le visage de Yoshié s'illumina.

– Quoi?! Que veux-tu dire?

– Je te les offre, la Patronne. Un million de yens.

– Mais, ils vont te manquer.

– Non, ne crains rien. Tu as été très coopérative, la Patronne. Je te les filerai la prochaine fois.

Masako s'était dit qu'elle pouvait bien se permettre ce geste.

– Merci, je t'en suis vraiment reconnaissante, dit Yoshié en s'inclinant profondément sous la pluie. Mais à propos…

– Quoi?

– Ce travail… il n'y a rien en perspective?

– Pas pour l'instant, répondit Masako en observant le visage de Yoshié qui paraissait encore plus petit sous le grand parapluie noir.

– Tu feras appel à moi quand on te contactera? Tu me le promets?

– Tu as vraiment envie de le faire? lui demanda Masako d'une voix sombre.

Yoshié, qui ignorait tout de l'«autre», acquiesça énergiquement.

– Oui, j'ai encore besoin d'argent. Il n'y a que ce travail qui puisse me permettre d'en gagner. Ce n'est pas ma fille qui est la plus pitoyable, c'est moi.

Yoshié tourna le dos à Masako et regagna l'entrée de sa maison, dont ni le toit ni la façade de bois n'avaient été retapés. L'eau de pluie tombait de la gouttière cassée, creusant un trou dans la terre. Tout le bas du jean de Masako était détrempé à cause des éclaboussures. Elle ne parvenait pas à contrôler ses tremblements. Tout réclamait sa vigilance, exactement comme lorsqu'on sent qu'un rhume s'annonce.

CHAPITRE 4

La porte de la véranda était grande ouverte.

Cinq degrés. Le vent glacé de l'aube pénétrait dans l'appartement, en abaissant la température au niveau de celle du dehors.

Sataké était allongé sur son lit. Il avait gardé sur lui son pantalon gris et remonté la fermeture Éclair de son blouson bleu foncé jusqu'au cou. Il aurait aimé ouvrir toutes les fenêtres pour permettre à cet air glacé de traverser la pièce, mais celle qui donnait sur la galerie nord était hermétiquement fermée.

Appartement 412. Un deux-pièces-cuisine, avec une salle de bains. Exigu, il s'étendait tout en longueur, du nord au sud. Comme dans son appartement de Shinjuku-Ouest, il en avait enlevé toutes les portes coulissantes et tous les meubles. Il ne s'y trouvait qu'un lit, et placé de telle façon qu'il puisse contempler le ciel de Musashino.

Les étoiles du matin brillaient, mais Sataké ne pouvait les voir. Couché, les yeux fermés, il supportait le froid en serrant les mâchoires. Il ne dormait pas. Simplement, il ne voulait aucune distraction alors qu'il tentait de se remémorer chaque détail du visage et de la voix de Masako Katori. Une par une il recollait ses impressions, les redécomposait, répétant l'opération encore et encore.

Il revit le visage de Masako que sa torche électrique avait éclairé dans les ténèbres du parking. Regard constamment aux aguets, lèvres fines qui avaient renoncé à tout plaisir, joues crispées. Sataké sourit en se rappelant que l'ombre d'une inquiétude était passée sur ce visage si ascétique.

453

– Non, laissez-moi continuer seule, je vous prie.

Cette voix basse qui refusait toute aide extérieure résonnait encore et encore à ses oreilles. La silhouette de Masako qu'il avait vue s'éloigner sur le chemin de terre, dans le noir. En la suivant à quelques pas, c'était une autre femme qu'il avait vue. Lorsqu'elle s'était retournée et que son visage s'était détaché dans le faisceau de lumière, il avait aperçu sur son front des ridules verticales qui disaient son irritation et en avait éprouvé un tel ravissement qu'il en avait eu la chair de poule. Masako ressemblait à s'y méprendre à la femme qu'il avait torturée à mort. Visage, voix, rides entre les sourcils, tout la lui rappelait.

Si sa mémoire était bonne, cette femme avait dix ans de plus que lui. Il se trompait peut-être en la croyant morte : peut-être avait-elle vécu en cachette dans cette ville plate et poussiéreuse sous le nom de Masako Katori. En le dévisageant, n'avait-elle pas commencé à dire « Est-ce qu'on ne s'est pas déjà... » ? Il se dit qu'il avait assisté à l'instant même où ses défenses s'étaient fissurées.

– Le destin, murmura-t-il.

C'était au cœur de l'été, dix-sept ans auparavant, qu'il l'avait rencontrée dans une rue de Shinjuku.

Un grand nombre de prostituées qui travaillaient pour sa bande avaient été soustraites à son contrôle par une habile entremetteuse. Le bruit courait que cette femme de poigne était une ancienne putain d'une trentaine d'années. Quelle garce ! s'était dit le jeune Sataké, furieux. Pour la coincer, il avait mis toute son énergie à concevoir un piège subtil, avec des filles pour appâts. Et un jour, elle avait fini par tomber dans ses rets. Elle était venue voir une des filles-appâts dans un café. C'était par une soirée chaude et humide, où l'averse menaçait.

Réprimant sa propre excitation, il l'avait observée, tapi dans l'ombre. Elle était habillée de façon voyante et vulgaire. Le tissu synthétique élimé de sa robe ultra-courte, bleue et sans manches, moulait son corps mince, vision qui augmentait désagréablement la sensation de chaleur. Ses pieds nus dans des sandales blanches laissaient apparaître un vernis à ongles écaillé. Elle portait les cheveux courts. Elle était si maigre qu'on voyait son soutien-gorge noir par les emmanchures de son haut. Mais son regard, où s'exprimait tout son caractère, était franc. C'était avec ces yeux-là qu'elle l'avait immédiatement repéré et fait volte-face pour disparaître dans la foule.

Sataké n'avait pas oublié l'expression de la femme lorsqu'elle l'avait reconnu. La rage de s'être fait piéger s'était lue un court instant dans ses yeux, mais elle l'avait fixé avec la ferme volonté de lui échapper. Acculée contre le mur, elle lui avait lancé un regard chargé de mépris. C'était ce regard même qui avait mis le feu aux poudres. Il avait décidé de la poursuivre jusqu'au bout. Il la rattraperait, dût-il la supplicier à mort. Au départ, il n'avait pas vraiment eu l'intention de la tuer ; il ne pensait qu'à la coincer et à la menacer. Mais les yeux de cette femme lui avaient arraché quelque chose dont il n'avait pas été conscient jusqu'alors.

En la poursuivant dans sa fuite désespérée sur le trottoir, Sataké avait été surpris par l'excitation qui montait en lui. En courant comme il fallait, il aurait pu la rattraper immédiatement. Mais ce n'aurait pas été drôle. Mieux valait la laisser filer un moment, pour la rassurer, puis la coincer. Elle serait alors au comble de la rage. Ce serait bien plus intéressant. Ce soir-là, écrasé de chaleur humide, sans la moindre brise, il avait couru, bousculant les passants et se sentant devenir de plus en plus primitif. Il avait l'impression d'avoir déjà sous les doigts les cheveux de cette femme, ceux qu'il allait tirer pour la retenir.

Désespérée, elle avait traversé l'avenue Yasukuni au feu rouge et s'était engouffrée dans les galeries marchandes du métro proche du grand magasin Isetan. Elle devait se dire qu'en restant à Kabukichô elle risquait d'avoir affaire à toute la clique de Sataké qui, lui-même, connaissait le quartier comme sa poche. Il avait fait mine d'abandonner la poursuite et était descendu dans le parking souterrain. Il était alors passé à toute vitesse sous l'avenue Ômé, pour rejoindre les galeries marchandes, de l'autre côté. Quand, soulagée de l'avoir semé, elle était ressortie des toilettes où elle s'était cachée, il avait saisi son bras par-derrière. Comme elle avait beaucoup couru dans la rue, sa peau ruisselait de sueur. Il n'avait jamais oublié ce contact. Elle avait été d'autant plus surprise qu'elle avait relâché son attention et n'avait pu que manifester la fureur la plus violente.

– Salaud, tu m'as tendu un piège.

Sa voix avait attisé la colère de Sataké. C'était une voix grave, rauque, déplaisante.

– Ne crois pas que tu vas t'en sortir comme ça, garce !

– Eh bien, vas-y, montre-moi de quoi tu es capable !

– Tu ne vas pas tarder à le savoir.

Il avait pointé son poignard sur le côté de l'abdomen de la femme – dont la haine devenait de plus en plus féroce – et avait dû lutter contre le désir de l'éventrer aussitôt. La pointe de la lame avait déchiré le tissu de la robe. Résignée, elle n'avait plus protesté et s'était laissé emmener chez lui sans la moindre supplication. Le bras qu'il serrait entre ses doigts était si mince qu'il en sentait les os sous la peau. Dans son visage émacié, seuls ses yeux perçants étaient chargés de lumière, comme ceux d'un animal sauvage. Sataké la tenait enfin à sa merci. L'idée qu'elle puisse résister excitait son plaisir. Il n'avait jamais éprouvé de tels sentiments à l'égard d'une femme et cela l'avait surpris. Pour lui, une femme n'était qu'un instrument de plaisir. Il pensait ne porter d'intérêt qu'aux filles belles et soumises.

Il l'avait entraînée dans son appartement. La pièce était un véritable sauna. Il avait aussitôt monté la climatisation au maximum, tiré le rideau et allumé la lampe. Avant que la chambre ne soit rafraîchie, il l'avait frappée au visage. Ce qu'il avait attendu ce moment ! Au lieu d'implorer son pardon, elle s'était faite de plus en plus violente et son regard plus haineux. Sataké, qui trouvait que la haine la rendait plus belle, ne pouvait plus s'arrêter de la battre. Il l'avait attachée au lit. Elle avait le visage horriblement tuméfié. Puis, dans cette pièce où l'on n'entendait que le grondement du climatiseur, il l'avait violée tellement de fois qu'il en avait perdu la conscience du temps.

La sueur se mêlait au sang. Retenus par des lanières de cuir, les poignets de la femme s'étaient mis à saigner à leur tour. Il avait sucé ses lèvres gonflées et senti le goût du sang dans sa bouche : c'était comme du métal. Il avait placé à portée de main le poignard qu'il avait approché de son abdomen dans les galeries marchandes du métro.

Bouche contre bouche, il la pénétrait lorsqu'elle avait soudain poussé un cri. La haine avait disparu de ses yeux – elle l'acceptait. Dans un mélange de langueur et de frustration, il avait voulu entrer plus profondément en elle. Et s'était aperçu trop tard qu'il était en train de lui enfoncer le poignard dans le ventre. Elle atteignait l'orgasme en gémissant lorsqu'il s'était abandonné à l'extase.

C'était l'enfer. Il lui avait donné des coups de poignard sur tout le corps et avait enfoncé ses doigts dans ses plaies sans jamais avoir le sentiment de la pénétrer à fond. Il avait redoublé de folie et de frustration dans ses caresses. Il voulait que leurs chairs se fondent, il voulait plonger complètement en elle et murmurait sans cesse qu'il l'adorait. Leur étreinte sanglante s'était fait paradis et enfer dont ils étaient les seuls à connaître les frontières. Qui d'autre aurait pu en être juge ?

Après cet événement, il avait perdu tout contact avec celui qu'il avait été. Peu à peu sa personnalité avait changé. Cette femme avait tracé une ligne de démarcation dans sa vie et jamais il n'aurait imaginé la retrouver vivante. La part de lui-même qui lui échappait était son destin, il se le disait. Le spectre noir qui lui avait grimpé sur le dos avec ses mains glacées en retombait maintenant en glissant. À sa place, Masako Katori l'invitait à la suivre en enfer ou au paradis.

Il imagina Masako en train de travailler à la fabrique à l'heure où les étoiles commencent à briller. Elle marchait sur les dalles de béton, en arborant une expression figée par la solitude. Elle faisait comme si de rien n'était. Elle devait même rire de la police, maintenant que les enquêteurs l'avaient complètement laissée tomber. La femme qu'il avait tuée excellait, elle aussi, à berner les hommes.

Mais Masako ne pourrait pas s'en sortir comme ça. Quand il la rattraperait, il y aurait dans son regard si vigilant comme un violent remords. S'il la battait, ses joues creuses éclateraient sous les coups et le sang jaillirait. Il revoyait encore ses yeux plissés sous la lumière éblouissante de la torche. Comme on aiguise un couteau sur une pierre où suinte l'eau, il affina son désir et ses pulsions de meurtre.

Penser que c'était elle qui avait aidé Yayoi et mobilisé ses amies pour se débarrasser du cadavre n'avait rien de difficile. Il sautait aux yeux que Yayoi n'avait ni la hardiesse ni l'intelligence nécessaires pour effectuer ce travail. Depuis qu'il avait vu Masako, il avait très vite perdu tout intérêt pour Yayoi. Cette femme ne valait guère plus que ses manigances pour subtiliser la prime d'assurance. Mais bon, ce n'était jamais que l'épouse d'un nullard. Qu'elle commette un meurtre après une scène de ménage ou qu'elle s'en repente, ce n'était pas son affaire. Sataké méprisait Yamamoto et Yayoi. Pour lui, il n'y avait rien de mieux que le mépris pour réduire à néant toute action.

Maintenant qu'il avait rencontré Masako, il lui était devenu indifférent de savoir pourquoi il devait accomplir sa vengeance.

Il étendit les bras pour toucher la tête métallique de son lit de camp. La température ambiante aidant, le métal était glacé. À force de tenir la barre entre ses doigts, il eut l'impression de perdre la sensation du toucher. Il la déshabillerait et l'attacherait, ici. Il la bâillonnerait et la supplicierait autant qu'il voudrait en laissant les fenêtres ouvertes. Le froid lui donnerait la chair de poule. Pourrait-il arracher à la pointe du couteau ces grains comme du millet? Si elle se débattait, il pourrait fouiller son ventre avec la lame. Que la peur la convainque de l'implorer ou qu'elle se démène de douleur, jamais il ne lui pardonnerait. C'était une femme capable de le supporter.

Murmurerait-elle «hôpital» à ses oreilles comme l'avait fait l'autre? Mots de soumission et d'obsession. Déchirement entre le désir de goûter la mort avec elle et celui de ne pas la faire mourir. À aucun autre moment, il ne l'avait autant adorée. La joie et la tristesse d'avoir goûté la mort avec elle lui avaient apporté une émotion qu'il n'avait jamais connue. En se rappelant le timbre de sa voix, il fut pris de tremblements. Pour la première fois depuis sa sortie de prison, il avait une érection. Il ouvrit sa braguette, sortit son pénis et se mit à se masturber en exhalant une buée blanche.

L'aube blêmissait.

Il se leva, plissa les yeux et vit le contour des montagnes violacées prendre des nuances pâles tandis que le soleil montait au-dessus d'elles en traînant des nuées pourpres derrière lui. Au-dessus, le mont Fuji se détachait avec encore plus de majesté et de netteté. Bientôt, Masako rentrerait chez elle, les paupières gonflées par l'insomnie. Il imagina toute la scène comme s'il l'avait devant lui : son visage assombri par la mauvaise humeur, sa façon de fumer, la démarche pesante avec laquelle elle foulerait le sol du parking. Il savait parfaitement quelle expression elle aurait quand il la mettrait au pied du mur. La rage et la haine rendraient son regard encore plus farouche. Exactement comme l'autre.

Dors. Tôt ou tard, tu seras tuée par moi. D'ici là, dors tranquillement. Pris de sentiments qu'on eût pu qualifier de tendres, il envoya ses pensées au loin, vers la maison de Masako.

Puis il ferma la porte de la véranda et tira les rideaux noirs pour arrêter le soleil du matin, dont la luminosité ne cessait de croître à mesure qu'il montait dans le ciel. La pièce retrouva le monde de la nuit.

CHAPITRE 5

Dehors, dans un haut-parleur, quelqu'un proposait des marchandises d'une voix rauque.

Sataké se réveilla et regarda la montre qu'il avait gardée au poignet. Trois heures de l'après-midi. Toujours allongé, il alluma une cigarette et regarda les panneaux du plafond. Une tache brunâtre s'y voyait vaguement sous la lumière qui filtrait entre les rideaux.

Il alluma la lampe de chevet et jeta un coup d'œil à la pile de documents entassés par terre. Sur le tapis laissé par le précédent locataire et souillé par des reliefs de nourriture étaient parfaitement superposés des dossiers aux couvertures blanches – les rapports qu'il avait commandés à un bureau de détectives. Ils portaient sur Yayoi, Yoshié, Kuniko et Masako. À partir des relations de Kuniko et de Masako, il y avait même un rapport récent sur Jûmonji. Pour toutes ces enquêtes, Sataké avait déjà dépensé dix millions de yens.

Il alluma une deuxième cigarette et survola une fois encore les rapports qu'il avait lus déjà si souvent qu'il les connaissait presque par cœur. Ça commençait par un compte rendu de Yôko Morisaki qui était parvenue à s'infiltrer chez Yayoi.

<u>Témoignage du fils aîné Yamamoto (5 ans)</u>
«Cette nuit [où disparut Kenji], j'ai entendu le bruit que papa faisait en rentrant. Je crois que maman est allée le chercher à la porte et qu'elle a parlé avec lui. Mais le lendemain matin, elle m'a dit que j'avais rêvé. Du coup, je suis pas sûr que ce soit vrai. Mais la nuit d'avant, ils se sont disputés et maman a reçu des

coups de papa. J'ai pas pu dormir à cause du choc et de la peur. Je peux pas me tromper. Dans la salle de bains, j'ai vu que maman portait une trace de blessure au ventre, qu'elle a dû avoir à ce moment-là. »

Témoignage du fils cadet Yamamoto (3 ans)
« Je crois que maman et papa se disputaient souvent. Je sais pas trop parce que je dormais, mais quand papa rentrait, ils s'engueulaient souvent en criant. Chaque fois, j'avais peur, alors je me cachais sous la couette et je faisais semblant de dormir. Je me rappelle pas ce qui s'est passé cette nuit [où Kenji a disparu]. Mais un chat qu'on avait et qui s'appelait Milk s'est enfui. Après, ça servait à rien de l'appeler parce qu'il osait pas revenir à la maison. Je sais pas pourquoi. »

Témoignage d'une voisine (46 ans)
« Madame est belle et quand j'ai appris qu'elle travaillait la nuit, je me suis dit qu'elle avait pris un amant. En effet, je l'ai entendue se disputer en criant au cours de la nuit ou tôt le matin. Ces derniers temps, elle est devenue encore plus belle qu'avant et dans le quartier on chuchote que c'est louche. »

Témoignage d'une voisine (37 ans)
« J'ai entendu une rumeur bizarre. Le chat qui a fugué s'approche des enfants, mais jamais de madame. Dès qu'il la voit, il prend peur et s'enfuit. Comme il a cessé de rentrer depuis cette nuit-là, tout le monde raconte qu'il a dû voir quelque chose. L'idée qu'on a pu découper le cadavre dans cette maison, qu'on a évacué le sang et les entrailles dans les égouts, me donne mal au cœur. »

La réputation de Yayoi Yamamoto n'est pas très bonne. Cela tient à la métamorphose qu'elle a subie après le crime. On raconte que, loin d'en être affectée, elle paraît même exulter d'un sentiment de liberté nouvellement acquise et avoir embelli depuis lors. J'ai pu l'observer en m'installant chez elle, et effectivement j'ai constaté à plusieurs reprises qu'elle semblait se réjouir de la mort de son mari.

J'étais présente au moment où la police l'a appelée pour annoncer la disparition du propriétaire du casino : sa joie était visible lorsqu'elle a appris la nouvelle. La police étant convaincue de la culpabilité du propriétaire du casino, elle s'estimait lavée de tout soupçon et se comportait comme si elle avait oublié toute l'affaire.

Je l'ai interrogée au détour d'une conversation sur la blessure au ventre dont son fils aîné m'avait parlé, mais elle s'est contentée de dire que son mari l'avait frappée. Elle ne voulait s'étendre ni sur les circonstances ni sur la raison de la dispute.

Il est acquis qu'elle aura bientôt la prime d'assurance. Étant libérée de tout souci financier, elle semble vouloir démissionner de la fabrique. Toutefois, elle prend une attitude obséquieuse avec ses collègues, en particulier quand Masako Katori l'appelle. Pour d'obscures raisons, elle paraît redouter d'avoir un contact direct avec elle.

Aucune rumeur, aucun fait palpable sur la présence d'un homme dans sa vie.

Par ailleurs, la prime d'assurance sera versée fin novembre. Il y aura un virement de cinquante millions de yens.

Rapport sur Masako Katori

<u>Témoignage d'une voisine (68 ans)</u>

« Elle s'entend moyennement bien avec son mari qui travaille dans une entreprise de construction. Je ne les ai jamais vus sortir ensemble. Le bruit court que leur fils [17 ans] a cessé de parler. Autrefois, il mettait sa chaîne à fond et ça me gênait, mais il s'est calmé. C'est un enfant renfermé, qui ne salue même pas dans la rue quand on le croise. Quant à sa mère, elle n'est pas particulièrement aimable, mais elle reste polie. Elle donne l'impression de quelqu'un d'assez original et qui ne se soucie pas de son apparence. »

Témoignage d'une étudiante (18 ans) préparant son entrée à l'université et qui habite de l'autre côté de la rue
« Elle ne passe vraiment pas inaperçue, parce qu'elle sort toutes les nuits en voiture pour ne revenir qu'à l'aube. De la chambre où j'étudie, j'ai vue sur leur maison et je peux donc la voir toute la journée. Ce matin-là [le lendemain de la disparition de Kenji], il y a eu, très tôt, deux femmes qui lui ont rendu visite. L'une était à vélo, l'autre dans une voiture verte. Je crois qu'elles ne sont reparties que dans l'après-midi. »

Témoignage d'un voisin propriétaire (75 ans)
« L'après-midi de ce jour-là [le lendemain de la disparition de Kenji], une jeune femme est sortie de chez Mme Katori et a voulu déposer les ordures qu'elle transportait et je lui ai fait une remarque. On aurait dit des déchets ménagers très lourds. Au moins, dix kilos. J'ai protesté et elle les a remportés docilement. Mme Katori, elle, a l'habitude de se soumettre au règlement. »

Témoignage du contremaître de la fabrique (31 ans)
« Elle travaille ici depuis deux ans. Elle se conduit de façon irréprochable, même du point de vue de la productivité. Comme on a su qu'elle avait travaillé auparavant dans la comptabilité, nous pensions la titulariser. C'est une personne à qui on peut confier une responsabilité, sa place n'est pas à la chaîne de fabrication. Elle est très amie avec Yoshié Azuma, une ouvrière aguerrie, avec Yayoi Yamamoto et Kuniko Jônouchi, avec qui elle forme une bonne équipe de travail. Mais après la tragédie du mari de Mme Yamamoto, l'équipe s'est défaite et maintenant il n'y a plus que Mme Katori et Mme Azuma qui travaillent régulièrement. »

Témoignage d'une ancienne collègue de la Caisse de crédit de T. (35 ans)
« Mme Katori accomplissait correctement son travail, mais ce n'était pas quelqu'un de facile : je pense qu'elle ne jouissait ni de la confiance de ses supérieurs ni du respect de ses subalternes. Une fois licenciée, je ne sais pas ce qu'elle a fait. »

Masako Katori bénéficie d'une réputation plus ou moins incertaine auprès de ses voisins et collègues. Plusieurs d'entre eux laissent entendre qu'ils ne savent jamais trop ce qu'elle pense. On ne lui connaît aucune relation éventuelle avec un autre homme et sa vie semble ce qu'il y a de plus anodine. Elle n'entretient aucun rapport suivi avec ses voisins et n'appartient à aucune association.

Son mari n'a pas de maîtresse. Il passe pour manquer d'esprit collectif au travail et de talent commercial. C'est pourquoi il n'a guère d'avenir dans l'entreprise de construction immobilière M.

Leur fils était au lycée de la ville de Tôkyô, mais il en a été chassé dès la première année. Il a un petit job comme apprenti maçon. Chez lui, il semble qu'il garde un mutisme total.

Après la tragédie, un jour, chez les Katori, sont apparus ensemble Yoshié Azuma et Akira Jûmonji (alias Akira Yamada), propriétaire du Centre de consommateurs - le Million. Jûmonji transportait dans sa Nissan Cima bleu foncé un énorme paquet et au bout de trois heures il est ressorti avec huit colis qu'il a chargés dans la voiture. Contenu inconnu. Destination également inconnue. (Jûmonji a été identifié grâce au numéro d'immatriculation de sa Cima.)

Rapport sur Akira Jûmonji
(alias Akira Yamada)

<u>Témoignage d'un ancien employé du Centre de consommateurs - le Million (25 ans)</u>

«Mon patron prétendait qu'il avait fait partie d'une bande de bikers, le Paradise, de l'arrondissement d'Adachi. Il se vantait du fait que son chef d'alors était devenu un boss du groupe de yakuzas Toyosumi. Il ne ratait pas une occasion de mettre ça en avant. Ça faisait peur à tout le monde. Moi aussi, j'ai démissionné à cause de ça. Même pour un usurier, traîner la mafia derrière soi, c'est une horreur.»

Témoignage d'un employé d'une salle de jeux du quartier (26 ans)
« Ce type aimait les lolitas, il venait toujours ici pour draguer les lycéennes. Je lui ai dit un jour, en le charriant, que ce n'était pas le pied de venir dans une salle de jeux pour racoler les gamines. Mais avec sa gueule, il avait du succès. Souvent on le voyait rouler des mécaniques avec une petite jeune près de lui. Il laissait entendre que les affaires marchaient bien pour lui, mais je crois que c'était de la frime. On le voit à son changement de nom, il tenait vraiment aux apparences. »

Témoignage de la patronne d'un bar du quartier (la trentaine)
« L'autre jour, il est venu au bar et s'est vanté d'avoir eu une importante rentrée d'argent. Il prétendait avoir eu une affaire juteuse, mais comme je savais qu'il était prêteur, je n'écoutais qu'à moitié. C'est un bon client, mais il donne l'impression d'être un petit voyou un peu veule. »

Ce rapport volumineux montrait on ne peut mieux le travail remarquable accompli par Masako et ses complices. De plus, elle semblait avoir commencé un nouveau job d'évacuation des cadavres. Chapeau ! se dit Sataké avec un petit sourire.

Lassé de cette lecture, il repoussa les dossiers. Les cris du haut-parleur qui entraient par les stores entrouverts n'avaient pas cessé. Sataké écarta légèrement les rideaux. Le soleil pâle de ce début d'hiver diffusait les derniers rayons de la journée, illuminant la poussière de la chambre. Il n'était pas encore complètement couché. Sataké observa la nuée de poussière avec exaspération. Il lui restait encore pas mal de temps à tuer avant de devoir se rendre à son travail à sept heures.

L'interphone sonna. Sataké s'empressa de se lever et rangea vite les rapports dans un porte-documents, qu'il glissa sous le lit.

Dans l'interphone, il entendit le sifflement du vent d'hiver et la voix de Kuniko, à l'intonation affectée.

– Monsieur Satô ? C'est Mme Jônouchi, votre voisine du quatrième.

La voilà prise au piège ! Il sourit de satisfaction et toussota avant de répondre.

– Je vous ouvre tout de suite, mais ça ne vous ennuierait pas d'attendre juste un instant ?

Il ouvrit en grand les rideaux et la porte-fenêtre pour aérer la pièce. Puis il retapa le lit en vérifiant l'emplacement du porte-documents contenant les rapports.

– Désolé de vous avoir fait attendre, dit-il en ouvrant.

Le vent du nord s'engouffra violemment dans la pièce. Le côté nord de l'immeuble était toujours frappé par une bise glaciale. Soudain, Sataké eut les narines piquées par le parfum entêtant de Kuniko. Coco de Chanel, se dit-il. Un client en avait offert à An-na qui l'avait aussitôt adopté, mais Sataké le lui avait déconseillé : trop capiteux. Une odeur aussi pénétrante risquait d'imprégner le client et de créer à ce dernier des ennuis inutiles à son retour au foyer.

– Excusez-moi de vous déranger à l'improviste, dit-elle les cheveux en bataille.

Puis elle poussa un petit cri en retenant sa jupe.

– Vous ne me dérangez pas. Entrez donc, dit-il aimablement.

– Merci.

Kuniko entra dans le vestibule, l'air ravie. Mais l'espace exigu parut totalement envahi par son corps à l'embonpoint excessif. Elle était habillée comme pour sortir : tailleur noir, grand collier en or, bottes toutes neuves. Comme à son habitude, Sataké fit l'addition de ces achats. Tout ce qu'elle avait sur elle n'était constitué que par des faux de grandes marques.

Kuniko le dévisagea comme si elle n'attendait qu'une invitation à entrer plus avant dans l'appartement.

– C'est très dépouillé, dit-elle, en jetant un coup d'œil vers le fond de la pièce.

– Elle a emporté tous les meubles... J'ai un peu honte, mais il ne me reste que ça.

Il lui indiqua le lit près de la fenêtre. Elle y posa le regard, puis se hâta de baisser les yeux comme si son geste avait été obscène. Si elle avait su les pensées de Sataké, elle se serait enfuie à toutes jambes.

– Je vous ai réveillé ? Mais vous n'êtes pas venu travailler hier ?

– Non, c'était mon jour de repos.

– Ah oui. En fait, M. Satô, je suis venue vous dire au revoir.

– Que voulez-vous dire ?

Il était interloqué. Tu vas t'enfuir au moment où je t'ai coincée ?

– Je vais démissionner de la fabrique de paniers-repas.

– Dommage, murmura-t-il d'une voix douce chargée de dépit.

– Mais, reprit-elle en mettant de la joie dans sa voix, je ne déménage pas et je compte bien garder de bons rapports de voisinage.

– Ah bon, vous me soulagez. Nous resterons donc bons voisins.

Sataké rusait avant de lui faire une proposition plus directe.

– Ici, je n'ai vraiment que le strict minimum, mais si ça vous dit, entrez donc.

Kuniko n'attendait que ça. Elle s'employa à ouvrir, non sans mal, la fermeture Éclair des bottines qui lui enserraient les mollets.

– Asseyez-vous donc sur le lit, je n'ai rien d'autre.

Sans même lui répondre, elle lui obéit. Dans son dos, Sataké réfléchit au plan à suivre. L'occasion se présentait plus tôt que prévu. Mais elle était inespérée. Il n'avait même pas eu d'effort à faire pour l'entraîner chez lui. Et en plus, puisqu'elle ne retournerait plus à la fabrique dès le lendemain, sa disparition ne susciterait pas de soupçons.

– Je suis désolé de n'avoir pas de table, reprit-il.

– Je vous envie. Chez moi, c'est un vrai bric-à-brac !

Assise sur le lit, elle promena un regard curieux sur cet appartement entièrement dépourvu de meubles.

– On dirait un bureau, dit-elle. Où rangez-vous vos vêtements ?

– Je n'ai rien.

Il lui montra le pantalon de manœuvre et le blouson qu'il gardait sur lui depuis la veille. Ils étaient froissés puisqu'il s'était couché sans se déshabiller. Kuniko regarda le corps de Sataké d'un air admiratif.

– Vous les hommes, vous avez de la chance. Vous pouvez vous le permettre.

Elle prit une cigarette dans son sac garni d'une chaîne en or comme un sac Chanel. Il posa un cendrier parfaitement nettoyé sur le lit.

– Vous savez, reprit-elle, il y a un bistrot sympathique près d'ici. Vous ne voulez pas y aller?

Elle lui avait fait cette proposition très discrètement en allumant la cigarette avec son briquet.

– Je dois avouer que je ne bois pas, dit-il.

Elle parut déçue, mais repassa aussitôt à l'attaque.

– Alors, nous allons simplement manger. Ça vous va?

– D'accord. Je vais me préparer tout de suite.

Il entra dans la salle de bains, se lava les dents et se débarbouilla. Et se vit dans le miroir: ses cheveux courts avaient un peu trop repoussé et il n'était pas rasé. Son visage n'était plus que celui d'un gardien entre deux âges, étranger à la vie superficielle de Kabukichô. Mais l'animal tapi au fond du marécage de ses yeux avait déjà commencé à bouger.

Il s'essuya le visage avec une serviette et ouvrit la porte de la salle de bains. Dans la pièce vide, Kuniko paraissait s'ennuyer.

– Madame Jônouchi? Si ça vous dit, nous pourrions nous faire livrer quelque chose ici.

– Quoi, par exemple?

– Des sushis.

– Quelle excellente idée!

Elle eut un sourire radieux. Il n'avait, lui, aucune intention de commander quoi que ce soit: il ne fallait surtout pas qu'on sache que Kuniko s'était trouvée dans l'appartement 412.

– Vous voulez du café? lui proposa-t-il.

Pur mensonge. Il versa de l'eau dans la bouilloire et alluma le réchaud à gaz. Mais dans cette pièce il n'y avait absolument rien à manger. Il ouvrit le placard vide et fit semblant d'hésiter à choisir. Il sentit alors une présence dans son dos et se retourna : elle était là. Elle avait vu le placard vide.

– Il n'y a rien dedans, dit-elle en riant.

– Qu'est-ce que tu racontes ?

En voyant la cruauté dans ses yeux, elle se figea comme si elle était tombée sur un serpent dans un sentier de montagne.

– Je voulais juste vous donner un coup de main.

Elle recula de quelques pas, puis se retourna vers le lit pour s'enfuir. Mais à cet instant il lui enserra le cou avec son bras gauche et lui appliqua la main droite sur la bouche pour l'empêcher de crier. Il sentit sur sa peau le rouge visqueux qu'elle s'était appliqué en abondance sur les lèvres. Surmontant son dégoût, il mit toute sa force à soulever son gros corps. Elle se débattit en agitant ses jambes, mais son poids lui fit vite perdre connaissance. Il la laissa tomber à terre et ferma le gaz.

Elle était inerte comme une bûche, il la fit rouler par terre pour la déshabiller. Quand elle fut totalement nue, il l'étendit sur le lit et, répétition générale de ce qu'il allait faire à Masako, il l'y attacha ainsi qu'il l'avait imaginé, le matin même. Mais Kuniko lui évoquant une espèce d'animal gigantesque, son désir et sa pulsion meurtrière si raffinée retombèrent. Soudain toute l'opération lui semblait fastidieuse. Il se contenta de rouler en boule le slip de Kuniko et le lui fourra dans la bouche.

Elle reprit alors connaissance, écarquilla grand les yeux et regarda partout pour savoir ce qui lui était arrivé.

– Pas de bruit, hein ! lui lança-t-il, menaçant.

Elle hocha la tête désespérément. Il ressortit sa culotte dégoulinante de salive de sa bouche.

– Je vous en supplie… je ferai ce que vous voudrez… je vous en supplie, l'implora-t-elle d'une voix mourante.

Il ne lui prêta aucune attention et glissa quelques sacs-poubelle de grand format sous son bassin : si jamais elle cédait au besoin d'uriner ou de déféquer, il ne pourrait plus jamais dormir sur ce lit.

– Qu'est-ce que vous faites ? ! demanda-t-elle.

Elle essaya de se libérer en se contorsionnant.

– Rien. Arrête de bouger.

– Libérez-moi, je vous en supplie.

Les larmes brillèrent dans ses petits yeux. Il commença son interrogatoire.

– Dis-moi, c'est bien Yayoi qui a tué son mari, hein ?

Elle acquiesça plusieurs fois.

– Oui, oui !

– Et c'est Masako, toi et la vieille Yoshié qui avez découpé son cadavre en morceaux, hein ?

– Oui.

– Et c'est Masako qui dirige tout ?

– Bien sûr.

– Combien Yayoi vous a-t-elle donné ?

– Cinq cent mille chacune.

Il ne put s'empêcher de rire de ce crime de ménagères si mesquin ! C'était à cause de cette idiotie que, tout son passé étant remis en cause, il avait perdu tout le royaume qu'il s'était si péniblement construit.

– Masako a eu cinq cent mille elle aussi ?

– Non, elle n'a rien eu.

– Pourquoi ?

– Parce qu'elle fait des manières.

Les mots lui étaient venus naturellement. Il eut un petit sourire devant cette repartie.

– Comment Masako et Jûmonji se sont-ils connus ?

Kuniko hésita un instant. Comment pouvait-il être au courant ?

– Je crois qu'ils se connaissaient depuis longtemps.

– C'est pour ça que tu lui as emprunté de l'argent ?

– Non, c'est par hasard.

– C'est trop beau pour être vrai !

Des larmes roulaient sur ses joues. Il se dit que ce devait être le remords.

– Il est un peu tard pour pleurer ! lui lança-t-il.

– Je vous en supplie, laissez-moi partir !

– Une minute. Comment Jûmonji a-t-il appris tout cela ?

– C'est moi qui ai parlé.

– Tu n'as pas parlé à d'autres ?

– Non.

– Tu sais qu'elles refont exactement la même chose ?

Il ôta de son pantalon sa grosse ceinture de cuir. Elle suivit son geste des yeux et secoua désespérément la tête en blêmissant de terreur.

– Tu le sais ou tu le sais pas ?

– Je ne sais pas ! cria-t-elle.

– Autrement dit, pour elles, tu n'es pas digne de confiance. Tu es inutile.

Il lui passa la ceinture autour du cou, elle étouffa un cri. Il comprit alors que le bâillon était nécessaire, ramassa la culotte par terre et la lui enfonça en boule au fond de la gorge. Incapable de respirer, Kuniko eut vite les yeux révulsés, tandis que Sataké croisait la ceinture de toutes ses forces pour l'étrangler d'un coup sec. Ce meurtre, le deuxième de sa vie, était vraiment insipide.

Il détacha le cadavre, le poussa hors du lit, l'enveloppa dans une couverture et le fit rouler jusqu'à la véranda, dans un coin, de manière qu'on ne le voie pas des autres appartements. Lorsqu'il releva les yeux, le soleil se couchait sur la chaîne de montagnes qu'il avait contemplée le matin même. Les crêtes allaient se fondre dans les ténèbres.

Il referma la porte-fenêtre et examina le contenu du sac de Kuniko. Il prit les quelques billets de dix mille yens qu'elle avait dans son portefeuille, trouva une clé, probablement celle de sa maison, et la clé de contact de la Golf, et rassembla dans un sac ses vêtements, ses sous-vêtements et ses chaussures. Puis il glissa dans sa poche la clé de son propre appartement et son propre portefeuille et passa dans le couloir, en emportant le sac.

Il faisait nuit et le vent qui soufflait était encore plus glacé qu'avant. Mais les bourrasques étant moins violentes, il eut l'impression que la température s'était radoucie. Il emprunta l'escalier de secours au bout du palier, monta d'un étage et jeta un coup d'œil dans la galerie du quatrième. Il n'y avait heureusement personne. En évitant les tricycles et les pots abandonnés, il se hâta vers l'entrée de l'appartement de Kuniko et tourna la clé dans la serrure.

L'appartement était encombré de vêtements qu'elle venait d'acheter et de toutes sortes de papiers d'emballage et de sacs. Il déversa les vêtements, sous-vêtements et le sac à main de Kuniko dans ce capharnaüm, ressortit, regarda autour de lui pour s'assurer qu'il n'y avait personne, referma la porte à clé comme si de rien n'était et gagna l'ascenseur.

Il alla jeter la clé de l'appartement de Kuniko dans le local à poubelles du rez-de-chaussée, sortit son vélo dans le garage des deux-roues à l'arrière de l'immeuble et s'éloigna. Il était redevenu le gardien du parking de la fabrique.

CHAPITRE 6

Jûmonji était aux anges.

La lycéenne à côté de lui était de toute beauté et portait l'uniforme d'une école prestigieuse. Ses cheveux teints en châtain retombaient sur sa peau lisse et claire et elle gardait ses lèvres roses légèrement entrouvertes. Ses fins sourcils dessinaient un arc parfait qui mettait en valeur ses grands yeux. Elle avait de longues jambes fuselées sous sa minijupe. Un vrai physique de mannequin. Il avait le plus grand mal à réprimer son désir.

– Que veux-tu faire maintenant? lui demanda-t-il d'une voix doucereuse.

– Ça m'est égal. Comme tu veux, murmura-t-elle d'une voix grave et douce.

De tout son corps montait un parfum qu'il ne connaissait pas. Chaque accessoire qu'elle portait était de marque. Mais sous quel ciel pouvait donc vivre un animal aussi adorable? Quel homme avait pu l'éduquer ainsi? Fasciné, il regarda ce véritable miracle de charme et de bonne éducation. Tout la distinguait des lycéennes qui tuaient le temps dans de lugubres brasseries de banlieue et puaient le baume démêlant bon marché. S'il pouvait entraîner de jolies filles dans des chambres d'hôtel, c'était grâce au trafic qu'il avait mis sur pied. Il ne regretterait jamais les cent mille yens que la lycéenne lui avait demandés.

– Alors… on va à l'hôtel?

– Pourquoi pas?

– Pourquoi pas? Tu te laisseras faire?

Elle acquiesça timidement. Jûmonji décida d'agir avant qu'elle ne change d'avis et passa en revue les différents hôtels possibles. C'est alors que son portable sonna dans sa poche revolver.

– Excuse-moi un instant.

Ces temps derniers, il avait confié son travail de prêteur à son employée chevronnée pour se payer du bon temps. Il pensa que c'était elle qui le contactait et répondit de mauvaise grâce.

– Oui, Jûmonji à l'appareil.

– Akira, où es-tu ? lança une voix atone qu'il reconnut aussitôt.

– Ah, monsieur Soga, merci infiniment pour l'autre jour...

En l'entendant devenir soudain obséquieux, la lycéenne se détourna avec lassitude. De crainte de la voir partir, il la retint par le coude.

– De rien, de rien. Je parie que tu traînes à Shibuya, dit Soga qui devait entendre le bruit en arrière-fond.

Devant un contretemps aussi déplaisant, Jûmonji fronça les sourcils.

– Eh bien, oui... c'est à peu près ça...

– Pourquoi tu fais ces manières ? À Shibuya ? Pour quelqu'un qui s'habillait avec des pantalons bariolés comme un vrai petit voyou dans sa jeunesse !

– Eh bien... fit Jûmonji, perplexe.

La lycéenne, toujours retenue par le coude, ne cachait guère son changement d'humeur et regardait déjà ailleurs. La rue Center-gai de Shibuya regorgeait d'hommes qui, comme lui, cherchaient des jeunes filles. Prévoyant la disgrâce de Jûmonji, ils commençaient à encercler la lycéenne, ce qui le mit hors de lui.

– À propos, reprit Soga en redoublant de sarcasmes, qu'as-tu fait de ta Laurel avec son pot d'échappement traficoté ?

– Tu m'appelles pour quoi ?

– Ah, je vois... Tu es avec une fille. Espèce de pédophile, va ! Quel con tu fais, quand même !

– Désolé. Tu as vu juste. Mais fous-moi la paix.

– Eh bien justement, je ne peux pas, répondit Soga en reprenant soudain son sérieux. Y a du boulot.

– Ah… le… ce fameux boulot… ?

Surpris, il relâcha le coude de la lycéenne. Elle fila sans
demander son reste.

– Bon, eh bien… salut.

Deux hommes, puis trois, qui ressemblaient à s'y méprendre
à Jûmonji, suivirent la lycéenne. Merde ! Il regarda à regret la
jupe courte qui virevoltait sur les fesses adorables de la jeune
fille, mais le boulot, c'était le boulot. S'il se faisait assez d'argent, il pourrait s'en payer dix comme elle ! Il retrouva le moral
et s'excusa auprès de Soga.

– Excuse-moi. Tu m'as surpris en pleine action.

– Je suis sûr qu'elle t'a laissé tomber. Il faut que tu aies les
idées claires. Une tâche difficile nous attend.

Le ton de Soga s'était fait menaçant. Se rappelant son regard
terrifiant, Jûmonji se mit à transpirer sous les aisselles.

– Je te demande pardon.

– La dernière fois, ça a très bien marché. J'apprécie ton travail.

– Bon.

Il y avait du bruit. Pour éviter la foule, Jûmonji se réfugia
dans l'entrée d'un immeuble.

– Je compte aussi sur toi pour cette fois. Le client veut nous
remettre la chose dès ce soir.

– Ce soir ? !

Il se demanda comment il allait pouvoir contacter Masako et
regarda sa montre : huit heures. Soulagé, il pensa qu'il était
encore temps de l'attraper chez elle.

– C'est un produit frais. Ça ne peut pas attendre.

– Je vois.

– On a rendez-vous à l'entrée arrière du parc de K. À quatre
heures du matin.

– D'accord.

Il récapitula tout dans sa tête.

– Cette fois-ci, reprit Soga d'une voix exceptionnellement

grave, le boulot nous est venu par une autre voie. Ça m'inquiète un peu. Si je peux, je viendrai moi aussi.

– Que veux-tu dire ?

Quand on a une conversation sérieuse au portable, ça attire les regards. Les passants observaient d'un air étonné Jûmonji qui fronçait les sourcils en parlant à voix basse.

– J'ai des contacts sûrs. Le vieillard de l'autre jour est passé par eux. Cette fois-ci, ç'a été un peu court-circuité.

– Court-circuité ? On dirait un free-lance…

– N'est-ce pas ? dit Soga comme pour avoir son approbation. Le mec répétait qu'il avait appris la chose par un certain canal. Et il s'est adressé à moi nommément. Alors j'ai pris quelques précautions. Je lui ai demandé dix millions. Il a répondu que ça lui allait.

Soga jouait cartes sur table. Jûmonji en fut tout excité.

– Ça veut dire qu'il y a un million de plus pour toi ? demanda Jûmonji.

– Et pour toi aussi.

Soga se montrait généreux. Jûmonji avait totalement oublié la lycéenne et retrouva sa bonne humeur. En cachant ces nouvelles conditions à Masako, il pouvait compter sur trois millions de plus.

– Merci beaucoup, Soga.

– Mais il va falloir redoubler de vigilance. J'amènerai mes jeunes. Toi, tu viens avec ton épée de bois. Et tu sors ton attirail de kamikazé de tes placards.

– Ne dis pas de bêtise.

Jûmonji était un peu inquiet du ton qu'avait pris Soga, qui ne plaisantait pas vraiment, mais ravi par la perspective d'une telle rentrée d'argent. Il sortit aussitôt son carnet d'adresses pour appeler Masako. S'il n'arrivait pas à la joindre maintenant, il serait contraint d'errer toute la journée avec ce cadavre répugnant dans le coffre de sa voiture.

Ce fut Masako qui lui répondit en personne. Elle avait la voix prise – peut-être était-elle enrhumée.

– J'ai encore un boulot pour vous. Vous êtes d'accord ?

Elle parut stupéfaite et haussa un peu la voix.

– Ça n'a pas beaucoup traîné, dites-moi.

– Eh bien… je crois que nos résultats ont été appréciés.

Masako ignora son enthousiasme. Il la sentait inquiète, mais il fallait passer à l'action à tout prix.

– Vous êtes partante, madame Katori ?

– Si on s'en abstenait cette fois-ci ?

– Pourquoi ?

– J'ai un mauvais pressentiment.

– Un mauvais pressentiment dès la deuxième fois, ça non ! protesta-t-il. Vous allez me faire perdre la face.

– Il y a pire que perdre la face, répliqua-t-elle, énigmatique.

– Que voulez-vous dire ?

Elle ne répondit pas clairement.

– Je ne sais pas trop. Mais je ne le sens pas.

– Madame Katori, vous ne vous sentez peut-être pas bien, mais ce n'est pas une attitude très professionnelle, insista-t-il en tentant désespérément de la convaincre. Moi aussi, je suis allé jeter les sacs jusqu'au fin fond de Kyûshû. Vous n'êtes pas la seule à risquer gros. Vous le savez.

– Oui, je le sais, répondit-elle dans un souffle.

Jûmonji ne cacha pas son irritation.

– Comment pouvez-vous abandonner la partie ? Je vais être obligé de faire appel à la Patronne. Sinon à Kuniko. Cette grosse ferait n'importe quoi pour de l'argent.

– Ça, c'est hors de question. À sa première gaffe, elle nous mettra tous dans un sale pétrin.

– Vous voyez bien vous-même, insista-t-il. Tout se passera comme l'autre fois. Je compte sur vous.

– D'accord, répondit-elle, résignée. Alors, et ces lunettes de soudeur, vous pourrez vous les procurer ?

Une fois la décision prise, elle se montrait pragmatique. Jûmonji fut rassuré.

– Je vous apporterai celles que je mets pour la moto. Vous vous en servirez comme vous l'entendez.

– Bien. Appelez-moi s'il y a quoi que ce soit.

Enfin ! Jûmonji rangea son portable avec le sentiment d'avoir conclu une négociation commerciale et regarda sa montre. Il lui restait un temps infini jusqu'à quatre heures du matin. N'y aurait-il pas une jolie fille comme celle de tout à l'heure ? Il allait rouler sur l'or. Il la paierait ce qu'elle voudrait. Le moral gonflé à bloc, il se sentit de nouveau d'humeur conquérante : quelle fille allait-il donc sauter ? Il chercha dans la foule celles qui traînaient. Mais pourquoi Masako avait-elle hésité ? Il n'avait plus la tête à y réfléchir vraiment.

Un peu avant quatre heures du matin, il gara sa Cima près de l'entrée arrière du parc de K.

Le long de la route, bordée par un garde-fou, s'étendait ce parc à la végétation touffue. De l'autre côté de la chaussée, des maisons aux volets clos étaient plongées dans un profond silence. Pas un lampadaire dans les parages, la route était déserte et plongée dans l'obscurité. Seuls les arbres du parc, noirs comme en pleine forêt, bruissaient sous le vent d'une manière angoissante. Jûmonji détourna les yeux pour ne pas les voir. Il se rappela que c'était à cet endroit que Kuniko avait jeté ses sacs et cela l'inquiéta un peu.

Il faisait froid. Il renifla et tenta de refermer sa veste, mais s'aperçut qu'il lui manquait un bouton. Soudain en colère, il se dit que c'était à cause de la fille avec laquelle il était encore peu de temps auparavant. Il avait mis longtemps à comprendre qu'en fait de lycéenne, il était tombé sur une fille de vingt et un ans. Et pendant qu'il était dans la salle de bains, elle avait fouillé dans sa veste. Furieux, il la lui avait arrachée des mains et c'est certainement à ce moment-là que le bouton avait sauté.

– Quelle poisse !

Le mot lui traversa l'esprit, mais il s'empressa de l'écarter : il aurait bientôt trois millions d'argent liquide en poche. Finalement, il avait une chance folle. Tout à cette vision positive de l'avenir, il entendit sur sa droite un moteur de voiture, des phares éclairant bientôt les feux arrière de la Cima.

– Salut! dit Soga en levant un bras en l'air et sortant de sa Gloria noire.

Bien qu'on fût au petit matin, il portait un manteau de cachemire, couleur poil de chameau, par-dessus un costume noir. Le garçon teint en blond resta au volant, tandis que l'autre, qui avait le crâne rasé et suivait Soga quelques pas en arrière, saluait Jûmonji d'un air endormi.

– Merci d'être venus, dit celui-ci.

– J'étais un peu inquiet, j'ai préféré voir la gueule du client.

Tremblant de froid, Soga releva le col de son manteau et enfonça les mains dans ses poches.

– C'est quel genre de mec qui nous amène le macchabée?

– Aucune idée, répondit Soga, préoccupé. Mais vu qu'il est prêt à casquer dix millions, ça ne doit pas être joli joli, tout ça.

– Ça en a tout l'air.

– Dis-moi, c'est là que tu vas le coller? demanda Soga en montrant le coffre de la Cima.

– Enfin... oui...

– Ben dis donc... t'es pas dégoûté? fit Soga en grimaçant.

La dernière fois le blond et le type au crâne rasé avaient apporté l'argent liquide et le cadavre, et Soga s'était contenté de diriger les opérations par téléphone. Rien que pour ça, il avait empoché deux millions de yens. Jûmonji prit donc la chose assez mal.

– C'est mon boulot.

– Bon, te fâche pas, dit Soga en lui tapotant l'épaule pour l'encourager.

C'est alors que sur l'autre voie apparut un monospace roulant pleins phares. La lumière éblouissante s'approchant de plus en plus, Jûmonji crut un instant qu'un monstre leur fonçait dessus.

– C'est lui, dit Soga.

Il éteignit sa cigarette sur le grillage et tendit son mégot au blond qui était crispé.

– J'en fais quoi? demanda-t-il en le prenant à deux mains.

– On peut pas laisser d'indices, espèce de crétin. Bouffe-le.

– Vous voulez que je le mange ?

– Tu fais comme tu veux.

Le blond le fourra aussitôt dans la poche de son blouson. Jûmonji déglutit. Il n'avait plus froid.

Le monospace s'arrêta devant eux, toujours pleins phares. La lumière était si aveuglante qu'il n'y avait pas moyen de lire la plaque minéralogique. La portière s'ouvrit et un homme descendit du véhicule. Bien bâti, forte carrure. Il était habillé de façon banale, avec un pantalon de manœuvre et un blouson. Comme il portait une casquette, on ne distinguait pas bien son visage. Jûmonji eut la chair de poule rien qu'à le regarder.

– Bonsoir, dit Soga. Je suis Soga, du groupe Toyosumi.

– Pourquoi toute cette foule ? gronda l'homme d'une voix caverneuse.

– Je suis désolé, mais comme c'était pas par la voie normale, je me suis un peu inquiété. Comment avez-vous eu le tuyau ?

– Peu importe.

– Si, justement, ça importe.

– La ferme !

L'homme sortit soudain une enveloppe de la poche de son blouson et la lui lança. Soga la saisit au vol et en vérifia le contenu. Jûmonji jeta un coup d'œil : il y avait exactement dix liasses de billets de dix mille yens. Quand il eut terminé le décompte, Soga acquiesça et fit signe à Jûmonji avec son menton.

– Ça va. Dépêche-toi.

L'homme ouvrit violemment la portière du monospace. Plongé dans le noir, un objet volumineux de forme humaine et enveloppé dans une couverture s'y trouvait. C'était à la fois épais et court. Une femme ? se demanda Jûmonji, figé d'horreur. Il avait été loin d'imaginer qu'ils auraient affaire au cadavre d'une femme.

– Ne te laisse pas impressionner, lui dit l'homme en le rabrouant.

Ils sortirent le corps du monospace, le blond et le garçon au crâne rasé se précipitant pour les aider. Mais déjà le cadavre était sur l'asphalte et l'inconnu refermait sa portière. Puis, sans même se retourner, il s'assit au volant et repartit en sens inverse. Le bruit si caractéristique et si aigu de la marche arrière se faisant entendre sur la route enténébrée, le monospace rapetissa et disparut dans l'obscurité. Tout s'était déroulé en un éclair.

– Ce mec était vraiment effrayant, dit Jûmonji.

– Tu attendais quoi d'un tueur ? marmonna Soga.

C'était donc lui qui avait assassiné cette femme. Jûmonji contempla avec effroi la silhouette humaine enveloppée dans une couverture et saucissonnée avec une corde.

– Pourquoi est-il reparti à reculons ?

– Il ne voulait pas qu'on puisse lire sa plaque d'immatriculation et il vérifiait qu'on ne le suive pas.

Jûmonji se mit à trembler de tous ses membres. Pour la première fois, il avait le sentiment de participer à quelque chose de terrifiant. La chair de poule qu'il avait eue tout à l'heure en était le signe précurseur.

– Tiens, prends ça, lui dit Soga en sortant trois liasses de l'enveloppe et en lui frappant la poitrine avec le reste.

– Bien, fit Jûmonji en glissant l'enveloppe dans sa poche.

Pendant ce temps, le blond et le garçon au crâne rasé se démenaient pour faire entrer le cadavre dans le coffre de la Cima. Soga ne disait plus rien, comme si on venait de le forcer à avaler une potion amère.

– C'est une femme, non ? demanda Jûmonji.

– C'en a tout l'air, répondit Soga en se retournant sans l'ombre d'un sourire. C'est peut-être une lycéenne.

– Ne dis pas ça !

Un frisson parcourut Jûmonji, pas seulement à cause de l'air matinal. Le coffre se referma à grand fracas. Les deux acolytes se frottèrent les mains et les reniflèrent, comme s'ils avaient touché quelque chose de sale. Soga, une fois encore, tapota sur l'épaule de Jûmonji.

– Allez, nous, on dégage. Bon courage !

– Monsieur Soga... dit Jûmonji en le regardant dans les yeux.

Il était terrorisé à l'idée de rester seul.

– Quoi ? dit Soga en se passant la langue sur les lèvres. Tu te dégonfles ?

– C'est pas ça, non.

– Pas de blague, hein ! Tout ça est très risqué.

Soga donna le signal du départ au garçon au crâne rasé qui l'attendait près de la portière ouverte. Dès que Soga fut monté, la Gloria démarra comme pour s'enfuir. La route retrouva soudain les ténèbres. Une fois seul, Jûmonji dut lutter contre le désir d'abandonner sa voiture sur place, mais il mit le moteur en marche. Pour la première fois de sa vie, il avait peur. Ce ne fut qu'après avoir roulé un peu qu'il se rendit compte que ce n'était pas du cadavre dans le coffre qu'il avait peur, mais de l'inconnu.

CHAPITRE 7

Maintenant que son rhume était passé, Masako se sentait bien, pour la première fois depuis une semaine.

Elle se regarda dans le miroir : elle avait un peu maigri, mais ses joues avaient retrouvé des couleurs et elle n'avait plus de cernes sous les yeux. Tout ça pour devoir se coltiner ce boulot, se dit-elle non sans ironie.

Heureusement, Yoshiki était parti au bureau à l'heure, Nobuki ayant commencé son petit job dès l'aurore. Depuis la conversation de cette nuit-là, Yoshiki s'était plus que jamais réfugié dans sa chambre. Masako lui ayant laissé entendre qu'elle s'en irait, il avait dû consolider sa forteresse pour éviter d'être trop atteint. Ils vivaient certes sous le même toit, mais autant dire qu'ils étaient déjà séparés, songea-t-elle avec amertume. En revanche, Nobuki, lui, ouvrait maintenant la bouche de temps en temps. Ça n'allait pas plus loin que «Et le dîner ?», mais Masako était contente.

En vue de l'opération, elle débarrassa la salle de bains de tous ses savons et shampooings et étendit une bâche en plastique sur le carrelage. Puis elle ouvrit tout grand la fenêtre pour chasser l'humidité de la veille. C'était une journée presque printanière. Tout allait bien côté santé et météo, mais là, tout au fond d'elle-même, elle éprouvait une terrible inquiétude. Comment pourrait-elle l'expliquer à Jûmonji et à Yoshié, qui semblaient si accrochés à ce travail ? Qui était cet «autre» ?

À vrai dire, elle avait déjà sa petite idée. Un soupçon lui était venu lorsqu'elle avait dû garder le lit, mais elle n'avait aucune preuve. Elle verrouilla la fenêtre de la salle de bains et se dirigea vers le vestibule. Elle était impatiente de voir arriver la chose. Il ne s'agissait pas d'une véritable attente, mais plutôt d'une sorte d'angoisse. Ce n'était plus un objet particulier qui la préoccupait, mais une perspective inconnue. Elle allait de l'avant sans savoir où se diriger et c'était cette incertitude qui la mettait dans tous ses états.

Elle chaussa les tongs de Nobuki, trop grandes pour elle, afin de passer dans le vestibule. Ne pouvant pas attendre à l'intérieur ni sortir pour accueillir Jûmonji, elle resta à mi-chemin dans l'entrée. Pour réprimer cette peur insaisissable, elle croisa fermement les bras sur sa poitrine et lâcha un juron.

– Merde !

Tout lui déplaisait. Elle-même qui se laissait dépasser par la situation, et ce avant même que les préparatifs ne soient achevés. Elle se demanda même si ce n'était pas ce que cherchait l'«autre».

Même pour un court laps de temps, la Cima bleu foncé garée devant chez elle attirerait l'attention. Elle avait pensé utiliser sa propre voiture, mais non : elle n'avait pas le temps de le faire. Tout s'était bien déroulé la fois d'avant, mais comment savoir ce qu'il en serait ce jour-là ? Elle n'arrivait pas à s'affranchir du remords de s'être empêtrée dans ce bourbier et craignait d'avoir commis une erreur. À force de réfléchir dans un lieu aussi exigu, elle sentit son inquiétude exploser comme un ballon trop gonflé. Presque physiquement propulsée par son anxiété, elle ouvrit la porte et sortit.

La matinée était douce. Le quartier semblait aussi paisible que d'habitude. D'un champ au loin montait la fumée d'un feu de feuilles. Dans un coin du ciel bleu et serein, un avion à hélices volait lentement. On entendait, mais à peine, des bruits de vaisselle dans une maison voisine. C'était le paysage banal d'un matin en banlieue. Masako regarda le terrain vague à la terre rouge de l'autre côté de la rue. La femme qui avait prétendu vouloir l'acheter ne s'était plus manifestée. Rien n'avait changé, mais cela lui paraissait étrange.

Elle entendit le grincement d'un frein de vélo.

– Me voilà! dit Yoshié, qui portait un coupe-vent noir, qu'elle semblait avoir hérité de Miki.

Masako la regarda dans les yeux. Ils étaient tout rouges: ils supportaient mal le jour après une nuit blanche. Si Masako avait travaillé cette nuit-là, elle aurait eu la même mine.

– Tu es sûre que ça va, la Patronne?

– Oui, oui, je t'assure. Je voulais le faire. Je t'avais demandé de me le proposer.

Son regard avait une détermination qui n'existait pas auparavant: la ferme intention de gagner de l'argent.

– Entre vite.

Yoshié rangea son vélo dans un coin, s'engouffra dans l'entrée, ôta ses chaussures qui ressemblaient à des espadrilles d'écolier et regarda d'un air inquiet le visage de Masako.

– Et toi, ça va, ton rhume?

Depuis qu'elle était allée chez Yoshié sous la pluie, elle avait attrapé un mauvais rhume qui l'avait obligée à s'absenter de la fabrique.

– Je vais mieux.

– Bon, tant mieux. Mais ce n'est pas très conseillé de travailler dans l'eau…

Bien entendu, elle faisait allusion au dépeçage du cadavre. La fois d'avant, elles s'étaient aperçues qu'il valait mieux faire couler de l'eau.

– Rien de nouveau à la fabrique?

– Justement, dit Yoshié en baissant la voix, Kuniko a démissionné.

– Ah bon? Kuniko?

– Oui. Il y a trois jours, elle a donné sa démission. Comme ça. Le contremaître a tenté de la retenir, pour la forme, mais elle est aisément remplaçable. Depuis, elle n'est plus revenue.

Yoshié plia précautionneusement son coupe-vent, dont la doublure de flanelle blanche était élimée par endroits. Masako le remarqua sans le remarquer.

– Yayoi ne vient plus, reprit Yoshié, toi, t'étais en congé de maladie, j'étais toute seule. Comme je me sentais mélancolique, j'ai augmenté la vitesse de la chaîne à 18. Tout le monde s'est mis en colère et ils se sont tous plaints. Ils sont vraiment trop nuls.

– Ça !

– Au fait, hier soir, le Brésilien m'a posé des questions sur toi.

– Le Brésilien ?

– Oui, le type qui s'appelle Miyamori.

– Que voulait-il savoir ?

– Il a demandé si « Mme Masako » n'avait pas démissionné. Il n'aurait pas un petit faible pour toi ?

Masako ne réagit pas à cette raillerie, se contentant de l'écouter en silence. Elle se rappela Kazuo perdu dans le chemin, le visage marqué par le dépit. Tout cela remontait à loin. Yoshié attendit un instant sa réponse, mais, constatant qu'elle ne pipait mot, elle poursuivit.

– Il a fait d'énormes progrès en japonais. C'est stupéfiant ! C'est parce qu'il est jeune, tu crois ?

Était-ce l'excitation devant la tâche à accomplir ? Ce matin-là, Yoshié était bien bavarde. Devant ce flot de paroles – elle eut l'impression d'attendre la fin d'une averse sous un auvent –, Masako se demanda si elle devait s'ouvrir de son inquiétude. Puis elle entendit le moteur d'une voiture près de l'entrée.

– Le voilà, dit Yoshié.

– Un instant.

Masako se dirigea vers l'entrée, mais, par acquit de conscience, jeta un coup d'œil par la jalousie. Jûmonji garait sa Cima. Il était ponctuel.

Quand elle entrouvrit la porte d'entrée, il était déjà descendu de voiture. Il avait le visage fripé par une nuit blanche.

– Madame Katori, murmura-t-il. Cette fois-ci, le macchabée est terrible.

– Pourquoi ?

– C'est une femme, souffla-t-il.

Elle claqua la langue. Le boulot était déjà assez ignoble, mais bizarrement la répulsion était plus forte quand il s'agissait de dépecer un corps de femme. Après avoir vérifié qu'il n'y avait personne alentour, il ouvrit le coffre avec la clé. Devant la masse de couvertures qui ressemblait à une chenille verte, Masako ne put s'empêcher de reculer d'un pas. Le cadavre du vieillard était malingre et menu, mais là, cette masse épaisse au niveau de la poitrine…

– Qu'y a-t-il ? demanda Yoshié qui, sans qu'ils s'en aperçoivent, les avait rejoints.

Elle poussa un petit cri. La silhouette humaine avait été boudinée dans des cordages avec un soin méticuleux qui la rendait encore plus terrifiante que les corps de Kenji ou du vieillard qui, eux, étaient tout simplement enveloppés dans des couvertures.

– Bon, on le transporte, dit Jûmonji.

Il tendit les bras et détourna les yeux, comme s'il répugnait à toucher le corps. Masako l'aida. La rigidité cadavérique s'était un peu atténuée et le corps s'affaissa et parut encore plus lourd. À eux trois, ils firent rouler le cadavre sur la bâche dans la salle de bains. Puis ils se regardèrent, en se demandant ce qu'il convenait de faire.

– Vous savez, j'ai eu sacrément la trouille, dit Jûmonji. Quand je suis allé la chercher, je suis tombé sur un type terrifiant et j'ai cru flancher.

– Pourquoi ?

– Eh bien… parce que ça ne faisait aucun doute que c'était lui qui l'avait tuée.

– Comment vous le savez ? Peut-être qu'il n'a fait que la transporter, dit Yoshié en se mettant une main sur la poitrine, probablement pour calmer ses palpitations.

– C'est curieux, mais ces choses-là se sentent.

Il avait haussé la voix, comme pour protester contre elle. Il avait les yeux injectés de sang. Oui, ça se pouvait bien, pensa alors Masako sans oser le dire tout haut. Ç'avait été pareil pour Yayoi : il y avait eu quelque chose de très spécial en elle, ce soir-là.

– Vous êtes un homme. Alors, coupez vite les cordes, dit

Yoshié en lui tendant brutalement les ciseaux de cuisine, agacée qu'il lui ait cloué le bec.

– C'est à moi de le faire ?

– Je ne vois pas d'autre homme par ici.

« Homme », Yoshié ne cessait de le torturer avec ce mot sans cesse assené. Elle le poussa dans le dos, il prit les ciseaux à contrecœur. Il commença par couper une à une les cordes qui enserraient la couverture, puis il attrapa une extrémité du tissu pour le retirer. Soudain les jambes apparurent, blanchâtres et grasses, sans même la forme de la cheville. Sur les mollets, des taches violettes se dessinaient. Yoshié poussa un cri et se cacha derrière Masako. Puis ce fut un torse mou et sans blessure qui apparut. Les seins, qui n'étaient que des masses de graisse, pendaient à droite et à gauche. C'était un corps obèse, mais d'une femme dans la fleur de l'âge.

La tête tardait à apparaître, comme si elle réclamait encore la protection de la couverture. Masako aida Jûmonji à la retirer, mais sa main soudain se figea. La tête était couverte d'un sac en plastique noir. Le cou étant ficelé, on avait du mal à la dégager.

– Mais qu'est-ce que c'est ? demanda Yoshié. C'est vraiment dégoûtant !

Elle perdit l'équilibre et recula jusqu'au vestiaire. Jûmonji parut avoir la nausée.

– Je me demande si la tête n'est pas écrasée, dit-il. Quelle horreur !

– Attendez un instant… mais pourquoi lui a-t-on mis ça ? s'exclama Masako.

Elle avait eu un pressentiment et s'empressa de lacérer le sac noir avec les ciseaux. La chose se découvrit avec la plus grande facilité.

– Je m'en doutais… C'est Kuniko !

Un visage niais à la langue pendante. Des yeux au regard cauteleux et une bouche vorace affaissée. Elle était morte les yeux mi-clos. Telle elle était. La salle de bains qui n'était jusqu'alors qu'un lieu de vivisection avait pris un autre sens : elle était devenue un lieu de funérailles où gisait une présence familière. Un silence profond s'installa. Yoshié éclata en sanglots. Jûmonji se figea, paralysé par la terreur.

– Comment était-il ? lui demanda brutalement Masako. Quel type d'homme était-ce ?

– Je n'arrivais pas à distinguer ses traits, répondit-il d'une voix brisée. Mais il avait une forte carrure et une voix grave.

– Il y en a des tas comme ça ! répliqua-t-elle, furieuse.

– C'est pas la peine d'insister. Je ne peux pas inventer ce que je ne sais pas.

Dépassé par la situation, il détourna la tête. Yoshié pleurait toujours, assise dans le vestiaire. Ses gémissements tenaient de la formule incantatoire.

– C'est notre châtiment… on paye tout ce qu'on n'aurait pas dû faire.

– Tais-toi ! hurla Masako en se précipitant dans le vestiaire pour la prendre au collet. Ce n'est pas le moment de raconter n'importe quoi. Nous sommes tous des cibles.

Ébahie, Yoshié regarda Masako. Elle n'avait pas l'air de comprendre.

– Qu'est-ce que tu veux dire ? demanda-t-elle.

– Kuniko nous a été envoyée à nous en particulier. C'est évident.

– C'est peut-être une coïncidence.

– Arrête !

Masako était tellement excédée qu'elle n'avait pu s'empêcher de prendre une voix criarde. Pour tenter de retrouver le contrôle de ses nerfs, elle se rongea les ongles.

– Oui, c'est ça, dit Jûmonji, le point de rendez-vous pour la livraison du cadavre était l'entrée arrière du parc de K. J'avais un mauvais pressentiment.

– Vraiment ?

Elle se hérissa. Ainsi donc il savait tout ! Il était au courant de tout. Puisqu'il savait tout, il avait assassiné Kuniko pour les menacer. Mais dans quel but ? Elle se tourna vers le corps étendu derrière elle.

– Espèce d'idiote, dis-nous donc ce qui s'est passé, hurla-t-elle.

Jûmonji la saisit par le bras.

– Madame Katori, ça va ?

– Qu'est-ce que t'as ? lui demanda Yoshié.

– Comment ne deviendrait-on pas fou ? cracha Masako.

– Pourquoi ?

– Eh bien, je vais tout vous dire, commença Masako en se tournant vers Yoshié et Jûmonji. Quelqu'un nous a dans le collimateur. Il a réussi à savoir des choses en s'infiltrant chez Yayoi. Il en a fait autant chez moi. Puis il s'est rapproché de Kuniko pour la tuer et s'est débrouillé pour que ce soit nous qui le débarrassions du cadavre.

– Pour quoi faire ? demanda Yoshié en retenant ses sanglots. Même s'il a tué Kuniko, quel besoin aurait-il de faire ça ? Ce n'est probablement qu'une coïncidence.

– Non, il tient à nous faire comprendre qu'il sait tout.

– Mais enfin, pourquoi ?

– Pour se venger.

Dès qu'elle eut formulé cette réponse, elle eut le sentiment que l'énigme était résolue. Oui, ce quelqu'un se vengeait. Au départ, elle avait cru qu'il convoitait la prime d'assurance, mais il n'en était rien. La preuve ? Il avait dépensé sans compter pour se débarrasser du cadavre de Kuniko. C'était terrifiant. Masako luttait désespérément contre l'envie de pleurer.

– Et ce serait qui ? demanda Jûmonji en fronçant les sourcils.

– Probablement le propriétaire du casino. Je ne vois personne d'autre.

Les regards de Jûmonji et Yoshié se croisèrent.

– Comment s'appelle-t-il ?

– Mitsuyoshi Sataké. Il a quarante-trois ans, dit Masako, qui avait trouvé ces renseignements dans de vieux journaux. Il a été libéré pour insuffisances de preuves et a été relâché dans la nature.

– Et cet homme-là avait à peu près quarante-trois ans ? demanda Yoshié à Jûmonji.

– Je ne sais pas. Il faisait sombre et il portait une casquette. Mais à sa voix, oui, il pouvait avoir cet âge. Au fond, je suis le seul à l'avoir vu.

De quoi se souvint-il alors ? Une grimace lui échappa.

– Je n'ai aucune envie de le revoir, reprit-il.

– Qu'est-ce qu'on va faire ? demanda Yoshié. Dites, qu'est-ce qu'on va faire ?

Elle sanglota de nouveau en remarquant que Jûmonji s'était mis à trembler. Masako, elle, se rongeait toujours les ongles.

– Barre-toi avec le fric.

– Mais je ne peux pas.

– Alors, tu n'as qu'à faire attention, dit Masako en se tournant de nouveau vers le cadavre de Kuniko.

Mais d'abord, comment se débarrasser du corps ? Tel était le premier problème à résoudre. Dépecer Kuniko ? De tels efforts auraient été inutiles. Le commanditaire n'avait qu'un but : les menacer. Cela dit, jeter le corps d'un seul tenant était trop risqué.

– Que va-t-on faire de Kuniko ? demanda-t-elle.

– Il faut parler à la police, proposa mollement Yoshié, qui s'était assise, épuisée, derrière la machine à laver. Pourquoi devrait-on continuer à faire ces bêtises ? Je ne veux pas attendre qu'on me tue comme elle.

– Mais tout le monde se fera arrêter. Ça ne te retient pas ?

– Si, ça m'embête, répondit Yoshié. Mais que faire ?

– On va la jeter, dit Jûmonji qui observait la lourde poitrine de Kuniko d'un air pensif.

– Où ?

– Quelque part. Et on fera comme si on ne savait rien.

– Pourquoi pas ? Mais moi, je préférerais m'assurer que Sataké soit reconnu responsable du meurtre.

– Ben oui, mais comment ? demanda Jûmonji en la dévisageant d'un air sceptique.

– Je ne sais pas, mais je veux qu'on lui montre qu'on ne se laisse pas intimider.

– Pourquoi ? s'écria Yoshié d'un air incrédule. T'as perdu la tête ?

– Parce que ça le mettra dans le pétrin. Si on ne réagit pas, on va toutes mourir.

– Mais comment ferez-vous, madame Katori ? demanda Jûmonji en plissant les yeux et caressant ses joues qu'il n'avait pas rasées.

– On lui renvoie le cadavre… chez lui.

– Mais où habite-t-il ? demanda Yoshié en s'appuyant sur les paupières à deux mains. On n'en sait rien.

– Non, c'est vrai, dit Masako avant de se perdre en réflexions.

– Un instant, demanda Jûmonji en faisant un geste comme pour les retenir. Réfléchissons calmement. Nous sommes à un moment clé.

Masako vit qu'il y avait du tissu noir dans la bouche de Kuniko. Elle se hâta d'enfiler ses gants en plastique et retira la chose. C'était une culotte roulée en boule. Elle la déplia et découvrit un sous-vêtement de luxe, en dentelles. Kuniko, telle qu'on la connaissait, avait dû l'enfiler en pensant déjà à l'instant où elle l'enlèverait. Masako repensa au vestiaire de la fabrique et se rappela qu'elle portait toujours des sous-vêtements bon marché.

– Il a dû lui fourrer ça dans la bouche avant de l'étrangler, dit-elle.

Jûmonji remarqua des traces de strangulation autour de son cou.

– Dites-moi, monsieur Jûmonji, lui demanda Masako en gardant le sous-vêtement à la main. Est-ce que c'était un bel homme ?

– Je ne voyais pas bien son visage, mais il était bien bâti.

Kuniko s'était fait prendre au piège de la séduction. Masako se demanda si un homme avait tourné autour d'elle. Mais elle n'avait aucun moyen de connaître sa vie privée, alors même qu'elle venait de rompre avec elle. Elle baissa les bras.

– Je crains qu'il n'y ait pas d'autre solution que de la découper en morceaux. Pour le moment, dit-elle.

– Non ! Je ne veux pas, murmura Yoshié. Il n'en est pas question. Découper Kuniko en morceaux ! J'en aurais des cauchemars !

– Alors, tu renonces à ta part, la Patronne. Tu n'auras pas le million promis. Je le ferai toute seule et j'empocherai tout le magot.

– Ah non! Certainement pas! protesta Yoshié en s'empressant de se lever. Je ne pourrais plus déménager.

– Tu vois bien? Si jamais on met le feu à ta bicoque, elle partira tout de suite en fumée.

Devant tant de méchanceté, Yoshié baissa la tête. Coincé entre ces deux femmes qui s'invectivaient, Jûmonji ne savait plus où donner de la tête.

– Apportez-nous des cartons, dit enfin Masako. Vous irez les jeter à Kyûshû, comme l'autre fois.

– On va donc le faire?

– On ne peut pas faire autrement.

Masako voulut déglutir, mais elle avait la gorge nouée. C'était comme une réalité impossible à admettre.

– Bien, je vais chercher les cartons, dit Jûmonji.

Il se leva, trop heureux de pouvoir enfin quitter ce lieu. Remarquant son entrain, Masako le mit en garde:

– Vous pourrez fuir, mais une fois le travail terminé. D'accord?

– Je sais.

– Et le travail est loin d'être terminé.

– Entendu, répondit Jûmonji, fatigué par tant d'insistance.

– Et toi, la Patronne, qu'est-ce que tu fais? demanda Masako en se tournant vers Yoshié qui, recroquevillée sur elle-même, contemplait le cadavre de Kuniko.

– Je vais le faire avec vous. Et dès que j'aurai touché l'argent, je déménage.

– Fais comme tu veux.

– Et toi, demanda Yoshié, tu files où?

– Pour le moment, je ne changerai rien à ma vie.

– Pourquoi? demanda Yoshié, surprise.

Masako ne lui répondit pas. Ou plutôt, elle ne l'écoutait plus. Elle se repassait la réponse de Jûmonji disant: «Au fond, je suis le seul à avoir vu cet homme.» Mais n'avait-elle pas, de son côté, rencontré Sataké quelque part? Cette éventualité ne la quittait plus.

– Bon, dit Jûmonji, j'y vais et je reviens tout de suite.

Dès qu'il fut parti, Masako passa son tablier en plastique, puis elle s'adressa à Yoshié, toujours repliée sur elle-même.

– La Patronne, tu règles la vitesse du tapis à 18.

CHAPITRE 8

Kazuo monta en vitesse l'escalier métallique de son immeuble en faisant grincer les marches.

C'était le foyer réservé aux employés brésiliens. Préfabriqué à deux étages. Les ménages avaient droit à un appartement, les jeunes célibataires comme Kazuo devant partager un studio à deux, soit un espace exigu composé d'une pièce de six tatamis, d'une cuisine et d'une salle de bains avec toilettes. Le seul avantage était que la fabrique était à deux minutes à pied.

Arrivé en haut des marches, il s'arrêta et regarda autour de lui. Dans le jardin de la ferme d'en face, le linge mis à sécher flottait frileusement au vent. Le petit chemin devant l'immeuble était éclairé par des lampadaires aux lueurs blafardes et bordé de chrysanthèmes sauvages qui avaient fané sur pied et viré au brun. Le paysage de ce début d'hiver, sur lequel le crépuscule s'attardait, n'offrait que tristesse à la vue.

À São Paulo, l'été commencerait bientôt. Kazuo eut un pincement au cœur.

Il se souvint avec nostalgie des crépuscules d'été. Le *choro*[1] qu'on entendait dans les rues et l'odeur de la *feijoada*[2] qui mijote, le parfum des fleurs, les jolies femmes en robes d'été blanches, les enfants qui s'amusaient dans les ruelles et le délire des supporters de l'équipe de foot des Santos. Que faisait-il ici, si loin de tout cela ?

Était-ce là la patrie de son père ? Il regarda de nouveau autour

1. Danse populaire brésilienne. *(N.d.T.)*
2. Plats de haricots rouges. *(N.d.T)*

de lui. Alors que le paysage plongeait peu à peu dans l'obscurité, il ne percevait plus que les lueurs des maisons habitées par des inconnus. À quelque distance, les fenêtres de la fabrique brillaient de l'éclat blême du néon. Dire que c'était son seul lieu d'existence !

Les larmes roulèrent de ses yeux. Il s'appuya à la rambarde en métal noir de l'immeuble et se prit le visage entre les mains. Son colocataire devait être déjà rentré et regarder la télévision. Kazuo ne jouissait de son intimité que dans cette galerie extérieure et sur la couchette supérieure de leurs lits superposés.

Il s'était imposé deux épreuves. Non, trois. Travailler deux ans à la fabrique et épargner assez pour s'acheter une voiture. Obtenir le pardon complet de Masako. Et, dans ce but, maîtriser la langue japonaise. De ces trois objectifs, le seul qu'il pourrait atteindre serait l'apprentissage du japonais. La langue, on finissait toujours par l'apprendre. Mais la personne dont il voulait obtenir le pardon en usant de cette langue ne voulait plus lui adresser la parole depuis ce matin-là. Non seulement elle ne le mettait plus à l'épreuve, mais encore elle refusait de lui offrir la moindre chance de se racheter.

Non, ce n'était pas cela. Un pardon complet, il était impossible de l'obtenir. À moins qu'elle ne l'aime. Cela étant, son premier objectif – à savoir travailler deux années au Japon – commençait à chanceler.

Finalement, toute sa relation avec Masako avait été l'épreuve la plus lourde. Ce n'était même pas une épreuve. Car sa volonté n'avait aucune prise dessus. Au fond, son épreuve avait consisté à endurer ce contre quoi sa volonté ne pouvait rien. En en prenant conscience, il eut envie de pleurer encore plus fort.

L'heure était venue de rentrer au pays. Ça suffisait comme ça : il rentrerait à São Paulo pour Noël. Il se fichait pas mal de ne pas pouvoir acheter de voiture. De toute façon, s'il restait au Japon, il continuerait à travailler à la fabrique pour faire des paniers-repas qui le dégoûtaient. Au Brésil, il pourrait faire des études d'informatique. Pourquoi pas ? S'éterniser au Japon était trop dur.

Dès qu'il eut pris la décision de rentrer au pays, tous les nuages qui assombrissaient son horizon se dissipèrent. Tout ce qu'il avait pris pour une suite d'épreuves s'évanouit en silence. À la place, il ne resta plus qu'un homme pitoyable qui avait perdu jusqu'au combat contre lui-même. De nouveau il tourna un regard presque chargé de haine vers la fabrique qui se détachait dans la pénombre du crépuscule.

C'est alors qu'il entendit, venant du chemin, une voix de femme si basse qu'elle en était à peine audible.

– Monsieur Miyamori ?

Croyant à une illusion, il se pencha et découvrit Masako immobile devant lui. Elle portait un jean et une parka raccommodée avec du scotch. Stupéfait de la voir apparaître alors qu'il venait de penser à elle, il crut qu'il faisait erreur et regarda autour de lui dans l'étroite galerie de l'immeuble en se demandant s'il ne rêvait pas.

– Monsieur Miyamori ? répéta-t-elle distinctement.

– Oui.

Il dévala l'escalier en faisant trembler les marches. Comme pour fuir les regards des locataires du rez-de-chaussée, elle se dirigea vers la zone sombre que n'atteignaient pas les faisceaux des lampadaires.

Sans savoir s'il convenait de le faire, il l'y suivit. Que venait-elle faire ici ? Voulait-elle le blesser de nouveau ? Voir cette femme, à laquelle il avait déjà renoncé, ralluma en lui des braises mal éteintes. Désemparé, il se figea près d'elle.

– J'ai un service à vous demander, dit-elle.

Elle le regardait de face. C'était toujours comme ça qu'elle le regardait, droit dans les yeux. Vu de près, son visage était tendu, comme une balle de fils impossibles à dénouer. Mais elle était encore belle. Il attendit impatiemment ce qu'elle avait à lui dire, comme on guette un rayon de soleil en plein hiver.

– Vous ne pourriez pas me garder ça dans votre casier ? dit-elle en sortant une enveloppe de son sac noir à lanière qu'elle portait en bandoulière.

L'enveloppe devait contenir des documents : elle était plate, mais paraissait lourde. Kazuo la regarda sans la prendre. Il hésitait.

— Pourquoi? demanda-t-il.

— Je ne connais personne d'autre qui ait un casier.

Kazuo fut déçu par cette réponse. Il aurait aimé entendre autre chose.

— Pour combien de temps?

Elle réfléchit avant de répondre:

— Eh bien... jusqu'à ce que j'en aie besoin. Vous comprenez ce que je dis?

— À peu près.

Il resta sur ses gardes. Pourquoi ne voulait-elle pas garder cette enveloppe? Elle n'avait qu'à la mettre chez elle. Et si elle avait besoin d'une consigne, il y en avait une à la gare!

— Vous devez vous demander pourquoi, dit Masako en rougissant. C'est quelque chose que je ne peux pas laisser chez moi. Et j'ai peur qu'on me le vole à la fabrique ou dans ma voiture.

Kazuo prit l'enveloppe dans ses mains. Comme il l'avait imaginé, elle était lourde. Il décida de lui poser une question.

— Qu'est-ce qu'il y a dedans? C'est une responsabilité.

— De l'argent et un passeport, lui répondit-elle carrément.

Elle prit une cigarette dans sa parka et l'alluma avec son briquet. Kazuo était stupéfait du poids de l'enveloppe: si c'était vraiment de l'argent, comme elle le prétendait, ce devait être une grosse somme. Pourquoi l'avait-elle choisi pour la lui confier?

— Combien?

— Sept millions, dit-elle comme si elle annonçait une quantité de paniers-repas à préparer.

— Pourquoi pas à la banque? demanda-t-il d'une voix tremblante.

— Ce n'est pas possible.

— Je peux savoir pourquoi c'est pas possible?

— Non.

Elle souffla de la fumée. Il resta pensif.

— Et quand vous en aurez besoin, qu'est-ce que vous ferez si je suis pas là?

– J'attendrai de pouvoir vous contacter.

– Comment ?

– Je viendrai ici.

– D'accord. J'ai le studio 201. J'irai chercher l'enveloppe à la fabrique.

– Merci.

Mais il avait l'intention de rentrer au pays pour Noël. Devait-il le lui dire ? Après une hésitation, il décida de se taire. Masako avait-elle des ennuis ? C'est cela qui le préoccupait.

– Vous avez été un peu absente, dit-il enfin.

– Oui, j'ai eu un mauvais rhume.

– Je croyais que vous aviez démissionné.

– Non, je ne démissionne jamais.

Elle se retourna du côté où le chemin se perdait dans le noir. En continuant un peu, on arrivait à égale distance de la fabrique et de l'usine désaffectée. Ses yeux se voilèrent d'une ombre d'inquiétude, ce qui n'était pas fréquent chez elle. Il avait dû se passer quelque chose de grave. Y aurait-il eu un rapport avec la clé qu'elle avait jetée dans le canal ? Il en eut l'intuition. Sa sensibilité excessive était aussi bien une arme qu'un défaut. Le moment était venu d'en faire une arme.

– Vous avez un problème ?

– Vous l'avez deviné ? lui rétorqua-t-elle en se retournant.

– Oui, dit-il, le regard aussi inquiet que celui de Masako.

– Il m'est arrivé quelque chose d'ennuyeux. Je ne vous demande pas votre aide, juste de garder cette enveloppe.

– Quel genre d'ennui ?

Elle serra les lèvres et ne répondit pas. Craignant d'être allé trop loin, il rougit dans le noir.

– Je suis désolé, dit-il.

– Ce n'est rien. C'est à moi de vous demander pardon.

– Non, non, dit-il.

Il glissa l'enveloppe dans la poche intérieure de son blouson noir et en remonta la fermeture Éclair. Elle avait dû garer la voiture dans le coin car elle sortit d'une de ses poches un trousseau de clés qui tintèrent.

– Bien, merci pour tout, dit-elle.

– Attendez !

– Oui ?

– Vous me pardonnez pour l'autre fois ?

– Bien sûr.

– Complètement ?

– Oui, répondit-elle laconiquement avant de baisser les yeux.

Maintenant que l'épreuve, qui lui avait semblé si insurmontable, avait été aussi rapidement et facilement résolue, Kazuo n'arrivait plus à se rendre compte de ce qui s'était produit. Il s'aperçut que finalement ce n'était pas le plus difficile, puisque l'essentiel consistait à gagner le cœur de Masako. S'il n'y parvenait pas, le pardon n'avait pas lieu d'être.

Il baissa la tête et sentit sous son blouson la clé qui pendait à son cou et l'enveloppe glissée dans sa poche intérieure. Elle était volumineuse et lourde.

– Mais, murmura-t-il à Masako qui l'écoutait en baissant la tête, pourquoi me confiez-vous, à moi, une chose aussi importante ?

C'était la question à laquelle il tenait le plus. Masako jeta son mégot par terre, l'écrasa sous la semelle de sa chaussure de sport et releva la tête.

– Je ne le sais pas moi-même. Simplement, je ne connais personne d'autre à qui la confier.

Stupéfait, il observa les petites rides à la commissure de ses lèvres. Pour la première fois, il eut l'impression de saisir la solitude de cette femme. Elle avait une famille, des amis, mais c'était à un étranger qu'elle connaissait à peine qu'elle confiait cette chose si précieuse. Elle détourna le regard comme pour échapper au sien et donna un coup de pied dans un caillou, qui roula jusqu'à derrière lui avec un bruit sec.

– Personne ? Il n'y a vraiment personne ? répéta-t-il en déglutissant.

– Non, dit-elle. Je n'ai personne et je n'ai pas d'endroit où cacher cet argent.

– Ça veut dire que vous n'avez confiance en personne ?

– Non, répondit-elle en le regardant dans les yeux.

– Donc, à moi, vous faites confiance ?

Il retint son souffle et la regarda.

– Je vous fais confiance, oui, répondit-elle en soutenant son regard.

Puis elle pivota lentement et se dirigea vers la fabrique en prenant le chemin où la nuit était tombée.

– … merci, dit-il la tête baissée.

Il posa la main droite sur la partie gauche de sa poitrine. Pas celle de l'enveloppe, celle du cœur.

SEPTIÈME PARTIE

LA PORTE DE SORTIE

Chapitre 1

Yayoi contemplait l'alliance qu'elle portait à l'annulaire comme s'il s'agissait d'une curiosité. C'était une bague en platine, de forme assez commune.

Elle se rappela le jour où elle l'avait achetée. C'était un dimanche clément, au début du printemps. Kenji et elle étaient allés la choisir dans un grand magasin. Après avoir jeté un coup d'œil dans la vitrine, Kenji s'était décidé pour la bague la plus chère en déclarant que c'était pour la vie. Yayoi n'avait jamais oublié la solennité et la beauté de cet instant. Quand ces sentiments s'étaient-ils estompés ? Quand le couple rayonnant qu'ils formaient avait-il disparu ?

Elle avait tué Kenji. Soudain elle hurla dans sa tête. C'était seulement maintenant qu'elle s'apercevait de la gravité de son geste.

Elle bondit du fauteuil du séjour, se précipita dans la chambre et releva son pull pour regarder son ventre nu. Elle voulait voir si la cause de sa pulsion meurtrière était toujours bien là. L'hématome, qui l'avait marquée aussi distinctement qu'un sceau de haine, avait jauni, puis pâli et maintenant il n'en restait plus trace.

C'est pour ce bleu qu'elle avait tué Kenji. Kenji, l'homme qui lui avait acheté la bague la plus chère parce que c'était pour la vie. Et elle qui l'avait tué n'avait reçu aucun châtiment pour son acte. Était-ce bien ainsi ? Elle s'affaissa.

Au bout d'un moment, elle releva les yeux et constata que la photo de Kenji posée devant l'autel des morts la regardait. Le portrait était imprégné de l'odeur d'encens que les enfants brûlaient en offrande. Le cliché avait été pris en été sur un terrain de camping. À force d'observer le sourire de Kenji, elle sentit la colère monter à nouveau en elle.

Elle se demandait ce qui déplaisait tant à Kenji. Il était frustré et se défoulait sur elle. C'était le genre d'homme qui ne s'en prend qu'à plus faible que soi. Et bien sûr, il ne s'occupait même pas des enfants. La fureur enfla en elle comme un raz-de-marée, balayant le peu de remords qui lui restaient.

Elle n'aurait peut-être pas dû le tuer, mais lui pardonner, non. Encore et encore elle se le répétait. Non, elle ne lui avait pas pardonné. Oui, elle l'avait tué, mais… elle ne lui avait pas pardonné. Pour le restant de ses jours, elle ne lui pardonnerait pas. C'était de sa faute : il lui avait fait faux bond. Elle n'avait absolument pas changé et, lui, il l'avait trahie. Cet éclair de beauté qu'ils avaient connu au moment de choisir la bague, c'est lui qui l'avait terni.

Elle regagna la salle de séjour et ouvrit violemment la porte de la véranda qui donnait sur le jardin. Un jardin exigu, encombré de tricycles et d'une balançoire, délimité par ces murs de béton noirci. Elle ôta l'alliance et la jeta le plus loin possible. Elle aurait aimé qu'elle retombe chez les voisins, mais elle alla percuter le mur et rebondit dans un coin du jardin. Dès qu'elle se fut débarrassée de l'anneau, Yayoi eut l'impression d'avoir commis l'irréparable. Un remords intense la saisit, comme une brûlure à l'estomac, alors même qu'elle avait tant souhaité cette disparition.

Dans la lumière blafarde de novembre elle regarda son annulaire gauche maintenant nu et contempla avec tristesse la trace blanche de la bague qu'elle n'avait jamais enlevée pendant huit ans. En elle l'absence le disputait à la délivrance. Enfin, tout était fini.

C'est alors que l'interphone sonna.

Quelqu'un avait-il été témoin de ce qui venait de se passer ? Elle descendit dans le jardin sans se chausser et regarda du côté de l'entrée en tendant le cou. Un inconnu bien bâti et vêtu d'un costume attendait dans une attitude respectueuse. Heureusement, il ne s'était pas aperçu que Yayoi, cachée dans le jardin, l'épiait.

Elle se hâta de rentrer dans la salle de séjour et décrocha l'interphone. Ses bas avaient laissé des traces noires de terre humide çà et là sur le sol.

– Qui est là?

– Je m'appelle Satô, je viens de Shinjuku! Je suis un ami de votre mari.

– Ah oui.

– Je passais dans le quartier et je voulais vous présenter mes condoléances.

– Je vous remercie.

Ça l'agaçait, mais comment refuser ce geste? En bonne ménagère, elle vérifia que la salle de séjour et la chambre, où se trouvait le petit autel des morts, étaient en ordre, puis, satisfaite, elle se dirigea vers l'entrée et ouvrit la porte. Devant elle le costaud à cheveux courts s'inclina profondément.

– Je suis désolé de passer sans m'être annoncé. Mais je suis très bouleversé par ce que j'ai appris.

Il avait un timbre grave et agréable. Yayoi le remercia mécaniquement, mais se sentit soudain bizarre. Kenji était mort à la fin juillet: cela faisait donc plus de quatre mois. Mais elle se ravisa toutefois, certaines connaissances l'appelant encore en disant qu'elles n'avaient appris la tragédie que récemment.

– Merci de vos pensées, dit-elle.

Satô la dévisagea longuement, observant ses yeux, son nez, sa bouche. Ce n'était pas un regard à proprement parler désagréable, mais l'homme agissait comme s'il connaissait déjà son visage et le comparait avec ce qu'il découvrait. Elle se sentit de plus en plus mal à l'aise.

Elle le regarda de nouveau et se demanda quel type de lien unissait Kenji à cet homme. Ce Satô était d'un tout autre genre que les employés de bureau que fréquentait Kenji. Alors que ces derniers se montraient cordiaux et francs, Satô lui semblait plus insaisissable, comme enveloppé d'une pellicule opaque. Cela dit, il avait bien toutes les apparences d'un employé de bureau, avec sa cravate et son costume gris bon marché.

Il avait dû sentir l'embarras de Yayoi car il lui parla sur un ton doux.

– Puis-je me recueillir un instant ?

– Je vous en prie.

Elle le laissa entrer, convaincue par ses manières courtoises. Elle le devança dans le petit couloir en se demandant avec une vague inquiétude quel regard il pouvait bien poser sur elle. Elle commença à regretter d'avoir eu la légèreté d'ouvrir sa maison à cet inconnu.

– C'est par ici, dit-elle en lui indiquant la chambre où se trouvait l'autel des morts. Je vous laisse vous recueillir.

Il s'approcha de l'autel à genoux et joignit les mains. Tout en préparant du thé dans la cuisine, elle se tourna vers la chambre, étonnée qu'il n'ait pas apporté l'enveloppe contenant l'offrande rituelle. Non qu'elle l'eût souhaité, mais les règles de bienséance l'auraient exigé en pareille circonstance.

– Si vous voulez bien prendre place, lui dit-elle.

Elle lui servit du thé sur la table du séjour. Il s'assit sans protester et la dévisagea. Yayoi trouvait suspect de ne lire dans son regard ni regret pour Kenji, ni compassion à son égard, ni curiosité pour le drame.

Il la remercia, mais ne but pas son thé. Elle lui proposa un cendrier, mais il ne fumait pas. Il gardait les mains sur les genoux sans vouloir les poser sur la table. Comme s'il voulait ne laisser aucune trace de sa présence, il ne touchait à rien. Peu à peu, elle prit peur. Masako l'avait mise en garde et c'est à présent que cet avertissement prenait tout son sens.

– Où avez-vous connu mon mari ? lui demanda-t-elle en tentant de contrôler les tremblements de sa voix et affectant d'être naturelle.

– À Shinjuku.

– Dans quel coin de Shinjuku ?

– À Kabukichô.

Elle leva vers lui un regard chargé d'inquiétude. Il y lut la peur et lui sourit doucement. En réalité, seules ses lèvres charnues souriaient. Ses yeux, eux, demeuraient inexpressifs.

– Kabukichô ? C'est-à-dire ?

– Ne faites pas l'innocente, madame.

Elle fut surprise. Elle se rappela que l'inspecteur Kinugasa l'avait appelée pour l'informer de la disparition du propriétaire du casino, mais... Non, elle n'osait pas y croire.

– Que voulez-vous dire ? lui demanda-t-elle.

– Je me suis un peu chamaillé avec votre mari. Ce soir-là...

Il s'interrompit, comme pour tester sa réaction. Elle cessa de respirer.

– Vous savez mieux que moi ce qui s'est passé après. Mais pour moi, ça a entraîné des tas d'ennuis. Mes établissements ont dû fermer et mes affaires ont été complètement anéanties. Mais ça, vous ne pouvez certainement pas l'imaginer, vous qui élevez tranquillement vos enfants dans ce petit nid douillet.

– Qu'est-ce que vous racontez ? Sortez d'ici, tout de suite ! cria-t-elle en s'apprêtant à se relever.

– Reste assise !

La menace était glaciale, elle se figea sur place.

– J'appelle la police, dit-elle.

– Tu seras la première ennuyée.

– Que voulez-vous dire ? demanda-t-elle en se rasseyant. Que voulez-vous dire ?

Son cerveau paniquait. Incapable de raisonner, elle ne voulait plus qu'une chose : que cet homme effrayant déguerpisse au plus vite.

– Je sais tout. Tu as tué ton mari.

– C'est faux ! Vous délirez ! s'écria-t-elle, hystérique. Cessez de dire n'importe quoi !

– Tes voisins pourraient t'entendre. Les jardins sont petits par ici. Ta réaction violente montre assez que tu te sens coupable.

– Je ne comprends absolument pas ce que vous dites.

Elle porta ses mains à ses tempes, mais les tremblements qu'elle avait dans les bras firent bouger sa tête. Elle les laissa retomber. Elle ne savait plus quoi faire.

Les mots de Satô l'avaient calmée. Cette affaire avait entraîné bien des problèmes avec les voisins. Elle savait que cela pouvait relever de la manie de la persécution, mais elle s'était mise à avoir peur de ce qu'ils pouvaient colporter sur son compte.

– Ça t'angoisse de ne pas savoir ce que je sais, hein! reprit-il. (Cette fois-ci, son sourire était vraiment sarcastique.) Sache que je suis au courant de tout!

– Quoi?! Ne dites pas d'absurdités! cria-t-elle en se hasardant à soutenir son regard.

Elle avait beau ne pas connaître le monde, elle comprenait bien que c'était un homme d'autant plus dangereux qu'il ne devait de comptes à personne et qu'il avait connu bien des plaisirs et des peurs dont elle n'avait même pas idée. Elle ne l'aurait jamais croisé dans la rue. Il appartenait à un univers tellement différent qu'elle trouva étrange de parler la même langue que lui. Kenji s'était donc bagarré avec lui? Elle eut envie d'en féliciter son mari qu'elle avait tué.

– Pourquoi restes-tu hébétée comme ça? reprit Satô avec un fin sourire.

– Parce que vous racontez des absurdités.

Elle n'arrêtait pas de se répéter. Satô se prit le menton dans une main, comme pour réfléchir à ce qu'il allait dire. En voyant ses doigts longs et fins, elle se sentit mal.

– Ce soir-là, dit-il, ton mari est rentré après s'être bagarré avec moi. Et tu l'as tué en cachette, en l'étranglant dans l'entrée de cette maison. Ton gamin l'a entendu, mais tu l'as grondé pour le faire taire. Comment s'appelle-t-il déjà? Ah oui, Takashi.

– Comment savez-vous tout ça? s'écria-t-elle, horrifiée.

– Quelle ingénue tu fais, non vraiment! C'est exactement ce qu'on m'avait raconté, dit-il en la dévisageant comme s'il la trouvait sincèrement jolie. Un peu vieille, mais bien arrangée tu pourrais travailler au bar. Tu es assez mignonne.

– Taisez-vous.

Elle eut l'impression qu'on lui caressait les joues avec une main couverte de boue. Kenji avait perdu la tête pour une entraîneuse. En se le remémorant, elle se sentit rougir de colère.

– Qu'est-ce qu'il y a? lui demanda Satô en remarquant le

changement dans son expression. Quelque chose qui te reviendrait?

– C'est dans votre bar que mon mari s'est dévoyé.

– Ça alors! murmura Satô. Visiblement, tu ne sais rien de ce que ton mari faisait dehors. Tu ne t'es jamais demandé comment il était considéré. Tu ne t'es jamais dit que l'ignorance pouvait être un crime. Décidément, j'envie les femmes au foyer.

– Taisez-vous.

Elle se couvrit les oreilles. La bouche de Satô crachait du poison. D'un goût qu'elle avait toujours ignoré, ce poison avait nom monde extérieur.

– Je te le répète pour la millième fois: si tu cries, les voisins t'entendront. Ta maison est déjà la cible des curieux. Pense aussi à l'avenir de tes enfants.

– Comment savez-vous le nom de Takashi?

Maintenant qu'il avait évoqué les enfants, Yayoi baissait la voix et l'implorait, comme si un poison à effet différé avait envahi tous ses membres.

– Tu ne comprends toujours pas? lui demanda-t-il d'un air apitoyé.

– Est-il possible que Mlle Morisaki vous en ait parlé?

Devant le silence de Satô, elle sentit couler ses larmes.

– J'ai été trahie.

– Trahie? répéta Satô, effaré. C'était son travail. Dès le départ, elle n'a jamais eu d'autre intention.

Travail? Autrement dit, tout n'était que théâtre. Masako n'avait jamais porté Yôko Morisaki dans son cœur et ne lui avait jamais accordé sa confiance. Yayoi se dit qu'elle avait vraiment été trop naïve. Elle se sentit honteuse et pleura en silence.

– À quoi sert-il de pleurer maintenant? lui demanda Satô à voix basse.

– Mais…

– Il n'y a pas de «mais» qui tienne! hurla-t-il soudain. (Elle releva son visage crispé.) Je sais très bien que tu as demandé à tes copines de t'aider à dépecer ton mari.

Elle contempla l'annulaire de sa main gauche en silence.

C'était vraiment trop beau d'avoir imaginé qu'il lui suffirait de jeter son alliance pour en finir. C'était maintenant que la fin véritable se profilait – l'anéantissement.

– Tu as l'air bien dépitée, reprit Satô en ricanant. Je sais que tu as souhaité que je sois condamné à mort. Dommage, hein?

– Appelez-moi vite la police, je vais me constituer prisonnière.

– Quelle candeur! Tu ne penses donc jamais qu'à toi?

Satô desserra son nœud de cravate aussi terne que son costume assorti. En observant le motif qui ressemblait au dos d'un lézard – des raies marron sur fond gris –, Yayoi se dit vaguement que c'était avec cette cravate qu'elle allait mourir étranglée. Elle mourrait comme Kenji, en bavant. À bout de nerfs, elle ferma les yeux et commença à trembler.

– Écoute-moi, commença Satô en contournant la table pour se placer à côté d'elle.

Figée, elle fut incapable de lui répondre.

– Écoute-moi, répéta-t-il.

– Quoi? demanda-t-elle en relevant craintivement la tête.

Il jeta un coup d'œil à sa montre numérique.

– Dépêche-toi, la banque va fermer!

– Pourquoi? demanda-t-elle en se tournant vers lui.

Elle comprit enfin son intention et en resta bouche bée.

– Ce n'est pas vrai... vous pensez à cet argent-là...?

– Exactement.

– Mais je ne peux pas! C'est ce qui nous permet de vivre au jour le jour.

– C'est l'argent que tu me dois.

– Non, je ne veux pas.

– Qu'est-ce que tu racontes? Tu veux que je te brise le cou? lui demanda-t-il d'une voix douce.

Et il lui enserra le cou dans ses mains à la poigne incroyablement puissante. Ses longs doigts lui appuyaient sur la carotide. Elle resta totalement immobile, comme un chaton soulevé par le cou.

– Je vous en prie, l'implora-t-elle en pleurant. Arrêtez. Lâchez-moi.

– Tu veux que je te brise le cou ou tu préfères payer ?

– Je... je vais payer.

Le poison lui avait déjà anesthésié les nerfs. Paralysée par la peur, elle acquiesça à plusieurs reprises et sentit sa vessie se relâcher.

– Tu vas appeler la banque et tu vas leur dire ceci : « Mon père vient de mourir. Je dois rentrer en province avec tout mon argent. Préparez-moi cette somme, je vais venir la chercher avec mon frère. »

– Oui... oui...

Elle téléphona en bafouillant sans que Satô relâche l'étau.

Ce n'est que lorsqu'elle eut raccroché qu'il lui libéra le cou.

– Et maintenant, tu vas te changer, lui ordonna-t-il.

– Me changer ? répéta-t-elle en gémissant de douleur.

– Imbécile. Si tu vas à la banque dans cette tenue, ils ne te feront pas confiance, dit-il en lançant un regard méprisant à son pull usé et à sa vieille jupe informe. Ils vont croire que tu viens demander un prêt.

Il la saisit par le bras et la souleva de sa chaise.

– Mais... qu'est-ce que vous faites ? demanda-t-elle en tremblant.

Elle savait qu'il y avait une tache d'urine sur sa jupe, au niveau de ses fesses, mais elle n'avait plus ni orgueil, ni superbe, ni même seulement peur, et se mit à bouger mécaniquement.

– Ouvre l'armoire, dit-il.

Elle le suivit dans la chambre et lui obéit en ouvrant l'armoire misérable en contreplaqué.

– Choisis.

– Quel vêtement ?

– Un tailleur ou une robe. Pourvu que ce soit habillé.

– J'en ai pas. J'ai pas de vêtements habillés. Je suis désolée.

Elle s'excusait en pleurant. Non seulement elle était menacée par un homme terrifiant qui s'était introduit chez elle à l'improviste, mais elle devait encore lui montrer sa garde-robe et s'excuser de n'avoir rien à se mettre. La situation était si humiliante que ses larmes ne cessaient de couler.

513

– C'est vraiment la misère, hein! ricana Satô en regardant d'un air dégoûté l'armoire remplie presque exclusivement de costumes et de manteaux de Kenji. Tiens, là, il y a une tenue de deuil!

– Il faut que je la mette?

Elle sortit l'ensemble d'été, un tailleur noir qu'elle avait porté pour la veillée funéraire. Comme elle n'avait rien à se mettre, sa mère le lui avait acheté. Pour l'enterrement lui-même, elle avait loué un kimono.

– Ça tombe bien. Une tenue de deuil, ça attire la compassion: ils ne se feront pas prier.

– Mais c'est un vêtement d'été.

– Aucune importance! s'écria-t-il.

La peur la fit se recroqueviller sur elle-même.

Une demi-heure plus tard, vêtue de son tailleur léger de deuil, elle se retrouvait en compagnie de Satô dans le salon spécial de la banque, devant la gare de Tachikawa.

– Vous tenez vraiment à retirer la totalité de vos cinquante millions?

Le directeur de l'agence en personne s'était présenté pour tenter par tous les moyens de la faire changer d'avis. Yayoi gardait le silence et, les yeux baissés vers le tapis, hochait la tête avec insistance. Satô lui avait ordonné d'acquiescer en se taisant.

– Le malheur a été si soudain qu'on ne peut pas faire autrement, lui expliqua Satô, qui se faisait passer pour le frère de Yayoi.

La banque ne pouvait pas refuser. Les employés se regardaient en tentant de trouver une solution.

– La chose étant risquée, nous pourrions vous faire un virement dans un autre établissement.

– Ce n'est pas la peine. Je suis son frère et je suis venu exprès pour cela.

– Bon, dit le directeur avec un soupir résigné en regardant Yayoi.

Elle était si effarée de ce qui lui arrivait qu'elle se contenta de se raidir sur sa chaise. C'était lamentable. Elle avait laissé échapper un profond gémissement de désespoir. Pour les employés, cela résumait tout le chagrin qu'elle éprouvait d'avoir perdu son père. Ils baissèrent les yeux à leur tour, apitoyés. Finalement, ils vinrent déposer sur la table les cinquante millions de yens en liquide.

– Parfait, dit Satô en fourrant les billets dans l'enveloppe de la banque et la glissant dans un sac en nylon noir qu'il avait apporté. Eh bien, merci.

Il se leva en prenant Yayoi par le bras. Elle lui obéissait comme un robot. Elle n'avait aucune force et ses jambes tremblaient. Il dut la soutenir par-derrière.

– Yayoi, qu'est-ce que tu fais ? Ressaisis-toi. La veillée nous attend.

Son jeu était remarquable. Elle se laissa entraîner par Satô qui continuait à la maintenir par le coude. Tant bien que mal, elle parvint à sortir de l'agence, alors il la repoussa. Elle chancela et dut prendre appui sur le garde-fou du trottoir. Sans s'en soucier, il héla un taxi et se retourna vers elle.

– J'espère que tu as compris, lui lança-t-il.

– Oui, acquiesça-t-elle docilement.

Et elle regarda hébétée le taxi s'éloigner. Avec ses cinquante millions. Le cadeau inattendu que lui avait fait Kenji. Rêve éphémère, c'était l'argent qui devait lui permettre de vivre. Parti en fumée.

Perdre cet argent était une chose, mais pour elle, le vrai choc avait été d'être en contact avec cet individu terrifiant. Dans le même temps, quel soulagement qu'il ne l'ait pas tuée ! Quand il l'avait saisie par le cou, elle avait vraiment cru qu'il allait l'étrangler.

Elle avait sous-estimé les hommes. Pour une femme, c'étaient des créatures effrayantes.

Sans force, elle tourna les yeux vers l'horloge de la gare. Deux heures et demie de l'après-midi. Elle avait froid parce qu'elle n'avait pas pris de manteau. Elle pressa sur son corps le fin tissu de sa tenue de deuil d'été et prit la décision de ne rien dire de tout ça à Masako. C'était la seule revanche qu'elle pouvait se permettre après leur quasi-rupture.

Mais, sans argent et sans travail, ayant rompu avec ses amies et complètement désorientée dans sa vie, Yayoi ne savait plus vers quoi se tourner. Elle erra sans but devant la gare de Tachikawa.

Et comprit brusquement que Kenji avait été l'unique repère de son existence. La santé de son mari, l'humeur de son mari, le salaire de son mari : voilà ce qui avait déterminé son bonheur ou son malheur, voilà ce dont dépendaient ses jours. Elle faillit en rire car c'était elle qui l'avait tué.

Ce soir-là, Takashi, qui avait joué jusqu'au coucher du soleil, tendit quelque chose à Yayoi en rentrant.

– Maman, dit-il, j'ai trouvé ça par terre.

– Tiens !

C'était l'alliance qu'elle avait jetée. Elle était un peu abîmée, mais pas déformée.

– C'est précieux. Heureusement que je l'ai ramassée.

– Tu as raison.

Elle remit la bague à son annulaire gauche. La bague glissa parfaitement sur son doigt.

« Dans ton cas, la dernière ligne droite ne s'achèvera qu'à la mort. »

Elle se rappela ces mots de Masako. Ce n'était effectivement pas encore fini. Ça n'en finirait jamais, de toute sa vie. En voyant les larmes de sa mère, Takashi eut une expression de joie et de fierté.

– C'est bien, hein, que cette bague ait reparu ! C'est bien, hein, que je l'aie ramassée ! dit-il.

Chapitre 2

Masako avait tellement froid qu'elle ne pouvait plus faire un geste.

De fait, non : c'était seulement sa conscience qui ne parvenait pas à fonctionner. Sa motricité, elle, était normale : au volant de sa Corolla, elle avait accompli sans encombre la tâche qui consistait à placer la voiture de biais avant de faire marche arrière dans l'espace qui lui était réservé. Elle l'avait même exécutée avec plus de souplesse que d'habitude. Mais une fois arrêtée la voiture et tiré le frein à main, elle dut contrôler sa respiration en baissant la tête – sans la tourner de côté, car à la place voisine était garée la Golf verte de Kuniko.

À la fabrique, Yoshié et elle étaient les seules à savoir la mort de Kuniko. Or sa voiture était garée dans l'espace qui lui était attribué, comme si Kuniko s'était présentée au travail à l'heure prévue. La chose ne s'étant pas produite ces derniers jours, cela signifiait que Sataké ou quelqu'un lié à la mort de Kuniko s'était approprié sa voiture pour venir ici. Et dans un seul but. Puisque Yoshié, qui se déplaçait à vélo, ne faisait pas usage du parking, il s'agissait de l'effrayer, elle, Masako.

Sataké se trouvait donc tout à côté. Ne valait-il pas mieux s'enfuir tout de suite ? La poitrine oppressée, Masako éprouvait un mélange d'inquiétude et d'impatience, hésitant à sortir de sa voiture qui la protégeait pour s'aventurer dans l'obscurité.

Ce soir-là, il y avait une certaine animation dans le parking. Deux gros camions blancs chargés de livrer des paniers-repas dans les supérettes y étaient garés. Bonnet, blouse et masque blanc, les deux chauffeurs en uniforme comme tous les employés (dont Masako) bavardaient en fumant avec le gardien devant sa guérite. Leurs éclats de rire joyeux parvenaient jusqu'à elle.

Prenant son courage à deux mains, elle descendit de la voiture et fit le tour de la Golf de Kuniko. Elle était garée avec la même désinvolture que d'habitude, la voiture légèrement en biais sur la droite et les roues braquées. Masako pouvait donc avoir l'illusion que Kuniko vivait encore et qu'elle l'attendait au salon de la fabrique alors même que c'était elle, Masako, qui lui avait tranché la tête. Elle baissa les yeux vers ses mains, comme si elle avait besoin de s'assurer de leur réalité. Puis elle eut honte de sa faiblesse et releva la tête.

Sataké avait donc poussé l'observation de Kuniko jusque-là! Elle devait donc être elle aussi observée de quelque part. Elle prit conscience du raffinement et de l'obstination de cet homme et sentit son sang se glacer. Cette fois-ci, ses facultés motrices se figèrent de terreur. Elle eut l'impression que ses jambes ne la portaient plus. Sa pusillanimité même la faisait enrager.

C'est à ce moment-là que le gardien s'écarta du groupe d'hommes et, remarquant Masako, la salua avec un sourire. Se moquait-il d'elle pour répondre au refus qu'elle lui avait opposé quand il avait offert de l'accompagner?

— Bonsoir, madame, dit-il.

Elle retrouva aussitôt l'usage de ses jambes, s'approcha du groupe et décida d'interroger le gardien.

— Cette voiture, dit-elle, vous avez vu qui était au volant?

— Laquelle? demanda le gardien avec nonchalance.

— La Golf verte, répondit-elle d'une voix enrouée.

— Voyons…

Il alla chercher dans la guérite le registre où étaient notés les numéros d'immatriculation. Il lut la liste à la lumière d'une torche électrique.

— Il y a le nom de Kuniko Jônouchi. C'est l'équipe de nuit.

Agacée d'entendre cette information évidente, elle l'interrompit.

— Il n'est pas précisé qu'elle a démissionné?

– Ah, vous avez raison. Oui, c'est marqué « démissionnaire ». Il y a six jours.

Il plissa les yeux et vérifia l'inscription, puis il mit sa main en visière pour regarder la Golf.

– C'est bizarre, en effet, qu'elle soit garée aujourd'hui. Elle est peut-être venue pour une autre raison.

– Depuis quelle heure est-elle garée là ?

– Je ne sais pas, dit-il en regardant les deux camionneurs. Je ne m'en suis pas aperçu. Je travaille ici depuis sept heures, hier soir.

– Elle est peut-être là depuis la nuit d'avant ? hasarda l'un des camionneurs en tenant à la main le masque qu'il avait rabattu sur son menton pour pouvoir fumer.

– Non, hier, elle n'y était pas, répondit sèchement Masako.

– Ah bon ? Si vous le dites ! lâcha le camionneur, agacé par l'assurance de Masako.

– Désolée.

Ça ne faisait que trois jours qu'elle avait dépecé le corps de Kuniko. Elle avait les nerfs à fleur de peau, le seul contact de l'air lui semblant même douloureux. Elle tenta de maîtriser la peur qui la faisait chanceler et de comprendre ce qui se passait sous ses yeux, mais son angoisse lui brouillait l'esprit et l'empêchait de distinguer le rêve de la réalité. Le second camionneur l'interrogea soudain comme elle retrouvait son calme.

– Et en quoi c'est un problème ? demanda-t-il.

Elle se ressaisit.

– Ça m'intrigue parce que normalement elle a démissionné. Vous ne savez pas quel genre de personne était au volant ?

– Non, répondit de mauvaise grâce le gardien en feuilletant le registre. Je ne sais même pas depuis quand elle est garée là.

– Je vois. Je vous remercie.

Elle s'éloignait déjà sur le chemin obscur lorsqu'une main se posa sur son épaule. Une main lourde et tiède.

– Ce soir, vous ne préféreriez pas que je vous accompagne ?

Le gardien l'avait suivie. Son badge indiquait « Satô ».

– Ah...

– Vous avez mauvaise mine.

Elle était prise de court. Honnêtement, elle aurait aimé être accompagnée, mais, en même temps, elle voulait marcher seule pour réfléchir.

– L'autre soir, dit-il en souriant, vous avez refusé en disant que vous préfériez y aller seule. J'avais dit quelque chose de déplacé ?

– Non, mais alors vous m'accompagnerez jusqu'à mi-chemin ?

Le gardien dégagea de son cou la torche électrique qui pendait sur sa poitrine et lui éclaira le chemin. Elle se retourna vers le parking et, après s'être assurée que la Golf n'avait pas bougé, elle le suivit. Il marchait d'un pas vif quelques mètres devant elle.

– Ce n'est pas la forme, aujourd'hui, dit-il. Vous êtes sûre d'aller bien ?

Sur la droite, la zone habitée s'arrêtait et c'était l'endroit le plus obscur. La route et les bâtiments alentour se perdaient dans les ténèbres. Dans le ciel, deux étoiles émettaient une faible lueur. Le gardien s'immobilisa. Le faisceau jaune de sa torche éclairait ses souliers noirs et massifs.

– Oui, oui, répondit Masako en s'apprêtant à s'arrêter à son tour.

Elle chercha à scruter son visage, mais il avait enfoncé sa casquette et elle ne parvint pas à distinguer ses traits.

– La personne qui conduisait cette Golf était de vos amies ? lui demanda-t-il.

– Oui.

– Pourquoi a-t-elle démissionné ?

Il avait une voix grave et agréable. Sans répondre, Masako le contourna. Elle n'avait aucune envie de lui parler de Kuniko. Arrivée à son niveau, elle constata qu'il la fixait des yeux, l'atmosphère en étant soudain chargée d'une sorte de magnétisme. Son cœur battit la chamade. Sans savoir pourquoi, elle suffoqua.

– Ça suffira, dit-elle. Je peux continuer seule. Ça ira comme ça.

Elle avait parlé d'un seul souffle et se mit à courir. Le gardien ne bougea pas, silencieux. Satô et Sataké ne se ressemblaient-ils pas? La main qu'il avait posée sur son épaule n'était-elle pas chargée de trop de force? Pourquoi lui avait-il posé des questions sur Kuniko? Bouleversée, elle ne parvenait pas à évaluer l'épaisseur des ténèbres où elle se trouvait. Qui pouvait-elle croire et de qui devait-elle douter? Incapable de trouver la cause de ses doutes, elle y renonça et courut encore plus vite.

À peine arrivée à la fabrique, elle gagna le vestiaire pour retrouver Yoshié. Mais cette dernière n'était pas encore là. Depuis qu'elles avaient dépecé le cadavre de Kuniko, Masako n'avait plus revu Yoshié à la fabrique. Avait-elle déménagé grâce à ce que lui avait rapporté la disparition du cadavre? ou bien alors lui était-il arrivé quelque chose?

Assise seule à un coin de la longue table en Formica, elle rangea brutalement ses cheveux rebelles sous son bonnet en se demandant ce qu'elle devait faire.

Puis elle alluma une cigarette et il lui vint à l'esprit que Sataké pouvait s'être infiltré dans la fabrique même. Elle regarda un groupe d'hommes, mais non, il n'y avait aucun nouveau parmi eux, aucune personne étrangère au service. Jamais encore elle ne s'était sentie aussi tendue.

Elle sortit sa télécarte et son calepin et appela du téléphone du salon le portable de Jûmonji.

– Ah, c'est vous, madame Katori, répondit-il, soulagé.

– Qu'est-ce qu'il y a?

– Eh bien… je reçois des appels bizarres. J'hésitais à décrocher.

Son esprit timoré se trahissait déjà.

– De quel genre, ces appels?

– Je crois que c'est lui. Quand je réponds, il me dit seulement: «Le prochain, ce sera toi.» Je sais que ce n'est qu'une menace, mais j'ai bien vu de quoi il était capable. Je ne suis vraiment pas tranquille.

– Comment a-t-il obtenu votre numéro ?

– Je distribue ma carte de visite à tout le monde. Rien de plus facile.

– Vous ne savez pas d'où il appelle ?

– Non, c'est un portable, il peut m'appeler de n'importe où. Ça me sape le moral. J'ai l'impression d'être constamment sous surveillance. Vous savez, moi, je vais disparaître dans la nature. Bonne chance, madame Katori.

– Un instant, dit-elle, j'ai un service à vous demander.

– Oui ?

– En ce moment, la Golf de Kuniko est garée au parking.

– Quoi ? ! s'écria-t-il avec une angoisse communicative. Comment ça se fait ?

– Je ne sais pas. Il n'y a aucune raison pour que Kuniko l'ait laissée là. Ce ne peut être que Sataké, conclut-elle dans un souffle.

– Ça ne me dit rien de bon, tout ça, madame Katori. Il vaut mieux vous enfuir au plus vite.

– Je sais, mais est-ce que vous ne pourriez pas aller au parking voir qui se met au volant ?

– Ce ne peut être que ce type.

– Vous ne pouvez pas voir où il habite ?

– C'est la seule chose que vous ne pouvez pas me demander !

Jûmonji, que le courage avait déjà abandonné, ne pensait qu'à sa propre sécurité. Masako le calma et réussit à lui arracher un rendez-vous pour le lendemain, à six heures du matin, chez Denny's, qui restait ouvert toute la nuit.

À cause de ce coup de téléphone, elle se présenta en retard à son poste. Elle s'empressa de pointer et entra en courant dans l'atelier du rez-de-chaussée. Une centaine d'employés de l'équipe de nuit attendaient déjà en file indienne l'ouverture des portes. Masako fit la queue derrière eux. Le temps où elle était inséparable de Yoshié, Yayoi et Kuniko lui paraissait appartenir à l'époque lointaine où elle s'acharnait à devancer tout le monde pour s'assurer les conditions de travail les plus confortables.

La porte s'ouvrit. Le flot des employés se déversa dans la salle, chacun se précipitant ensuite vers les lavabos de l'entrée. Il fallait attendre son tour. Masako ouvrit le robinet avec le coude pour se laver les mains. Une obsession, qui la tourmentait depuis quelques jours comme des bouts de fil dont on n'arrive pas à se débarrasser, la saisit au cœur.

Elle n'arrivait pas à enlever les taches de graisse blanche teintée de jaune qui engluaient ses paumes. La matière s'était si profondément incrustée sous ses ongles que l'intérieur de ses doigts restait complètement visqueux. Elle avait beau se savonner et se frotter, la graisse de Kuniko repoussait l'eau et refusait de se détacher.

Elle se savonna et se brossa furieusement les mains, au point de les faire rougir.

– Si vous vous blessez aux mains, vous ne pourrez pas travailler ! protesta la surveillante sanitaire Komada qui se tenait derrière elle et l'observait depuis un bon moment.

La moindre égratignure empêchait les employés de toucher aux aliments. Les mains et les bras de Masako étaient déjà tout rouges.

– C'est vrai, dit-elle.

– Mais qu'est-ce que vous avez, aujourd'hui ?

– Excusez-moi.

Elle plongea les mains dans le liquide désinfectant, puis les essuya avec un tampon de gaze stérile et fit de même pour son tablier en plastique. La vue de ce dernier lui rappela le mal qu'elle avait eu à en détacher les traces noirâtres du sang de Kuniko. Elle secoua violemment la tête pour écarter cette image obsédante.

– Masako !

Kazuo se trouvait juste à côté d'elle. Il poussait un chariot à riz blanc.

– Pas de problème ?

– Non, répondit-elle en hésitant sur la chaîne à choisir.

– J'ai mis la chose dans mon casier.

– Merci.

Kazuo regarda autour d'eux et, s'assurant que personne ne les surveillait, lui murmura :

– Masako, aujourd'hui, vous avez l'air survoltée.

Où avait-il appris ce mot ? Masako regarda son profil. Il avait l'air imposant et serein. Comme si le chiot était devenu chien, il inspirait confiance. Et ce soir Masako avait besoin de son calme et de sa carrure.

Nakayama, le contremaître, les avait repérés et s'approcha.

– Qu'est-ce que vous faites là ? Regagnez vos postes.

Masako lui obéit docilement. Le travail à la fabrique avait quelque chose de carcéral. Bavardages et conversations étaient interdits et les besoins naturels chronométrés : les employés n'étaient là que pour accomplir en silence la norme qui leur était imposée.

– Bon courage ! lança Kazuo derrière elle.

Son encouragement lui fit chaud au cœur. Mais ni Yayoi ni Yoshié ne se présentaient au travail. Jûmonji avait fui. Et Kuniko était morte. Elle allait devoir affronter Sataké toute seule. Était-ce un complot qu'il avait ourdi ? Elle sentait qu'il cherchait à l'acculer, elle seule, et se demandait pourquoi.

À cinq heures et demie du matin, dès qu'elle fut libre, elle se changea et quitta la fabrique. Dehors, il faisait encore noir. En hiver, le plus pénible avec ce travail de nuit était d'être prisonnier des ténèbres. Le travail commençait dans l'obscurité et s'achevait avant le lever du jour.

Elle se dirigea vers le parking d'un pas vif. La Golf avait disparu. Depuis quand ? Et qui l'avait prise ? Elle resta paralysée au milieu du parking plongé dans le noir. Sataké avait dû se placer devant sa Corolla, en toucher la portière, regarder à l'intérieur, deviner sa peur dans le tremblement de l'air et ricaner. Rien qu'à l'imaginer, elle sentit monter la colère. Elle ne pouvait se laisser faire. Elle n'avait aucune envie de finir comme Kuniko.

Comme un médicament amer qu'on ingurgite sans y goûter, elle tenta de ravaler sa peur et, avec elle, un certain nombre de réalités qui lui étaient restées en travers de la gorge, telles que la mort de Kuniko et l'existence de Sataké. Puis elle ouvrit la portière, entra dans sa voiture glaciale et mit le contact. Enfin, le ciel blanchissait à l'est.

Les traits tirés par l'insomnie, elle regardait le marc au fond de sa tasse.

Elle n'avait plus rien d'autre à faire. Elle avait trop fumé, trop bu de café. Les serveuses elles aussi semblaient lasses et ne s'approchaient plus de sa table, où elle ne commandait que du café.

Elle attendait Jûmonji. Il était déjà sept heures passées et l'établissement était bondé d'employés de bureau qui prenaient leur petit déjeuner. Des relents d'œufs au jambon et de gâteaux envahissaient le lieu, où il régnait une grande agitation. L'animation de la vie matinale. Jûmonji avait déjà plus d'une heure de retard.

Avait-il déjà pris la fuite ? C'était ce qu'elle était en train de se dire, quand elle le vit apparaître.

– Désolé de ce retard, dit-il.

Par-dessus son pull noir, il portait une veste de suédine beige pas très nette. Cet aspect trouble semblait symboliser son état mental.

– J'étais inquiète.

– J'ai eu du mal à m'endormir, alors j'ai traîné au lit.

Elle observa son visage qui était aussi marqué que le sien.

– Vous n'êtes pas allé au parking de la fabrique.

– J'ai eu trop peur, s'excusa-t-il en toute franchise.

Il prit une cigarette dans sa veste et la porta à ses lèvres d'un air inquiet.

– Moi aussi, j'ai peur, murmura-t-elle.

Jûmonji, qui ne semblait pas l'avoir entendue, se tut. Une douce journée de début d'hiver s'annonçait. Sans un mot, ils regardèrent dehors à travers les grandes baies vitrées. Fins et fragiles, les bouleaux plantés tout autour du restaurant baignaient dans la lumière du matin.

– Je suis désolé de ne pas pouvoir vous aider, dit-il en grimaçant.

Son visage de minet de série télévisée – il faisait bien plus jeune que son âge – s'enlaidit, trop marqué par la souffrance.

– Ce n'est pas grave, dit-elle. Advienne que pourra.

– Je ne tiens pas à être tué, merde ! marmonna-t-il.

Il posa son portable sur un coin de la table comme si c'était un objet néfaste.

– Chaque fois qu'il sonne, lui expliqua-t-il, je sais que c'est lui. J'ai peur. Ça me terrifie d'autant plus que je connais sa tête.

– Il vous appelle parce que vous l'avez vu. Simple menace.

– Vous croyez ?

– Quelle tête peut-il avoir ? se demanda-t-elle comme pour elle-même.

Elle aurait aimé que l'image de cet homme qu'avait vu Jûmonji soit restée gravée sur sa rétine.

– Quelle tête ? répéta Jûmonji en regardant autour de lui pour s'assurer que Sataké n'était pas dans les parages.

Il n'y avait que des employés de bureau qui lisaient le journal.

– Je ne peux pas la décrire.

Elle aurait voulu qu'il vienne l'identifier à la fabrique, mais c'était ce qu'il redoutait le plus au monde. Il détourna les yeux.

– En tout cas, reprit-il, je me suis bien débarrassé du macchabée.

Il s'enfonça sur la banquette, l'air totalement vanné. Une serveuse posa devant lui une grande carte qu'il ne se soucia même pas de lire.

– Vous n'avez pas idée de ce que ç'a été de trimballer cette grosse ! reprit-il.

Il se massa les muscles des épaules comme si l'effort qu'il avait dû déployer lui revenait.

– Le vieux qu'on a eu avant était léger ! Elle, elle devait bien peser le double !

Ils avaient fait treize colis postaux pour se débarrasser de Kuniko. Jûmonji était venu les prendre sur place, les avait chargés dans sa voiture et les avait jetés. Au lieu de répondre, Masako fronça les sourcils et regarda le parking du café-restaurant à la dérobée. Elle ne pouvait pas s'empêcher d'y chercher la Golf verte.

– Madame Katori, pourquoi ne prenez-vous pas la fuite? lui demanda-t-il en la dévisageant. Vous continuez à aller à la fabrique?

– Oui, toujours.

– Vous devriez arrêter, dit-il, effaré. Vous avez quand même huit millions, non? Bon, peut-être rien que sept. Mais ça doit suffire, non? Je suis désolé de vous le signaler, mais ça fait cinq années de salaire.

Elle ne répondit pas et avala une gorgée d'eau. De toute façon, où qu'elle aille, Sataké la poursuivrait, et elle le savait.

– Moi, je file dès aujourd'hui, annonça-t-il.

Il demanda à la serveuse venue prendre la commande le menu avec un hamburger.

– Où pensez-vous aller?

– Si possible, j'aimerais assez me réfugier chez Soga, mais lui non plus c'est pas un tendre!

C'était un nom que Masako n'avait jamais entendu.

– Enfin… il vaut mieux aller dans un endroit où il y a beaucoup de filles, comme à Shibuya. Au bout d'un an, il se lassera. Et moi, je n'ai aucun rapport avec M. Yamamoto.

C'était son cri du cœur. Masako trouva son optimisme un rien naïf. Elle avait, elle, brûlé bien trop de ponts pour pouvoir revenir en arrière.

– Je vais vous laisser, dit-elle.

Elle paya sa part et lui montra son portable abandonné sur la table.

– Qu'allez-vous en faire?

– Je n'en ai plus besoin. Il faudra que je change de numéro.

– Vous me le donnez?

– Pourquoi pas? Mais vous ne pourrez pas l'utiliser bien longtemps.

– Je sais, j'ai seulement envie d'entendre sa voix.

– Eh bien… prenez-le.

Il le lui tendit, elle le glissa dans son sac.

– Alors, au revoir.

– Prenez bien soin de vous, madame Katori.

– Merci. Vous aussi.

– Si on s'en sort, on retravaillera peut-être un jour ensemble.

Il leva son verre d'eau pour trinquer, mais retrouva aussitôt son air grave.

Il n'y avait personne chez elle.

La tasse de café de Yoshiki traînait sur la table, à moitié pleine. Masako la mit dans l'évier, la frotta à la brosse. Au bout d'un moment, elle s'aperçut qu'elle la frottait encore, au point d'avoir rayé la porcelaine. Jusqu'à quand devrait-elle vivre ainsi dans cette maison ? Elle ferma le robinet et laissa retomber ses épaules. Elle avait été à deux doigts de trouver une sortie, mais Sataké l'avait précipitée en enfer.

Le matin du typhon, quand elle avait proposé à Yoshié de travailler pour Jûmonji, celle-ci lui avait répondu : «Avec toi, j'irais jusqu'en enfer !»

C'était bel et bien en enfer qu'elle allait. Elle s'affaissa sur le sofa. Ce n'était pas la fatigue qui la minait, mais le sentiment d'avoir fait tous ces efforts pour rien.

Soudain, le cellulaire de Jûmonji sonna. Elle le regarda un moment, hésita, puis se résolut à décrocher. L'interlocuteur resta un moment sans parler. Elle prêta l'oreille, il finit par dire :

– Le prochain, ce sera toi !

– Allô ? dit-elle à voix basse.

L'interlocuteur parut surpris. Elle ajouta :

– Sataké.

– Masako Katori ? demanda l'homme d'une voix étouffée, mais presque joyeuse, comme s'il avait enfin réussi à la rencontrer.

– Oui.

– Comment te sens-tu quand tu découpes un cadavre en morceaux ?

– Pourquoi nous poursuis-tu ?

– C'est toi que je poursuis.

– Pourquoi ?

– Parce que tu es une femme insolente. Je vais t'apprendre à avoir envie de quitter ce bas-monde.

– Occupe-toi de tes oignons !

Il éclata de rire.

– La prochaine, ce sera toi. Préviens Jûmonji qu'il n'est plus que second.

Cette voix lui rappelait quelqu'un. Elle fouillait dans sa mémoire quand la communication fut coupée.

CHAPITRE 3

La voix résonnait encore dans son oreille. Elle l'avait déjà entendue de près et récemment. Elle se leva précipitamment, ramassa la parka posée sur le sofa, mit son sac à son épaule et sortit en courant. Le moteur de la voiture était encore chaud.

Elle avait déjà rencontré Sataké, elle en avait la conviction, sinon la certitude. Elle allait s'en assurer pendant qu'il dormait.

Satô, le gardien. S'il ne faisait qu'un avec Sataké, tout devenait cohérent. Il était normal qu'il ait fait la connaissance de Kuniko et bavardé avec elle en l'accompagnant. Et c'était le boulot idéal pour la surveiller, elle.

La première fois, dans le parking, Satô avait longuement éclairé son visage avec sa torche électrique. Pour identifier ses traits. Quand elle s'était retournée sur le chemin et l'avait regardé en face, il avait manifesté une certaine hostilité. La veille, le contact de ses mains sur ses épaules... Ça l'avait mise vraiment mal à l'aise.

Il n'y avait pas d'erreur possible. Mais si sa volonté flanchait, sa détermination céderait facilement la place à la peur. Alors, ses jambes flageolant, elle s'enfuirait en rampant. Sa détermination présupposait qu'elle puisse s'enfuir saine et sauve après l'avoir assassiné, mais serait-elle capable d'une telle prouesse? Tuer. Non, elle n'en serait pas capable. Cela dit, il n'était pas question de se laisser étrangler comme Kuniko! Son angoisse augmentant dangereusement, elle appuya machinalement sur l'accélérateur au risque d'emboutir le camion devant elle.

Le gardien Satô était donc Sataké. Elle se souvint de son regard sombre et cela lui rappela le cauchemar qu'elle avait fait quelques semaines auparavant, celui où, extatique, elle se faisait étrangler par-derrière. Elle se rendit compte qu'il était prémonitoire et découvrit avec horreur que quelque chose en elle aurait accepté qu'elle meure à condition que ce soit de la main de Sataké. La veille, sur ce chemin sombre, un courant magnétique était passé entre eux l'espace d'un instant. Peut-être sentait-elle déjà inconsciemment que Satô et Sataké ne faisaient qu'un.

Elle roulait lentement sur la route qui commençait à être bloquée par les embouteillages matinaux. Dans sa tête c'était un incessant va-et-vient entre passé et avenir. Était-ce elle qui poursuivait ou elle qui était poursuivie ? Allait-elle tuer ou être tuée ? Sataké lui avait dit : « Parce que tu es une femme insolente. » Il ne fallait pas en rester là. Elle sentit la colère sourdre en elle. Il n'y avait plus d'erreur possible : c'était un duel à mort qu'elle avait entamé avec lui.

Prenant le chemin qui lui était familier, elle gagna la fabrique. Le parking était presque plein rien qu'avec les voitures des employés de l'équipe du matin. Il était huit heures et demie. Le travail débutant à neuf heures, d'autres voitures pouvaient encore arriver. Elle se gara sur la route qui menait à l'usine désaffectée et rejoignit la guérite. Un homme vieillissant à lunettes de presbyte occupait maintenant le poste. Dans l'espace exigu de la guérite, il lisait le journal du matin qu'il avait plié en quatre.

– Bonjour, dit-elle en s'approchant de lui.

Au lieu de répondre, le gardien observa les yeux rougis de Masako et son visage livide. Elle lui présenta directement sa requête.

– Je fais partie de l'équipe de nuit, reprit-elle. Vous pourriez m'indiquer l'adresse de M. Satô qui fait également votre travail ?

– Ah, le gardien de nuit ! Vous savez, je termine à six heures et je ne l'ai jamais croisé. Demandez ça à la compagnie.

– Vous voulez dire la société intérimaire ? Il faut que je me renseigne auprès du service des affaires générales ?

– Non, nous sommes indépendants. Appelez ce numéro.

Le gardien lui tendit une carte publicitaire, où l'on pouvait lire : « Sécurité Yamato ». Masako la mit dans la poche de son jean.

– Merci.

– Mais pourquoi voulez-vous connaître l'adresse de M. Satô? demanda l'homme vieillissant, un sourire au coin des lèvres.

– Parce que je veux sortir avec lui, répondit-elle avec le plus grand sérieux.

L'homme poussa une exclamation et la dévisagea. Elle se dit que son visage crispé ne devait guère évoquer la passion amoureuse.

– C'est beau, la jeunesse!

Cette expression la fit sourire amèrement.

– Vous pensez que quelqu'un de votre société me renseignera? demanda-t-elle.

– Il suffira de leur expliquer ce que vous venez de me dire, répondit-il avant de se replonger dans le journal.

Elle regagna sa voiture et appela la compagnie avec le portable que Jûmonji lui avait laissé.

– Allô? La Sécurité Yamato?

– Oui, répondit une voix molle de vieil homme.

– Je m'appelle Kuniko Jônouchi et je travaille à la fabrique de paniers-repas Miyoshi. Le gardien de nuit du parking a retrouvé un objet que j'avais perdu et j'aimerais lui envoyer mes remerciements.

– Ah bon?

– Pouvez-vous me fournir son adresse et son nom complet?

– Du bureau ou de chez lui?

– De son domicile si possible.

– Un instant, s'il vous plaît.

Le bureau était visiblement aux mains de vieillards à la retraite. Une telle attitude aurait été impensable avec la société de gardiennage qu'utilisait la Caisse de crédit.

– Yoshio Satô. Appartement 412, résidence T., Kodaira.

– Merci.

Dès qu'elle eut raccroché, elle monta le chauffage. Elle avait des frissons. Elle n'aurait jamais imaginé que Sataké puisse habiter dans le même immeuble que Kuniko. Le piège avait été habile et préparé de longue date. Elle fut stupéfaite de constater à quel point il était méticuleux. Comme un banc de poissons pris d'un seul coup dans le filet, tout le monde s'était retrouvé dans ses rets sans le savoir. Après Kuniko, c'était son tour. L'air chaud du radiateur fit ruisseler son front. Elle le toucha, il était étonnamment froid.

Elle s'inquiéta de Yayoi avec qui elle s'était séparée dans les plus mauvais termes. Ne lui cachait-elle pas quelque chose ? Elle composa son numéro.

– Mme Yamamoto à l'appareil, répondit Yayoi d'une voix légèrement affectée.

– C'est moi.

– Ah, Masako, il y avait longtemps…

– Rien de nouveau ?

– Non, rien de particulier. Les enfants vont à la garderie. Et je mène une vie tranquille. Je suis détendue. (Le ton était insouciant, ce qui contrastait avec la tension de Masako.) Pourquoi ?

– Non, rien.

– J'ai décidé de rentrer chez mes parents, en province, avant la fin de l'année.

– Cela vaut mieux.

– Tout le monde va bien ? La Patronne ?

– Depuis quelque temps, elle ne vient plus à la fabrique.

– Ah bon ? C'est curieux. Et Kuniko ?

– Elle est morte.

Yayoi poussa un petit cri et en resta bouche bée. Masako attendit qu'elle reprenne la parole, Yayoi finissant par lui demander :

– Elle a été tuée ?

– Qu'est-ce qui te le fait penser ?

– Je ne sais pas… une intuition.

Elle faisait l'innocente. Il avait dû se passer quelque chose chez elle, se dit Masako.

– En tout cas, elle est morte.

– Quand ?

– Je ne sais pas.

– De quoi est-elle morte ?

– Je ne sais pas. Je n'ai vu que son cadavre.

Masako n'évoqua pas les grosses traces de strangulation qui marquaient cruellement le cou de Kuniko.

– Tu as vu son cadavre! répéta Yayoi sur le ton du désespoir.

– Oui, je l'ai vu.

– Qu'est-ce que ça veut dire, tout ça? demanda Yayoi en proie à une véritable panique. Dis-moi pourquoi.

– Nous avons réveillé un monstre effrayant.

– C'est lui qui l'a tuée?

«Tuée». Yayoi répétait le même mot. En constatant sa réaction rapide au terme de «monstre», Masako fut confortée dans sa conviction que Yayoi avait déjà rencontré Sataké.

– Tu le connais donc?

Yayoi se tut. On entendait derrière elle les bruyants échos d'une émission télévisée.

– Si tu sais quelque chose, dis-le. Nous sommes toutes en danger. Tu ne comprends donc pas?

Elle était si exaspérée qu'elle cria dans la voiture. Pendant que Yayoi gardait un silence obstiné, Masako regarda furieusement les mégots qui débordaient du cendrier. Au bout d'un moment, Yayoi se décida à répondre :

– Il ne s'est rien passé.

– Si c'est ça, tant mieux. Ce sera à toi de te défendre seule.

– Masako, s'empressa-t-elle de demander comme pour lui couper la parole. Tu crois que tout ça, c'est ma faute?

– Non, je ne crois pas.

– Vraiment?

– Non.

Elle raccrocha. Elle n'avait jamais cru que Yayoi était la cause de leur malheur. Il lui était arrivé de s'en attribuer la faute, mais il ne lui serait jamais venu à l'idée de s'excuser auprès de ses amies ni de le regretter elle-même. La seule chose qui la préoccupait était de découvrir une sortie au tunnel qui avait commencé à se reboucher. Qu'elle parle de cette décision à ses amies et elle ne savait que trop bien que personne ne la suivrait. Elle ne cherchait pas leur soutien.

Elle contempla ses deux mains osseuses. Il lui sembla que

c'était la seule source de chaleur qui lui restait. Elle s'en couvrit le visage. Elle ne croyait plus qu'en elle-même. En elle-même et en elle seule. La détermination et la tristesse qu'elle avait éprouvées en retournant sur les lieux où elle avait enterré la tête de Kenji, là-bas, dans ces montagnes d'été, refirent surface. L'air de l'habitacle s'alourdit et devint brûlant. Le sommeil envahit soudain Masako. Elle referma les yeux, sans couper le moteur.

Une demi-heure plus tard, elle se réveilla. Rien n'avait changé autour d'elle. Devant elle, il n'y avait que la route triste qui menait à la fabrique. Sous le givre qui s'y déposait matin et soir, les herbes qui poussaient sur le bas-côté commençaient à jaunir et faner. Elle aperçut la dalle au-dessus du canal, celle que Kazuo avait ouverte comme on déplace le couvercle d'un sarcophage. Dans dix heures, dans son bel uniforme, Sataké emprunterait ce chemin comme si de rien n'était.

La place devant la gare de Higashi-Yamato était comme toujours vide, et le vent soufflait en soulevant de la poussière de sable sur le terrain à urbaniser.

Une foule d'écoliers aux vêtements bariolés faisait la queue à l'entrée de la patinoire, où un spectacle allait avoir lieu. Masako se gara discrètement derrière la gare. Puis elle traversa vite la place en se frayant un chemin parmi les enfants et se perdit dans une petite rue commerçante. Dans la venelle où flottait une odeur de poubelles, de petits bars se succédaient dans une ambiance désolée et glaciale. Elle n'arriverait peut-être pas à temps. D'instinct, elle accéléra le pas.

Près d'un restaurant de sushis, fermé comme l'indiquait une pancarte accrochée à la porte, elle gravit un escalier qui menait au « Centre de consommateurs - le Million », au premier étage. Les marches en matériau de mauvaise qualité grincèrent sous ses pieds. La porte du fond, en mince contreplaqué, ne laissait filtrer aucune lumière, mais, en s'immobilisant et prêtant l'oreille, elle perçut les mouvements discrets d'une présence humaine.

– Monsieur Jûmonji ? Ouvrez-moi, c'est madame Katori.

Il apparut, habillé comme elle l'avait laissé ce matin-là et surpris de la voir. Il transpirait. Il semblait préparer sa fuite ; son unique placard à dossiers et les tiroirs de son bureau étaient ouverts. Il allait emporter tout ce qui pourrait lui rapporter de l'argent et abandonner les employés sans les prévenir.

– Madame Katori…

– Je vous ai fait peur ?

Il rit d'un air gêné, mais ne répondit pas. Il n'y avait pas trace d'employés.

– Ils ont tous démissionné ?

– Non, cet après-midi mon assistante va passer. Elle aura une mauvaise surprise, ajouta-t-il d'un ton sarcastique. Qu'est-ce qui vous arrive ? On s'est vus il n'y a pas longtemps.

– Heureusement que je vous attrape au vol. Je voudrais connaître l'état des comptes de Kuniko. Quand vous lui avez prêté de l'argent, elle a dû vous informer de ses autres dettes.

– Oui, je les ai consignées, mais pourquoi ?

Elle scruta son visage où se lisait une tension extrême.

– J'ai compris qui était Sataké.

– Qui c'est ? demanda-t-il en haussant les sourcils.

– C'est le gardien du parking de la fabrique. Il se fait appeler Satô.

– Incroyable ! s'exclama Jûmonji.

Admirait-il le toupet de Sataké ou la perspicacité de Masako ?

– Vous êtes sûre ? reprit-il.

– Et ce n'est pas tout : il habite dans le même immeuble que Kuniko.

– Quand j'étais motard, j'ai croisé bien des salauds… mais aucun n'était allé jusque-là. C'est vrai qu'il est d'une autre trempe, murmura-t-il, non sans admiration.

Il avait dû se souvenir du moment où il était allé récupérer le corps de Kuniko, car il fit une grimace et se frotta le coin des lèvres, comme s'il voulait se débarrasser d'une saleté.

Masako jeta un coup d'œil dans le bureau. Jûmonji ne semblait pas écrasé sous la tâche : les lieux étaient comme à l'abandon.

– Les affaires n'ont pas l'air de trop marcher, dit-elle.

– C'est bien pire. On est au bord de la faillite, répondit-il carrément. (Il lui indiqua un endroit dans le placard.) Le dossier de Kuniko doit être par là. Regardez-le vous-même. Qu'est-ce que vous voulez en faire ?

Masako chercha à la lettre « J ». En effet, il n'y avait guère de clients. Tout juste trois à la lettre « J ». Masako sortit les comptes de Kuniko, griffonnés par Jûmonji. Elle les parcourut et identifia les dettes qui n'avaient pas été recouvrées.

– Dites, madame Katori, quel usage comptez-vous en faire ? répéta Jûmonji.

Il ôta sa veste de suédine, aux coudes et au col noircis, et resta en pull noir à col roulé.

– Je cherche les dettes qu'on peut exploiter.

– Pour quoi faire ?

– Pour emmerder Sataké.

– C'est impossible ! dit-il d'un ton résigné. Mieux vaut prendre la fuite au plus vite.

Masako regarda la copie du permis de conduire de Kuniko. Elle s'était maquillée avec soin pour la photo. Son visage était froid et sombre.

– Monsieur Jûmonji...

– Oui ?

– Comment se déclare-t-on en faillite ?

– C'est simple. Il suffit de se présenter au tribunal.

– En personne ? Il serait donc impossible de se faire passer pour Kuniko, dit-elle en donnant une chiquenaude à la photocopie.

Si elle demandait à Yayoi de jouer ce rôle, il n'y aurait aucune ressemblance physique et, de toute façon, cela prendrait trop de temps.

– À quoi pensez-vous, madame Katori ? demanda-t-il, interloqué.

– Je voulais déclarer Kuniko en faillite et faire de Sataké sa caution solidaire.

– Pas mal ! s'exclama-t-il en partant d'un éclat de rire nerveux. Même si la déclaration est trop difficile, il suffit de faire de Sataké sa caution solidaire et de porter Kuniko disparue. De nos jours, dire oui au téléphone équivaut à un engagement. Si vous voulez, je peux demander un coup de main à des prêteurs avec qui je suis en contact. J'en connais qui sont prêts à tout, s'il y a de l'argent à gagner.

– On peut donc faire comme si Kuniko avait emprunté de l'argent avec Sataké comme caution solidaire ?

– Oui, c'est assez simple, même si vous n'avez pas de contrat. On ne pourra jamais l'obliger à rembourser, mais il sera harcelé tant que la dette n'aura pas été soldée.

– Ça n'a pas d'importance. Ce qui compte, c'est de lui rendre la vie impossible. Faites donc comme si Kuniko était portée disparue.

– Très bien. On va divulguer l'information dans notre réseau.

– Vous avez certainement toute une collection de sceaux[1]. On va commencer par établir des reconnaissances de dettes et apposer le sceau de Satô en guise de signature pour la caution solidaire.

Jûmonji prit aussitôt l'expression d'un garnement prêt à jouer un sale tour et sortit d'un tiroir une boîte de biscuits bourrée de sceaux.

– Il regrettera d'avoir choisi un nom aussi banal !

En un éclair, il trouva trois sceaux au nom de Satô.

– Vous attendrez d'avoir terminé ce travail pour prendre la fuite, n'est-ce pas ? reprit-elle.

– Ça ne me prendra pas plus d'une demi-journée, affirma-t-il, soudain excité.

– On va chasser le loup de sa tanière.

Elle se représenta Sataké profondément endormi dans l'ignorance de ce qui l'attendait, et sourit de plaisir.

---

1. Au Japon, la signature d'un document officiel se fait par la simple apposition du sceau portant le nom du signataire, sceau que l'on trouve facilement dans le commerce. *(N.d.T.)*

CHAPITRE 4

Quel intérêt de lui faire seulement peur ?

Sataké se trouvait sur la terrasse d'un supermarché, près de la gare. Peut-être à cause du temps nuageux et glacial, l'endroit était désert, à part une mère et son enfant et un couple de lycéens qui se bécotaient à l'abri des regards.

Depuis un moment, Sataké regardait un stand assez pitoyable d'animaux domestiques à côté d'une salle de jeux. Cinq cages mal nettoyées y étaient exposées. À l'intérieur se trouvaient un chat de race American Shorthair déjà trop grand, un chinchilla au poil souillé, un chien de race Shiba-Inu endormi ainsi que des chatons et des chiots qui n'avaient rien d'exceptionnel. Devant Sataké qui les observait, la cigarette à la main, les animaux semblaient tous apeurés, blottis au fond des cages.

Il se rappela qu'An-na lui avait demandé en pleurant si pour lui elle n'était qu'un caniche qu'on vend en magasin. Il se remémora avec nostalgie sa peau lisse et son visage parfait. La favorite du Mika, celle qu'il avait formée lui-même. L'animal favori du magasin.

Maintenant qu'An-na avait découvert qu'elle n'était que ça, il savait que, malgré tous ses efforts, elle ne pourrait plus rester la favorite. C'était comme ça que ça marchait. Si elle avait joui d'un succès aussi absolu, c'était parce qu'elle ignorait son état. Tout s'était effondré lorsqu'elle en avait pris conscience, et elle en conserverait une ombre indélébile jusqu'à sa mort. Ombre indispensable pour qui aime une femme du fond du cœur, mais ombre à fuir pour qui veut simplement s'en offrir une. Les clients recherchent les filles candides et innocentes comme un don venu du ciel : ils les savent extrêmement rares. Il l'avait choyée pour lui éviter de découvrir la réalité. Le paradoxe était qu'elle était tombée amoureuse de lui et que cet amour l'avait rendue adulte.

La place privilégiée d'An-na chez Mato ne pourrait pas durer plus de six mois. Sataké eut pitié d'elle. Mais ce sentiment ne différait guère de celui que lui inspiraient les chiens et les chats dans leurs cages. Il glissa ses doigts longs à travers le grillage. Le Shiba-Inu recula et se mit à trembler en le regardant.

– N'aie pas peur, dit-il au chien.

Si la peur remplaçait ses marques de joie, ce chien deviendrait un animal sans intérêt. Mais, d'un autre côté, s'il n'éprouvait aucune peur, cela signifierait qu'il était vraiment idiot. Se contenter d'appartenir à un maître en faisant la fête, cela ne présentait aucun intérêt. Sataké devint soudain indifférent à ces bêtes et s'en éloigna. Il jeta un coup d'œil à la salle de jeux vide aux lumières criardes, puis il se mit à faire les cent pas sur la terrasse exiguë.

Et il regarda l'agglomération grise, plate et chaotique qui s'étendait jusqu'à la colline de Tama. Que cette ville était horrible ! se dit-il avec dégoût, et il cracha sur le faux gazon qui recouvrait le sol. Lorsqu'il releva les yeux, il vit que la mère et son enfant et le couple de lycéens le regardaient avec terreur.

Cela faisait quatre jours que Masako ne venait plus à la fabrique. C'était juste après qu'il avait laissé, à son intention, la Golf de Kuniko dans le parking. Avait-elle définitivement cessé de travailler ?

C'était bien décevant ! Lui qui se réjouissait de savoir qu'elle ne manquait pas de courage... La voir flancher pour si peu... Au fond, il ne lui inspirait donc plus que de la peur. Avait-il péché par excès d'imagination en croyant, là, dans le chemin sombre où ils marchaient ensemble, qu'elle avait senti, avec beaucoup d'intuition, qu'il languissait d'amour pour elle ?

Il se retourna vers le stand des animaux. Les chiens et les chats le regardaient d'un œil pitoyable. Il sentit son moral s'effondrer et se précipita vers la cage d'escalier pour redescendre. Il dévala les marches si vite que son cœur battit à tout rompre :

il retrouvait l'excitation qu'il avait eue le soir d'été où il avait poursuivi sa victime. Le regard que cette femme avait lancé… C'était plus fort que tout. Excite-moi ! Il était furieux d'avoir été déçu par Masako. Au moins, ne fais pas ces gestes qui m'obligeraient à t'étrangler comme la grosse !

Avait-il commis une erreur en imaginant que sa rencontre avec Masako Katori était un destin inévitable ? Il enfonça fermement les poings dans les poches de son blouson.

Il joua au pachinko et gagna trois fois le gros lot. Au-delà de cette limite, l'établissement ne pouvait pas le laisser continuer. Il donna un coup de pied dans la machine et s'en alla. Un employé le suivit :

– Monsieur, s'il vous plaît…

– Quoi ? dit Sataké en se retournant.

Devant son regard menaçant, l'employé s'immobilisa. Sataké sortit de sa poche trois billets de dix mille yens, les jeta par terre, regarda avec mépris le garçon se baisser pour les ramasser et s'éloigna en claquant la langue. Avec la somme qu'il avait volée à Yayoi, il avait plus d'argent qu'il ne lui en fallait. Ce n'était pas pour ça qu'il jouait au pachinko.

Sataké était surexcité. Étrangement, cette surexcitation persistait après le meurtre. Une pulsion irrépressible débordait de lui et se déversait comme un torrent qui creuse la terre. Il ne savait plus comment contrôler cette rage inassouvie. Et une autre part, raisonnable, de sa conscience lui soufflait que si l'escalade continuait cela irait jusqu'à la folie.

Sataké avançait le dos voûté, l'humeur mauvaise, dans une galerie marchande déserte. Les magasins récents étaient futiles et superficiels, les anciens sombres et minables. Il avait faim, mais aucune envie de manger. Ce soir encore, il lui faudrait garer la Golf de Kuniko et attendre Masako.

Il regagna le parking du supermarché et ouvrit la portière de la voiture. Les effets personnels de Kuniko – cassettes musicales, chaussures, etc. – y étaient restés dans le même désordre. Des ballerines déformées traînaient par terre devant le siège avant côté passager. Il ne put s'empêcher de penser à elle et les regarda avec haine. Seule différence : le cendrier contenait maintenant les mégots, tous soigneusement écrasés, de la cigarette préférée de Sataké.

En continuant ainsi à rouler à l'aventure, il finirait peut-être par tomber sur Masako. Quelle tête ferait-elle alors ? Puisqu'elle ne venait pas à la fabrique, c'était à lui d'aller à sa rencontre. Il était prêt à prendre ce risque.

Il se rappela l'expression que Masako avait eue en remarquant la Golf de Kuniko dans le parking. Son visage s'était glacé avant de devenir inexpressif comme si de rien n'était. Elle avait serré les lèvres, mais la peur les avait tordues un instant. Cette altération instantanée ne lui avait pas échappé. Une fois descendue de la voiture, elle avait fait le tour de la Golf. Elle avait dû être encore plus surprise en constatant que la voiture était garée exactement comme Kuniko l'aurait fait. Pour preuve, elle n'avait pu contrôler les tremblements de sa voix lorsqu'elle l'avait interrogé. Autant pour elle ! Au souvenir de sa voix, il rit en silence. Mais la peur seule n'était pas suffisante. Ou plutôt, elle ne devait pas tourner aux plaintes et aux atermoiements. Il pensa au chien Shiba-Inu dans sa cage, puis à Kuniko qui le suppliait de lui laisser la vie sauve. Pris d'un soudain accès de mauvaise humeur, il jeta les chaussures de Kuniko par la fenêtre. Elles roulèrent l'une vers la gauche, l'autre vers la droite, sur l'asphalte gras et taché.

Il se gara dans le parking de l'immeuble, à l'emplacement réservé à Kuniko. Alors qu'il fermait la portière à clé, une jeune femme qui semblait l'attendre accourut vers lui. Il ne la connaissait pas, mais comme elle portait un tablier et des sandales, ce ne pouvait être qu'une habitante de l'immeuble. Elle n'était guère maquillée, mais avait tellement laqué ses cheveux frisés qu'on aurait dit une perruque. Il détesta cette faute de goût.

– Vous connaissez Mme Jônouchi à qui appartient cette voiture ? lui demanda-t-elle.

– Bien sûr. Puisqu'elle me l'a prêtée... répondit-il d'un air innocent.

À force d'utiliser sa voiture autour de l'immeuble, il savait pertinemment qu'on finirait par lui poser ce genre de questions.

– Ce n'est pas ce que je voulais vous demander, dit-elle en rougissant, sans doute parce qu'elle croyait avoir flairé une liaison entre Kuniko et lui. Il y a un moment que je ne la vois plus et je me demande ce qu'elle est devenue.

– Je ne sais pas où elle se trouve.

– Mais elle vous a bien prêté sa voiture ? insista-t-elle en le regardant d'un œil soupçonneux.

– Je suis gardien à la fabrique où elle travaille. Nous nous sommes aperçus que nous habitions dans le même immeuble et elle m'a proposé gentiment de me laisser sa voiture pendant son absence, dit-il en lui agitant sous le nez la clé de contact accrochée à un porte-clés en forme de « K ».

– Ah, je vois. Mais que lui est-il arrivé ?

– Elle est partie faire un petit voyage. Il n'y a pas de quoi s'inquiéter.

– Elle ne rentre pas le soir, elle ne s'occupe plus des poubelles quand c'est son tour, elle ne répond plus au téléphone et il y a un moment qu'on ne voit plus son mari.

– Elle a démissionné de la fabrique. Elle est peut-être allée voir sa famille.

– Et pendant ce temps, vous utilisez sa voiture comme vous voulez ? demanda-t-elle, l'air incrédule.

– Je la paye.

– Ah bon.

À peine le sujet de l'argent avait-il été abordé qu'elle se fit plus distante. Alors qu'elle devait vivre aux crochets de son mari, voilà que cette bonne femme faisait la fine bouche quand on parlait prêts et emprunts ! pensa-t-il en riant intérieurement.

– Bon, je suis un peu pressé, reprit-il en l'écartant de son chemin.

Il avait justement l'intention de faire un usage plus restreint de la voiture de Kuniko, sauf pour se rendre à la fabrique. Un homme entre deux âges et vêtu d'un imperméable tout neuf se tenait près des boîtes à lettres. Un flic? Sataké avança en feignant de ne pas le remarquer, mais en l'ayant tout de même à l'œil. Le regard de l'inconnu n'était pas celui d'un flic. Un démarcheur? Il fixait les boîtes à lettres. On aurait dit que son regard s'était fixé au niveau de l'appartement 412. Sataké s'empressa de prendre l'ascenseur.

Arrivé au troisième, il sortit, attendit pour voir si l'ascenseur ne redescendait pas au rez-de-chaussée et emprunta sans se hâter la galerie ouverte. Comme toujours, le vent froid du nord y soufflait. Il se dirigea vers son appartement au bout du couloir et prit la clé dans sa poche.

Il y avait un autre homme devant sa porte. Vêtu d'une parka d'un blanc brillant et d'un pantalon violet, il était jeune et avait les cheveux teints en châtain provocant. Dès qu'il aperçut Sataké, il remit son portable dans sa poche. Sataké eut un mauvais pressentiment.

– Monsieur Satô? demanda le garçon en lui lançant un regard dont Sataké avait l'habitude.

Ce n'était pas celui d'un flic, mais celui d'un mafieux: sournois. Sataké se demanda quel rapport il avait avec le type en imperméable. Il chercha à ouvrir la porte sans lui répondre. Il s'aperçut alors qu'un tissu noir était accroché à la poignée. Le mafieux le regardait en silence, contenant son rire.

– Qu'est-ce qu'il y a?

– T'as qu'à mieux regarder, fit le garçon.

Sataké sentit d'un seul coup son sang lui monter à la tête. Le sous-vêtement de Kuniko. Le slip noir dont il avait fait une boule pour le lui mettre dans la bouche au moment de la tuer.

– C'est toi qui l'as mis?

Sataké le prit à deux mains par le col de la parka. L'homme semblait habitué à la situation. Même pris par le cou, il continuait à rire, les mains dans les poches, le menton levé.

– Tu te trompes. Il était déjà là quand je suis arrivé.

– Merde!

Masako. C'était Masako qui lui avait fait le coup. Il relâcha le garçon, arracha le slip de la poignée et le fourra dans sa poche.

Il devait être depuis longtemps exposé au vent du nord car la partie en nylon était froide.

– Ce n'est pas moi, répéta le garçon.

Puis, les mains toujours dans les poches, il donna un coup de coude dans le ventre de Sataké.

– Qu'est-ce que tu veux ? demanda Sataké en repoussant le garçon.

– Te montrer ça, dit le garçon en sortant soudain de sa poche une feuille qu'il lui tendit.

On pouvait y lire : « Reconnaissance de dette. » Sataké la lui arracha des mains. Il s'agissait d'un emprunt de deux millions de yens au nom de Kuniko Jônouchi. La maison de prêt s'appelait Midori.

– Qu'est-ce que c'est que ça ?

– La bonne femme pour laquelle tu as servi de caution solidaire a pris le large.

– Je ne sais rien de tout ça.

Il faisait l'innocent, mais se sentit doublé : il n'y avait aucune raison qu'un usurier ait prêté deux millions à Kuniko. C'était manifestement un faux, mais ces voyous étaient si idiots qu'ils y croyaient et s'en donnaient à cœur joie. Ils seraient capables de le harceler tous les jours et ça ne passerait pas inaperçu. Il se retrouvait dans un sale pétrin.

– Tu dis que tu ne sais rien ? hurla le mafieux.

Une voisine ouvrit la deuxième porte après la sienne et les regarda d'un air terrorisé. C'était le but recherché.

– Alors, tu me dis ce que c'est ? insista le voyou en lui montrant le papier.

Dans la rubrique « Caution solidaire » se trouvait inscrit le nom de Yoshio Satô, avec son sceau. Sataké éclata de rire.

– Ce n'est pas moi.

– Alors qui c'est ?

– Qu'est-ce que j'en sais ?

L'ascenseur s'arrêta à l'étage. L'homme en imperméable vint vers eux. Il était évidemment de mèche avec le voyou en parka.

– Excusez-moi, dit-il. Je m'appelle Miyata et je travaille pour East Credit. Les dernières échéances pour la voiture de Mme Jônouchi n'ont pas été honorées et comme je viens d'apprendre que Mme Jônouchi avait disparu...

– Vous aussi, c'est pour la caution solidaire? lui demanda Sataké.

– Oui, je suis désolé, mais vous avez apposé votre sceau.

Sataké claqua la langue. À ce rythme, combien d'usuriers allaient encore se présenter? Jûmonji et Masako avaient dû s'entendre avec des prêteurs sans scrupule pour fabriquer des fausses reconnaissances de dettes en indiquant Satô comme caution solidaire. Après quoi, ils avaient divulgué la nouvelle de la disparition de Kuniko dans diverses sociétés de crédit pour qu'elles lui envoient leurs sbires.

– D'accord. Je ne peux rien contre ça. Je paierai ce que je pourrai. Laissez-moi les documents.

Rassurés par son changement d'attitude, ils lui tendirent les photocopies des contrats.

– Quand vas-tu payer? lui demanda le jeune sur un ton arrogant.

– Je vous ferai un virement dans une semaine, sans faute.

– Si tu essaies de nous doubler, je reviendrai, mais accompagné, cette fois. Et tu pourras mettre une croix sur ta vie pépère.

Il était rare qu'on en vienne aux menaces dès la première visite. Jûmonji avait dû choisir les plus teigneux de ses complices.

– Je sais, dit Sataké en baissant la tête. Je m'excuse.

Depuis un moment, des voisins les observaient de loin. Remarquant leur présence, les deux hommes durent avoir le sentiment d'avoir atteint leur but en ayant fait perdre la face à Sataké.

– Je compte sur vous, dit Miyata.

Sataké acquiesça, tourna la clé dans la serrure et entra dans l'appartement. Le jeune voyou ne se gêna pas pour tenter de regarder à l'intérieur, mais Sataké lui claqua la porte au nez avant d'allumer. Il vérifia par le judas que les hommes étaient repartis, sortit de sa poche la culotte de Kuniko et la jeta par terre. Elle ressemblait à un déchet.

– Et merde ! cria-t-il en donnant un coup de pied dedans.

Il allait être surveillé par ces types pendant un bon moment et serait ainsi privé de sa liberté de mouvements. Pire encore, il s'était fait remarquer par les voisins. La curiosité de la femme qui l'avait interrogé avait dû être suscitée par ces mafieux. S'il ne s'agissait que de quelques millions de yens, il pourrait les payer sans regret, mais maintenant qu'il lui était impossible de passer inaperçu, il allait devoir déménager. Cela étant, si au bout d'une semaine il ne donnait pas l'ordre de virement, il était évident que la bande viendrait faire une virée à la fabrique. Et ça, ça l'empêcherait de maintenir ses menaces sur Masako, ce qui était son objectif prioritaire.

Il ouvrit le placard et en sortit le sac noir en nylon qu'il avait apporté de son appartement de Shinjuku. Il y glissa l'enveloppe contenant l'argent et son énorme dossier d'enquêtes et eut soudain l'idée d'y ajouter le slip de Kuniko. Il regarda partout dans la pièce vide et s'arrêta sur le lit près de la fenêtre. Dire qu'il avait rêvé d'y attacher Masako et de l'y torturer ! C'était maintenant hors de question.

Il s'aperçut qu'il souriait : le plaisir qu'il avait éprouvé à voir Masako pour la première fois lui revenait. Plus fort encore. Ce plaisir était encore plus intense que lorsqu'il avait vu pour la première fois à Shinjuku la femme qu'il allait tuer. Ça valait peut-être encore plus la peine de tuer Masako que cette femme-là. Cette idée l'emplit d'un bonheur qui dépassait tout.

Il laissa les lampes allumées, prit le sac de nylon et passa dans la galerie ouverte. Puis, s'assurant qu'il n'y avait personne, il descendit précautionneusement l'escalier de secours. Arrivé au rez-de-chaussée, il regarda tout autour et s'aperçut que le garçon en parka blanche regardait dans la direction de son appartement. Il devait être rassuré de le voir éclairé et lorgna une jeune femme qui rentrait chez elle.

Sataké profita de ce moment propice pour courir jusqu'à l'arrière du local à poubelles, longer une haie et déboucher dans la rue. Il pensait passer quelques nuits au petit hôtel devant la gare. Il ne savait pas quel sursis lui accorderaient les mafieux avant de s'apercevoir de sa fuite et de débarquer à la fabrique.

Ce soir-là, il se rendit au travail dans une March de location.

Il avait la conviction que Masako viendrait. Elle avait dû apprendre que son piège avait fonctionné et voudrait certainement voir quelle mine il ferait. C'était ce genre de femme. Elle était comme lui. Il s'installa dans sa guérite et, fumant tranquillement, attendit qu'apparaisse la Corolla rouge.

Peu avant onze heures et demie, son heure habituelle, elle arriva. Il leva les yeux pour observer son visage, qu'il pouvait distinguer à la lumière des phares. Elle passa devant la guérite sans lui prêter attention. Elle ne lui jeta même pas un coup d'œil. Pour qui se prenait-elle? Elle devait penser qu'elle l'avait roulé dans la farine. Il bouillait intérieurement. La haine et l'admiration se combattaient et se combinaient en lui, augmentant l'intensité de sa haine jusqu'à l'enivrer.

Après avoir fait claquer sa portière, elle se dirigea vers lui dans l'obscurité du parking. Il sortit de la guérite et se planta devant elle.

– Bonsoir, madame, dit-il.

– Bonsoir.

Elle le regarda dans les yeux. Ses cheveux en désordre retombant sur sa parka déchirée, elle eut un sourire qui creusa ses joues émaciées. Victoire et assurance, elle rayonnait: elle avait percé à jour son identité et l'avait contraint à déménager. Il contint sa colère et lui demanda calmement:

– Vous voulez que je vous accompagne?

– Non, ça ira.

– C'est sombre et dangereux.

Après un instant d'hésitation, elle ricana:

– C'est plutôt vous qui êtes le danger.

– Je ne comprends pas trop ce que vous dites.

– Ne faites pas l'innocent, Sataké.

Il n'éprouvait pas l'excitation palpitante qu'il avait ressentie en poursuivant sa proie à Shinjuku : cette fois-ci c'était une excitation calme et retenue qui l'animait intérieurement et cherchait une issue. Il ressentait un plaisir plus aigu à se contrôler et à différer le moment d'en jouir.

– T'es une dure, toi, lança-t-il à Masako.

Elle continua à marcher sans se soucier de lui. Oserait-elle vraiment le faire ? Malgré le refus qu'elle lui avait opposé, Sataké la suivit à quelques mètres. La peur qu'elle éprouvait faisait battre son cœur à toute allure, prêt à éclater. Sataké vit ses épaules se crisper, mais elle poursuivit sa route en tentant de ne pas montrer sa nervosité. Il alluma sa torche et lui éclaira le chemin.

– Je vous ai dit que ce n'était pas la peine, dit-elle en se tournant vers lui, l'air sévère. Je ne veux pas que vous me tuiez ici.

Autant de vivacité le réjouit et fit remonter sa haine. Il éprouvait des sentiments violents et fébriles qu'il n'avait pas connus en présence de la jolie An-na. Désir et haine soudés ensemble par le danger de mourir l'excitaient au plus haut point. Pourquoi ne pas l'étrangler tout de suite ? Là, par-derrière ? Lui faire perdre connaissance et l'achever dans l'usine désaffectée ? L'idée lui traversa un instant l'esprit, mais il se ravisa aussitôt : c'était trop ordinaire. Comme si elle avait deviné ses hésitations, elle lui dit :

– Cet endroit ne vous convient pas, c'est ça ? Vous voulez me tuer en me faisant souffrir, non ? Mais pourquoi vous...

Elle fut interrompue par le grincement d'une bicyclette derrière eux. Ils se retournèrent ensemble.

– Bonsoir...

C'était Yoshié. Surprise par la présence de Sataké, elle s'arrêta à la hauteur de Masako.

– Que se passe-t-il, la Patronne ? lui demanda cette dernière.

– Je voulais te voir. C'est pour ça que je suis passée par là aujourd'hui. Je suis contente de t'avoir rattrapée.

Sataké éclaira le visage de Yoshié avec sa torche. Elle grimaça dans le faisceau lumineux. Il vit alors que Masako souriait dans l'ombre.

CHAPITRE 5

Sauvée! Elle poussa un léger soupir en regardant le visage de Yoshié.

Elle avait senti son souffle s'arrêter tant elle avait peur d'être retenue par-derrière dans l'étau des bras de Sataké. Elle savait qu'il lui suffirait de laisser poindre sa peur pour qu'il l'attaque. Ça lui rappela une expérience de son enfance : dès qu'elle avait détourné les yeux d'un chien errant, celui-ci s'était mis à la poursuivre. C'était moins une, se dit-elle en reprenant sa respiration.

Mais, tôt ou tard, la haine de Sataké atteindrait son point critique et exploserait. Sataké savourait le processus qui y menait. Elle avait tout de suite vu dans son regard qu'elle réveillait le sadique en lui et qu'il jouissait de la situation. C'était un déséquilibré et il était clair qu'elle exacerbait son déséquilibre. Mais il y avait aussi en elle quelque chose qui l'attirait vers lui. Une partie secrète d'elle-même qui disait : si c'est de ta main, je suis prête à accepter la mort.

En dépeçant le corps de Kenji, elle était loin d'imaginer que c'était ce destin même qui l'attendait. Elle regarda l'usine désaffectée qui étendait son ombre devant elle. Ce bâtiment abandonné semblait symboliser ses propres ténèbres : était-ce là son déséquilibre intérieur? Avait-elle vécu quarante-trois ans pour cette épreuve? Elle ne pouvait détourner son regard de l'usine.

– Qui c'est, ce type bizarre? lui demanda Yoshié d'un air craintif en tournant la tête vers le parking.

Elle avait du mal à guider sa bicyclette sur le terrain criblé de nids-de-poule.

– Le gardien, lui répondit laconiquement Masako.

Sataké se tenait près de la guérite qui brillait dans le noir tel un phare. Il suivait des yeux Masako dont il attendait le retour.

– Il est effrayant.

– En quoi? lui demanda Masako en scrutant le visage de Yoshié qui paraissait encore plus menu.

– Juste comme ça.

Yoshié n'en dit pas davantage et continua de pousser son vélo dont la faible lumière éclairait le chemin devant elles.

– Que faisais-tu, la Patronne? lui demanda Masako qui la voyait pour la première fois depuis une semaine.

– Ah, excuse-moi. Il s'est passé tellement de choses...

Elle soupira lourdement, comme accablée de fatigue. Comme toujours en hiver, elle avait mis son coupe-vent. Masako se souvint que sa doublure en flanelle était très usée et prête à se déchirer. Elle se demanda quand Yoshié finirait par se déchirer elle aussi.

– De quel genre?

Sataké ne devait pas lui avoir tendu de piège. Il était clair qu'il ne s'intéressait qu'à Masako.

– Eh bien, et d'un, Miki a fait une fugue. Elle a disparu le jour même où j'ai reçu l'argent. J'étais inquiète à cause de l'influence de sa sœur, mais j'étais loin d'imaginer que celle-ci s'en irait à son tour. Je suis terriblement triste. Je n'en peux plus.

Masako l'écouta en silence. Yoshié n'avait pas d'issue.

– Dire que j'avais touché deux millions! reprit-elle. Mais Miki l'ignorait. Elle était persuadée qu'elle ne pouvait plus espérer aller à l'université. Vraiment, la vie est dure.

– Elle reviendra sûrement.

– Non, elle ne reviendra pas. Elle est comme sa sœur aînée. Elle a dû être piégée par un vaurien. C'est une vraie idiote. C'est fichu. Vraiment fichu.

Elle continua de marcher en répétant les mêmes phrases. On aurait dit qu'elle essayait de justifier quelque chose, mais Masako ne voyait pas où elle voulait en venir.

Elles dépassèrent l'usine désaffectée, longèrent le bowling fermé et les pavillons individuels et arrivèrent dans l'avenue bordée par l'usine automobile. Un tournant à gauche et elles atteindraient la fabrique.

– Enfin… fit Yoshié en tapotant ses reins cambrés.

Puis elle se voûta de nouveau, telle une vieille femme.

– C'est la dernière fois…

– La dernière fois que quoi ?

– Que je viens à la fabrique.

– Tu vas démissionner ?

– Oui, je n'ai plus l'esprit à travailler ici.

Masako ne lui avoua pas qu'elle allait en faire autant. Pour elle aussi, c'était le dernier soir. Dès qu'elle aurait terminé ses démarches, elle récupérerait l'argent et le passeport qu'elle avait confiés à Kazuo. Si elle arrivait à s'en sortir ce soir, elle pourrait peut-être échapper à Sataké.

– Je voulais te parler… C'est pour ça que je suis passée par là aujourd'hui.

S'il ne s'agissait que de parler avec elle, Yoshié aurait pu le faire tranquillement au salon, après le travail. Pourquoi lui racontait-elle tout ça ? Masako n'arrivait pas à comprendre ce que Yoshié voulait vraiment lui dire. Pendant qu'elle garait sa bicyclette, Masako l'attendit sur l'escalier extérieur. On ne voyait aucune étoile dans le ciel et une lourde chape semblait peser sur leurs têtes. On ne distinguait pas vraiment de nuages non plus. Oppressée, Masako leva les yeux sur le bâtiment de la fabrique qui la dominait. La porte du premier étage s'ouvrit et une voix se fit entendre.

– Madame Katori !

C'était Komada, la surveillante sanitaire.

– Qu'est-ce qu'il y a ?

– Mme Azuma viendra aujourd'hui ? Vous ne savez pas ?

– Oui, elle est allée garer son vélo.

Komada dévala l'escalier. Elle tenait toujours son rouleau anti-poussière à la main. Elle arriva en bas au moment même où Yoshié revenait.

– Madame Azuma ! s'écria-t-elle d'une voix tendue. Il faut que vous rentriez immédiatement chez vous. C'est urgent.

– Qu'est-ce qu'il y a ? demanda Yoshié.

– Votre maison a pris feu. On vient de m'avertir au télé-phone.

– Ah bon… répondit-elle mécaniquement.

Elle blêmit à vue d'œil. Komada baissa les yeux, prise de pitié.

– Rentrez vite.

– C'est sans doute déjà trop tard, dit Yoshié laconiquement.

– Ne dites pas ça. Dépêchez-vous.

Malgré les objurgations de Komada, Yoshié regagna lente-ment le parking des vélos. D'autres employées s'étant déjà pré-sentées, Komada remonta l'escalier pour retrouver son poste.

– Madame Komada, lança Masako dans son dos. Et sa belle-mère ?

– Je ne sais pas. On m'a dit que tout a brûlé.

Komada ne cacha pas qu'elle était désolée d'avoir transmis cette nouvelle et s'empressa de rentrer dans le bâtiment. Masako attendit seule le retour de Yoshié. Elle avait dû se préparer à la réalité qu'elle allait devoir affronter, car elle revint au bout d'un long moment en poussant son vélo. Masako scruta son visage fatigué.

– Je suis désolée, dit-elle, mais je ne peux pas être à tes côtés.

– Je sais. C'est ce que je me suis dit. C'est pour ça que je suis venue te dire au revoir.

– Tu étais assurée contre l'incendie ?

– Un peu, oui.

– Alors, bonne chance !

– Merci pour tout.

Yoshié la salua et reprit le chemin en sens inverse. Les faibles lumières de son vélo s'éloignant, Masako vit sa silhouette dispa-raître. Puis elle regarda au-delà de l'usine automobile : la vie de la mégapole lointaine teintait le ciel nocturne de lueurs roses. La vieille maison de Yoshié s'y détachait dans un bouquet de flammes d'où fusaient des étincelles. Yoshié avait donc trouvé une sortie ! Maintenant que sa fille n'était plus chez elle, elle était trop désespérée pour pouvoir hésiter. Mais la personne qui l'y avait poussée n'était nulle autre que Masako elle-même. Elle s'aperçut qu'elle lui avait donné l'idée en évoquant la vengeance de Sataké. Elle garda un moment les yeux rivés sur l'incendie.

Finalement, Masako monta l'escalier extérieur qui donnait accès à la fabrique. Komada fut étonnée de la retrouver.

– Madame Katori, vous ne l'avez pas accompagnée ?

– Non.

Semblant lui reprocher de faire peu de cas de son amitié avec Yoshié, elle lui passa brutalement le rouleau sur le dos.

Le début du service approchait. Masako entra dans le salon et y chercha Kazuo. Mais elle ne le trouva ni dans le groupe de Brésiliens ni au vestiaire. En vérifiant les fiches de pointage, elle comprit qu'il n'était pas de service aujourd'hui. Elle passa outre à l'ordre de Komada et enfila ses chaussures pour ressortir de la fabrique.

Tout peut basculer en un instant. Et c'est ce qui se produisit cette nuit-là. Masako se mit à marcher dans le noir, vers le foyer où habitait Kazuo.

Plus loin, Sataké se tenait aux aguets. Masako scruta l'obscurité comme prête à y voir surgir un monstre, puis elle tourna à gauche. Au-delà d'une rangée irrégulière de fermes et de maisons se trouvait le foyer de Kazuo. Elle remarqua que seul son appartement à l'extrémité du premier étage était allumé. Elle monta l'escalier métallique en veillant à ne pas faire de bruit et frappa à sa porte. On lui répondit en portugais, puis, la porte s'ouvrant, Kazuo apparut en tee-shirt et jean. L'écran de la télévision scintillait.

– Masako…

– Vous êtes seul ?

– Oui.

Il la laissa entrer dans la pièce imprégnée du parfum d'une épice exotique que Masako n'arriva pas à identifier. Près de la fenêtre se trouvaient deux lits superposés ; le placard à couettes, laissé grand ouvert, était rempli de vêtements. Il y avait une table basse en Formica, près de laquelle Masako s'assit par terre. Kazuo arrêta la retransmission d'un match de football et se tourna vers elle.

– C'est pour l'argent?

– Je suis désolée, mais pouvez-vous aller le chercher maintenant? Je ne savais pas que c'était votre jour du congé.

– Pas de problème.

Il la regarda d'un air inquiet. Fuyant son regard, elle sortit une cigarette et chercha le cendrier. Kazuo porta lui aussi une cigarette à ses lèvres et posa sur la table un cendrier en fer-blanc orné du logo Coca-Cola.

– J'y vais tout de suite, dit-il. Attendez-moi ici.

– Merci.

Elle regarda ce studio exigu et se dit que c'était le lieu le plus sûr où se trouver. Le colocataire de Kazuo devait être en train de travailler à la fabrique, car la couchette inférieure était en ordre.

– Qu'est-ce qui s'est passé? lui demanda Kazuo. Racontez-moi si c'est possible.

Il tâchait d'être discret par peur de la décourager en se montrant trop insistant.

– Je dois fuir un homme, répondit-elle lentement, comme si la chaleur de la pièce la faisait fondre. Je ne peux pas vous expliquer pourquoi, mais je compte partir pour l'étranger avec cet argent.

Il réfléchit un moment. La tête baissée, il souffla la fumée, puis releva son visage basané.

– Dans quel pays allez-vous? Les temps sont durs partout.

– Peut-être, oui. Mais c'est sans importance. Pourvu que je puisse partir d'ici…

Kazuo se mit la main sur le front. Il semblait lui dire qu'elle n'avait pas à s'expliquer davantage et qu'il comprenait qu'elle était en danger.

– Et votre famille?

– Mon mari dit qu'il va vivre seul. Comme un ermite. C'est sa façon de vivre. Personne ne peut pénétrer son univers. Quant à mon fils… il est déjà grand, il n'y a pas à s'inquiéter.

Pourquoi lui racontait-elle tout ça alors qu'elle n'en avait parlé à personne? Peut-être se sentait-elle à l'aise à l'idée que Kazuo ne comprenait pas tout. Elle était si émue que des larmes coulèrent de ses yeux. Elle les essuya du dos de la main.

– Vous êtes toute seule, dit-il.

– Oui. Avant, nous formions une famille unie. Mais elle s'est effondrée à un moment donné sans que ce soit la faute de personne. Et finalement, c'est moi qui l'aurai détruite.

– Pourquoi?

– Parce que je veux partir seule. Parce que je veux être libre.

Kazuo avait les yeux remplis de larmes. Elles tombèrent par terre.

– Mais la liberté, c'est être seul?

– Je crois, oui. En ce moment.

S'évader... Mais à quoi voulait-elle échapper et où voulait-elle aller? Elle n'avait pas de réponse.

– C'est trop triste, murmura-t-il. Vous me faites de la peine.

– Je ne suis pas à plaindre, dit Masako en hochant la tête et prenant ses genoux entre ses bras. Je voulais simplement être libre. C'est mieux ainsi.

– Vraiment?

– J'ai perdu tout espoir. Peu importe que je meure.

Le visage de Kazuo s'assombrit soudain.

– Tout espoir en quoi?

– La vie.

Il se remit à pleurer. Elle observa le jeune étranger qui versait des larmes aux mots qu'elle prononçait. Ses sanglots ne semblaient pas vouloir s'arrêter.

– Pourquoi pleurez-vous? lui demanda-t-elle.

– Parce que vous vous êtes confiée à moi. Avant, vous étiez si loin...

Elle sourit. Il se tut et essuya ses larmes avec son bras musclé. Elle regarda le drapeau brésilien vert et jaune qui, collé à la fenêtre, faisait office de rideau.

– Dites-moi... Quel pays devrais-je choisir? Je n'ai jamais été à l'étranger.

Il leva ses grands yeux noirs rougis par les larmes.

– Pourquoi vous n'iriez pas au Brésil ? C'est l'été en ce moment.

– Comment c'est là-bas ?

Il eut un sourire timide.

– J'ai du mal à expliquer. C'est superbe. Vraiment superbe.

L'été… Masako ferma les yeux d'un air rêveur. Cette année, l'été avait changé son destin. Le parfum des gardénias… Un buisson d'herbes d'été au parking… Le scintillement éphémère de l'eau qui coulait dans le canal couvert… Elle leva les yeux et s'aperçut qu'il se préparait à sortir. Il enfilait un blouson noir par-dessus son tee-shirt et mettait sa casquette.

– J'y vais, dit-il.

– Monsieur Miyamori, puis-je rester ici jusqu'à trois heures ?

Il acquiesça plusieurs fois. Encore trois heures. Après, Sataké repartirait. Elle s'accouda à la table et ferma les yeux, reconnaissante de cet instant de repos, aussi bref fût-il.

Elle fut réveillée par son retour. Il avait dû prendre son temps : il était déjà deux heures. Tout son corps sentait l'odeur du dehors. Il sortit l'enveloppe de la poche intérieure de son blouson.

– Tenez, dit-il.

– Merci.

Elle lui prit l'enveloppe, qui avait la tiédeur de son corps, et regarda dedans. Son passeport neuf et les sept liasses de billets d'un million chacune. Elle sortit une des liasses et la posa sur la table.

– Pour vous remercier de me l'avoir gardé, dit-elle. Acceptez-le.

Il changea d'expression.

– Je ne peux pas. Je suis simplement heureux de vous avoir aidée.

– Mais il vous reste encore plus d'un an de travail ici, non ?

Il ôta son blouson et se mordit les lèvres.

– Je vais rentrer avant Noël.

– C'est vrai ?

– Oui. Ça ne sert à rien de rester.

Il s'assit en tailleur et observa la pièce avant de poser son regard sur le drapeau à la fenêtre. Elle sentit la nostalgie qui l'habitait, mais aussi sa paix intérieure, et l'envia.

– Je voulais vous aider. Mais… vos ennuis sont-ils liés à ceci ? demanda-t-il en sortant la clé qu'il portait sous son tee-shirt.

– Oui.

– Voulez-vous que je vous la rende ?

– Non.

Il sourit, rassuré. La clé de la maison de Kenji… Elle regarda un moment l'objet dans ses mains et se rappela que tout était parti de là. Sauf que non : c'était elle qui était à l'origine de tout. Elle et son désespoir et son désir de liberté. C'était cela qui les avait tous entraînés, tous, jusque-là.

Elle mit l'enveloppe dans son sac à lanière et se releva. Kazuo voulut lui rendre la liasse qu'elle avait posée sur la table.

– Non, c'est pour vous remercier.

– Mais c'est trop ! dit-il en essayant de glisser la liasse dans son sac.

– Gardez-le. Vous savez, c'est un argent vite gagné…

En entendant ces mots, Kazuo arrêta son geste et grimaça. Son sens moral devait l'empêcher d'avoir affaire à de l'argent sale.

– Ne me le rendez pas, insista-t-elle. Vous avez travaillé si dur dans cette fabrique. L'argent n'est ni propre ni sale.

Il soupira fort et, résigné, reposa la liasse sur la table. À ne pas le faire, il lui aurait manqué de politesse.

– Eh bien, merci, dit-elle. Je vais y aller.

Il l'étreignit doucement. Depuis qu'il l'avait enlacée près de l'usine désaffectée, c'était la première fois qu'elle se trouvait dans les bras d'un homme. Elle n'avait guère connu cette sensation ces dernières années. Ce fut si nostalgique et si doux qu'elle eut l'impression que la pierre qu'elle avait à la place du cœur fondait peu à peu. L'espace d'un instant, elle s'abandonna contre sa poitrine. Ses yeux brillèrent, mais cette fois-ci les larmes ne vinrent pas.

– J'y vais, répéta-t-elle en se détachant de lui.

Kazuo sortit un petit bout de papier de sa poche et le lui tendit.

– Qu'est-ce que c'est?

– Mon adresse à São Paulo.

– Merci.

Elle le replia soigneusement et le glissa dans une poche de son jean.

– Venez me voir sans faute, dit-il. Venez à Noël, je vous attends. Promettez-le-moi.

– Je vous le promets.

Elle enfila ses chaussures de sport déformées. Un air frais s'engouffra par l'entrebâillement de la porte lorsqu'elle l'ouvrit. Kazuo baissa la tête et se mordit les lèvres.

– Au revoir, dit-elle.

– Au revoir, répondit-il comme si c'était un mot très triste.

Elle descendit l'escalier de l'immeuble sans faire de bruit, comme elle l'avait monté. Un silence absolu régnait alentour. Tous les volets des maisons étaient hermétiquement clos. À part les lampadaires bien espacés, il n'y avait aucune source de lumière.

Elle remonta la fermeture Éclair de sa parka. Puis elle se dirigea vers le parking. Seuls ses pas résonnaient dans la nuit. Elle se sentait extrêmement seule. Arrivée au niveau de la dalle qui enjambait le canal devant l'usine désaffectée, elle déchira en morceaux le papier qui portait l'adresse de Kazuo et les jeta dans l'eau.

Elle espérait toujours réussir à s'enfuir, mais était prête à mourir. La gentillesse de Kazuo lui avait réchauffé le cœur l'espace d'un instant. Mais de l'autre côté de la porte qu'elle s'était ouverte elle-même l'attendait un destin autrement plus cruel.

Elle s'approcha du parking. La lampe de la guérite était éteinte. Entre trois et six heures du matin, il n'y avait pas de gardien. Sataké aurait pu attendre la fin du travail de Masako, mais le matin il y avait nettement plus de témoins que la nuit. Même lui n'aurait pas pris un tel risque. Mais elle scruta quand même les environs avant d'entrer dans le parking. Il n'y avait personne. Rassurée, elle avança sur les graviers répandus sur la terre battue et constata qu'on avait accroché quelque chose au rétroviseur extérieur droit de sa Corolla. Elle s'empara de l'objet et laissa échapper un cri. C'était le slip noir de Kuniko. Celui-là même qu'elle avait pendu à la poignée de l'appartement de Sataké. Il avait dû vouloir lui rendre la monnaie de sa pièce. L'objet lui parut terriblement répugnant et elle le jeta par terre.

C'est alors que de longs bras enserrèrent son cou par-derrière. Elle n'eut même pas le temps de protester. Elle se débattit pour tenter de lui échapper, tel un étau d'acier, il ne la lâchait pas. Ses doigts chauds retenant son manteau, il lui serra le cou de plus en plus fort. Elle suffoqua vite, mais sans avoir peur. Elle n'éprouvait pas non plus ce qu'elle avait vécu en rêve, or, étrangement, elle se sentait rassurée, comme si elle était revenue au lieu qui l'attendait.

Chapitre 6

Il voulait que la nuit l'engloutisse. Il laissa ouverte la vitre de sa voiture et attendit que l'air de la nuit l'enveloppe complètement. Ça le soulageait. La seule chose dont l'absence le torturait en prison était l'air frais.

À force d'être exposés au froid, ses membres s'étaient engourdis et son buste s'était mis à trembler. À la différence du plein été où il avait l'impression que le sang brûlait dans ses veines, il gardait l'esprit clair. Au cœur de la nuit, l'air paraissait plus lourd et plus épais au contact de ses mains, sensations inconnues en plein jour. Assis au volant, il étendit ses longs bras et brassa le vide. L'air froid remuait lentement.

Toujours vêtu de son uniforme de gardien, il attendait Masako dans sa voiture. Il s'était garé dans un coin obscur au fond à droite du parking. Il comptait l'attendre jusqu'à six heures du matin. Comment, épuisée par le travail, allait-elle réagir en voyant reparaître le sous-vêtement de Kuniko sur sa voiture ? Il voulait absolument assister à la scène. Il voulait voir les cernes sous ses yeux, ses cheveux en bataille.

Il allait allumer une cigarette quand il entendit un bruit de pas sur les graviers. C'était des pas légers de femme. Il s'empressa de remettre la cigarette dans la poche et retint son souffle. C'était bien elle qui revenait. Elle regarda autour d'elle et, rassurée de ne pas le voir, s'approcha de sa voiture. Aucune prudence. Il ouvrit sa portière sans bruit et descendit de voiture.

Elle poussa un petit cri en découvrant son cadeau. Certain qu'elle serait prise de court, il l'attaqua par-derrière sans hésiter. Ses bras lui enserrant le cou, il ressentit la terreur instinctive de Masako comme une onde électromagnétique et ne l'en trouva que plus désirable.

– Ne bouge pas! dit-il.

Mais elle se débattit désespérément. Il lui coinça le cou sous son bras gauche et garda ses deux mains prisonnières. Mais, traversant le tissu synthétique de son uniforme, les ongles de Masako lui entrèrent dans la peau. Puis elle lui donna des coups de pied dans les cuisses. Il l'immobilisa si fort qu'elle perdit brutalement connaissance.

Il avait enfin eu raison d'elle. Il chargea son corps inerte sur son épaule et regagna sa voiture pour prendre une corde et son sac noir. Mais où l'amener pour la tuer maintenant qu'il ne pouvait réintégrer l'appartement 412? Il n'avait pas de lieu et ne disposait pas davantage de temps pour en trouver un. Il se dirigea vers l'usine désaffectée.

Il s'apprêtait à passer de l'autre côté du canal lorsqu'il s'aperçut que çà et là des dalles avaient été déplacées. Il éclaira le sol avec sa torche électrique. Les eaux noires scintillaient dans la nuit. Sous son poids et celui de sa victime, une dalle de béton trembla de façon inquiétante. Il parvint tant bien que mal à franchir le canal et jeta Masako dans les herbes desséchées. Puis il jeta un coup d'œil au volet rouillé et le releva de toutes ses forces. Le volet remontant en grinçant, il entendit Masako gémir de douleur et glissa son corps dans l'ouverture.

Noir et glacial, l'intérieur puait le moisi. Il balaya l'espace du faisceau de sa torche. On aurait dit un gigantesque tombeau vide en béton. Mais il vit que tout en haut quelques lucarnes laisseraient filtrer de la lumière dès que le jour se lèverait.

Dans le temps, cela avait dû être une autre fabrique de paniers-repas. Le socle en acier inoxydable de la chaîne et le comptoir de livraison des camions étaient restés en place. S'il l'attachait sur ce socle, elle serait transpercée de froid. Il ne put s'empêcher de sourire cruellement à cette idée.

La bouche entrouverte, elle n'avait pas repris entièrement connaissance. Il la posa sur le socle qui portait encore la trace du tapis roulant. Comme une patiente sous anesthésie avant une intervention chirurgicale, elle gisait sans défense.

Il lui ôta sa parka, déchira son sweat-shirt, jeta par terre ses chaussures de sport et lui retira ses chaussettes et son jean. C'est alors que, le contact glacial du socle aidant, elle revint enfin à elle. Ne reconnaissant pas les lieux, elle regarda ce qui l'entourait d'un œil épouvanté.

– Masako Katori, dit-il.

Et il braqua le faisceau de sa lampe sur son visage. Éblouie, elle détourna les yeux et chercha à distinguer Sataké.

– Merde ! lâcha-t-elle.

– Non, non. Tu devrais plutôt dire : «Espèce de salaud, tu m'as eue !» Allez, vas-y. Dis-le.

Il lui immobilisa violemment les deux bras sur le socle alors qu'elle tentait de bouger. Elle se débattit, puis renonça et se figea.

– Pourquoi ? demanda-t-elle, désemparée.

– Comme ça. Dis-le.

Elle lui donna un coup de pied dans le bas ventre, son talon lui écrasant brutalement les parties. Il hurla de douleur. Elle profita de ce moment pour se cambrer et sauter à bas du socle. Elle était encore agile pour une femme de son âge. Esquivant les mains de Sataké qui tentait de la retenir, elle se réfugia dans un coin sombre de l'usine.

– N'imagine pas que tu pourras m'échapper, lança-t-il.

Il la chercha avec sa torche, mais la lumière du faisceau était insuffisante dans ce vaste espace. Où qu'il l'oriente, il ne voyait toujours pas Masako. Il choisit de se poster devant le volet par lequel ils s'étaient introduits dans l'usine. Tant qu'il lui bloquerait cette sortie, elle serait faite comme un rat. Il s'aperçut alors qu'une partie de lui-même prenait plaisir à la situation. Oui, continue comme ça et excite-moi encore ! Il admirait la ténacité de cette proie et sa haine n'en était que plus grande.

– Rends-toi, Masako ! lui cria-t-il.

Sa voix résonna dans l'usine. Au bout d'un instant, la réponse de Masako se fit entendre. Elle devait être dans un coin reculé.

– Je ne rendrai jamais les armes. Dis-moi plutôt pourquoi tu m'as choisie pour ta vengeance.

– C'est le prix à payer.

– Tu aurais dû l'exiger de Yayoi Yamamoto.

– C'est fait.

– Comment ça?

Froid ou peur, sa voix tremblait.

Elle était en tee-shirt et pieds nus, elle devait être complètement gelée. Veillant à ne pas faire de bruit, il revint à pas de loup jusqu'à la chaîne, rassembla les vêtements de Masako et les mit dans un coin pour l'empêcher de les récupérer.

– Tu lui as volé sa prime d'assurance, c'est ça? reprit la voix dans les ténèbres. Ça ne te suffit pas? Pourquoi concentres-tu ta haine sur moi?

– Pourquoi? murmura-t-il dans sa direction. Je n'en sais rien moi-même.

– Parce que tes affaires sont foutues?

– Il y a de ça, dit-il.

Lui, il connaissait la nature véritable de Mitsuyoshi Sataké et avait pris bien soin de la dissimuler pendant longtemps, mais Masako lui avait arraché son masque.

– Mais ce n'est pas tout, reprit-elle d'une voix calme. Je t'intéresse autrement.

Sans répondre, il s'avança encore dans sa direction.

– C'est absurde! reprit-elle. J'ai quarante-trois ans. Je n'ai plus l'âge d'être harcelée par les hommes. Et puis je ne suis pas ce genre de femme. Il doit y avoir une raison.

Il marchait lorsqu'il écrasa bruyamment une canette vide. Masako se tut. S'était-elle enfuie? Sataké tendit l'oreille.

Et derrière lui, il entendit un léger bruissement. Avec une agilité presque animale, il se retourna. Masako essayait d'ouvrir le rideau métallique de la trappe de livraison pour s'évader. Il s'en était fallu de peu qu'elle lui échappe. Il la rattrapa au moment où son buste était déjà dehors.

Il la saisit par les jambes, la tira vers lui et la gifla de toutes ses forces. Elle partit en arrière et tomba dans un tas de déchets. Il

l'éclaira pour voir son expression. Échevelée, elle le fixait. Là !
C'était le même regard. Le même que celui de sa première victime ! Il l'attrapa par les cheveux pour lui relever le visage.

– Tu es un beau salaud, lui lança-t-elle.

– Oui, dit-il en regardant son visage pathétique. Mais je voulais absolument te voir.

Elle eut un mouvement de recul, comme si on l'aspergeait
d'eau froide.

– Tu fantasmes ! répliqua-t-elle fermement.

– Non, je ne fantasme pas.

Il scruta son visage. Elle n'avait rien de la première victime,
dont les traits étaient acérés comme la pointe d'une lame. La
femme qui le fixait maintenant avec une haine brûlante était
bel et bien Masako Katori. Ses gestes ne ressemblaient pas à
ceux de l'autre. Ses lèvres étaient plus fines et plus ascétiques.
Mais leurs regards étaient identiques. Une vague de joie et d'espoir emplit son cœur. Jusqu'où irait le plaisir qu'il obtiendrait
d'elle ? La jouissance, qu'il avait enfouie en lui pendant dix-sept
ans, allait-elle lui revenir ? L'éclairerait-elle sur cette expérience
passée ?

Il lui déchira violemment son tee-shirt. N'ayant plus sur elle
que son soutien-gorge et son slip, elle continua de le dévisager.

– Arrête ça, dit-elle. Tue-moi tout de suite.

Sans même l'écouter, il lui arracha ses sous-vêtements. Dès
qu'elle fut complètement nue, elle se mit à se débattre. Il la saisit par les deux bras, la plaqua sur le socle et l'écrasa de tout
son poids. Elle gémit de douleur. Elle était maintenant épuisée.
Avant qu'elle ne perde son souffle, il lui ligota les deux bras au-
dessus de la tête, puis il noua la corde au socle.

– J'ai froid ! s'écria-t-elle en se contorsionnant sur le socle
glacé.

Il contempla un moment son corps en l'éclairant avec la
torche. Elle était maigre et desséchée, et sa poitrine était plate.
Sataké se déshabilla lentement.

– Tu peux hurler, dit-il. Personne ne viendra.

– Tu es le seul à l'ignorer, mais on démolit juste à côté.

565

– Arrête de dire n'importe quoi.

Il la gifla de nouveau. Il pensait avoir dosé sa force, mais la tête de Masako retomba brutalement de côté. S'il en faisait trop, elle risquait de mourir vite. Et ça ne présenterait plus aucun intérêt si elle s'évanouissait. Il eut peur de lui avoir fait perdre connaissance, mais elle le fixait imperturbablement, tandis qu'un filet de sang coulait de ses lèvres.

– Tue-moi vite ! répéta-t-elle.

L'autre fois aussi, la femme n'avait pas du tout flanché sous les coups et continuait de lui crier : « Tue-moi vite ! » En faisant des allers-retours entre Masako et l'autre, entre le rêve et la réalité, comme dans un ascenseur à grande vitesse, il s'excitait de plus en plus. Il se plaqua contre elle et, aussitôt, mordit les lèvres de Masako d'où le sang continuait à s'écouler. En l'entendant proférer des jurons à travers ses dents serrées, Sataké lui écarta violemment les jambes.

– Tu ne mouilles pas, dit-il.

– Connard !

Elle lui résista en resserrant les jambes et en se débattant avec toute son énergie, mais il les lui écarta à nouveau de force et la pénétra. C'était incroyablement chaud. Comme elle ne mouillait pas, elle cria de douleur. Il se rendit compte avec étonnement qu'elle avait peu d'expérience sexuelle. Il bougea lentement. C'était la première fois depuis dix-sept ans qu'il faisait l'amour avec une femme. Son spectre noir... Ce qui gisait au fond de lui depuis si longtemps se ranimait en lui et devenait réalité qui l'emportait. En enfer, au paradis. Pour lui, seule sa fusion avec elle pourrait combler l'abîme qui séparait l'un de l'autre. Et c'était pour ça qu'il était né. Et qu'il devait mourir. Mais cette première étreinte fut trop rapidement interrompue.

– Espèce de pervers ! lui cria-t-elle.

Alors qu'il haletait, elle lui cracha de la salive mêlée de sang à la figure. Il se frotta le visage et lui étendit ses glaires sur la figure. Puis, pour la punir, il lui mordit les tétons avec rage. Elle hurla quelque chose d'inintelligible. Le froid la faisait claquer des dents. La nuit commençait à pâlir.

Le jour qui se levait laissant filtrer la clarté dans l'usine, la salle devint peu à peu moins obscure.

Les détails du décor se précisèrent. Les revêtements muraux étaient tous décrépis, laissant voir le béton à nu. Les cloisons qui séparaient jadis les toilettes des cuisines ayant été abattues, on ne voyait plus que les cuvettes des toilettes et les robinets. Sur le sol en béton traînaient çà et là des bidons d'huile et des seaux en plastique. Près de l'entrée, une grande quantité de bouteilles et de canettes était entassée. Même au jour tout cela tenait du tombeau en béton dévasté. Un léger bruit se faisant entendre, Sataké se retourna et remarqua un chat de gouttière qui, dès qu'il l'aperçut, s'enfuit. Il devait y avoir des rats.

Sataké s'assit en tailleur par terre, alluma une cigarette et contempla Masako toujours ligotée sur le socle et les membres tremblants de froid. Dans moins d'une heure, le socle baignerait dans la lumière. Il pourrait alors la violer en regardant de près son visage. C'est cela qu'il attendait.

– Tu as froid? lui demanda-t-il.

– Évidemment.

– Tu n'as qu'à attendre.

– Quoi?

– Que le jour se lève.

– Je ne peux pas. J'ai froid, dit-elle hors d'elle.

Ses mâchoires tremblaient tellement qu'elle n'arrivait pas à articuler. Ses joues avaient enflé sous les gifles et sa lèvre inférieure était tuméfiée. Même de loin, on voyait qu'elle avait la chair de poule. Sataké se rappela avoir songé à gratter avec une lame tous ces grains semblables à du millet. Mais le couteau n'était pas pour tout de suite. C'était pour la fin.

Il imagina l'instant où la pointe fine et aiguë de son poignard fouillerait la hanche de Masako. Éprouverait-il la même volupté que dix-sept ans auparavant? Il voulait confronter l'homme qu'il était maintenant à celui qu'il avait été face à sa première victime. Il voulait vite retrouver son ancienne identité.

Il sortit de son sac le poignard protégé par une gaine de cuir noir et le posa doucement par terre.

Enfin la lumière du matin éclaira le corps de Masako. Sa peau blêmie par le froid regagnait peu à peu des couleurs comme une chair décongelée. Masako se détendant, il s'approcha d'elle.

– Tu fabriquais des paniers-repas dans ce genre d'endroit, non ? lui demanda-t-il.

Elle ne répondit pas et se contenta de le dévisager. Il la saisit violemment par le menton.

– Tu es sourde ou quoi ?

– Ça ne te regarde pas, répondit-elle, les lèvres paralysées par le froid, mais en laissant éclater sa colère.

– Tu ne devais pas imaginer que tu te retrouverais ligotée, hein ?

Elle se tourna de côté.

– Dis, comment tu l'as découpé, ton cadavre ? Comme ça ?

Il la saisit par le cou, fit semblant de la décapiter du bout du doigt, puis il traça une ligne imaginaire jusqu'à l'os pubien. Il avait appuyé fort avec son index, une trace violacée apparut sur la peau de sa victime.

– Comment t'est venue l'idée de le dépecer ? Comment t'estu sentie en le faisant ?

– C'est pas ton affaire.

– Tu es absolument comme moi. Toi aussi, tu es sur un chemin de non-retour.

– Que t'est-il arrivé ? demanda-t-elle en le regardant droit dans les yeux.

– Écarte les jambes, lui ordonna-t-il au lieu de répondre.

– Jamais.

Elle serrait obstinément les jambes. Il se penchait en avant pour la forcer à les écarter lorsqu'elle lui flanqua un coup de pied au visage. Content de voir qu'elle pouvait encore lui résister, il s'étendit sur elle et la viola. Le soleil de ce matin d'hiver éclairait le visage de Masako. Elle serrait les dents. Voyant qu'elle avait les yeux clos, il tenta de lui ouvrir les paupières de force.

– Regarde-moi.

– Jamais.

– Je vais te crever les yeux! dit-il en lui appuyant violemment les pouces sur les paupières.

– Plutôt ça que de te regarder!

Lorsqu'il relâcha sa pression, elle fit exprès de rouvrir imperceptiblement les paupières. Un éclat de colère brillait dans ses yeux.

– Regarde-moi mieux dans les yeux, lui ordonna-t-il.

– Pourquoi? demanda-t-elle en se ressaisissant.

– Tu me hais, non? Moi aussi, je te hais.

– Pourquoi tu me hais?

– Parce que tu es une femme.

– Eh bien, tue-moi! hurla-t-elle de rage.

Elle ne comprenait donc toujours pas? L'autre, elle, avait vite compris! Il était si exaspéré qu'il la gifla encore.

– T'es vraiment déglingué! s'écria-t-elle.

– Oui. Et toi aussi, lui répondit-il en lui caressant doucement les cheveux. Je l'ai compris dès que je t'ai vue.

Elle se tut. Cette fois-ci, elle fixait Sataké avec une véritable haine. Pour la première fois, il lui suça les lèvres. Elles avaient un goût salé de sang. La corde qui lui rentrait dans la chair des poignets était rouge de sang, elle aussi. Comme l'autre fois.

Il tendit le bras pour ramasser le poignard par terre. D'une main, il le retira du fourreau et le posa à côté de la tête de Masako. Sentant le danger qui la menaçait, au contact glacé de cette lame si proche de son visage, elle poussa un cri.

– Tu as peur? demanda-t-il.

Elle ne répondit pas et elle ferma les paupières. Sataké les rouvrit de force avec ses doigts. Il voulait voir s'il lisait dans ses yeux la peur ou une haine capable de la surmonter. Il caressa Masako comme s'il cherchait désespérément quelque chose en elle. Était-ce la femme de l'autre fois? Était-ce Masako? Lui-même? Un spectre? La réalité? Il n'avait plus la notion du temps. Pour lui, le corps de la femme à laquelle il était uni faisait partie du sien. Son plaisir serait le sien comme le sien serait celui de la femme. Alors il serait annihilé et n'aurait plus à être d'un monde pour lequel il ne s'était jamais senti fait.

Pris du désir fou de se fondre dans le corps de Masako, il lui suçait frénétiquement les lèvres et s'aperçut qu'elle le regardait de la même manière que lui. Il en fut attendri.

– Tu te sens bien ? lui demanda-t-il avec douceur.

Elle geignit fort. Enfin, ils faisaient l'amour pour de bon. La sentant proche de l'orgasme, il saisit lentement le poignard près de lui. Puis il la pénétra à fond. Il sentait la chaleur de ses entrailles, lentement ils s'acheminaient vers la véritable extase.

– J'ai une faveur à te demander, lui murmura-t-elle.

– Oui, quoi ?

– Coupe la corde.

– Je ne peux pas.

– Sinon, je ne pourrais pas jouir. Je veux jouir avec toi, le supplia-t-elle d'une voix rauque.

De toute façon, il la poignarderait. Il trancha la corde qui lui ligotait les poignets. De ses mains ainsi libérées, elle s'agrippa fermement à ses épaules. Il glissa ses bras dans son dos pour lui soutenir sa nuque. Il n'avait jamais fait un tel geste. Elle lui enfonça les ongles dans le dos et leurs corps ne firent plus qu'un. Il était près de jouir. Un gémissement lui échappant, il crut enfin avoir dépassé la haine et chercha à tâtons le poignard.

Mais soudain, là, dans son dos, il crut sentir que la lame scintillait au soleil. À son insu, Masako avait saisi le poignard et s'apprêtait à le lui enfoncer dans le corps. Il attrapa brutalement le bras de Masako pour la contraindre à lâcher l'arme et lui donna un coup violent en plein visage.

Masako porta les mains à sa figure et se détourna. Il se détacha d'elle en haletant violemment et hurla de colère.

– Connasse, il va falloir recommencer à zéro !

Il était furieux moins d'avoir failli être tué que d'avoir gâché sa jouissance. Pire encore, il était triste de constater qu'elle n'était pas dans les mêmes dispositions que lui.

Elle s'était évanouie. Il lui effleura les joues à l'endroit où il l'avait frappée. Il la prit en pitié et s'apitoya sur lui-même qui était incapable d'atteindre l'orgasme sans tuer sa partenaire. Déglingué, il l'était. Dans ce premier sursaut de conscience, il se cacha la tête entre ses bras.

– Laisse-moi aller aux toilettes, dit-elle en rouvrant les yeux au bout d'un moment, le visage toujours tourné de l'autre côté.

Elle tremblait de tous ses membres. Il l'avait trop frappée. S'il la laissait s'épuiser ainsi, elle risquait de mourir sans qu'il ait joui.

– Oui, allez, vas-y.

– J'ai froid.

Elle descendit sur le sol en béton en chancelant. Puis elle enfila lentement sa parka abandonnée par terre. Sataké la suivit jusqu'aux cuvettes dans un coin de l'usine.

Il y en avait trois. Sans murs ni piliers, elles paraissaient sortir de terre. La chasse ne devait pas fonctionner, la céramique étant souillée de traces grises. Mais l'air incapable de penser à quoi que ce soit, Masako s'assit sur la première cuvette et urina sans se soucier du regard de Sataké.

– Grouille-toi.

Elle se releva avec des gestes lents et revint vers lui. Les jambes flageolantes, elle marcha sur un bidon d'huile et se retint en s'appuyant par terre des deux mains. Sataké se précipita pour la relever en la prenant par le col de sa parka. Hébétée, elle resta debout, les mains dans les poches.

– Viens vite.

Alors qu'il levait la main pour lui asséner un autre coup de poing, quelque chose de froid lui frôla la joue, comme si les doigts glacés d'une femme l'effleuraient. Étaient-ce les doigts de sa première victime ? Il crut avoir été touché par un fantôme. Il regarda dans le vide et porta une main à sa joue gauche. De la chair s'en détacha et une grande quantité de sang gicla par terre.

CHAPITRE 7

Masako était allongée, paralysée de froid.

Rien à voir avec un simple réveil, après une nuit de sommeil : son corps, là, était complètement éveillé, mais sa conscience, pesante, s'attardait toujours dans un monde de confusion.

Elle se décidait à ouvrir les yeux : elle était plongée dans une obscurité qui semblait envahir tout l'espace. Elle était au fond d'un trou noir et glacial. Tout en haut, brillait une vague lueur. Le ciel. Elle voyait la voûte céleste de la nuit à travers une petite lucarne. Elle se souvenait que, la veille, elle avait aperçu le ciel sans étoiles.

L'odorat lui revint. L'odeur était familière. Le béton froid et l'eau de lavage. Relents mêlés, moisis et pourris. Il lui fallut encore un peu de temps pour comprendre qu'elle se trouvait dans l'usine désaffectée.

Pourquoi était-elle pieds nus ? Elle palpait son corps et constatait qu'elle n'avait sur elle qu'un tee-shirt et ses sous-vêtements. Elle avait la peau froide et sèche comme la pierre, et avait du mal à admettre que c'était la sienne. Elle avait terriblement froid. Une lumière puissante se posait sur son visage. Éblouie, elle plissait les yeux et se protégeait de ses mains.

– Masako Katori, lançait la voix de Sataké.

Elle était prisonnière. Elle se rappelait que, peu avant, elle avait été étranglée par-derrière, dans le parking. Elle soupirait de désespoir. Elle allait être son jouet et finirait assassinée. Elle était prisonnière dans ce monde de cauchemar alors même qu'elle venait d'apercevoir enfin la sortie ! Elle maudit son moment d'inattention, regarda la lumière et hurla.

– Merde !

Presque aussitôt Sataké lui donnait un ordre étrange.

– Non, non. Tu devrais plutôt dire : « Espèce de salaud, tu m'as eue ! »

Alors elle se rendait compte qu'il était obsédé par un événement du passé et tentait de le reproduire. C'était bien moins le meurtre de Kenji que cet événement du passé qui le hantait et excitait son besoin de vengeance à son égard. Cette idée la terrifiait plus que tout. Comme elle l'avait dit à Yayoi, elles avaient réveillé un « monstre ».

Elle lui donnait un coup de pied dans le ventre, se libérait de l'étau de ses bras et s'enfuyait dans l'obscurité. Il aurait été merveilleux de pouvoir s'évaporer dans les airs et de s'y cacher pour l'éternité ! La présence de Sataké ranimait en elle une peur archaïque, comme celle des bébés qui pleurent dès que la nuit tombe. La nuit réveillant des forces surnaturelles qui dépassent l'entendement, il y avait quelque chose en elle, quelque chose dont elle n'était pas tout à fait consciente, qui l'excitait. Elle ne faisait pas que vouloir le fuir ; dans ses propres ténèbres il y avait quelque chose qu'il fallait fuir.

Débris de béton, morceaux d'acier, sacs en plastique et déchets indistincts s'enfonçaient mollement sous ses pas et lui déchiraient la plante des pieds, mais ce n'était guère le moment de s'en préoccuper. Elle courait dans les ténèbres et, hors d'atteinte du faisceau de la torche, cherchait désespérément la sortie.

– Rends-toi, Masako !

Elle était tout près de la sortie lorsqu'elle avait entendu sa voix.

– Je ne rendrai jamais les armes, lui répondait-elle.

Sataké ne voulait pas en parler, mais elle savait parfaitement qu'il ne s'agissait pas d'une simple vengeance. Elle voulait connaître la véritable motivation de ses agissements. Chaque fois que la voix de Sataké lui parvenait à travers les ténèbres, elle imaginait ses expressions qu'elle ne voyait pas.

À un moment donné, elle avait senti qu'il s'était mis à bouger. Sans faire de bruit, elle se dirigeait en rampant vers le comptoir de livraison. Là aussi, il y avait un rideau métallique rouillé. N'y avait-il pas moyen de le remonter un peu? Pendant ce temps, en silence lui aussi, Sataké orientait en tous sens le faisceau lumineux de sa torche pour la tester et voir de quoi elle serait capable.

Elle parvenait enfin à la trappe de chargement, se hissait sur un piédestal de béton de quatre-vingts centimètres de haut et forçait le petit volet pour l'ouvrir. Elle faisait beaucoup de bruit, mais peu lui importait. Encore quelques centimètres et elle serait libre. Le tout était de le faire à temps. Elle l'entrebâillait en y mettant toutes ses forces et arrivait à se faufiler dehors jusqu'au niveau de la poitrine. L'air extérieur qu'elle respirait un instant était chargé des miasmes du canal, mais lui semblait doux.

Mais bientôt, il la ramenait dans les ténèbres, la jetait par terre et la rouait de coups. La douleur physique n'était rien à côté de la déception qu'elle éprouvait d'être allée si loin, d'avoir enfin la liberté à portée de main et de devoir la perdre, pour de bon cette fois, tout l'indiquait. Et toujours et encore elle ne comprenait pas pourquoi c'était elle, et pas les autres, qu'il avait prise pour cible.

Elle était maintenant attachée au socle d'acier inoxydable, froid comme de la glace. La surface métallique aurait pu se réchauffer au contact de son corps, mais la chaleur se dissipait aussitôt. Jamais encore elle n'avait connu pareil froid, mais elle n'avait aucune envie de céder. Pas question de se résigner. Tant qu'elle serait en vie, elle exigerait de son corps qu'il lutte contre l'acier. Elle se contorsionnait pour que ses mouvements dégagent de la chaleur, sinon le socle et son corps ne feraient plus qu'un.

Sataké lui redonnait une gifle. Gémissant de douleur, elle cherchait dans son regard la confirmation de sa folie. S'il s'était agi de ça, elle aurait pu se résigner. Mais non, il n'y avait aucune trace de folie en lui. Ce n'était ni un jeu ni un supplice.

Il semblait la rouer de coups pour voir si la haine allait jaillir en elle. Il voulait être haï. Il voulait qu'elle explose de haine afin de pouvoir l'assassiner.

Alors il la pénétra et elle se sentit atrocement humiliée. C'était la première fois depuis des années qu'on lui faisait l'amour et ce n'était qu'un viol ! Elle qui n'était plus toute jeune, elle était de nouveau soumise à la volonté d'un homme. Quand, peu auparavant, Kazuo l'avait prise entre ses bras, elle s'était sentie apaisée. Elle ne fut plus que haine envers Sataké. Tout comme Sataké abominait la femme en elle, elle exécra l'homme en lui. L'acte sexuel, elle l'avait appris, pouvait être source de haine.

Il la violait, mais elle savait qu'il vivait un rêve. Il évoluait dans un fantasme sans fin dont il était le seul à posséder les clés. Elle ne lui servait que d'instrument vivant propre à le nourrir. L'espace d'un instant, elle se demandait comment échapper au fantasme d'autrui, mais mieux valait n'y pas penser. Mieux valait chercher à comprendre l'homme qui la violait, chercher à savoir ce qui l'attendait. Sinon, elle souffrirait pour rien. Elle voulait savoir ce qu'il avait pu vivre dans son passé. Alors qu'il pesait sur elle, elle contemplait le vide au-dessus d'eux. C'était là qu'était sa liberté, au-dessus du dos de cet homme.

Après l'acte, dans sa fureur, elle l'avait traité de pervers. Mais elle savait pertinemment qu'il ne l'était pas. Ni pervers ni fou. Âme perdue, il errait, cherchant violemment quelque chose. S'il pensait la trouver en elle, alors peut-être pourrait-elle l'accompagner dans sa quête... et avoir la vie sauve...

Elle attendait impatiemment que la lumière envahisse l'usine et que la température monte un peu. Elle ne supportait plus ce froid. Elle ignorait que le froid puisse causer de pareilles douleurs. Inutile de vouloir bouger : comme pris de convulsions, ses membres tremblaient d'eux-mêmes.

Le soleil devrait être haut dans le ciel pour que ses rayons réchauffent enfin l'air glacial de l'usine. Elle ne tiendrait pas jusque-là. Elle ne voulait pas lâcher, mais il était évident que si cela continuait ainsi, elle mourrait de froid. Résistant aux soubresauts de ses convulsions, elle regarda autour d'elle. Carcasse d'usine… Sépulcre de béton… Après tout, elle avait travaillé deux ans, et de nuit, dans un lieu semblable : elle se dit que c'était son destin d'y mourir. Était-ce donc le sort cruel qui lui était réservé une fois qu'elle avait ouvert cette porte ? Aide-moi, murmura-t-elle. Elle ne s'adressait ni à Yoshiki ni à Kazuo. Elle s'adressait à Sataké, l'homme qui la torturait.

Elle se tourna vers lui et chercha son regard. Assis en tailleur à quelque distance du socle où elle était allongée, il la regardait trembler. Il ne jouissait pas de sa souffrance, il semblait attendre quelque chose, mais quoi ? Elle scruta son visage à travers les ténèbres. De temps à autre, il levait les yeux vers les lucarnes. Lui aussi paraissait attendre le lever du soleil. Lui aussi tremblait de froid, mais il restait nu ; ce n'était donc pas le froid qui le faisait le plus souffrir.

Sentant son regard peser sur lui, il leva les yeux vers elle. Leurs regards se croisèrent dans la pénombre. Exaspéré, il tourna la molette de son briquet, lui éclaira un instant le visage et alluma une cigarette. Il guettait sa réaction. Il cherchait quelque chose, elle le sentait. Il voulait que le jour se lève, vite. Il attendait en silence le moment où il pourrait voir de près ce qu'il cherchait. Dès qu'il l'aurait découvert, il la tuerait. Elle ferma les paupières.

Et les rouvrit en sentant un mouvement dans l'air. Il s'était relevé et sortait un objet de son sac. Fourreau noir. Probablement un couteau. Était-ce l'arme qui entrerait dans sa chair ? Elle imagina qu'à cet instant le froid qui glaçait son dos s'enfoncerait profondément dans ses entrailles et les fouaillerait. L'horreur la submergea, accélérant ses convulsions. Elle espéra que Sataké ne les attribuerait qu'au froid et pour le tromper, se détourna.

Enfin la lumière entrait dans le bâtiment.

Elle sentit que sa peau desséchée et crispée par le froid se relâchait. Ses pores respiraient enfin. Dès qu'un peu de chaleur l'envelopperait, elle pourrait dormir. Mais elle se rappela le poignard que Sataké avait sorti du sac et ricana : c'était fichu. Elle n'échapperait pas à la mort.

À cette heure-là, quand le jour se levait, elle quittait l'usine et rentrait préparer le petit déjeuner ou faire la lessive. Et quand le soleil montait dans le ciel, elle s'endormait. Que penseraient Yoshiki et Nobuki en ne la voyant pas revenir ? Qu'elle soit tuée ici ou qu'elle réussisse à s'enfuir, elle s'était déjà trop éloignée d'eux de toute façon. Yoshiki avait affirmé qu'il ne partirait pas à sa recherche. C'était bien ainsi, se dit-elle comme pour se consoler un peu. Elle savoura la satisfaction d'être allée aussi loin.

Lorsqu'il y eut assez de lumière dans l'usine, il s'approcha d'elle.

– Tu fabriquais des paniers-repas dans ce genre d'endroit, non ? lui demanda-t-il.

Il s'amusait comme si elle n'était plus qu'un aliment sur la chaîne. Elle tenta de dissimuler sa crispation. Comme il le disait, elle n'avait jamais imaginé être attachée là un jour – là, sur la chaîne de fabrication. À la fabrique, la vitesse de la chaîne dépendait de Yoshié. Mais, Yoshié, elle, s'était trouvé une porte de sortie. La sienne allait être bloquée par Sataké.

– Comment découpe-t-on un cadavre ?

Puis, du bout de ses doigts fins, il fit le geste de la décapiter et traça une ligne du menton jusqu'à l'os pubien, comme pour une dissection. La douleur la fit hurler.

– Comment t'est venue l'idée de le dépecer ? Comment t'es-tu sentie en le faisant ? insista-t-il.

Elle comprit qu'il cherchait à exciter sa haine.

– Tu es absolument comme moi. Toi aussi, tu es sur un chemin de non-retour.

C'était vrai, elle ne pouvait plus faire machine arrière. Elle avait déjà entendu plusieurs portes se refermer derrière elle. C'était le jour où elle avait dépecé Kenji que la première avait claqué dans son dos. Qu'était-il arrivé à Sataké ? Elle l'interrogea, mais n'obtint pas de réponse. Elle soutint son regard dans la pénombre. Il lui sembla qu'il y avait un marécage énorme dans ses yeux. Ou alors simplement le vide.

Il glissa soudain ses doigts froids entre ses cuisses. Elle poussa un cri. Il la pénétra de nouveau, elle fut surprise par la chaleur de son corps. Ses membres glacés lui furent reconnaissants d'être ainsi réchauffés plus vite que par le soleil. La chose brûlante et dure qu'elle avait en elle semblait faire fondre ses entrailles. Ce qui unissait leurs deux corps était probablement plus chaud que tout le reste de l'espace environnant. Masako fut troublée de sentir qu'elle y prenait un plaisir presque innocent. Elle ne voulait surtout pas qu'il s'aperçoive que son corps l'accueillait. Elle ferma les paupières pour qu'il ne surprenne pas son regard. Il y vit à nouveau un refus.

– Regarde-moi, dit-il.

Elle refusa. Alors il tenta de lui écraser les yeux avec les pouces. Mais ça lui était bien égal ! Mieux valait avoir les yeux crevés que de lui révéler qu'elle l'accueillait en elle. Elle le haït de toute son âme. Elle ne pouvait supporter que ses yeux ne le lui montrent pas.

Alors il lui lança qu'il la détestait parce qu'elle était une femme. Si c'était vrai, il n'avait qu'à la tuer, sans la prendre dans ses bras. Il la roua de coups pour susciter sa haine. Elle le prit en pitié de ne pouvoir obtenir son plaisir sans passer par la haine et devina quelque chose dans son passé.

– Tu es vraiment déglingué, toi !

– Oui. Et toi aussi, tu l'es. Je l'ai compris dès que je t'ai vue.

Oui, elle était déglinguée d'avoir pu être attirée par un tel homme. Et dès le premier jour. Elle pensa au mystère de ce qui l'unissait à lui et le détesta avec encore plus de détermination pendant qu'il bougeait en elle. Il lui suça les lèvres et le fit avec une telle passion qu'elle comprit que lui aussi était attiré par elle. Il retira le poignard de sa gaine et le posa près de son visage.

La lame glaciale, si près de sa joue, la menaçait. Elle prit peur et ferma instinctivement les paupières. Il les lui rouvrit de force pour la regarder. Elle soutint son regard. Elle aurait voulu le transpercer de cette lame, comme en cet instant lui-même la transperçait.

La lumière envahissait maintenant l'usine dans ses moindres

recoins. Un éclair mystérieux brilla soudain dans le marécage des yeux de Sataké. Enfin elle existait à ses yeux, il la prenait en pitié, mais sans chercher à obtenir quoi que ce soit. Tout comme elle s'était dit qu'elle pouvait se laisser tuer par lui, il était prêt à s'anéantir en elle. Soudain, elle se rendit compte qu'elle le comprenait.

Elle sentit que le fantasme dans lequel il était pris commençait à se désagréger et que Sataké reprenait peu à peu pied dans la réalité. Ils se regardèrent et ne formèrent plus qu'un. C'était elle, et elle seule, qu'elle voyait dans son regard. Une vague d'extase incroyable allait la submerger. Oui, mourir ainsi, elle le pouvait. C'est alors que la lame scintilla près de son visage et la ramena sur terre.

Elle avait reçu un coup de poing et perdu connaissance.

Peu après, elle était réveillée par une douleur au menton, qui l'empêchait presque d'ouvrir la bouche. Elle avait la nausée. Exaspéré, il la regardait. Il était furieux d'avoir manqué de peu son but, qu'elle avait réduit à néant. Elle lui demandait de la laisser aller aux toilettes.

Elle obtenait sa permission et retrouvait le sol. Enfin détachée, elle se demandait depuis combien d'heures elle n'avait pas marché. Une fois debout, elle sentait son sang circuler de nouveau dans ses veines. Un froid déchirant parcourait ses membres. Elle hurlait de douleur.

Elle enfilait la parka abandonnée par terre. Sa peau longtemps exposée au froid s'habituant au contact du nylon, elle savourait ces instants. Sataké, lui, restait muet.

Les cuvettes se trouvaient dans un coin de l'usine. Elle s'y rendait. Elle marchait difficilement sur ses jambes flageolantes. Elle marchait sur un objet pointu. Sa plante de pied se mettait à saigner, mais elle n'en ressentait aucune douleur. Elle s'asseyait sur une cuvette sale et urinait. Elle savait que Sataké la regardait, mais ça lui était égal. Elle aspergeait d'urine ses deux mains engourdies; au contact du liquide chaud, celles-ci lui faisaient soudain très mal. Elle étouffait un gémissement. Elle se relevait, certaine qu'il n'y avait pas d'eau au robinet. Elle enfonçait les mains dans ses poches et revenait auprès de Sataké.

– Grouille-toi.

Elle trébuchait sur un bidon d'huile. Son corps ayant perdu le sens de l'équilibre, elle avait du mal à se relever. Sataké accourait et la prenait par le col de sa parka pour la relever brutalement, comme un chaton. Ses yeux trahissaient son impatience à recommencer. Elle gardait les mains dans ses poches pour les réchauffer, mais ses doigts restaient ankylosés.

– Viens vite, disait-il.

Elle se frottait les doigts au fond de ses poches.

Lorsqu'il leva la main droite pour la frapper de nouveau, elle lui entailla le visage avec le scalpel qu'elle avait gardé dans sa poche. Il regarda dans le vide un instant, l'air hébété, sans comprendre ce qui venait de se passer, puis il se toucha la joue. Elle retint son souffle pour voir ce qui allait suivre. N'en croyant pas ses yeux, Sataké tentait de contenir le flot de sang sur sa joue. Le scalpel s'était enfoncé jusqu'à l'os et lui avait arraché la joue gauche. Du coin de l'œil jusqu'au bas du menton.

CHAPITRE 8

Sataké tomba en arrière. Il avait porté la main à sa joue, mais le sang jaillissait entre ses doigts. Persuadé d'avoir commis quelque chose d'irréparable, Masako poussa un hurlement.

– Tu m'as eu ! murmura Sataké en crachant le sang qui commençait à lui remplir la bouche.

– Tu voulais me tuer.

Il baissa la main gauche pour regarder le sang qui lui collait aux doigts.

– C'est ta gorge que je visais, mais j'avais les doigts engourdis et j'ai raté ma cible.

Elle avait perdu tout sang-froid et ne savait même plus ce qu'elle disait. Elle s'aperçut qu'elle avait encore le scalpel dans la main droite et le jeta à terre. L'instrument tomba avec un bruit sec sur le béton et rebondit. Elle en avait planté la lame dans un bouchon de liège en sortant de chez elle et l'avait glissé dans sa poche.

– Tu es une femme géniale.

Le compliment était inattendu et la fit reculer.

– Tu aurais mieux fait de m'achever tout de suite, reprit-il. J'en aurais été ravi.

L'air lui rentrant dans la bouche par le trou de sa joue, il avait du mal à articuler.

– Tu voulais me tuer ?

– Je n'en sais plus rien, dit-il en tournant la tête, et il regarda le plafond.

Les rayons aveuglants du soleil matinal entraient par toutes les lucarnes de l'usine désaffectée. Des colonnes de poussière lumineuses reliaient les ouvertures carrées au sol de béton, comme des poursuites au théâtre. Toute tremblante, elle suivit son regard et observa les lucarnes. Ce n'était plus le froid qui la faisait frissonner, mais ce qui allait en découler : elle risquait de perdre Sataké pour l'éternité. Un ciel bleu pâle s'étendait au-dessus d'eux. Comme pour effacer le carnage de la veille, une douce journée d'hiver s'annonçait. Il contempla la flaque de sang qui grandissait à ses pieds.

– Je ne voulais pas te tuer, reprit-il. Je voulais te voir mourir.

– Pourquoi ?

– J'aurais pu me dire que je t'aimais, du fond du cœur.

– Et il fallait en passer par là…

– Je crois, oui, répondit-il en la regardant dans les yeux.

– Ne meurs pas, murmura-t-elle.

Il en eut l'air étonné. Le sang dégoulinait de sa joue et commençait à baigner tout son corps.

– J'ai tué Kuniko, reprit-il. J'en avais tué une autre avant. Elle était exactement comme toi. Je crois que c'est à ce moment-là que je suis mort la première fois. Quand je t'ai vue, j'ai voulu mourir une deuxième fois.

– Je suis vivante, dit-elle. Je ne veux pas que tu meures.

Elle ôta sa parka qu'elle portait à même la peau et qui l'empêchait de l'étreindre. Masako avait le corps lourd et le visage tuméfié sous ses coups. Si elle s'était vue dans un miroir, elle aurait constaté qu'elle s'était métamorphosée de façon inouïe, mais quelle importance ?

– Je pense que je suis foutu, dit-il, presque soulagé.

Tout son corps s'était mis à trembler. Elle s'approcha de lui pour regarder sa blessure. Elle était profonde et nette. Elle appuya dessus avec deux doigts pour arrêter l'hémorragie.

– Arrête, dit-il. C'est inutile. Une artère a dû être sectionnée.

Mais elle n'arrêta pas. Il était en train de mourir. Elle se demanda si elle ne l'avait rencontré que pour partager cet instant. Elle regarda autour d'elle de nouveau. L'usine était un gigantesque sépulcre où leur couple avait pu se rencontrer, se comprendre, puis se séparer.

– Tu peux me donner une cigarette ? lui demanda-t-il en articulant avec difficulté.

Elle se ressaisit, prit une cigarette dans la poche du pantalon
que Sataké avait laissé dans un coin, l'alluma et la glissa entre
les lèvres. Le filtre s'imbiba de sang aussitôt, mais il réussit à en
tirer un mince filet de fumée. Elle s'agenouilla devant lui et le
regarda dans les yeux.

– Je t'emmène à l'hôpital, dit-elle.

– Hô-pi-tal, murmura-t-il dans un semblant de sourire.

Un tendon avait dû être sectionné car son sourire se réduisit
à un léger relâchement de sa joue restée indemne.

– L'autre femme que j'ai tuée est morte elle aussi en disant
ça. Je vais donc mourir de la même façon. C'est peut-être le destin…

Sa cigarette retomba par terre avec un bruit mat. Elle était
presque intacte et s'éteignit dans la mare de son sang. Comme
résigné, Sataké ferma les paupières.

– On y va quand même, dit-elle.

– Si on y va, on sera coffrés tous les deux.

Il avait raison : en sortant dans cet état-là, il était certain qu'ils
s'exposeraient au châtiment. Elle l'attrapa par les épaules, il la
serra contre lui, elle sentit sa peau glacée sous la sienne. Leurs
deux corps étaient imprégnés de son sang.

– Je veux que tu vives.

– Pourquoi ? lui demanda-t-il à voix basse. Je t'ai fait beaucoup souffrir.

– Si tu meurs, ce sera comme si je mourais moi aussi. Je ne
survivrais pas à une telle tristesse.

– J'ai bien vécu avec, dit-il en fermant les yeux.

Prise de frénésie, elle fit tout ce qu'elle pouvait pour refermer sa plaie et stopper l'hémorragie, mais il perdait de plus
en plus conscience. Il entrouvrit les yeux, la regarda et lui
demanda :

– Pourquoi veux-tu que je vive ?

– Parce que je t'ai compris. On est de la même race, toi et
moi. On vivra ensemble.

Elle aurait aimé l'embrasser sur la bouche, mais il y avait trop de sang. Seuls ses yeux embués étaient encore dotés de vie et la contemplaient.

– Je n'avais jamais imaginé ça. C'est vrai qu'on a cinquante millions. Si on arrive à l'aéroport, ça s'arrangera.

Il parlait par bribes, comme si le langage de l'espoir ne lui était pas naturel.

– Il paraît que c'est bien au Brésil, dit-elle.

– Tu m'y emmèneras?

– Oui. Je ne peux plus reculer.

– Maintenant… nous deux… on ne peut plus ni reculer ni avancer.

Il avait raison: il n'y avait plus rien à faire. Elle regarda ses doigts couverts de sang.

– Oui, libres, reprit-il dans un souffle.

– Oui.

Il tendit la main pour lui effleurer la joue. Il avait le bout des doigts glacés.

– Le sang ne coule plus, dit-elle.

Devinant sans doute que c'était un mensonge, il se contenta d'acquiescer, faiblement.

CHAPITRE 9

Masako marchait dans un couloir de la gare de Shinjuku, sans même se rendre compte qu'elle marchait. Elle avançait le pied droit, puis le gauche, encore et encore, et se laissait entraîner dans le flux naturel de la foule. Elle s'aperçut qu'elle sortait de la gare.

Une fois franchi le portillon, elle descendit dans la galerie souterraine et aperçut sa silhouette dans la vitrine d'un magasin de chaussures. Ses lunettes de soleil dissimulaient ses yeux tuméfiés. Elle avait refermé le col de sa parka pour qu'on ne la voie pas trembler. Elle s'immobilisa et ôta ses lunettes noires pour se regarder. Ses joues étaient encore enflées, mais les marques de coups y étaient moins visibles. Ses yeux, eux, étaient encore très gonflés d'avoir pleuré.

Elle remit ses lunettes et découvrit qu'elle se trouvait devant la porte de l'ascenseur qui menait au centre commercial au-dessus de la gare. Sans hésiter, elle y entra et appuya sur le bouton du dernier étage. Elle ne savait plus où aller.

Les portes s'ouvrirent, elle était devant un alignement de restaurants. Elle pourrait y rester assise sans attirer les regards. Elle s'assit sur un banc près de la baie vitrée et posa le sac de nylon entre ses jambes. Il contenait les cinquante millions de Sataké et les six millions qui lui appartenaient.

Elle prit une cigarette, la porta à ses lèvres et, triste et le regard vague derrière ses lunettes noires, repensa à la dernière cigarette de Sataké. Mais l'envie de fumer lui passant, elle jeta la cigarette encore allumée dans le cendrier d'acier inoxydable devant elle. Le mégot crépita dans l'eau et s'éteignit. C'était presque avec ce même bruit que la cigarette que Sataké avait laissée tomber s'était éteinte dans la mare de son sang.

Incapable de tenir en place, elle prit son sac, se leva et contempla le quartier de Shinjuku à travers la grande baie vitrée. Au-delà de l'avenue Yasukuni s'étendait Kabukichô. Elle s'appuya à la vitre et, dans la faible lumière de cet après-midi d'hiver, regarda les néons encore éteints et les enseignes aux teintes fanées. Comme un fauve assoupi, le quartier semblait inerte et avachi, mais dès le réveil il poursuivrait ses proies sans dissimuler sa férocité. Grouillant, vil et avide de plaisirs, c'était le territoire de Sataké. La porte qu'elle avait ouverte en choisissant de travailler de nuit dans une fabrique de paniers-repas l'avait donc conduite sur les terres de Sataké, où elle ne s'était jusque-là guère aventurée.

L'idée lui vint de se rendre à Kabukichô et d'aller voir où s'était trouvé son casino, mais cela ne fit que raviver d'autres émotions. Elle avait passé les deux jours précédents allongée sur un lit dans un hôtel anonyme. Sans rien manger, elle avait ressassé son sentiment de vide absolu et de tristesse, à travers mille tourments. Ce souvenir lui revenant, elle se sentit renaître et eut l'impression de retrouver le corps de Sataké. Elle laissa échapper une sorte de râle – impossible de s'en empêcher : elle aurait tant voulu le revoir.

Respirer le même air que lui, traverser le même paysage.

Trouver un homme qui lui ressemblerait et poursuivre son rêve ? En elle resurgissaient les espérances perdues.

Elle tourna les talons et se mit à courir. Sur les carreaux polis et impeccablement cirés ses chaussures de sport, qui ne convenaient ni à l'endroit ni à son âge, crissaient désagréablement. Étonnée par le bruit qu'elles faisaient, elle s'immobilisa et se retourna vers la baie vitrée. L'espace d'un instant, le monde lui parut plongé dans les ténèbres de l'usine désaffectée.

Non, je n'irai pas, se dit-elle.

Non, elle ne vivrait pas prisonnière de Sataké. Lui, il avait été piégé par ses fantasmes passés. Sans doute un choix que seul un être aussi étrange que lui avait pu se permettre. Incapable d'avancer et de reculer, il n'avait pu que creuser plus profondément dans son cœur.

Que deviendrait-elle à présent? Elle regarda ses ongles taillés à ras. À cause de son travail à la fabrique ces deux dernières années, elle ne les avait jamais laissés pousser. Ses mains livides étaient rongées par le désinfectant. Elle repensa aux vingt ans qu'elle avait donnés à la Caisse de crédit, au fils qu'elle avait enfanté, au foyer qu'elle avait créé. Que lui restait-il de tous ces jours? Qu'était-elle de plus que les traces qu'ils avaient laissées sur son corps? Sataké lui au moins avait vécu ses chimères. Elle, elle s'était coltiné tout le réel, d'un bout à l'autre. Elle se rendit compte que la liberté à laquelle elle avait aspiré n'avait rien à voir avec celle dont avait rêvé Sataké.

Elle appuya sur le bouton d'appel de l'ascenseur. Elle allait s'acheter un billet d'avion. Cette liberté qu'elle cherchait n'était ni celle de Sataké, ni celle de Yoshié, ni celle de Yayoi, mais lui appartenait à elle seule et devait nécessairement se trouver quelque part. Qu'une porte se referme dans son dos et – il n'y avait pas d'autre choix – il ne lui resterait plus qu'à en trouver une autre et l'ouvrir. Tout près, elle entendit l'ascenseur qui montait vers elle, comme un souffle de vent.

TABLE

RÉALISATION : PAO ÉDITIONS DU SEUIL
IMPRESSION : S. N. FIRMIN-DIDOT AU MESNIL-SUR-L'ESTRÉE
DÉPÔT LÉGAL : MAI 2006. N° 78953 (79245)
Imprimé en France